VOOR ALTIJD

Van Harriet Evans verschenen eerder:

Bij ons thuis
Een hopeloze romantikus
De liefde van haar leven
Weet je nog?

Harriet Evans

Voor altijd

VAN HOLKEMA & WARENDORF
Uitgeverij Unieboek | Het Spectrum bv, Houten – Antwerpen

Oorspronkelijke titel:
Vertaling: Joost van der Meer en Bill Oostendorp
Omslagontwerp: Wil Immink
Omslagfoto: Fotolia
Opmaak: ZetSpiegel, Best

BIBLIOTHEEK
HEERENVEEN

ISBN 978 90 475 2049 8 | NUR 302

www.harrietevans.com
www.unieboekspectrum.nl

Van Holkema & Warendorf maakt deel uit van
Uitgeverij Unieboek | Het Spectrum bv
Postbus 97, 3990 DB Houten

Voor Chris

We kunnen nooit terug, zoveel is wel zeker. Het verleden ligt nog te dicht achter ons.
Wat we hebben geprobeerd te vergeten en achter ons te laten zou weer bovenkomen,
en die angst, dat gevoel van heimelijke onrust, het ellenlange geworstel tot een blinde,
irrationele paniek — die goddank is bedaard — zou onverwacht wel eens
een levende metgezel kunnen worden, net als vroeger.

— Rebecca, Daphne du Maurier

Eén vol uur van roemrijk leven
is een anoniem tijdperk waard.

— Thomas Osbert Mordaunt, aangehaald door rechter Marshall
in diens vonnis tijdens het proces Stephen Ward, 30 juli 1963

Proloog

Cornwall, 1963

Als je je ogen sluit kun je hen misschien nog zien. Net als op die zonovergoten middag, de dag waarop alles veranderde.

Buiten, in de schaduw naast het terras, toen ze dachten dat niemand keek. In de keuken bereidt Mary een kipsalade en ze zingt mee met de radio. Er is verder niemand thuis. Het is de stilte voor de lunch, te warm om iets te doen.

'Kom op,' zegt ze lachend. 'Eén sigaretje maar, daarna mag je weer naar boven.' Ze klemt haar kleine witte tanden op elkaar, haar roze lippen zijn nat. 'Ik beloof dat ik niet zal bijten.'

Angstig kijkt hij om zich heen. 'Goed.'

Met haar rug naar hem toe baant ze zich zelfverzekerd een weg door de dichte braamstruiken en het grijsgroene riet, en dan over het oude pad naar de zee. Haar glanzende haar zit verborgen onder de oude, groen met gele handdoek die ze om haar nek heeft geslagen. Zenuwachtig volgt hij haar.

Hij is doodsbang voor deze ontmoetingen; doodsbang omdat hij weet dat het niet goed is wat ze doen, maar toch verlangt hij ernaar, meer dan naar wat ook. Hij wil haar honingzachte huid voelen, hij wil met zijn hand langs haar dij en omhoog, met zijn neus tegen haar hals wrijven, hij wil haar koele, wrede lach horen. Hij heeft een handjevol vrouwen gekend: gretige studentes met wilde haardossen, met inkt besmeurde vingers en naar bier ruikende adem, maar dit is anders. Vergeleken met haar is hij nog maar een jongen.

O, hij weet dat het verkeerd is wat ze doen. Hij weet dat zijn hoofd tolt, door de warmte, de lange, lichte avonden, het bedwelmende, bijna beangstigende gevoel van bevrijding hier in Summercove, maar het kan hem gewoon niets schelen. Eindelijk voelt hij zich echt vrij.

De wereld wordt een andere plek, er gebeurt iets deze zomer. Er is een verandering op komst, dat voelt iedereen. En dat gevoel concentreert zich op deze plek, in de zoete, van lavendel doortrokken lucht van Summercove, waar de krekels tot diep in de nacht tjirpen en waar de familie Kapoor haar gasten vrij laat om te doen wat ze willen, zo lijkt het... In

7

Summercove is het alsof je midden in zo'n glazen bolletje zit waarmee je als kind speelde, zichtbaar voor de buitenwereld, gevuld met glittertjes, wachtend tot je heen en weer wordt geschud. Ook de familie Kapoor weet het. Ze zijn allemaal motjes, aangetrokken door het flakkerende kaarslicht.

'Schiet op, lieverd,' zegt ze, inmiddels bijna onder aan de trap in het heldere licht, terwijl de witte stippen op haar blauwe zwempak voor zijn ogen dansen. Hij klampt zich vast aan het touw, opnieuw doodsbang. De uit de kliffen gehouwen treden zijn donker en glad, en slijmerig van de algen. Lachend bekijkt ze hem. Door haar voelt hij zich vaak belachelijk. Het is voor het eerst dat hij omgaat met kunstzinnige, vrijgevochten mensen. Zijn hele leven, en zelfs nu, is hij gewend geweest aan regels, wordt hem verteld wanneer hij zich achter zijn oren moet wassen, wanneer hij een opstel moet inleveren, en is hij gewend aan de geur van zweterige jongens, jongemannen inmiddels, die in de rij staan voor een maaltijd of zich omkleden voor het cricket. Daar staat hij boven aan de ladder, kent hij zijn plek, in die wereld voelt hij zich veilig.

Hij rechtvaardigt het door tegen zichzelf te zeggen dat dit anders is. Het is een laatste uitspatting, en hij wil er het beste van maken, ook al is het dan beangstigend... Terwijl ze vanaf het strand naar hem omhoogkijkt, met een sigaret bungelend tussen haar lippen, glijdt hij uit op een glibberige tree. Zijn knie schiet onder hem weg, en een angstig moment denkt hij dat hij zal vallen totdat hij zijn andere been met een klap neerzet en zich op het allerlaatste moment herstelt.

'Voorzichtig, lieverd,' zegt ze op haar lijzige toon. 'Die trap wordt nog eens iemands dood.'

Geschrokken bereikt hij het strand. Ze loopt op hem af en reikt hem lachend een sigaret aan. 'Zo onhandig,' zegt ze, en op dat moment haat hij haar omdat ze zo verfijnd en soepel is, omdat ze helemaal niet in de gaten heeft wat ze doet, hoe verkeerd het is... Hij aanvaardt de sigaret wel, maar steekt hem niet op. In plaats daarvan trekt hij haar tegen zich aan en kust haar natte, volle roze lippen. Ze kreunt zacht en kronkelt haar slanke lichaam tegen dat van hem. Hij voelt dat hij nu al hard wordt. Haar vingers glijden omlaag over zijn lichaam, hij duwt haar tegen de rots en ze kussen elkaar weer.

'Ben je altijd zo ondeugend geweest?' vraagt hij haar na afloop, als ze hun sigaretten roken. De warmte van de zon doet het zweet op hun lichaam verdampen. Bevredigd liggen ze op het zand terwijl de golven naast hen het strand op rollen. Een verloren sandaal, souvenir van andermans geheel onschuldige zomerdag, dobbert in de branding. De sigaret voelt dik en ranzig aan in zijn mond. Nu het voorbij is voelt hij zich, zoals altijd, misselijk.

Ze draait zich naar hem toe. 'Ik ben niet ondeugend.'

8

Hij vindt van wel. Eigenlijk vindt hij haar zelfs zondig, maar hij kan gewoon niet uit haar buurt blijven. Langzaam verschijnt er een glimlach op haar gezicht, en zonder te weten waarom, zegt hij: 'Hoor eens, het is hartstikke leuk geweest. Maar ik denk dat het beter is als...' Zijn stem sterft weg. 'Om het uit te maken.'

Even versombert haar gezicht. 'Zeg, wat denk je wel?' Ze lacht schril. '"Uitmaken"? Wat uitmaken? Er valt niks uit te maken. Dit stelt... helemaal niets voor.'

Hij weet dat hij dom klinkt. 'Ik dacht dat we er in elk geval over moesten praten. Wilde je niet de...' Jezus, was het maar achter de rug. Ongemerkt knikt hij even naar haar. '... de verkeerde indruk geven.'

'O, dat is heel aardig van je.' Ze drukt de sigaret uit in het natte zand, komt overeind, pakt de handdoek van de grond en slaat deze weer om zich heen. Hij weet niet of ze nu boos is of opgelucht, of... ja, wat? Dit gaat hem allemaal boven zijn pet, en het valt hem opnieuw op dat hij blij is dat het straks over zal zijn en dat hij snel weer zichzelf kan zijn, saai, gewoon, weg van dit alles, normaal.

'Het is...' begint hij.

'Ach, donder op jij,' zegt ze. 'Heb het lef niet, hè.' Ze draait zich om en wil weglopen, maar dan komt er iets van de trap af tuimelen. Het is een brokje zwarte leisteen.

En dan horen ze een geluid, een soort gebons. Voetstappen.

'Wie is daar?' vraagt hij omhoogkijkend, maar na het felle, witte licht van de middagzon is het onmogelijk om op die donkere trap iemand te zien.

In de lange jaren daarna, waarin hij nooit vertelde over deze zomer, over wat er gebeurde, zou hij zichzelf afvragen — omdat er verder niemand was aan wie hij het kon vragen: Wie? Zijn vrouw? Zijn gezin? Ja, vast! — of hij het misschien verkeerd gezien had. Want op dat moment zou hij zweren dat hij een kleine voet kon onderscheiden, die over het pad terug omhoog naar het huis verdween.

Hij draait zich weer naar haar toe. 'Verdomme. Was dat iemand, denk je?'

Ze slaakt een zucht. 'Nee, natuurlijk niet. Het pad brokkelt gewoon af, meer niet. Niet zo paranoïde, lieverd.' Dan op luchtiger toon: 'Alsof ze het ooit over jou zouden geloven. Rustig nou maar. Vergeet niet, we worden geacht twee volwassenen te zijn. Gedraag je daar dan ook naar.'

Ze legt een hand op het touw en trekt zichzelf elegant omhoog. 'Tot ziens, lieverd,' groet ze, en hij kijkt haar na. 'Maak je geen zorgen,' roept ze nog. 'Niemand komt erachter. Het is ons geheimpje.'

Maar er kwam wel degelijk iemand achter. Iemand had alles gezien.

Deel 1

Februari 2009

1

1

Het is 7.16 uur.

De trein naar Penzance vertrekt om halfacht. Ik heb nog een kwartier om naar Paddington te komen. Ik bevind me in een stilstaande wagon van de Hammersmith & Citylijn en houd de stang boven mijn hoofd zo krampachtig vast dat mijn vingers er pijn van doen. Ik moet die trein halen, het is een kwestie van leven en dood.

Best wel letterlijk, eigenlijk. Mijn grootmoeder wordt vandaag om halfdrie begraven. Voor het avondeten mag je wel een uurtje te laat zijn, maar voor een begrafenis dus niet. Zoiets komt maar eens in je leven voor.

Mijn hele leven woon ik al in Londen. Ik weet de beste restaurants te vinden, de cafés die na twaalven nog open zijn, de hipste galeries, de mooiste plekjes in de parken. En ik weet dat de Hammersmith & Citylijn waardeloos is. Ik heb er een bloedhekel aan. Waarom ben ik niet vroeger van huis gegaan? Een machteloze woede raast door me heen. En nog altijd komt die wagon niet in beweging.

Vanmorgen werd ik wakker van het gespetter van regendruppels op de stille straat terwijl het nog donker was. Ik slaap al een poosje heel slecht, al voordat oma overleed. Ik klaagde altijd enorm over het gesnurk van mijn man Oli, over dat hij het hele bed innam door languit in een diagonale lijn te gaan liggen. Hij is nu bijna twee weken bij me weg. Aanvankelijk dacht ik dat het goed zou zijn, al was het maar omdat ik dan wat kon bijslapen, maar dat is dus niet gelukt. Ik lig wakker terwijl gedachten door mijn hoofd razen, waarbij het ene klaarwakkere hersendeel het andere, dat om rust smeekt, tergt. Het voelt alsof ik gek word. Misschien ben ik dat wel. Hoewel, ze zeggen dat als je denkt dat je gek wordt, dat dan juist het tegendeel waar is. Ik weet het niet zo zeker.

7.18 uur. Ik adem diep in en probeer tot rust te komen. Het komt wel goed. Het komt allemaal wel goed.

Oma is afgelopen vrijdag in haar slaap overleden. Ze was negenentachtig. Het rare is dat het me toch nog schokte. Het reserveren van mijn retourtje Cornwall, in februari; het leek allemaal zo verkeerd, alsof ik in een slechte droom was beland. Afgelopen weekend sprak ik mijn neef Sanjay, en die zei hetzelfde. En ook: 'Zou je de eerste de beste die tegen je zegt "Achtennegentig? Nou, ze heeft een lang en gelukkig leven geleid, toch?" niet een stomp op zijn neus willen verkopen? Alsof ze het daarom heeft verdiend om te sterven.'

Ik lachte tussen mijn tranen door. 'Ik heb het gevoel alsof hiermee iets wordt afgesloten, jij niet?' ging Jay daarna verder. 'Iets wat groter is dan wij met z'n allen.'

Zijn woorden bezorgden me een rilling, want hij heeft gelijk. Oma was het middelpunt van alles. Het middelpunt van mijn leven, van onze familie. En nu is ze dood, en... ik kan het niet goed uitleggen. Ze was de schakel naar zoveel dingen. Zij was Summercove.

We zijn nu bij Edgware Road, en het is 7.22 uur. Misschien dat ik het ga halen. Misschien ga ik die trein toch nog halen.

Oma en Arvind, mijn grootvader, hadden dit moment gepland. Ze hadden er openlijk over gepraat, alsof ze wilden dat het iedereen duidelijk was wat ze wilden, misschien omdat ze er niet op vertrouwden dat mijn moeder of Jays vader, mijn oom, hun wensen zou inwilligen. Ik zou graag geloven dat dit niet waar is, maar ik ben bang dat het toch zo is. Ze hebben nauwkeurig omschreven wat er diende te gebeuren als een van hen als eerste overleed, wat er met de schilderijen in het huis gebeurt, de stichting die ter nagedachtenis aan oma moet worden opgezet, de beurs die ter nagedachtenis aan Arvind wordt gefinancierd en wat er met Summercove gebeurt.

Arvind is negentig. Hij verhuist naar een tehuis. Louisa, mijn moeders nicht, heeft daar het voortouw bij genomen, en ook over de begrafenis. Daar houdt ze van. Alles waarover oma geen instructies heeft achtergelaten, heeft Louisa uitgekozen, van de kerkgezangen tot het beleg op de broodjes voor de receptie na afloop (een keuze uit eiersalade, kipkerrie of komkommer). Haar man, de knappe maar uiterst saaie Bolhoed, zal bij de rouwdienst de misboekjes uitdelen en tijdens de koffietafel de glazen bijvullen. Louisa regelt alles, en dat is heel aardig van haar, maar Jay en ik voelen ons een beetje buitengesloten. De Leightonkant van de familie, met zijn gezellige, traditionele poloshirts-en-*afternoon-tea*-invulling van het leven, heeft zoals altijd het gelijk aan haar zijde en wij, de Kapoors, ogen daarbij vergeleken excentriek, onsamenhangend, vreemd. Wat we misschien ook allemaal wel zijn.

Nicht Louisa heeft ook de leiding over het leegruimen van het huis. Want Summercove moet worden verkocht. Ons schitterende art-decohuis, tussen de velden en de zee in Cornwall gelegen, zal snel in andermans handen komen. Het is de plek waar oma en mijn grootvader vijftig jaar hebben gewoond, waar ze hun kinderen hebben grootgebracht. Ik heb er alle zomers gelogeerd. Het is echt het enige thuis dat ik ooit heb gekend, en ik lijk wel de enige die hier sentimenteel over is, die het niet kan verdragen om het verkocht te zien worden. Ma, mijn oom Archie, nicht Louisa – ja, zelfs mijn grootvader – ze praten er allemaal zo zakelijk over. Ik begrijp dat niet.

'Te veel herinneringen hier,' zei oma altijd als ze het erover had, en dan vertelde ze kordaat wat er ging gebeuren. 'Tijd dat iemand anders hier herinneringen gaat verzamelen.'

Eindelijk. In Paddington gaan de deuren huiverend open, en ik spring eruit en ren de trap op, me langs mensen duwend, terwijl ik links en rechts 'sorry, sorry' mompel. Goddank is dit de Hammersmith & Citylijn, waarvan de uitgang direct in de grote stationshal uitkomt. Het is 7.28 uur. De trein vertrekt over twee minuten.

De koude lucht slaat me in het gezicht. Zenuwachtig haal ik mijn kaartje door de gleuf en ik storm met pap in mijn benen de trap af naar het brede perron, sneller en sneller. Ik ben er bijna, bijna onderaan... ik kijk even omhoog naar de grote klok. 7.29. Als een kind spring ik van de laatste drie treden af, ik klap bijna door mijn knieën en ik spring op de trein. Hijgend sta ik naast de bagagerekken en probeer weer op adem te komen. Er klinkt een laatste fluitsignaal, gevolgd door het geluid van dichtslaande deuren langs de eindeloze trits wagons. We rijden.

Ik vind een plek en neem plaats. Mijn moeder rijdt geen auto, dus ik weet hoe het eraan toegaat in de trein. De sleutel tot een goede reis is om geen plekje aan een tafel te nemen. Ik heb nooit begrepen waarom je dat wél zou doen, tenzij je je tafelgenoten persoonlijk kent. Voor je het weet zit je vijf uur lang voetje te vrijen met een zweterige man van middelbare leeftijd of word je omringd door een krijsend, doorgedraaid gezin. Ik vind een plaats bij het raam en doe mijn ogen dicht. Koele zweetdruppeltjes glijden langs mijn rug.

Deze trein nam ik 's zomers altijd naar Summercove, samen met mam. Ze bracht me, bleef een paar dagen en vertrok weer voordat de rest van haar familie aankwam, en soms ook voordat zij en oma ruzie zouden krijgen over iets: geld, mannen, mij.

Het was altijd zo leuk toen ik nog klein was, met de trein naar Penzance. De voorpret van de vakantie, zes weken in Cornwall, zes weken samen met de leukste mensen op de leukste plek. Op de heenweg verkeerde mijn moeder altijd in een onverklaarbaar goede bui, en ik ook; we verheugden ons erop een paar weken niet alleen maar dag in dag uit met ons tweeën te zijn, weg van onze donkere flatwoning in Hammersmith, waar het behang van de muren afbladderde en de geur van de vuilnisbakken 's zomers nogal penetrant werd. Bryant Court en de zomer waren gewoon geen goede combinatie. De vreemde, krassende geluiden, binnen en buiten, werden pregnanter, en de cast van personen in het gebouw leek minder buitenissig en meer bedreigend te worden. Het weer leek iedereen uit te drogen, kribbiger en luidruchtiger te maken. We waren altijd opgetogen als we daar weg konden, weg van alles.

Eén keer, toen we op weg waren naar Paddington en mijn moeder me met onze tassen over onze schouders aan mijn pols meesleurde naar een gereedstaande taxi en het portier opende, siste mevrouw Pogorzelski 'Slet!' naar haar. Wat het betekende of waarom ze dat riep, wist ik niet. Mam duwde me in de zwarte taxi en even later zaten we te midden van onze bagage te grinniken terwijl we door Kensington naar het station reden, allebei medeplichtig aan iets wat ik niet kon duiden. Dat was ook een van de keren dat mam haar portemonnee was vergeten, en de taxichauffeur ons een gratis ritje gaf omdat ze moest huilen. Ze vergat haar portemonnee best vaak, mijn moeder.

Ze zit al in Summercove om niet Louisa te helpen met de begrafenis en het huis. Ze is ervan overtuigd dat Louisa haar oog heeft laten vallen op wat meubelstukken, in de stellige overtuiging dat zij de scepter zwaait. Archie, mams tweelingbroer en vader van Jay, is er ook. Mam en haar nicht kunnen niet goed met elkaar opschieten. Maar goed, mam kan met zoveel mensen niet opschieten.

De trein snelt door de buitenwijken van Londen, langs Southall en Heathrow, door een met struikgewas bedekt gebied dat niet weet of het nu stad of platteland is, naar Reading. Voor het eerst sinds ik op mijn plek neerplofte kijk ik om me heen. Ik heb trek in koffie en ik zou ook eigenlijk iets moeten eten, hoewel ik zo mijn twijfels heb of ik überhaupt iets kán eten.

'Plaatsbewijzen, alstublieft,' zegt een stem boven me. Ik schrik op, heftiger dan nodig is en de conducteur kijkt me geschrokken aan. Ik geef hem mijn kaartje. Gelukkig heb ik het op Liverpool Street opgehaald, wetende dat de wachtrijen in Paddington afschuwelijk zouden zijn. Ik knipper met mijn ogen en doe mijn best niet te trillen terwijl het verlangen om misselijk te zijn, flauw te vallen, wat dan ook, me weer bevangt, en ik zak terug tegen de kriebelige leuning terwijl ik de conducteur aankijk. Hij controleert het kaartje en trekt zijn wenkbrauwen op.

'Dat is een eind reizen voor één dag.'

'Ja,' beaam ik. Hij kijkt me aan, en voor ik er erg in heb reageer ik te gretig. 'Ik moet morgen weer terug zijn in Londen. Ik heb een afspraak om… ik heb een afspraak die ik niet mag missen.'

Hij knikt, maar ik heb hem al te veel informatie gegeven, en ik voel het schaamrood op mijn kaken. Hij is een Londenaar, hij wil helemaal niet kletsen. Het probleem is dat ik juist wel naar een praatje verlang. Ik moet wel. Met een vreemde, iemand die ik nooit meer zal zien.

Ik heb mijn familie niet verteld dat ik vanavond terugga. Lang geleden al heb ik, opgroeiend bij mijn moeder, geleerd dat hoe minder je zegt, hoe minder je wordt gevraagd. De enige die ik graag in vertrouwen zou nemen wordt vandaag begraven op het kerkhof van St. Mary's, een piepkleine stenen hut, zo oud dat men niet zeker weet wanneer die gebouwd is. Op het kerkhof vind je ook het graf van een douaneofficier, een van de velen die door wanhopige smokkelaars zijn vermoord. In Cornwall vind je nog veel dingen uit ongeciviliseerde, heidense tijden, en hoewel de visrestaurants, tearooms en surfplanken die restanten deels maskeren, kunnen ze ze toch niet helemaal verhullen.

Oma geloofde dat. Zij kwam uit Cornwall, groeide op vlak bij St. Ives aan de woeste noordkust. Ze zag Alfred Wallis schilderen in de havens, ze werd geboren met het gekrijs van zeemeeuwen en het gefluit van de wind door de kronkelende straatjes van de oude stad in haar oren. Ze hield van het landschap van haar eigen graafschap; het was haar leven, haar werk. Daar woonde ze het langst van haar leven en maakte ze haar mooiste werk in haar atelier helemaal boven in het huis, met uitzicht op zee.

Er zijn zoveel dingen die ik haar nooit heb gevraagd, en nu wens ik dat ik dat wel had gedaan. Ik heb haar zo vaak in vertrouwen willen nemen, over allerlei dingen, maar ik wist dat ik het niet kon. Want hoeveel ik ook van haar hield, ik was ook bang voor haar, van die starende blik in haar lieve groene ogen, soms als ze naar me keek. Mijn man Oli heeft ooit gezegd dat hij wel eens dacht dat ze recht in je ziel kon kijken, als een heks. Hij maakte weliswaar een geintje, maar hij was toch een beetje bang voor haar, en ik weet wat hij bedoelde. Er waren een paar dingen die je haar gewoon niet vroeg. Dingen waarover ze nooit wilde praten.

Want jarenlang was Summercove een heel andere plek, en wel het middelpunt van een schitterend, druk sociaal leven. Mijn grootouders waren vermogend, succesvol en leken de wereld aan hun voeten te hebben. Maar toen overleed hun dochter Cecily plotseling, twee maanden voor haar zestiende verjaardag, en mijn grootmoeder stopte direct met schilderen. Ze deed haar atelier op slot, en voorzover ik weet kwam ze nooit meer op die plek, daarboven in huis. Al heel vroeg leerde ik om nooit naar het waarom te vragen. Zelfs nooit Cecily's naam te noemen. Er zijn geen foto's van haar in het huis, en niemand praat ooit over haar. Ik weet dat ze in 1963 is overleden, dat het een of ander ongeluk was en dat oma daarna ophield met schilderen, en dat is het zo'n beetje.

We passeren Newbury. Het landschap is hier groener. Het heeft de afgelopen tijd veel geregend, het rivierwater staat hoog en ziet bruin onder de grijze hemel. De akkers zijn pas geploegd. Een harde windvlaag zwiept dode bladeren over en om de trein. Ik leun naar achteren, adem uit en ik voel dat de misselijkmakende knoop van alle spanning in mijn buik zich langzaam ontwart, terwijl een golf van iets wat op rust lijkt over me heen komt. Londen ligt achter ons. We komen dichterbij.

2

Mijn grootouders ontmoetten elkaar voor het eerst in 1941, in de National Gallery. Oma, Frances, studeerde aan de St. Martin-kunstacademie in Londen. Ze was negentien toen de oorlog uitbrak. Ook al eisten haar ouders dat ze naar Cornwall terugkeerde, ze bleef waar ze was. Moet je net Frances hebben. Ze gaf zich meteen op als vrijwilliger om de eerstehulppost vlak bij haar appartementje in Bloomsbury te bemannen. Ze was brandwacht op de kunstacademie en als ze een uurtje vrij had, wat niet vaak voor kwam, bezocht ze de National Gallery, om de hoek van waar ze studeerde, voor een lunchconcert van Dame Myra Hess.

Arvind (zo hebben we hem altijd genoemd. Jay en ik hadden geen idee waarom, behalve dan dat hij niet het type is dat je met 'grootvader', laat staan met 'opa' zou aanspreken) was in 1919 geboren in de oude Mongoolse stad Lahore. Zijn vader, een hindoe uit Punjab, was docent op het Aitchison College, een exclusieve school voor de zonen van maharadja's en landeigenaren, en dus mocht ook Arvind er studeren. Hij was een briljante leerling. Zo briljant zelfs dat de hoofdonderwijzer verscheidene hoogwaardigheidsbekleders en personen in Engeland aanschreef. Na twee jaar filosofie te hebben gestudeerd aan de staatsuniversiteit in Lahore (aan de muur van zijn studeerkamer hangt een toelatingsfoto: allemaal ernstig kijkende jongemannen op een rij, met de armen over elkaar en nette spuuglokjes), kreeg hij een postdoctoraalbeurs voor Cambridge. Het was tijdens een researchbezoekje aan Londen, in 1941 − de Blitz was op zijn hoogtepunt − dat hij de National Gallery binnenslenterde.

Ik zie mijn grootouders glashelder voor me: Arvind, klein en onvervaard, zo keurig gekleed in zijn beste tweedpak, de paraplu netjes aan de arm gehaakt, de hoed stevig tussen de ranke vingers terwijl zijn oog op het meisje voor hem valt en hij volledig betoverd raakt door wat hij ziet. Als oma was ze mooi, als jongere vrouw moet ze oogverblindend zijn geweest. In mijn atelier heb ik een foto van haar: haar donkerblonde haren zorgvuldig in een wrong, haar sterke, open gezicht met die grote groene ogen, een krullende, intelligente glimlach, volmaakt witte tanden.

Drie maanden later trouwden Frances en Arvind met elkaar. Het was vreemd dat Arvind, een man die de meeste van zijn tijdgenoten zou overleven, destijds te horen kreeg dat hij een zwak hart had en dus niet kon vechten. Hij keerde terug naar Cambridge en promoveerde. Hij en andere studenten kregen de opdracht om verschillende formules toe te passen. Daarnaast breide hij sokken – het sprak hem aan, hij hield van de patronen – en meldde zich vrijwillig aan bij de burgerwacht. Oma bleef in Londen om haar studie af te maken en op de ambulance te rijden.

Hoewel oma en Arvind er nooit over spraken, vraag ik me regelmatig af wat haar ouders ervan gedacht moeten hebben. Dat waren twee keurige, rustige, mensen die zich zelden buiten Cornwall waagden, met nog een oudere dochter die zich onlangs had verloofd met een advocaat uit een gegoede familie uit Tring, en opeens schrijft hun tweede, wilde artistieke dochter vanuit een schuilkelder een briefje om te laten weten dat ze met een straatarme student uit India is getrouwd met wie ze nog geen kennis hebben kunnen maken. In heel Cornwall viel geen Fransoos, laat staan iemand uit Punjab, te bekennen.

Na hun bruiloft namen ze hun intrek in een huurflatje aan Redcliffe Square. In 1946 kwamen mam en Archie, de tweeling, ter wereld en een paar jaar later Cecily. Veel geld was er niet; oma's schilderijen en Arvinds schrijverij brachten maar weinig binnen. Jarenlang schreef hij aan zijn boek en betaalde de rekeningen met baantjes in het onderwijs. Na een tijdje werd het boek voor iedereen min of meer een grap, dus als er één grote verrassing in hun huwelijk was, dan moet dat wel het geld zijn geweest dat toen *The Modern Fortress* in 1955 eindelijk was verschenen, begon binnen te rollen. Daarin verdedigde hij de stelling dat de naoorlogse samenleving het gevaar liep terug te vallen in zelfgenoegzaamheid en vervlakking die tot een volgende wereldoorlog zou leiden, eentje die al even omvangrijk zou zijn als de oorlog die we net aan hadden overleefd. Het boek verscheen in dertig talen en werd al meteen een moderne klassieker die voor miljoenen lezers een gespreks- en discussiethema werd. Tien jaar later verscheen *The Mountain of Light*, dat aanvankelijk zelfs nog beter verkocht, hoewel dat tegenwoordig als de 'moeilijkste' van de twee wordt beschouwd. Op mijn vijftiende was *The Modern Fortress* verplichte literatuur voor mijn geschiedenisleeslijst, want de Tweede Wereldoorlog vormde deel van de stof. Tot mijn schande moet ik bekennen dat ik er maar weinig van begreep; en tot mijn nog grotere schande dat ik de leraar niet vertelde dat Arvind Kapoor mijn grootvader was. Vraag me niet waarom.

Terwijl *The Modern Fortress* per week met duizenden exemplaren over de toonbanken vloog, stegen ook oma's schilderijen in aanzien, en plotseling waren Frances en Arvind rijker dan ze ooit hadden durven dromen. Ze konden nu het huis in Cornwall kopen dat ze al een paar zomers als atelier voor Frances hadden gehuurd, een vervallen jaren twintig art-decovilla aan zee, genaamd Summercove. De kinderen konden naar kostschool, het appartement in Londen konden ze aanhouden en voor Summercove kon een beheerder worden gezocht. Er konden neefjes en nichtjes komen logeren en zo werden ze het gastvrije koppel voor iedereen die ze kenden. En dat betekende dat Arvind Kapoor, Frances Seymore en Summercove eind jaren vijftig, begin jaren zestig voor de artistieke en intellectuele kringen in Londen de belichaming werden van een elegant, bohemien leven: het stel dat op rozen leek te zitten.

In oma's slaapkamer op Summercove staat een donkere, sikkelvormige kaptafel, met daarop een prachtig haarborstelsetje van email, oude kristallen parfumflesjes en twee juwelenkistjes. Het kaptafeltje heeft laatjes met links en rechts smeedijzeren handvatjes. Toen ik klein was, ben ik een keer stiekem naar boven geslopen om haar te verrassen en trof ik haar zittend achter dat tafeltje, starend naar een foto.

Ze zat doodstil, de rug kaarsrecht. Door de hoge ramen kon je over de weilanden kijken, helemaal tot aan het pad, met daarachter de heldere blauwgroene, glinsterende zee. Ik keek naar haar terwijl ze naar de foto staarde en er even met een vinger over streek. Aarzelend. Alsof het een soort talisman was.

'Boe...' fluisterde ik, want dat was het enige wat me te binnen schoot en ik wist dat het ongepast was om op dat moment op haar af te vliegen. Ik wilde niet dat ze boos op me zou zijn.

Toch schrok ze, en ze draaide zich om. Daarna reikte ze me haar hand. 'O, Natasha,' zei ze terwijl ik haar aankeek.

Ik was dol op mijn grootmoeder. Ze was knap, grappig, charismatisch, had alles in de hand, was altijd beheerst. Bij haar voelde ik me altijd helemaal op mijn gemak, ik vond haar opwindend, maar eerlijk gezegd ook een beetje beangstigend. Vergeleken met hoe open en blij ze met Jay omging, voelde ik soms, heel soms, als ze naar me keek, dat ze wenste dat ik er niet was. Vraag me niet waarom. Maar kinderen als ik, met een overactieve verbeelding en zonder iemand op wie ze die kunnen toetsen, hebben het vaak mis. Ik wist dat als ik het ooit bij mijn moeder aankaartte, ze zou antwoorden dat ik het allemaal had verzonnen, of erger nog, oma ermee zou confronteren en ruzie met haar krijgen.

'Kom eens hier,' zei ze met een uitgestrekte hand terwijl ze me aankeek en glimlachte. Ik liep langzaam naar haar toe, wilde eigenlijk recht op haar afvliegen, want ik hield zo van haar en ik was zo blij dat ze me bij haar wilde. Ik ging voor haar staan en legde aarzelend mijn handen in haar schoot. Ze streelde mijn haar en ik voelde een traan op mijn voorhoofd vallen.

'God, wat lijk je toch op haar,' zei ze hees, en haar sterke vingers omklemden mijn pols. De vingers van haar vrije hand draaiden zich om en ze toonde me de foto die ze vasthield. Het was een klein, vergeeld kiekje van een meisje ongeveer zo oud als ik, zo'n zeven à acht jaar. Ik wou dat ik me er meer van kon herinneren, want volgens mij is het belangrijk. Ik weet nog dat ze donker haar had, maar dat kon ook niet anders, want dat hadden we allemaal. Ze leek op mam, maar ook weer niet. Ik kon er mijn vinger niet achter krijgen.

'Ja, je lijkt sprekend op haar.' Ze slaakte een diepe, huiverende zucht en haar greep om mijn pols werd nog strakker. 'Verdorie nogantoe.' Ze draaide zich om. Haar groene meren van ogen vloeiden over, haar prachtige gezicht vertrok zich tot een lelijke grimas. 'Ga weg! Weg hier! Nu!'

Ze hield mijn arm nog steeds stevig vast, zo hard dat ik de volgende dag een blauwe plek had. Ik wrong me los en rende klepperend over de parketvloer naar de achtertuin, weg uit deze donkere, treurige kamer. Ik begreep het niet. Hoe kon ik het begrijpen?

Later die middag, toen we tijdens de thee verstoppertje speelden, kwam ze naar me toe en gaf me een knuffel.

'Hoe is het met mijn oogappeltje?' vroeg ze terwijl ze een zachte kus op mijn voorhoofd plantte. 'Kom, dan laat ik je de broche zien uit mijn juwelenkistje. Wil je hem vanavond dragen, aan tafel bij de grote mensen?'

Toen besefte ik het nog niet, maar die dag aanschouwde ik een kant van haar die ze anderen nog maar zelden toonde. Een kant die ze achter slot en grendel hield, net als de foto, net als haar atelier. Die zomer, en ook toen ik terug in Londen was, probeerde ik er niet meer aan te denken. Zelfs nu nog. Zo wil ik me haar niet herinneren.

We reizen steeds meer naar het westen. Het landschap wordt ongerepter en hoewel het nog lang geen lente lijkt, zie ik kleine groene knopjes op de zwarte takken langs het spoor. We rijden door het zuiden van Somerset, langs Castle Cary en de Glastonbury Tor. Aandachtig tuur ik naar buiten, alsof ik mezelf wil dwingen om nog meer te zien.

Afgelopen zomer ben ik met Oli, vanwege zijn werk, naar Glastonbury geweest. Een van zijn cliënten gaf ons vipkaartjes met backstagepasjes. We waren helemaal een *glamour*-koppel dat weekend: ik met mijn nieuwe shorts van Mark Jacobs en een paar polkadotlaarzen van Cath Kidson, en Oli in zijn beste Dunhill-shirt. We voelden ons een Kate Moss en Jamie Hince van het tweede garnituur. We zagen Jay-Z, Amy Winehouse en de Hoosiers, die ik te gek vind, maar Oli vindt ze bagger. Het was helemaal geweldig, natuurlijk, hoewel ik me ook dat ene jaar in de camper herinner, op mijn negentiende, met Jay en mijn beste vriendin Cathy, met dat legendarische Radioheadoptreden. Drie dagen mezelf niet gewassen en de hele tijd volkomen stoned. En toch leuker, op de een of andere manier, minder gecompliceerd. Niemand was in een rothumeur, niemand liep met een chagrijnige kop rond omdat je in de gastentent, waar iedereen doodsbang is dat hij minder belangrijk is dan zijn buurman, maar twee gratis biertjes krijgt. Oli begon te zeuren toen hij geen bier meer kreeg. O, Oli toch.

Ik kijk naar buiten, knipper mijn tranen weg en knik. Daar ligt het perfecte dorpje met een prachtig huis en een goudgele kerk die ogenschijnlijk pardoes in een niemandsland is neergekwakt, het dorpje waar ik elk jaar als klein meisje in de trein met mijn neus tegen het raam gedrukt mijn ogen niet van kon afhouden. De velden staan onder water, bevolkt door verwarde eenden die even niet weten wat ze hiermee aanmoeten. Het spinragachtige baardmos overwoekert al het groen langs het spoor en het prachtige maaswerk onttrekt de harde takken aan het oog. Blij met deze verstrooiing staar ik naar buiten en ik vraag me af waar ik mijn schetsboek heb gelaten. Alles om me maar af te leiden van waarom ik hier ben.

Oma was dol op sieraden. Ik weet zeker dat mijn belangstelling daarvoor terugvoert naar de uren waarin ze samen met mij haar juwelen bekeek terwijl ik ze omhooghield en genoot van het gevoel van metaal en edelsteen tegen de huid van mijn gezicht. De twee flinke juwelenkistjes op het kaptafeltje stonden netjes op elkaar, vol met allerlei wonderbaarlijke snuisterijen: een forse jade hanger aan een dikke zilveren ketting, piepkleine diamanten oorringen die ze ooit, na haar eerste expositie, voor zichzelf had gekocht (nu pas besef ik dat ze waardevol moeten zijn geweest. Ze bewaarde ze zorgeloos bij de fantasiesieraden), delicate koraalsnoertjes en een gouden ketting in Egyptische stijl. Dat was een geschenk van het Royal Opera House, een rekwisiet uit *Aida*, die ze door een model liet dragen voor een schilderij. Dan had ze nog een grote ring van amethist die ooit van haar moeder was geweest, en ten slotte de twee die nimmer in het kistje lagen omdat ze die altijd droeg: de stevige gouden armband afgezet met turkoois die Arvind haar voor haar dertigste verjaardag cadeau had gedaan, en de witgouden ring die ze altijd aan haar rechterhand droeg, bestaande uit drie verstrengelde diamanten bloemen, als pioentjes. Dat was een familiestuk. Arvinds vader stuurde hem op vanuit Lahore toen ze gingen trouwen. Het was mijn lievelingssieraad, een schakel met Arvinds familie en het land dat hij zo lang geleden had verlaten. Want oma's vader kan ik me nog vaag herinneren, maar die van Arvind, en ook zijn familie, heb ik nooit ontmoet. Twee van zijn broers stierven tijdens de opdeling van India en zijn vader bleef in Lahore. Hij zou zijn zoon nooit meer zien.

En dus was oma's juwelenkistje voor mij een schatkamer. Tegenwoordig, als ik in mijn atelier zit en ontwerpen schets, verschillende manieren uitwerk om iets met bladgoud te bedekken en een email-leerder probeer te vinden die niet meteen zijn geld opeist, denk ik vaak terug aan mijn vroegste inspiratie: oma's juwelenkistje en het bijna angstaanjagende plezier om er in te mogen kijken.

Nu, starend naar de kale takken in het grijze licht, laat ik mijn gedachten de vrije loop en ik denk aan hoe prachtig een zilveren halsketting met miniatuurtakjes zou ogen, terwijl ik me afvraag hoe gemakkelijk – of juist extreem moeilijk – het zou zijn om de delicate suikerspindraadjes van het baardmos na te maken. Ik zou eerst een schetsje moeten maken in mijn ideeënboek, dat ik altijd bij me draag. Ik heb er al in geen jaren meer iets in getekend. Heb al jaren niets meer weten te verzinnen.

Vijf jaar geleden, toen ik zelf nog een kraampje had en ik net genoeg verdiende om mijn deel van de huur van de flat in West Norwood te kunnen ophoesten en ik me zo nu en dan iets nieuws van de Topshop kon veroorloven, was het leven nog eenvoudig. Inmiddels bewonen we een trendy appartement achter Brick Lane, heb ik een flitsende website en een man die door cliënten voor te houden dat hun tandpasta-branding te mannelijk van toon is, genoeg verdient voor ons beiden.

Dus ja, als ik morgen failliet ben, zou dat op zich niets uitmaken, toch? Alles verliezen waarvoor ik heb gewerkt en waarover ik heb gedroomd, al sinds die lang vervlogen dagen waarop ik me op oma's krukje hees, haar juwelenkistje opendeed en met open mond naar de inhoud staarde. Vreemd dat die twee dingen zo dicht bij elkaar staan. Haar begrafenis, mijn oproep.

Ik schud mijn hoofd en de koude, klamme vrees die me de laatste tijd steeds overvalt, grijpt me weer bij de strot. Nee. Daar wil ik nu niet aan denken. Niet vandaag. Niet op oma's begrafenis, niet op deze dag. Ze zullen me het morgen vertellen. Ik moet gewoon deze dag zien door te komen.

Mijn telefoon gaat en ik kijk omlaag.

Heb je gisteravond weer gemist, Wanneer gaan we praten? Ox

Ik word misselijk. Niet geslapen, en ook nog eens niet ontbeten, en nu weet ik het zeker. Ik strompel naar het toilet en duw de ranzige, kleverige deuren open. Ik braak met veel kabaal. Gal golft mijn lichaam uit. Het voelt bijna als een reiniging. Voor de mensen in de trein moet het te horen zijn.

Ik probeer niet tegelijkertijd te huilen, maar strijk mijn haar uit mijn mond, kom overeind en kijk in de spiegel. Tranen lopen over mijn wangen omdat ik me zo beroerd, zo verdrietig voel. Mijn zorgvuldig opgebouwde afweer brokkelt af en mijn bijna cartooneske afzichtelijkheid maakt dat ik begin te lachen. Opeens herinner ik me dat Cathy tegen me zei: 'Heeft iemand Oli er al op gewezen dat als hij afsluit met zijn initiaal en een kus-tekentje hij met "Ox" ondertekent?'

Ik glimlach. Ik zie er niet uit; bruine, futloze lokken hangen langs mijn vale gezicht, met donkerbruine schaduwen onder mijn toch nog steeds verrassend groene ogen. Op school noemden ze me 'alien' vanwege mijn ogen. Verschrikkelijk vond ik het. Ook dat was ik al jaren vergeten en ook dat tovert weer een glimlach op mijn gezicht. Met een tissuetje veeg ik mijn mond af. Zo meteen loop ik naar de restauratie voor koffie en een banaan. Ik voel me nu beter. Gezuiverd.

Langzaam doe ik het toiletdeurtje open. Ik moet er niet aan denken dat er iemand staat te wachten die alles heeft gehoord. Ik hoor twee stemmen die snel naderbij komen.

'Volgens mij hebben we hooguit vijf minuutjes vertraging,' zegt de eerste stem. Een man.

'Ik zal mam bellen. Ze heeft vandaag al genoeg aan haar hoofd zonder ons.'

Ik verstijf. Ik dácht het niet.

'Verdomd goed dat Guy er al is, zeg,' vervolgt de mannenstem op bekakte toon, maar met een zweem van venijn dat ik nog van vroeger ken. 'We moeten iemand regelen die de boel inventariseert, ervoor zorgt dat alle waardevolle spullen als zodanig worden behandeld. Ik bedoel, die schilderijen zullen best een paar centen waard zijn...'

Julius en Octavia. Ik deins terug achter de deur nu ze langslopen en vang slechts een glimp op van Octavia's degelijke bruine wandelschoenen, haar grijze wollen rok en haar hand met daarin een briefje van twintig pond terwijl ze stevig doorlopen naar de restauratie. Een Leightonse voorhoede van agressieve rechtschapenheid. Ik weet niet waarom het me verrast, dit is immers de enige trein van Londen naar Penzance die op tijd aankomt voor de begrafenis. Maar Julius en Octavia zijn bepaald niet mijn eerste keus van personen die ik, *après*

26

kotsen, buiten voor de First Great Western-plee tegen het lijf zou willen lopen.

Ze zijn Louisa's zoon en dochter, en dus mijn achterneef en -nicht. Ook al heb ik bijna elke zomer in mijn leven met hen doorgebracht, het heeft niet tot een emotionele band geleid. Als je Octavia en Julius zou kennen, begreep je misschien waarom. Ik vermoed dat ze zelfs hun Romeinse voornamen te danken hebben aan de passie die hun ouders koesterden voor orde en tucht. Ik hoor Julius' kakkineuze stem weer: 'Verdomd goed dat Guy er al is, zeg.'

Mijn huid tintelt van stille woede. Guy is hun oom van vaderskant. Hij is antiekhandelaar. Ik heb nooit geweten dat hij close was met oma, of met onze familie. De gedachte dat Guy door oma's schilderijen en haar juwelenkistje schift terwijl Louisa met een klembord in de aanslag achter hem staat en de lijst afvinkt, doet me knarsetanden. Zeer resolute types, de Leightons. Ik ben dol op Louisa, ze is aardig en attent, en ik denk dat ze het goed bedoelt, maar ze kan wel vreselijk bazig zijn. Gevieren, Louisa, de Bolhoed, Julius en Octavia, zijn ze stuk voor stuk… 'joviaal' is niet het goede woord, eerder… bijzonder zelfverzekerd. Het soort zelfverzekerdheid dat je krijgt als je in Tunbridge Wells woont, als ambtenaar werkt, op een internaat zit. Eenheid met z'n vieren, een gezin zoals het hoort. Alles wat ik niet ben.

Ik wacht totdat hun stemmen vervagen. Behoedzaam en nog wat beverig loop ik terug naar mijn stoel en staar weer door het raam naar buiten. Twee dikke kraaien doen zich al pikkend te goed aan het mossige dak van een verlaten stal. Erboven trekt de lucht steeds meer open en vogels schieten heen en weer. We zijn er bijna. Bijna in Exeter. Mijn telefoon gaat weer.

Hoe vaak moet ik nog zeggen dat het me spijt? We moeten praten. Heb vandaag veel aan je gedacht. Wanneer ben je terug? Ox

Ox. Ik zet mijn telefoon uit, sluit mijn ogen, draai mijn hoofd naar het raam voor het geval er bekenden langslopen en ik dommel, goddank, in.

3

Het was altijd mijn moeder en ik samen. Mijn vader ken ik niet. Mam leerde hem kennen op een feest, hij was een onenightstand, en ze heeft hem daarna nooit meer gezien. Ik kwam er als tiener achter; geen idee waarom ik me niet eerder afvroeg waar hij was. Toen ik een jaar of tien was, en nog gemakkelijk te beïnvloeden, zag ik *The Railway Children* en werd het me allemaal opeens volstrekt helder: mijn vader was weg, er- gens. Maar op een dag, heel gauw, zou hij terugkomen. Hij zat onte- recht in de gevangenis, net als Roberta's papa, hij voer de wereld rond aan boord van een schip, hij redde mensen, hij was arts en hielp slachtoffers van hongersnood in Afrika, hij was een beroemde acteur in Amerika en kon mensen niet vertellen over mam en mij. Hij speel- de een rol in mijn leven, was even afwezig, maar hij zou terugkomen.

Een zomer reed oma me naar Penzance; ze zei dat ze op het station een verrassing voor me had, toen wist ik het absoluut zeker, het soort zekerheid dat me mijn hele leven problemen heeft bezorgd. We gin- gen mijn vader van de trein halen, hij zou zijn armen wijd open- gooien en glimlachen, en ik zou huilend op hem af rennen. 'Papa! Mijn papa!' Hij zou me een stevige knuffel geven, me op mijn voor- hoofd kussen, met oma en mij naar huis rijden en dan zou hij mij en mama verlossen uit die klamme flat in Hammersmith en naar een prachtig kasteel op het platteland brengen en we zouden nog lang en gelukkig leven, echt waar.

De rest van de rit probeerde ik fluisterend de niet-vertrouwde woorden uit op mijn tong. Pa. Papa. Hoi pap. Tegen de tijd dat we het station binnenrolden, trilden mijn benen, zo opgewonden was ik. Oma had een waakzame, sprankelende blik in haar ogen. Terwijl we wachtten op de trein bleef ze maar naar me kijken en hield ze mijn hand in de hare, omdat ze bang was dat ik, gek van het vooruitzicht, gewoon weg zou rennen. Ze had gelijk, ik weet het nog, zo voelde het inderdaad.

Toen de trein was gestopt en de krioelende massa haastig het perron had verlaten en mijn nek pijn deed van het reikhalzend uitzien omdat ik zo graag wilde weten wie hij was, gaf ze eindelijk een kneepje in mijn vingers.

'Kijk, daar is-ie.'

En daar kwam Jay met Sameena, zijn moeder, over het perron aangelopen, ook hand in hand; alleen barstte hij bijna uit elkaar van opwinding om mij te zien, terwijl ik hem alleen aankeek. De teleurstelling daalde over me neer en ik liet mijn hand uit die van oma glijden.

'Hij is wat eerder gekomen,' zei ze. 'Zodat jij nu iemand hebt om mee te spelen.'

Ik kon haar niet vertellen dat ze alles had verknald, dat ik liever in mijn eentje over mijn vader droomde dan dat ik met Jay dat stomme Ghostbusters speelde. Ik kon niet uitleggen hoe dom ik was geweest. Hoe kon ik ook? Ze heeft het nooit geweten, ik heb het haar nooit verteld, maar ik kon nooit meer aan die dag denken. Het beeld dat ik me had gevormd van mijn vader als hij uit die trein zou stappen. Vanaf die dag ben ik opgehouden naar hem uit te kijken. Net als oma's schoonheid werd het een van die dingen waar je gewoon niet omheen kunt. De zee is blauw. Oma heeft een litteken op haar pink. Je kent je vader niet.

Maar de zee is niet altijd blauw. Soms is hij groen. Of grijs. Of bijna net zo zwart als teer, met kolkende, schuimend witte golven.

Ik word wakker van de beroering om me heen en kijk geschrokken op. In de verte zie ik St. Michael's Mount opdoemen; de kantelen en torens van het oude kasteel rijzen in de middagzon schitterend op uit het water. De vakanties waren voor mij als kind één lange poging om mijn familieleden over te halen om me bij laag tij mee te nemen over het verhoogde, glinsterende voetpad naar het kasteel, om samen de spitse torens te beklimmen en over de baai naar Penzance of de zee uit te kijken.

'Welkom in Penzance, eindpunt van deze trein. Dank u dat u hebt gereisd met First Great Western. We wensen u verder een prettige reis,' klinkt het monotoon uit de intercom, en terwijl ik in mijn ogen wrijf en een wat zurige smaak in mijn mond proef, volgt het gebruikelijke gedrang om me heen. Nog steeds wat versuft spring ik overeind, rek me uit en stap uit de trein, waarbij ik op het perron bijna tegen iemand opbots. Ik sla mijn ogen op en kijk om me heen. Ik ben er.

Ik ruik de geur van de zee. Hoewel het nog pas februari is en er een fikse wind staat is het hier warmer dan in Londen. Aan het eind van het perron duik ik ineen in mijn jas. Ik vraag me af wie me zal komen ophalen. Mam zei dat zij of Archie dat zou doen. Mensen slenteren langs, hier geen gejaag en geduw zoals op Paddington. Het roept nog altijd herinneringen in me op aan The Railway Children.

'Nat?' Vanuit de drukte drijft een stem me tegemoet. 'Natasha!'

Ik kijk op.

'Natasha! Hier!'

Ik kijk achter me en daar staat Jay, mijn geliefde neef. Hij komt op me af gebeend met zijn lange lijf en glimlacht bijna schaapachtig. Hij slaat zijn armen om me heen. Ik sluit mijn ogen en zink weg in zijn omhelzing. Als Jay hier is, voelt alles altijd een beetje beter. Hij is iemand die een leegte achterlaat als hij een kamer uit loopt.

'Wat fijn om je te zien,' zegt hij terwijl hij me een kus op mijn hoofd geeft.

'Zat je ook in de trein?'

'Ik heb naar je uitgekeken, maar daarna viel ik in slaap. Het is gisteren nogal laat geworden, we hebben doorgewerkt.' Jay ontwerpt websites; hij hanteert de gekste werktijden, maar hij gaat ook op de gekste tijden de hort op. 'Ik moest wat slaap inhalen.' Hij knijpt me bijna fijn. 'Dit is een trieste dag.'

Ik knik en haak mijn arm in de zijne terwijl we vanuit het station de frisse lucht inlopen.

Het parkeerterrein ligt naast de haven, waar schepen en boten van alle soorten en maten door de eeuwen heen zijn aangekomen en gelost, ladingen zijde, specerijen, voedsel en wijnen uit de verste uithoeken van de wereld. De tuigage klettert tegen de masten, een luid getinkel tussen de windvlagen door. Boven ons krijsen zeemeeuwen.

'Jay! Sanjay! Hier!' We kijken omhoog en zien mijn oom Archie leunend tegen zijn auto op zijn gemak naar ons zwaaien.

Telkens wanneer ik hem na lange tijd weer zie ben ik vergeten hoezeer hij me altijd doet denken aan die oudere mannenmodellen die je ziet in reclames voor cruises en kunstgebitten. Net als mijn moeder was hij erg knap toen hij jonger was: ik heb de foto's gezien. Nu oogt hij als iemand uit een vervlogen tijdperk; beminnelijk, internationaal, in elke situatie op zijn gemak. Vandaag draagt hij een donker pak, maar zijn gebruikelijke outfit is een blazer, een donkere broek, een onberispelijk gesteven, roze of blauw geruit overhemd met grote gouden manchetknopen. Hij heeft een zegelring. Zijn Aziatische vader en Engelse moeder hebben hem, ook al net als mijn moeder, een dubbel staatsburgerschap bezorgd. Daarmee heeft hij op jongere leeftijd nogal wat geworsteld, maar inmiddels heeft hij dat feit buitengewoon enthousiast aanvaard. Het is bijna zijn kenmerk. Hij spreekt met een kakkineus Engels accent, maar thuis kookt zijn vrouw Sameena het heerlijkste Indiase eten dat je in Ealing zult vinden, veel lekkerder dan de meeste armzalige currytenten in het drukke gedeelte van Brick Lane.

Jay en ik lijken veel op elkaar, maar zijn vader en mijn moeder, de half-Indiase tweeling, zijn ieder huns weegs gegaan en dat is te zien. Aan mij zie je nauwelijks dat ik van Indiase afkomst ben, op mijn donkere haar en olijfkleurige huid na, wat te danken is aan een moeder die haar multiculturele achtergrond gebruikt als ze wil opscheppen en aan een vader die naar ik aanneem blank is, maar wie weet? Jay, daarentegen, is in dit opzicht het tegengestelde van mij. Hij is bijna honderd procent Indiaas en glijdt dankzij Sameena moeiteloos naar die cultuur terug, en dan weer naar de wereld van Summercove, alsof hij het ene paar comfortabele schoenen voor het andere verruilt. Daar benijd ik hem om, en daarom houd ik van hem.

Jay zwaait terug naar zijn vader. 'Kijk hem nou toch,' zegt hij terwijl Archie een heimelijke blik in de zijspiegel werpt en even naar zijn spiegelbeeld staart. 'Hij gaat elke dag meer op Alan Whicker lijken. Hé pa!'

'Ah, Natasha, mijn lieve schat.' Archie pakt me bij de schouders en knuffelt me hartelijk. Zijn snor kietelt mijn gezicht zoals altijd en ik moet mezelf dwingen niet terug te deinzen. 'Wat heerlijk om je te zien. Jay. Zoon.' Hij geeft zijn zoon een dreun op de rug. Jay wankelt tegen me aan.

'Ik vind het zo erg van oma,' condoleer ik hem.

'Ik ook,' zegt Archie nuchter. 'Ik ook.' Plotseling krabt hij zich stevig op de brug van zijn neus en draait zich om. 'Laten we gaan.' Zijn hand rust op de kofferbak van de auto. 'Koffers?'

'Geen koffer,' reageer ik.

31

Hij kijkt me aan alsof ik getikt ben. 'Geen koffer? Waar zijn je spullen dan?'

Ik haal even diep adem. 'Ik kan jammer genoeg niet blijven logeren.'

Hij staart me aan. 'Niet logeren? Weet je moeder dat wel? Dat is gekkenwerk, Natasha.'

'Weet ik.' Ik doe mijn best om kalm en bedaard over te komen. 'Ik vind het echt heel vervelend, maar ik heb morgen een vergadering waar ik niet onderuit kom.' Ik wou dat ik kon vertellen waarom niet. Maar ik kan het niet. Ze mogen het niet weten, nog niet.

'Ik ging er toch echt van uit…' mompelt Archie nog. Jay, die me indringend aankijkt, schiet me te hulp.

'De slaapwagon is heel comfortabel en als je terugmoet voor een vergadering dan is het niet anders.' Zijn vader fronst zijn wenkbrauwen en opent zijn mond om iets te zeggen, maar Jay is hem voor. 'Kom op, Nat,' zegt hij terwijl hij zijn rugzak in de kofferbak slingert. 'Het is al met al toch al krap, hè? Kom, we gaan.'

Opeens schieten me Octavia en Julius te binnen. 'Ik zag Octavia en Julius in de trein. Ik bedoel, ik méén ze gezien te hebben,' verbeter ik mezelf. 'Moeten we niet…'

'O,' is Archies geërgerde reactie. Hij haat elke verstoring van zijn plannen en laat zich alleen door mijn moeder vertellen wat hij moet doen. En inderdaad, daar komen onze neef en nicht het station uit lopen en ze kijken om zich heen. 'Ze hebben vast wel iets geregeld…'

Niet dus, zo blijkt even later. Octavia en Julius zijn van die genadeloos doelmatige types die ervan uitgaan dat ze op hun wenken worden bediend. Ze zijn als de antwoorden op vragen in van die survivalgidsen: dobberend op een vlot in de Indische oceaan zouden ze met slechts een kam en een spiegeltje dagenlang kunnen overleven, zeker weten. Maar in het dagelijkse leven zouden ze er nooit aan denken om een auto of taxi te regelen. Ze gaan er gewoon van uit dat iemand anders ook de trein zal hebben genomen en hun van een lift zal voorzien. En ze hebben nog gelijk ook, natuurlijk.

'Nou ja, wat gek dat we een van jullie in de trein niet tegen het lijf zijn gelopen,' zegt Octavia terwijl Archie de auto langs de haven rijdt. 'Jullie zaten zeker bij elkaar?' Het klinkt alsof we een schietpartij op een middelbare school hebben voorbereid.

'Nee,' reageert Jay simpelweg. 'Dat ik jullie hier allemaal weer zie is een heerlijke verrassing op deze droevige dag.'

'Heel droevig. En,' vraagt Julius, al rood aangelopen en steeds meer lijkend op een dikkere, minder aristocratische versie van zijn vader, Frank, 'wat is het draaiboek voor vandaag? Linea recta naar de kerk? Of eerst een happie eten?'

Opeen gepropt naast Octavia op de achterbank durven Jay en ik elkaar niet aan te kijken. Het is alsof we weer kinderen zijn.

'Hm,' quasigewichtig schraapt Archie zijn keel. 'De begrafenis is om twee uur, dus we rijden nu meteen door naar de kerk,' zegt hij. 'Ik heb geen tijd om de rit te onderbreken en uitstellen kon niet; sommige mensen...' – hier trekt hij zijn wenkbrauwen op – 'sómmige mensen zijn gisteravond overgekomen en moeten nog vanavond terug naar Londen.' Ik knik beleefd.

'Dus we treffen de anderen daar?' vraagt Jay.

'Ja, ja,' reageert Archie kortaf, alsof hij alles onder controle heeft en verdere vragen dus overbodig zijn. 'Vader rijdt met Miranda – met je moeder, Natasha – mee naar de kerk. Vervolgens gaan we na afloop allemaal terug naar Summercove om wat te eten.'

'Ik weet dat mam vréselijk veel heeft gekookt,' zegt Octavia lijzig. 'Ze heeft de hele week gezwoegd, de arme ziel. Het is behoorlijk stressig voor haar geweest.' Ze zucht. 'En dan nog het huis uitruimen, voor die arme achteroom Arvind ergens nieuw onderdak vinden... ik bedoel, we weten allemaal dat-ie briljant is, maar hij is niet bepaald makkelijk, hè?!' Ze lacht.

Laat je niet opfokken door Octavia, gaat het als een mantra door mijn hoofd. Ze heeft zich ingeschreven bij een exclusieve online datingservice voor Oxbridge-alumni en ze valt op George Osborne. Zo'n type dus.

Toch zou ik haar graag een klap verkopen. Ik hoop maar dat ik dit gevoel niet de hele dag houd. Ik wou dat ik het kon. Na de begrafenis compleet lazarus worden en dan een ruzie beginnen, à la East-Enders. Zou ik misschien toch eens moeten doen. Archie en Jay zwijgen. Ik maak een nietszeggend geluid.

'Je moeder is fantastisch geweest,' dwing ik mezelf te zeggen, want het is waar, hoewel ik het vervelend vind om dat toe te geven. Louisa is degene die dingen voor elkaar krijgt, dat is altijd zo geweest. Zij

33

nam me altijd mee naar Truro om voor het nieuwe schooljaar sokken en schoenen voor me te kopen. Intussen voortdurend mompelend dat iemand het toch moest doen, dat dan weer wel, maar toch. 'O, Louisa is fantastisch,' is wat mensen over haar zeggen als ze niets anders weten.

De weg gaat omhoog en we rijden Penzance uit. Beneden ons zien we de schuimende en kolkende zee. Aan de horizon hangen donkere, rusteloze wolken. Een poosje rijden we zwijgend verder het binnenland in. Hier aan de zuidkust is het landschap woest maar rijkelijk begroeid, groener dan de rest van het land, ook al is het februari. We passeren Keltische kruizen, waarvan de fijne ornamenten allang zijn weggesleten door de zeewind, en met een vaartje passeren we de Merry Maidens, de tien meisjes die in steen veranderden omdat ze op een zondag dansten. Ze komen zo vertrouwd over. Vreemd om hier te zijn terwijl het niet hoogzomer is, maar het is niettemin prachtig. Dan schiet me weer te binnen waarom ik hier ben. Oma zou dol zijn geweest op een dag als deze, wandelen door de slingerende lanen en over de hoge, onbeschutte akkers, met een zijden hoofddoek om haar haar, haar ogen stralend van plezier.

Voorin richt Archie zich tot Julius.

'En Julius, hoe staat het met de beurs?'

'Nou...' begint Julius met zijn lage, vette stem. 'Onzeker, Archie. Onzeker...'

De rest van zijn antwoord wordt me bespaard doordat Octavia zich tot me wendt.

'Hoe gaat het toch met je sieradenhandeltje?' vraagt ze nieuwsgierig. Net als altijd verbijt ik me bij deze vraag, die het doet voorkomen alsof ik een paar kralen hartjes aan een touwtje heb geregen voor de verjaardag van een vriendin, in plaats van dat het mijn werk is.

'Prima, dank je,' antwoord ik. 'Ik ben bezig een nieuwe collectie te voltooien.'

'Wauw, geweldig,' reageert Octavia. 'Waar ga je die verkopen, op de markt of...' Bijna beschaamd sterft haar stem weg.

Het is nu bijna twee jaar geleden dat ik mijn sieraden vanuit een kraam aan de man bracht, eerst in Spitalfields Market, daarna in de Truman Brewery, daar vlakbij in de buurt. Ik bofte toen een van mijn stukken, een gouden ketting van piepkleine, met elkaar verbonden bloemen, een paar jaar geleden in *Vogue* stond en een onbelangrijk maar tamelijk trendy popsterretje hem droeg in een blad. Daarna kochten een boetiek in Notting Hill en eentje om de hoek van Brick Lane mijn spullen in. Zo werkt dat tegenwoordig. Iemand van wie ik nog nooit had gehoord droeg een halssnoer van mij en voor ik het wist huurde ik een pr-organisatie in om mezelf te promoten en ook iemand om een website te ontwerpen. Nu verkoop ik mijn spullen via die website en via een paar detailhandelaren. Maar Octavia denkt nog steeds, min of meer net als Louisa, dat ik met een muts op, handschoenen aan en een buiktasje met wisselgeld in een stalletje sta te roepen: 'Drie pond voor een paar oorbellen! Hier moet je zijn voor kettingen, komt dat zien, komt dat zien!'

Er schuilt ook een onuitgesproken snobisme in, wat hilarisch is. In dat kraampje verdiende ik net zoveel als nu. In feite verkocht ik toen vaak meer op een dag dan nu in een maand online. Bovendien was de kraam een geweldige manier om klanten en andere ontwerpers te treffen, om te kunnen zien wat goed verkocht, met mensen te praten en erachter te komen wat ze mooi vonden. Pedro, die op de oude markt van Spitalfields een groentekraam bestierde en die upgradede naar een delicatessenzaak voor betere verdieners in het nieuwe, geüpdatete en saaie Spitalfields, heeft nu een huis in Alicante, een vakantiewoning in Chamonix, die hij met iemand anders deelt, en hij rijdt in een Audi TT. Sara, het meisje dat naast mij een kraampje had, kocht afgelopen jaar voor haar moeder een huis in Londonderry en betaalde voor de hele familie een vakantie op Barbados. Ik dacht dat ook ik door mijn kraampje van de hand te doen naar een volgend niveau zou worden getild, en misschien is dat ook wel gebeurd.

Maar ik ben me steeds meer gaan afvragen of dat wel juist is geweest. Het afgelopen jaar of zo was het lastig. Vanwege de recessie kopen mensen geen sieraden. En hoewel Jay mijn website voor niets heeft ontworpen, de lieverd, blijven andere kosten maar oplopen. De huur van het atelier, inkoop van materialen, metalen en edelstenen, de pr die ik in de arm heb genomen, de vakbeurzen die je betaalt om er te mogen staan... dat tikt allemaal aardig aan. Van dat popsterretje heb ik trouwens ook nooit meer iets vernomen. Misschien verklaart dat het.

Een paar maanden geleden leek het er niet toe te doen. We hadden bovendien Oli's salaris nog. Dat van mij was 'speldengeld', zo noemde hij het, wat ik superneerbuigend vond. Maar het is waar. Vroeger was het heerlijk, spannend, stimulerend. De laatste tijd is het bijna pijnlijk geworden. Ik stel niets voor. Mijn gedachten stellen niets voor, mijn hoofd lijkt wel leeg te zijn. En dat is me aan te zien.

'Via de website, en wat winkeltjes,' zeg ik. 'Hetzelfde als altijd.'

'Oké,' reageert Octavia. 'Mooi, goed bezig.'

Ik duik dieper weg in mijn sjaal en kijk naar buiten, naar de indrukwekkende, door de wind afgevlakte zwarte bomen, het gele korstmos, het verrassende groen van de zee, die beukt tegen de grijze rotsen terwijl de auto voortsnelt over de verlaten, modderige weggetjes, dieper het platteland in. Ik bijt op mijn lip en denk na.

Ik vraag me af of iemand sinds haar overlijden in haar atelier is geweest. Voor de duizendste keer vraag ik me af hoe oma al die jaren geleden heeft kunnen stoppen met schilderen terwijl ik weet hoeveel het landschap om haar heen voor haar betekende, hoe het haar inspireerde. Maar hoewel niemand het ooit zegt, is het mij duidelijk dat er met Cecily ook iets in haar stierf, en dat dit nooit meer tot leven is gekomen.

Archie remt af, en plotseling zijn we bij de kerk, hooggelegen aan de rand van de hei. Ik tuur even en zie dat de lijkwagen net wordt voorgereden. Ze gaan de kist eruit halen. Daar staat Louisa, een misboekje in haar handen ronddraaiend, en naast haar mijn moeder, met kaarsrechte rug. De baardragers schuiven de lange doodskist uit de wagen – oma was lang – en het schiet weer door mijn hoofd: dat is zij, in die houten kist, dat is zij. Archie zet de motor uit. 'We zijn er,' zegt hij. 'Net op tijd. Kom, dan gaan we.'

4

Oma wist altijd heel goed wat ze wilde, en dus is de rouwdienst kort en mooi. We nemen plaats in de kerkbank en de kist wordt binnengedragen. Erachter lopen mijn moeder, Archie en Louisa. Ik kijk naar mam, maar ze heeft het hoofd gebogen. We luisteren naar de dominee in de kleine kapel met grote ramen. Nergens decoratie, geen wierook, pure eenvoud. Buiten fluistert de wind over de vlakten. Er worden twee hymnen gezongen: *'Guide Me, O Thou Great Redeemer'* en *'Dear Lord and Father of Mankind'*. De collecte gaat naar de reddingsbrigade. Louisa leest voor uit Exodus. Archie leest een stukje uit *Een kamer voor jezelf* van Virginia Woolf. Op oma's verzoek is er geen toespraak. Dat is het enige vreemde. Niemand staat op om boven oma's lichaam, daar in de eikenhouten kist in de zijbeuk, enkele woorden te spreken, en het voelt vreemd om het niet over haar te hebben, over wie ze was, en hoe geweldig. Maar dat was haar laatste wens, die zoals alle andere tot op de letter moet worden ingewilligd.

Terwijl we allemaal bedeesd de tweede hymne zingen, begeleid door een aftandse barpiano, werp ik een blik langs mijn moeder om te zien hoe het Arvind vergaat. Voor zijn rolstoel is hier geen plaats en dus zit hij in de zijbeuk, naast de kist van zijn vrouw. Nogal naargeestig, maar Arvind lijkt het niet erg te vinden. Hij is dezelfde als altijd: gekrompen tot kindformaat, zijn hazelnootbruine hoofd op een paar plukjes zwarte haren na bijna kaal. Zijn ogen zijn diep weggezonken in de oogkassen en zijn mond pruilt. Als een asterisk.

Hij staart naar me alsof ik een vreemde ben. Ik glimlach, maar er volgt geen reactie. Zo is Arvind, en ik ben eraan gewend. Pas toen ik oud genoeg was om door te hebben dat hij met een zin als 'Die jas staat je geweldig!' eigenlijk wil zeggen 'Wat een walgelijke, opzichtige jas!' of dat 'Jee, wat zit je haar goed!' neerkomt op 'Goeie genade, wie heeft jou in hemelsnaam wijsgemaakt dat jij wel een pony kunt hebben?' begon ik te beseffen hoe ik bofte met Arvind als opa. Huichelen is hem volkomen vreemd.

De hymne negerend zwaait hij met het dunne liturgieboekje naar me. 'Is het van kringlooppapier?' vraagt hij op die ongelofelijk doordringende zangtoon van hem waarin, zestig jaar na zijn komst naar Engeland, nog altijd een sterk Punjab-accent doorklinkt. 'Dat is ui-terst belangrijk, Natasha.'

Mijn moeder zit tussen ons in. De zestig gepasseerd maar nog altijd ravissant in haar lange, getailleerde jas met felblauwe voering, haar dikke zwarte haar dat over haar rug golft en haar grote groene ogen in haar hartvormige gezicht. Nu kijkt ze omlaag naar Arvind.

'Stíl zijn!' sist ze.

'We moeten alles recyclen, elk klein dingetje,' vertelt Arvind me vooroverbuigend zodat hij mijn blik kan vangen en op normale toon kan praten alsof we getweeën doodnormaal aan de thee zitten. 'China kan meer CO_2 uitstoten dan de rest van de wereld bij elkaar, maar het is míjn schuld als de wereld ten onder gaat, want ik heb mijn exemplaren van Play... Boy niet bij het oud papier gedaan!' De laatste woorden klinken luid.

'Pa, hou óp!' Mam grijpt woedend zijn bovenarm vast. 'Wees nou eens stíl.'

'Vader,' zegt Archie achter ons op nogal plechtstatige toon. 'Toe. Toon wat respect.'

'Respect?' Arvind haalt zijn schouders op en gebaard weids om zich heen. 'Zij nemen er anders geen aanstoot aan.'

Ik draai me om, deels om te kijken of hij gelijk heeft. Ik hap verschrikt naar lucht nu ik voor het eerst zie hoe vol het zit. Ik had het niet echt in de gaten toen we ons naar onze plaatsen haastten, maar daarna zijn er nog meer mensen binnengekomen. Ze staan achterin, hier en daar wel drie rijen dik opeengepakt in deze kleine ruimte. Allemaal gekomen voor oma. Ik knipper wat tranen weg. Wie zijn zij? Veel van hen zijn al aardig op leeftijd. Vrienden uit de buurt, denk ik, anderen uit Londen, oude vrienden uit de gloriedagen. Ik herken maar weinig oude gezichten. Allemaal kijken ze belangstellend naar het tafereel voor in de kapel.

De familieleden om mij heen zijn niet op hun gemak. Archie is ziedend. Octavia kijkt alsof iets onwelriekends haar neusvleugels heeft bereikt. Louisa is compleet van de wijs en staart Arvind smekend aan. Haar leuke broer Jeremy en zijn vrouw Mary Beth, die helemaal vanuit Californië zijn gekomen om de begrafenis bij te wonen, zingen ijverig verder. De Bolhoed opent en sluit geluidloos de mond, als een parlementslid voor Wales dat het Welse volkslied niet kent. Arvind vangt mijn blik, knipoogt en zingt weer verder. Ik staar naar het papier, maar kan me niet concentreren. Ik weet niet of ik nu moet lachen of janken.

Als de dienst is afgelopen en we ons achter de kist met oma naar buiten begeven voor de teraardebestelling, dringt het tot me door dat we met z'n vieren naast elkaar lopen: ik, mijn moeder, met Archie aan haar arm en ten slotte Jay, die Arvind in zijn rolstoel voortduwt. Louisa, de ceremoniemeesteres, houdt respectvol enige afstand, zodat alleen wij vieren een groepje vormen: mijn neef en onze ouders die een arm om elkaar hebben geslagen. Ik weet even niet wat er van ons wordt verlangd, behalve dat we achter de dominee aan lopen. Ik pak mams arm stevig vast. Ik voel me vreemd en wens dat er nog iemand bij ons was. Was Sameena er maar, maar die is op bezoek bij haar zieke zus in Mumbai en komt pas volgende week terug.

Of eigenlijk bedoel ik Oli. Was Oli er maar om mijn hand vast te houden. Natuurlijk is hij er niet bij, want ik heb hem juist gevraagd om niet te komen.

Het kerkhof doemt op en met onzekere tred loopt onze kleine familie er als een vreemd, geïsoleerd plukje naartoe, met achter ons Louisa, feitelijk de baas van haar familietak, die de hand van haar broer Jeremy stevig omklemt.

'Stof zijt gij, en tot stof zult gij wederkeren.'

Mijn moeder slaakt een luide, huiverende snik. Archie trekt haar wat dichter tegen zich aan. Jay staart aandachtig naar het gat in de grond, alsof het beweegt. Arvind staart in het niets voor zich uit. Het lijkt wel alsof hij met zijn gedachten heel ergens anders is.

Ze laten oma's kist in de aarde zakken en ik kijk weer om me heen en zie dat de congregatie zich inmiddels achter ons heeft verzameld, verspreid tussen de met mos begroeide grafstenen aan de rand van de hei. Opeens denk ik aan Cecily. Waar is haar graf? Ik zoek om me heen. Zou zij hier ook niet zijn begraven?

39

Oma kwam uit deze contreien, maar wij, mijn moeder en oom, mijn opa en mijn neef, wij komen ook van een hoop andere plekken. Opeens voel ik een pijnlijk verlangen naar Londen, daar weer zijn, wandelend door de met keien geplaveide straatjes rondom Spitalfields en Bethnal Green terwijl ik de eeuwenoude geschiedenis onder mijn voeten voel.

Maar nu ik daar niet ben zie ik hoe leeg mijn leven daar is, op een manier zoals ik die nog niet eerder heb gezien. Leeg. Een vak dat ik niet kan uitoefenen, een huwelijk dat mogelijk op het spel staat, een leven dat ik niet herken. Er wordt nog meer aarde in het graf geworpen. Het roffelt zacht tegen het hout. Als regen. Ik voel een brok in mijn keel.

Als de menigte uiteenvalt en zich buiten de kerk begint te verzamelen om in de auto's te stappen waarmee het kleine oprijlaantje volgeparkeerd staat, blijven wij achter rond het graf. Niemand zegt iets. Ik kijk naar de gezichten: dat van mam is een masker dat glimlachend voor zich uit staart. Archie heeft zijn lippen naar binnen gekruld en wipt wat op en neer. Louisa snuft en brengt voorzichtig een hand naar haar mond. Achter haar houdt de knappe Bolhoed met een ernstige blik het hoofd gebogen. Naast hem lijkt Louisa's broer Jeremy uit de toon te vallen. Hij is de meest gesoigneerde van het stel, gebruind, zijn haar zit goed, zijn kleren netjes in de vouw, de tanden wit. Hij staat wat verder van zijn zus en verwanten en houdt Mary Beths hand vast. Ik bekijk iedereen en kijk ten slotte naar mijn grootvader. Arvind staart het graf in en zijn dunne vingers omklemmen de plastic armsteunen van zijn rolstoel.

Dan valt me iets op. Het is grappig, maar niemand hier lijkt met elkaar verbonden te zijn. Er vallen totaal geen overeenkomsten waar te nemen, geen enkele blijk van dat we één grote familie zijn die tezamen een begrafenis bijwoont. Mijn vriendin Cathy, haar moeder en haar zus zijn als drie paar handen op een buik, terwijl mam, Jeremy, Louisa en de Bolhoed eruitzien alsof ze elkaar zo-even voor het eerst hebben ontmoet. Je zou niet zeggen dat ze hier ooit, vier à vijf weken lang, elke zomer met elkaar doorbrachten. In Summercove heb ik foto's gezien – niet veel, waarschijnlijk zijn er vanwege Cecily niet veel bewaard. Maar mam heeft er een paar op haar kamer in de flat, van haar en Archie, poserend op het terras; Archie als een jonge, verbaasd kijkende filmster, mijn moeder Miranda met een prachtige pruilmond, een glimlachende Louisa en Jeremy met hun armen over elkaar. En er is er nog eentje met Archie, de Bolhoed en Guy op het strand terwijl ze gekke bekken trekken. Ik vermoed dat het de eerste zomer was dat de Bolhoed en Guy hier waren. Oma had op haar kamer een foto van Louisa en mam, in kuise badpakjes met halterlijn, samen languit op het gazon toen ze een jaar of twaalf waren.

Als je ze nu ziet kun je je het niet voorstellen. Het lijkt wel of ze vreemden zijn voor elkaar.

Arvind schraapt zijn keel en de betovering, wat die ook mocht zijn, is verbroken. De zon is achter de wolken verdwenen en het is steenkoud. Ik wankel op mijn benen, deels vanwege het verdriet, deels vanwege vermoeidheid en een lege maag. Opeens voel ik een arm om mijn schouders. 'Kom, we gaan naar huis. Jij kunt wel een drankje gebruiken,' fluistert Jay in mijn oor.

Met kleine stapjes lopen we naar de auto. Groepjes rouwenden wachten kletsend en roddelend op ons vertrek. We vorderen maar langzaam. Oli vindt het leuk om gezegden te verzamelen, dingen die je zegt waarvan je je later pas realiseert hoe cliché ze zijn: ligt het aan mij of zijn agenten tegenwoordig steeds jonger? is een van zijn favorieten. Afgelopen jaar zei ik het een keer zomaar tegen hem. Nu ligt het op mijn lippen om te zeggen: wat een begrafenistempo, zeg. Ik kijk naar Jay, maar ik weet dat hij het niet zal vatten.

'Mensen!' roept Louisa luid, en haar stem schiet over de stoet rouwenden in heen. 'De familie van Frances wil jullie graag nog even uitnodigen voor een drankje in Summercove. Rij maar achter ons aan, alsjeblieft.'

Met haar witroze teint, haar aureool van grijsblond haar en het gestreepte, gevoerde jasje over haar degelijke plattelandsvrouwenkledij lijkt ze een regelengel, een van de ballotageassistentes van de heilige Petrus aan de hemelpoort. Er wordt respectvol geknikt, je doet altijd netjes wat Louisa zegt. Men glimlacht naar haar. Mijn moeder loopt voor me uit en ik zie de blikken die zij op haar beurt krijgt toegeworpen. Het nieuwsgierige gestaar, de zuchtjes. Louisa volgt mijn moeder Miranda, haar mooie, goddeloze nicht, en we begeven ons naar de auto's. We gaan naar Summercove.

41

5

Zonder de omgeving zou Summercove ook al een prachtig huis zijn. Maar mét is het, nou ja, je mond valt open van verbazing. Mijn mond in elk geval. Misschien is het niet ieders smaak. Dat kan mij niets schelen. Voor mij is het de plek waar ik het liefst ben. Altijd.

Na een smal laantje, in de zomer overdekt door een bladerdak zo groen en dicht dat het er bijna donker is, draai je een oprit op en plotseling zie je het huis voor je staan, aan de rand van een gazon dat geleidelijk afloopt naar de kliffen. Achter ligt een enorme tuin, met keurig verzorgd gras, rijen lavendelstruiken, klimrozen tegen de zijgevel, een tafel met stoelen voor de thee of om in te relaxen. Er staan zelfs palmbomen; die groeien overal in Cornwall. Maar aan de voorkant van het huis ligt een terras met een eenvoudig stenen trapje dat naar het gazon leidt. Aan de andere kant staat een prachtig tuinhuisje, net een glazen draaimolen, waar je kunt zitten en naar de zee kunt kijken. Naast het huis langs het laantje bevindt zich een hek dat opent naar een paadje met een hoge haag die 's zomers volzit met clematis, klimop en bramen, met overal hard tjirpende insecten. Het paadje komt uit op grasrijke heide en stenen, vanwaar de rest van de kust zich plotseling voor je openbaart; de schuimende, hemelsblauwe zee, de in en in blauwe lucht, de wilde bloemen die de hei bespikkelen, en als je geluk hebt en het helder weer is, kun je aan de ene kant het Minack Theatre zien en aan de andere kant bijna tot aan de Lizard aan toe. Als je naar beneden loopt moet je voorzichtig zijn en je vasthouden aan een touw, want het pad is hier dwars door de rotsen aangelegd en is vaak glibberig en vochtig. Je moet langzaam aan doen, je hoofd erbij houden en opletten dat je niet uitglijdt. Je loopt het hele eind naar beneden, lager en lager, tot je op het strand bent, waar het zand vanillegeel is en je op platte, zwarte keien kunt liggen. En er is verder niemand in de buurt. Alleen wij, op ons eigen privéstrandje, ergens beneden het huis.

Summercove werd in de jaren twintig van de vorige eeuw gebouwd voor een miljonairszoon die kunstenaar wilde worden (samen met grofweg twintig procent van alle mensen die naar Cornwall kwamen). In Miami zou het niet misplaatst lijken – een laag, vierkant art-decohuis met ronde randen, vol grote, rechthoekige zonvensters en stijlvol gesitueerd in de glooiing van het land voordat dit spectaculair omlaag duikt naar de kliffen. De zitkamer heeft openslaande tuindeuren die naar het terras leiden, de bovenkamers hebben zitjes in de brede vensternissen.

Het is geen herenhuis, maar wel groot, fris en licht, en altijd warm, opgetrokken uit beton en baksteen om de ruige zeewind te kunnen weerstaan. Mijn kamer, die ik deelde met Octavia in de week dat onze vakanties samenvielen maar die ik het grootste deel van de zomer gelukkig voor mezelf had, was klein en zou zelfs benauwd zijn geweest als hij niet op zee had uitgekeken. Het was mijn moeders kamer toen zij jong was. De gordijnen waren jaren vijftig, van Heal's: lichtgrijs, met heel kleine blauwe, groene, gele en rode stippen. Het meubilair is snoezig, twee kleine bedden met donkere houten onderstellen, lichtroze, zijden dekbedden met ganzendons, een boekenkast, ook van donker hout, vol met mijn moeders boeken van toen ze nog klein was: My Friend Flicka, Swallows and Amazons, de Narniaboeken, Jane Austen, en mijn favoriete stuk: een kleine, lage leunstoel op koperen wieltjes, die bekleed is met stugge, marineblauwe jute met roze stippen. Hij is op verschillende plekken versleten, maar nog steeds intact. Ik zat daar vroeger urenlang in, of in het venster.

Ik was een dromerig kind, erg op mezelf, buitengewoon verlegen, een treurig contrast met mijn betoverend mooie, zelfverzekerde moeder. Ik heb geen geduld met mensen die zich beroepen op bijzondere voorrechten omdat ze lijden onder een fnuikende verlegenheid. Daar lijden we volgens mij allemaal wel onder, alleen leert ieder van ons zich daar op een andere manier doorheen te slaan. Ik denk dat mijn moeder ook verlegen en onhandig is, maar zij stapt daaroverheen door zich een rol aan te meten, die van de opvallende schoonheid. Maar ik herinner me vooral dat toen ik een jaar of twaalf was, en het leven me leek te overweldigen – op mijn nieuwe, enge middelbare school, met mijn moeder en mijn groeiende bewustzijn van mijn plaats op deze wereld – mijn kamer in Summercove voor mij echt een toevluchtsoord was.

De flat in Hammersmith, met zijn papierdunne muren waardoor iedereen wist waar je mee bezig was, was 's zomers om te stikken en 's winters stervenskoud. Hier, bij de zee, kon ik me terugtrekken. Zelfs in de korte tijd dat Octavia en ik daar samen waren, bracht zij de meeste dagen buiten door, beneden op het strand en in de tuin. Ik, daarentegen, kon de hele middag op mijn kamer zitten tekenen, naar de horizon staren of vreselijke gedichten schrijven over dat niemand me begreep, voortdurend mijn haar heen en weer schuddend terwijl mijn ogen volliepen en ik zuchtte over mijn vreselijke leventje. Ik was een afschuwelijk kind, vrees ik.

Arme Octavia. Ik weet zo zeker dat ik gelijk heb en dat zíj juist afschuwelijk is, dat het nooit echt in me is opgekomen dat het waarschijnlijk andersom is. Ik kan me niet herinneren dat zíj ooit een driftbui had of uren achter elkaar somber uit het raam staarde.

Nu, eind februari, zijn de takken bijna kaal en dus is het laantje dat naar het huis leidt lichter, hoewel de weg modderig is en bedekt met een dikke smurrie van verrotte bladeren. Als we de oprit op rijden, knarsen de grote wielen van de auto, terwijl ik reikhalzend probeer een eerste glimp van het huis op te vangen. Een gebogen, witte vorm verschijnt voor ons, en ik zie het groen van het veld en het blauw van de zee daarachter. Ik bereid me voor op wat komen gaat.

'En Natasha, hoe laat vertrekt je trein vanavond?' vraagt Archie hardop. Hij zet de motor uit. 'Wist je dit al?' vraagt hij terwijl hij mijn moeder aankijkt.

O god.

'Vanavond?' roept mijn moeder schril terwijl ze eerst met het ene en dan het andere been behoedzaam uitstapt. Ze tuurt naar de achterbank, waar wij met Arvind zitten. 'Jij gaat vanavond niet terug.'

'Ik vrees van wel,' reageer ik. Het klinkt belachelijk formeel. 'Het spijt me. Ik moet… ik heb morgen een vergadering.'

'Natasha! Dat kun je niet maken!' Mijn moeder trekt een pruilmondje als een kind.

'We zijn er,' zegt Arvind plotseling. 'We zijn weer thuis.'

'Ja, pap.' Mam geeft hem een pets op zijn arm, alsof ze hem wegduwt. Ze heeft nog steeds een pruillip. 'Natasha?'

'Ik weet dat het belachelijk is,' verontschuldig ik me. 'En het spijt me heel erg. Maar ik kan die vergadering echt niet mislopen.' Ik weet dat het klinkt alsof ik lieg, maar ik kan er niets aan doen.

'Hoezo? Is het dan zo belangrijk dat je al vroeg weer weg moet van de begrafenis van je grootmoeder?' vraagt ze streng en op hoge toon. 'Kun je niet één nachtje blijven logeren? Natasha, toe.'

Ze heeft gelijk, en ik weet niet wat ik moet zeggen. Ik draai weg van haar en kijk omhoog naar het huis terwijl de tranen in mijn ogen prikken. Ik had het moeten afzeggen, dat weet ik. Maar als ik dat doe is mijn laatste kans verkeken, echt.

Als Oli hier was... zou alles anders zijn. Alles zou anders zijn als Oli hier was, maar hij is er niet omdat ik hem heb verzocht weg te blijven van oma's begrafenis; eigenlijk schreeuwde ik het recht in zijn gezicht en ik lachte hem zelfs uit omdat hij het lef had om het te vragen. Als Oli hier was, zou ik mezelf niet haten, vanwege mijn twijfels over geld, over wat er mis is gegaan en waar, voor hoe ik mezelf hieruit ga redden. Eerlijk gezegd heb ik geen twijfels over geld maar maak ik me er vooral zorgen om, heel erg, obsessief zelfs. Als Oli nu bij me was, zou dat niet hoeven. 'In voor- en tegenspoed' en 'tot de dood ons scheidt?' vroeg de ambtenaar van de burgerlijke stand ons bij ons trouwen, in een zonnige tuin langs de Theems. Ja, antwoordden we. Ja op alles, ja, ja, ja, en ik weet nog dat ik omkeek naar mijn moeder, mijn trots toekijkende grootmoeder in de schaduw onder het baldakijn, en dat ik dacht: ik heb het geflikt, wij hebben het geflikt. Nu hebben we onze eigen familie.

En nu oma is begraven, ze in de grond ligt en een hoop aarde boven op zich gestapeld krijgt terwijl wij hier staan te praten, ziet alles er anders uit. Het is raar hoe vaak ik me er de afgelopen twee weken op heb betrapt dat ik me afvroeg of zij het leuk zou vinden wat ik doe. Het doet me beseffen hoezeer ik wilde dat ze het leuk vond.

'Het is voor mijn werk. Het is...' Ik kan het haar niet zeggen. 'Het is echt belangrijk.'

'Belangrijker dan dit?' Mam gebaart om de auto heen. Ik hap niet toe, maar ze is terecht zo in verwarring en van streek. 'Nee, natuurlijk niet,' reageer ik op kinderachtige toon, 'maar ik ben er toch? Ik moet gewoon weer vroeg terug.'

'Het is al erg genoeg dat Oli er niet is,' zegt ze. 'Nu ren je er al vandoor zodra het kan en...' Ze laat haar handen langs haar zij vallen, alsof ze wil zeggen 'Die dochter van mij, wat moet ik toch met haar beginnen?'

Mijn hart doet pijn. Ik wou dat ik het haar kon vertellen, ik wou dat zij het soort moeder was aan wie ik het kon vertellen.

'Help me eens, Archie,' vraagt Arvind aan zijn zoon, en het verzoek zorgt voor wat afleiding terwijl oom Archie hem voorzichtig uit de auto helpt. Langzaam wandelen ze achter ons aan, gevolgd door een zwijgende Jay, en we lopen naar de geopende voordeur. Om ons heen giert de wind, maar uit de kale bomen klinkt geen geruis.

Ma staart nog steeds naar me. 'Weet je, Natasha,' zegt ze lijzig, 'ik ben echt heel boos op je.'

Ik knik, niet bij machte om direct te reageren terwijl we over de drempel stappen. Op het prachtige dressoir uit de jaren vijftig staan bloemen, witte lelies die net beginnen te verwelken; de geur is weeïg. Oma moet ze nog gekocht hebben. Je voelt nog steeds haar aanwezigheid hier, de laatste karweitjes die ze deed zijn nog zichtbaar.

Als we links de keuken in lopen klinkt er gekletter; Louisa is al aanwezig en ze wordt geholpen door Mary Beth en Octavia, die dienbladen tevoorschijn halen, glazen pakken en hummus uit plastic bakjes in mijn grootmoeders favoriete papkommen scheppen. Opnieuw oogt het allemaal verkeerd, deze bedrijvigheid. Normaal zou oma dit doen, langzaam maar doelgericht rondscharrelend in haar keuken, rustig alles bij elkaar zettend, hier, in haar domein. Deze bedrijvige drukte is voor haar, voor haar begrafenis. Ik sluit mijn ogen.

'En dan nog iets,' gaat mam nog steeds op furieuze toon verder. Ik ben degene die het smeulende verdriet en de woede, die ze al de hele dag heeft onderdrukt, heeft aangewakkerd. 'Nu we het er toch over hebben, Natasha. Hoe komt het dat je eigen man niet eens de moeite neemt om naar oma's begrafenis te komen en zelfs niet even schrijft of belt om zich te verontschuldigen? Kan het hem dan helemaal niets schelen?' Ze draait zich om en met die grote groene ogen in dat lieve gezicht met kersenrood aangelopen wangen van haar kijkt ze me aan. Ik staar terug, ze lijkt zo op oma, zo mooi, is ze altijd al geweest. 'Echt helemaal niets?' herhaalt ze.

Louisa kijkt op. 'Miranda,' klinkt het kordaat. 'Ah, eindelijk ben je er,' alsof mam op de heenweg is gestopt voor een schoonheidsbehandeling en een manicure. 'Wil je alsjeblieft de hapjes in die dozen daar uitpakken?'

Mam negeert haar gewoon; in een andere situatie zou ik het heerlijk vinden, deze afkeer tussen mijn moeder en haar nicht, echt zo heftig dat het soms een wonder is dat ze niet gewoon hun schoenen uitgooien voor een potje worstelen op de vloer. Mam wendt zich weer tot mij. 'Echt lieverd. Ik bedoel, hij is je man.'

Het ruist weer in mijn hoofd. Ik sla mijn ogen op naar het plafond.

'Niet meer,' hoor ik mezelf zeggen.

'Wat?' reageert ze. 'Wat zei je daar?'

De ruis wordt steeds luider. 'Ik heb hem verlaten. Of eigenlijk heeft hij mij verlaten. Daarom is hij er niet.'

Iedereen draait zich naar me om. Ik voel dat ik een rooie kop krijg, als een kind dat wordt betrapt terwijl hij iets doet wat hij niet mag. Wat een maffe toestand. Ze kijken naar me. Mams mond valt open van verbazing en de stilte rekt zich uit totdat ze overdonderend is, totdat Mary Beth zo vriendelijk is om een glas op de vloer te laten vallen. Het slaat aan gruzelementen, wat ons in elk geval iets te doen geeft.

Mam plant haar rug tegen de muur, weg van het glas dat het dichtst bij haar versplinterd ligt, en schuift met een fluwelen neus van haar schoen de scherven naar het midden van de kamer. 'O jeetje,' zegt de arme Mary Beth, die geschrokken een hand voor haar mond slaat. 'Verdorie.' Ze knielt op de grond en Louisa komt binnengevlogen met een stoffer en blik. 'Niet aanraken dat glas!' gilt ze. 'Voorzichtig!'

Er volgt een korte stilte. Ik kijk iedereen aan, kijk naar de splinters en het steeltje van het glas, dat langzaam over het linoleum in het rond rolt.

'Nat?' Jay staat nog steeds achter me. Ik had hem niet gezien. 'Je bent bij Oli weg? Hoezo? Waarom?'

'Ik wil er niet over praten,' zeg ik, en opeens voelt de vloer onder mijn voeten als vloeibaar aan en rijst omhoog, een welkom gevoel. Ik doe een stap achteruit, weg van de glassplinters. Vormen en kleuren zwemmen voor mijn ogen, en ik ervaar het bijna als een opluchting als het geleidelijk aan zwart wordt voor mijn ogen en ik flauwval.

6

Wanneer ik wakker word weet ik even niet waar ik ben of wat er aan de hand is. Het is donker. Ik duw me rechtop in bed en kijk verward met knipperende ogen om me heen. Langzaam komt het allemaal weer terug.

Het eerste wat ik constateer, is dat ik in mijn oude slaapkamer lig. De gordijnen zijn halfdicht. Jay en de Bolhoed hebben me naar boven gebracht, hebben me via de brede trap naar boven gezeuld en daarna ben ik in bed geploft en als een baksteen in slaap gevallen. Een soort narcolepsie. Ik kon mijn ogen nog maar nauwelijks openhouden.

Ik kijk op mijn horloge: kwart voor vijf, maar ik weet niet hoe lang ik hier heb gelegen. Ik rek me uit, geeuw, en haal een hand door mijn haar. Mijn hoofd klopt, alsof ik nu nog geen hoofdpijn heb, maar die elk moment kan verwachten. Langzaam verkennen mijn vingers mijn huid. Op mijn voorhoofd zit een pleister waaronder zich een buil aan het vormen is. Die voelt warm aan. Fijn. Morgen zal daar dus een knoert van een blauwe plek zitten. Precies op tijd.

O jee, schiet het door me heen. Ik ben als een idioot flauwgevallen. Mijn elleboog doet behoorlijk pijn op de plek waar ik me moet hebben gestoten toen ik neerzeeg. Net als mijn dij. Ik voel me ellendig, alsof ik een kater heb en ook nog eens in elkaar ben geslagen. Maar ik voel me bovenal beschaamd. Meer dan, zelfs.

Ik wilde mijn moeder helemaal niet vertellen dat mijn huwelijk voorbij was. Niet op die manier. Dat heeft ze niet verdiend, niemand van hen. En ook nog eens op oma's begrafenis. Ik huiver. Dit is te erg.

Een paar zachte klopjes op de eikenhouten slaapkamerdeur. 'Kom binnen,' zeg ik.

Langzaam gaat de deur open en Jays knappe gezicht verschijnt om de hoek. 'Hoe voel je je?' vraagt hij.

'Wil je het echt weten? Behoorlijk ellendig,' antwoord ik en ik til mijn hoofd wat verder omhoog om hem beter te kunnen zien. 'En bezwaard. Het spijt me, ik wilde niet dat je er zo achter moest komen.'

'Jezus, Nat? Wat is dit toch allemaal?' vraagt hij terwijl hij de slaapkamer in loopt. Hij ploft naast me op het bed en knipt het bedlampje aan. Zijn lichaam werpt een enorme schaduw over de muur. 'Je bent bij Oli weg? Maar jullie twee waren... hij was alles voor jou!'

Hij kijkt me aan alsof ik zojuist zijn konijntje de nek heb omgedraaid.

'Ja hoor.'

'Ja!' reageert hij bijna boos. 'Wat mankeert je?'

'Ligt niet aan mij,' zeg ik en ik schiet in de lach. 'Of, misschien toch wel. Hij... hij heeft met een ander geslapen.'

Het klinkt zo raar als je deze woorden over je lippen laat rollen. Zo'n cliché. En toch, je verwacht nooit dat je ze zelf ooit hardop zult zeggen en dat het daarbij over je eigen leven gaat.

'Hij heeft wát?' Jay kijkt me wezenloos aan, alsof hij de woorden niet begrijpt.

Ik zwaai mijn benen over de rand van het bed. 'Ze is een cliënt. Het gebeurde na een conferentie.' Ik zoek naar mijn schoenen. Het hardop zeggen lukt me wel zolang ik mezelf er maar van kan distantiëren, ik gewoon kan doen alsof er niets aan de hand is.

'Maar...' Jay fronst zijn voorhoofd. 'Maar het gaat om jullie twee. Jullie zijn mijn perfecte koppel. Jullie mogen niet uit elkaar.'

'We zijn geen perfect koppel.' Ik wil huilen. Hij kijkt me verbijsterd aan. 'Er zijn...' zeg ik zachtjes, alsof hij degene is met wie ik breek, 'er zijn dingen veranderd. Ik ken hem niet meer.'

'Maar... je kent hem al je hele leven lang, Nat. Hij is geen spat veranderd.'

Ik leerde Oli op de universiteit kennen. Hij was de eerste, en de enige, die me vertelde dat mijn groene ogen in mijn bleke gezicht prachtig waren. We waren inmiddels al bevriend met elkaar. Ik zat in de bar van de studentenvereniging van Imperial College. We waren allebei lid van Dramsoc, de toneelclub, en vierden de afloop van onze geslaagde reeks opvoeringen van HMS Pinafore met een nautisch themafeestje dat Oli had georganiseerd. Ik geloof dat ik toen al een beetje voor hem viel, hoewel we pas jaren later iets met elkaar kregen. Zes jaar, om precies te zijn. Ik viel hem om zijn hals toen hij het zei. Hij keek zo blij. Hij was al met weinig gelukkig, toen.

Zelf was ik het alweer vergeten, maar Oli was niet de coolste toen ik hem voor het eerst ontmoette. Met de jaren ontsteeg hij de serieu-ze, hakkelende en gênant blozende jongen uit een klein dorpje in Yorkshire die hij was. Tegenwoordig is hij een stuk flitsender. Hij ge-niet van het sluiten van deals, het contact met cliënten, het handen schudden; hij wil dat mensen hem mogen, denk ik. Dat heeft hij al-tijd al gehad. Ik heb dat altijd enorm innemend gevonden. Totdat zijn charmeoffensief de opmaat voor een wip buiten de deur werd. Dát vind ik dus niet innemend.

'Maar dat is het hem nou juist,' zeg ik. 'Ik heb niet het gevoel dat ik hem nog ken. Zelfs al voordat hij me het… het opbiechtte. Het zat al een tijdje niet lekker. Wederzijds gesproken.'

Jay staart me aan, alsof hij iets wil zeggen, maar bedenkt zich dan. We zwijgen en luisteren naar het geroezemoes, beneden.

Het lijkt hier zo ver weg, dat Londense leventje dat we leiden, vol met dure maaltijden en ontvangstruimten, de coole flat met de jaren zeventig-filmposters aan de muren en de felrode espressomachine van Gaggia. En ook ons afbrokkelende huwelijk en de dingetjes die we, wederzijds, voor elkaar geheim houden. Kleine dingetjes: je bijt even op je lip, je zwijgt, je verdraait de waarheid. Geheimpjes die zich maar ophopen, totdat ze gaan etteren en je er niets meer aan kunt doen. Daarvóór waren we al te ver heen met elkaar voor te liegen. Nu ik hier ben, ver weg van de hele boel, is me dat helder.

Ik trek mijn benen op en sla mijn armen om mijn knieën. 'Doe de gordijnen open,' zeg ik.

'Het wordt al donker, hoor.'

'Weet ik.'

Het schemert en de volle, gele maan begint net zichtbaar te wor-den. Een metaalgrijze lucht en een olieachtige, donkerblauw-zwarte zee. Het voelt nog te vroeg voor de avond, we zijn er nog maar net. Opeens wil ik het liefst dat ik hier tot morgen kon blijven, dat ik niet terug hoef naar die toestand. We vallen even stil. Jay zit naast me en boven de stemmen uit, beneden, vang ik het zachte geruis van de zee op, als door een schelp tegen mijn oor.

'We moeten maar eens naar beneden gaan,' stel ik voor.

'Prima, zo meteen.' Jay trekt een scheve neus. Dan haalt hij zijn hor-loge van zijn pols en houdt het in zijn hand, een oude gewoonte van hem. 'En nu? Schop je hem op straat?'

'Hij is al weg, sinds de avond dat hij het me vertelde.' Inmiddels twee weken geleden.

'Serieus? En je hebt het tegen niemand gezegd?'

'Hij wil bij me terugkomen, wilde helemaal niet weg. Hij blijft maar zeggen hoeveel het hem spijt, wat voor een vergissing het is geweest.' Ik trommel wat met mijn vingers tegen mijn voorhoofd en ik huiver even als ze de beurse plek raken. 'Ik wist… niet wat ik moest doen.'

'Je zou het bij iemand hebben kunnen aankaarten. Dus… niemand weet het?' Hij lijkt het niet te kunnen geloven. Ik haal even adem.

'Cathy weet het. En, eh, Ben.'

'Ben?' Jay klakt luid met zijn tong. 'Je vertelt het wel aan Ben, maar niet aan mij? Of aan je moeder?'

Ben huurt de studio naast mijn atelier. Hij is fotograaf, een oude vriend van Jay uit zijn studententijd. Vandaar dat ik destijds over het atelier hoorde. De meeste dagen drinken we samen thee. Ben draagt wollen truien en is dol op zachte chocoladekoekjes van Jaffa, net als ik. Het is heerlijk om de hele dag te kunnen werken naast zo'n rustgevend iemand, zo'n robbedoes, of een lieve oude dame die een snoepjeswinkel heeft. Toen Oli opstapte heb ik de volgende dag flink bij hem uitgejankt.

'Je had het aan ons moeten vertellen, niet aan Bén,' zegt Jay. 'Je had het binnen de familie moeten houden.'

Hij heeft de neiging een beetje als een Corleone te praten. 'Jay, echt,' zeg ik. Hij fronst. 'Ik kón het gewoon niet! En een week later is oma opeens overleden. Ik kan toch moeilijk iedereen gaan e-mailen met "zie je op de begrafenis. O, en weet je het al? Ik ben van mijn man af. Ik praat je wel bij als ik je zie!"'

Jay schudt zijn hoofd. 'Je bent gek.' Hij staat op, staart naar buiten en draait zich naar me om. 'Nat, je hebt het tegen mij. Oké? Tegen mij. Natuurlijk had je het me moeten vertellen. Ik… ik ben er gewoon voor je, weet je?'

'Ja,' antwoord ik. 'Ik weet het. Maar ik kon het niet.' Tranen vullen mijn ogen. Jays vingers knijpen in het horloge in zijn hand. Ik hoor de metalen schakeltjes van de horlogeband tegen elkaar tikken.

'Soms… is het net alsof ik je niet meer herken,' vervolgt hij na een lange stilte. 'Je bent tegenwoordig zo anders, Nat. Stilletjes, ingetogen. Niet jezelf.'

51

Ik kijk hem niet aan. Ik wil er niet over praten, erkennen dat hij wel eens gelijk kan hebben over hoe verkeerd het allemaal is. 'Ik breng veel tijd in m'n eentje door,' is mijn simpele antwoord. 'Thuis, in mijn atelier.'

Hij schudt zijn hoofd. 'Dat bedoel ik niet. Het voelt alsof je… alsof je verdriet hebt, en ik weet niet waarom.' Hij legt een vinger onder mijn kin. 'Nat, die vergadering, morgen, waar gaat die over?'

Ik zeg niets. Hij kijkt me aan en het mededogen en de bezorgdheid in zijn ogen snijden dwars door mijn ziel. Het zou voor mij gewoon een stuk makkelijker zijn als het hem niets kan schelen, als hij me met rust liet.

'Het heeft te maken met de bank.' Met mijn armen om mijn benen geslagen staar ik terug. 'Ziet er niet best uit.'

'Hoezo?'

'Ik ben in gebreke gebleven, qua aflossing,' antwoord ik schor. 'Ze willen gaan p-procederen.' Jays mond valt open. 'Waarschijnlijk zal ik failliet gaan. Het schiet gewoon niet op. Of eigenlijk, het ligt aan mij. Ík schiet niet op.' Ik slik.

'Wél… nou en of!' roept Jay verontwaardigd. 'Jij hebt gewoon talent, Nat!'

'Echt niet,' reageer ik. 'Niet meer. Heb het, denk ik, ook nooit gehad. Ik heb al maanden niets meer getekend.'

'Maar je bent altijd… je was altijd met je potlood in de weer, altijd bezig met schetsjes…' – hij zwaait wat met zijn hand, zo van: kijk dan, kijk dan – 'een ontwerp voor een diadeem toen je nog een meisje was, een paar oorbellen, een ring… je vindt het heerlijk om te doen! Je bent gewoon briljant!' Hij zegt het nog eens, maar het klinkt hol.

Ik raak zijn hand even aan. 'Het lukt niet meer. Vraag me niet waarom.' Ik sla mijn ogen neer, durf hem niet meer in de ogen te kijken. 'Ik zit zonder ideeën, en de dingen die al te koop zijn… niemand koopt ze. Mijn werk, ik, het is…' ik haal diep adem om mezelf schrap te zetten, 'een janboel. Aan die website ligt het niet, Jay,' daarvan wil ik hem verzekeren, 'het is gewoon de recessie. Mensen trakteren zichzelf niet meer op een leuke armband van een ontwerper van wie ze nog nooit hebben gehoord.'

Jay is een en al verbijstering. 'Maar je boekt succes, je staat in tijdschriften, die bekende meid die jouw ketting droeg? Ik begrijp het niet.'

'Dat is al eeuwen geleden. En ik ging naast mijn schoenen lopen.' Ik probeer opgeruimd te klinken, maar ik ben doodsbang. Dit is wat ik doe. Het is het enige wat ik kan, en het feit dat ik het zo heb laten verslonzen maakt me doodsbang. 'Oli onderhoudt ons allebei, sinds een paar jaar,' zeg ik en opnieuw krijg ik tranen in mijn ogen. 'Aanvankelijk leek er niets aan de hand. We wisten dat het even zou duren. Ik moest goud en materialen kopen, visitekaartjes, drukwerk en alles regelen. En ik moest de huur van het atelier ophoesten. En ook nog de accountants en zo betalen voor de bedrijfsadministratie. Maar... ik sta nu vijftienduizend pond in het rood.' Ik haal diep adem... het is naar om dit hardop te moeten zeggen, ik vind het allemaal verschrikkelijk.

Het is die blik op Jays gezicht waar ik niet tegen kan, waarom ik het de mensen niet wil vertellen, ik hun teleurstelling, de onaangename verrassing in hun ogen niet wil zien. Hij schudt zijn hoofd, alsof hij het niet begrijpt, alsof ik een idioot ben. Wat klopt.

'Ik wist niet dat je er zó slecht voor stond,' merkt hij ten slotte op. 'Wat ben je van plan?'

'Ik heb geen idee,' zeg ik. 'Maar ik moet iets doen. Ik weet het al een tijdje, en toen kwam Oli... met zijn verhaal over dat meisje, en daarna overleed oma, en dat is het enige wat me nu bezighoudt: hoe teleurgesteld ze zou zijn geweest, hoe ik haar heb beschaamd...' Een brok nestelt zich in mijn keel, maar ik wil niet huilen. 'Ik had nooit het idee dat ik iemand zou vinden, of iets zou kunnen wat ik leuk vond. Ik dacht altijd dat ik net als mam zou worden, weet je wel? Wonend in een verschrikkelijke flat, alles één grote leugen, doen alsof het leven zich op het witte doek afspeelt, in plaats van in de realiteit. Ik dacht dat mij dat niet zou overkomen... Oli en ik, wij met z'n tweeën, mijn werk...' Ik bal mijn hand tot een vuist en ik druk hem tegen mijn maag. 'O, god.'

'Oma's overlijden haalt natuurlijk een hele hoop narigheid naar boven, daar kon je op rekenen,' zegt Jay. Hij slaat een arm om me heen. 'O, Nat. Jee, het spijt me.' Hij drukt me stevig tegen zich aan. 'Zeg, waarom bivakkeer je niet een tijdje bij mij? Ik heb nog die kleine studeerkamer die ik zelden gebruik.'

Ik glimlach. 'Dat is echt heel aardig van je. Nee... ik hoop... ik heb geen idee hoe het verder zal gaan.'

'Je bedoelt dat je hoopt dat hij weer bij je terugkomt?'

'Volgens mij wil hij dat. Hij blijft maar sms'en, of we het er nog eens over kunnen hebben. Een ontmoeting. Ik weet gewoon niet of dat wel het beste is. Ik weet helemaal niets meer.' Ik sla mijn ogen naar hem op. 'Hoe moet het verder, Jay?'

'Alles komt goed,' zegt hij, en hij geeft me een schouderklopje. 'Kom, het is al laat. Je moet beneden even je gezicht laten zien, vooral als je over een uurtje of zo al aftaait.'

'Yep,' zeg ik. 'Het spijt me, ik had je er niet nu mee moeten opzadelen.'

'Ik ben blij dat je het toch gedaan hebt, Nat. Had je eerder moeten doen. Ik maak me zorgen om je. Luister, je hebt talent, oké? Die bespreking, morgen, zal prima verlopen. En daarna kun je het met Oli gaan uitpraten... komt allemaal weer goed, ik beloof het je.'

Ik knik. 'Als jij het zegt...'

'Geloof me. Zit in de familie.' Ik slaak een vreugdeloos lachje, we verruilen het donker voor de lichte gang op weg naar het gezelschap beneden. Het stoeltje van Arvinds traplift staat bij de bovenste tree. Hij moet dus boven een dutje aan het doen zijn. Naast ons vang ik een geluidje op en ik kijk opzij, min of meer in de verwachting dat het oma is die ons in het duister, vanachter de trapleuning, doodgemoedereerd vraagt waar dat heen moet, wat we hier uitspoken. Maar ze is er niet. Er is helemaal niemand.

7

De bijeenkomst in de zitkamer heeft iets onsamenhangends, iets onwerkelijks. Er zijn minder mensen dan bij de begrafenis. Ik denk dat de meesten inmiddels naar huis zijn. De grote kamer wekt een vreemde indruk; mensen staan doorgaans niet in kluitjes zacht en beleefd met elkaar te kletsen. Ik speur de kamer af, de leden van mijn familie afvinkend. Wanneer waren we voor het laatst allemaal samen, in dezelfde kamer? Ik kan het me eerlijk gezegd niet herinneren. Op haar vijfenzeventigste verjaardag? Het is in elk geval jaren geleden, en zelfs toen was het niet vaak. Dit – dit formele, lauwe theekransje – heeft niets met oma van doen. Het is helemaal niets.

Dit gevoel van afwezigheid, van dat er op een vreemde manier iets mis is, komt ook doordat oma er niet bij is. Normaal wacht je tot zij de kamer in komt. Niet dat ze nou zo'n groepsmens was, want dat was ze niet. Het was meer dat je het gevoel had dat zij en het huis op een elementaire manier verbonden waren. Zonder haar, wetend dat ze niet – nooit meer – binnen zal komen, voel ik me hier verdrietig en ook verward. Ik kijk om me heen en breng een hand naar mijn kloppende voorhoofd.

Ook vroeger, toen Summercove nog een mekka was voor alles wat jong en artistiek was, was het anders dan dit. Ik kijk om me heen en vraag me af of een van die mensen er vandaag is. Ze zullen inmiddels ook op leeftijd zijn. Er is een aantal mensen die ik net als mijn verre familie niet herken. Mams neef Jeremy en zijn vrouw Mary Beth staan in de verste hoek, alsof ze zich zo ver mogelijk hebben teruggetrokken van de rest en daar uiteindelijk zijn beland. Ze ogen vermoeid, moe van deze lange, vreemde dag. Ook staand, bij de tuindeuren, zie ik mijn moeder en haar broer, zoals altijd verdiept in een gesprek. Ze kijken elkaar niet aan, dat doen ze nooit als ze praten. Mijn moeder staart in de lege ruimte terwijl Archie van dichtbij in haar oor sist. Haar blik verscherpt en concentreert zich op mij. Ze neemt me van top tot teen op, knikt terwijl Archie doorpraat en houdt een vragende hand naar me omhoog. Wat mankeert jou toch?

Octavia en Julius praten met een oudere man met bril. Hij komt me vaag bekend voor. Bij het buffet verzamelt hun moeder luidruchtig de lege kommen en vuile borden, zodat het aardewerk tegen elkaar rinkelt. Mijn moeder en oom draaien zich naar haar toe, mam met een hooghartige blik, maar het enige wat zichtbaar is, is Louisa's stevige, brede achterste in haar zwarte, schuin geknipte crêperok. De Bolhoed staat met een glas wijn krampachtig in de hand naast de open haard, zijn nog altijd knappe gezicht een masker van beleefde verveling. Hoewel hij naar zijn vrouw kijkt, terwijl ze de boel opruimt en haar korte, grijzend blonde krullen, die steeds in haar ogen vallen, achter haar oren duwt, lijkt hij geen boodschap aan haar te hebben. Er komt weer een herinnering boven, en ik bedenk dat Louisa op de foto's die ik heb gezien juist zo mooi was toen ze jonger was. Nu is ze... ik weet niet. Ik denk eigenlijk dat het leven gewoon niet altijd uitpakt zoals je had verwacht, en ik zou het moeten weten.

Er komt een stel aangelopen dat Louisa gedag wil zeggen. Ze kijkt op van het schoonvegen van de tafel en glimlacht even naar hen. Het zijn oude mensen, ongeveer van oma's leeftijd, en ze glimlachen vriendelijk terug naar haar. Terwijl ze weggaan stoot de vrouw haar man aan en fluistert iets, wijzend naar mijn moeder en Archie. Ik zie de vreemde, scherpe blik die ze mijn moeder toewerpt, deze oude vrouw die ik nog nooit heb gezien. Ik hoor haar sissende stem.

'Dat is de dochter,' zegt ze. 'De andere dochter, schat. Weet je nog wel?'

'O...?' reageert de oude man nieuwsgierig. Hij staart naar mijn moeder, die hen ook kan horen maar net doet van niet. 'O ja, de dochter die ze...'

'Sst,' waarschuwt zijn vrouw hem. 'Kom Alfred, we zijn al lááát,' en ze duwt hem bijna de kamer uit. Ik kijk hen na en wrijf in mijn ogen.

'Natasha, schat,' zegt een andere dame terwijl ze me een glas champagne overhandigt. 'Wat fijn om je te zien. Luister, ik moet je een verhaaltje vertellen over een van je kettingen. Die heb ik in Londen gekocht. Een prachtige zilveren bloem aan een ketting, schat, herinner je je die nog?'

'Ja,' antwoord ik met een beleefde knik terwijl ik mijn best doe niet over haar schouder naar mam te kijken.

'Het sluitinkje werkte niet goed. Dus ik nam hem mee terug naar de winkel – want ik wilde je echt steunen, schat, en ik was zo blij met deze aankoop – en weet je wat ze zeiden?'

'O Jeremy,' hoor ik Louisa achter me tegen haar broer zeggen. 'Moet je nu al gaan? O jee.'

'Wel, laat het me weten als ze u niet terugbetalen,' zeg ik terwijl de oude dame verbaasd naar lucht hapt, alsof ik elk woord heb aangehoord en begrepen. 'Neemt u me niet kwalijk.' Ik begeef me naar de tafel en graai wat chips mee. Jeremy omhelst zijn zus, Mary Beth kust de Bolhoed.

'Ah,' zegt Jeremy als hij zich omdraait en mij ziet. 'Natasha. Wat jammer dat ik niet even met je heb kunnen praten.' Hij geeft een kneepje in mijn schouder en knikt terwijl zijn vriendelijke gezicht zich in een glimlach plooit. 'Maar je ziet er goed uit.' Zijn ogen blijven hangen op de pleister op mijn voorhoofd en hij aarzelt een beetje. 'En eh, ik hoor dat alles goed is met je, met jou en Oli, en met de zaken, echt fantastisch.'

'Eh, dank je.' Ik weet verder niets te zeggen. Louisa gaapt licht, en de Bolhoed glimlacht gewoon hoffelijk naar ons allemaal. Ik zou hem willen slaan.

'Jeremy,' zegt Mary Beth naast hem. 'Ze zijn net uit elkaar.' Ze kust me op de wang. 'Ik vind het heel vervelend voor je, schat. We maken ons ongerust om je. Voel je je wel goed? Hoe is het met je hoofd?'

'Eh…' begin ik weer terwijl ik mezelf dwing niet te huilen, dat zou te erg zijn. Mary Beth is knap, met een donzig bruine, kortgeknipte pony, en ze steekt haar ranke handen in haar zakken. Ze staat ietwat gespannen naast haar man. Ik kan haar lichaamstaal niet lezen.

'O, lieve hemel, het spijt me,' zegt Jeremy overdonderd. 'Ik wist van niks… Nou, jeetje, ik kom niet al te vaak thuis, hè? Ik had het nog niet gehoord.'

'Het is nou eenmaal gebeurd, laat maar,' zeg ik. Er verschijnen rimpels op zijn voorhoofd, als een in elkaar gevouwen vel papier. 'Gaan jullie… gaan jullie echt weg? Ik heb jullie helemaal niet gesproken.'

Hij knikt. 'Het spijt me verschrikkelijk. We hebben een belachelijk vroege vlucht vanaf Heathrow en we slapen vannacht in een motel daar vlakbij.' Omdat ik hem alweer een poosje niet heb gezien was ik het vergeten, maar hij formuleert nogal merkwaardig; hij is een combinatie van een Britse gentleman uit vervlogen tijden en een gewone Amerikaanse vent. Maar hij zegt dingen die we hier niet meer zeggen, à la Austin Powers. 'Daar moeten we nu heen willen we nog een uiltje kunnen knappen, denk ik,' zegt hij. Hij laat zijn blik door de zitkamer glijden, zijn ogen speuren de schilderijen af, de mensen, de oude vertrouwde spullen. 'Fijn om hier weer eens te zijn, ook al is de aanleiding dan minder leuk.' Mary Beth geeft hem een tikje op zijn arm.

'Hoe lang is het geleden dat je hier was?' vraag ik. 'Erin en Ryder zaten nog op school, toch?'

Hij kijkt even om zich heen. 'O, ongeveer vijf jaar,' antwoordt hij. 'Gewoon druk gehad, snap je? En nu allebei mijn ouders overleden zijn, alweer tien jaar inmiddels, is er minder aanleiding geweest om bij Franty en Arvind langs te gaan. We komen alleen nog bij Mary Beths familie in Indiana. Daar logeren we in de zomer. Het is zo ver van huis als we weinig vakantiedagen hebben.'

'Natuurlijk,' reageer ik.

Hij lijkt opgelucht dat ik het begrijp. 'Goed, ja. Zo gaat dat. Heel jammer.'

Ik kan het niet helpen en slaak een vermoeide zucht. 'Summercove is echt uniek, hè? Het is hier net een paradijs, vooral in de zomer. O, wat zal ik het gaan missen. Jij ook, denk ik, nu het verkocht gaat worden.'

Jeremy's blik schiet even van links naar rechts. 'Nee,' zegt hij. Ik weet niet goed waar hij nu op doelt. Het wordt even stil en daarna gaat hij verder: 'Om je de waarheid te zeggen denk ik eigenlijk niet meer zo terug aan die tijd. Het is allemaal zo lang geleden.' En met een grimas op zijn gezicht alsof hij opeens wordt overvallen door hoofdpijn pakt hij gehaast Mary Beths hand stevig vast. 'Goed, we gaan…' Hij geeft zijn zus opnieuw een zoen. 'Doei, lieverd,' zegt hij, en hij omhelst Louisa stevig. 'Bedankt… bedankt voor alles, Lou. Je bent een kanjer.'

Hij knikt weer kort naar mij. 'Fijn om je weer gezien te hebben, Natasha.' Mary Beth zwaait, en weg zijn ze.

Louisa staart hen na. 'Ach jee,' zegt ze, en haar ogen staan vol tranen.

Ik loop naar haar toe en sla een arm om haar heen. 'Je ziet hem snel weer,' zeg ik onnozel.

'Echt niet,' reageert ze met een trieste glimlach. 'Hij komt nooit meer terug. Vooral niet nu pap en mam dood zijn.'

Ik knik. Pamela, hun moeder, was oma's zus, een nogal stijve oude dame. Ze stierf een jaar of zeven geleden, en haar man daarvoor. Ze kwamen altijd naar Summercove, niet zo vaak als Louisa maar ze waren er.

Louisa's gezicht vertrekt. 'Hij is deze keer alleen voor mij gekomen. Die lieve Jeremy.' Een traan rolt over haar wang. 'O, o, dit is vreselijk,' zegt ze.

Ik heb mijn arm nog steeds om haar heen. Het voelt raar. Louisa is de moederfiguur die alles organiseert. Haar voor het eerst te zien huilen voelt verkeerd, zoals alles vandaag.

'Och Louisa, het spijt me toch zo,' zeg ik. Ze heeft haar hoofd gebogen en huilt nu echt, de tranen biggelen over haar gerimpelde gezicht. Dan kijkt ze naar mij en deinst bijna achteruit. Ze knippert met haar ogen.

'Nee, het spijt mij, lieve Natasha,' zegt ze en ze loopt weg, zodat mijn hand weer langs mijn zij valt. Ze drukt zich tegen de arm van de Bolhoed aan. Hij kust haar even teder op het voorhoofd, trekt haar tegen zich aan, en ze kijkt naar hem op, dankbaar en gelukkig. Vol belangstelling sla ik de twee gade. Ik zie de Bolhoed echt zelden, en op dit moment vind ik elke interactie tussen stellen die lang bij elkaar zijn fascinerend. Dan draai ik me om en pak nog wat chips.

'Ze lijkt zoveel op haar, vind je niet?' vraagt Louisa met een nog steeds wat beverige stem. 'Dat was ik vergeten.'

'Cecily,' zegt de Bolhoed langzaam, geen moeite nemend wat zachter te praten. 'Ja, dat is zo. Je hebt gelijk.'

Niemand heeft het ooit over Cecily. Het is alsof je een kogel afvuurt.

Misschien zou ik net hebben gedaan alsof ik Louisa niet heb gehoord, maar de stem van de Bolhoed is luid. 'Lijk ik op Cecily?' vraag ik terwijl ik me omdraai met een fles in mijn hand.

Louisa kijkt haar man aan en pulkt aan een pluisje op zijn jasje. Hij kijkt haar even recht in de ogen en dan weer in zijn glas. Ik weet niet of hij zich nu ongemakkelijk voelt of dat hij gewoon moe is. Ze negeren me, alsof ze in hun eigen wereldje zitten. 'Je hebt je bijnaam aan haar te danken,' zegt Louisa. 'Weet je dat niet meer?'

Hij knikt, met zijn kin tegen de borst. Zijn gezicht kan ik dus niet zien. 'Ja. Ja, dat is zo, hè?'

Door naar voren te reiken en het glas van de Bolhoed bij te vullen overbrug ik de kloof tussen ons, en allebei slaan ze hun ogen naar me op. 'Dat wist ik niet,' zeg ik. Gek genoeg heb ik daar nooit bij stilgestaan. Hij werd gewoon altijd al Bolhoed genoemd. 'Meen je dat, kom je zo aan die bijnaam?'

Hij knikt en brengt zijn wijnglas naar zijn andere hand. Er zitten vettige vingerafdrukken op het glas. Hij trekt aan zijn kraag.

'Ja,' antwoordt hij, en hij glimlacht. 'Ken je mijn broer Guy?' Ik knik. 'We kwamen hier in de zomer, dat was de eerste keer dat ik de rest van de familie leerde kennen. 1962?' Hij kijkt zijn vrouw aan, en even is hij jonger, met een stoer, gebeeldhouwd gezicht zonder rimpels, zijn kleurloze haar weer blond, nog steeds een knappe, viriele jongeman.

''63,' zegt ze vlug. ''63.'

'Natuurlijk. Profumo! Toen wij arriveerden was het proces net begonnen.' Hij glimlacht. 'Ja. In Londen pakten we de trein. Onderweg lazen we erover. En nadat we waren aangekomen wierp Cecily één blik op me en zei dat ik eruitzag als een type dat een bolhoed zou moeten dragen, en geen korte broek. Ze kon heel erg grappig zijn.' Hij schudt zijn hoofd. 'Tragisch. Zo verdrietig.' Hij valt stil, en Louisa slaat haar ogen neer.

Ik hoor hen nooit praten over toen ze nog jong waren, vermoedelijk vanwege Cecily; ik heb nooit een woord gehoord over de zomers hier, toen ze nog klein waren. Nu is het moeilijk te geloven dat ze weekeinden achter elkaar met elkaar optrokken, gingen picknicken, samen zwommen, in de zon lagen. Natuurlijk, je ziet wel eens een foto, je vangt wel eens iets op – 'dat was toch het jaar dat Archie zijn arm brak?' Maar meer niet. Louisa komt – kwam – elk jaar wel een week naar Summercove met de kinderen, daardoor ken ik hen ook beter, maar de Bolhoed kwam nooit mee, die bleef in Londen om te werken. Mam en ik kwamen hier soms met de kerst, maar niet vaak. We vierden het meestal thuis, of met Archie en Sameena in Ealing. We legden geen gezellige familiebezoekjes af in Tunbridge Wells, en ik kan me ook niet herinneren dat mam in ons kleine, vochtige onderkomen in Hammersmith ooit een etentje gaf voor Louisa en de Bolhoed. Nu ik erover nadenk, mam en Louisa doen helemaal niet aan gezelligheid. Ze zijn nu zo anders en er is geen intimiteit tussen hen.

En afgezien van die foto van Cecily die oma bezat en die ik slechts één keer heb gezien, weet ik verder niets over haar. Cecily komt gewoon nooit ter sprake. Wat er gebeurd is al evenmin.

En dus staren wij drieën elkaar wat aan, onzeker hoe we verder moeten gaan: alsof we een doodlopende straat in zijn gelopen.

'Maar Natasha heeft gelijk,' zegt de Bolhoed, en opeens komt hij los. 'Het was net een paradijs, Summercove. Zo relaxed en vrij. Die dag dat we aankwamen, Guy en ik, en jij in het gras lag in die prachtige, strakke zwarte broek, weet je nog?' Hij glimlacht. 'Ja, toen waren we nog jong.'

'Frank,' zegt Louisa knarsetandend. 'Dat was ik niet. Mijn korte broek was gescheurd, weet je nog wel? Dat was Miranda, verdomme.'

'Dat geheugen van je, schat,' reageert de Bolhoed. 'Ongelofelijk. Ha!' Hij kijkt luchtig om zich heen. Ik ga me hier echt niet opgelaten door voelen, zie ik hem denken, dus hou maar op.

'Is Guy er? Ik heb hem nog niet gezien,' zeg ik snel. 'Hoewel, het is zo lang geleden, ik vraag me af of ik hem wel zou herkennen.'

'O, zeker wel,' zegt Louisa. 'Hij was op Julius' bruiloft. Guy!' roept ze. 'Guy!'

Afgelopen jaar is Julius getrouwd met een Russisch meisje, een handelaar die hij via zijn werk heeft leren kennen. Hij was zevenendertig, zij drieëntwintig. Het was in een chic hotel in hartje Londen, in een enorme kamer met gouden lambriseringen. Julius, met zijn rode gezicht en handen als kolenschoppen, en zij, een graatmagere, mooie jonge vrouw in meters tule, poseerden voor een eindeloze fotosessie. Ze kregen een fikse ruzie – tijdens de receptie – waarop zij het pand uit stormde. Jay zegt dat hij heeft gehoord dat ze uiteindelijk met een van haar bruidsmeisjes in de Rock Garden in Covent Garden belandde, tongzoenend met een Russische vent. Ik geloof hem niet, hoewel ik het geweldig zou vinden als het waar is.

Het enige wat ik me van die avond kan herinneren is dat Oli en mijn moeder straalbezopen waren. Die twee vormen een slechte combinatie. Oli wist een van Julius' vreselijke vrienden uit de City te beledigen: niet met opzet, maar als hij te diep in het glaasje heeft gekeken krijgt hij het soms op zijn heupen. Ik moest hem naar huis brengen. Julius' echtgenote is er vandaag niet. Maar mijn echtgenoot evenmin.

'Aha,' zegt Louisa. Ik draai me om.

'Hoi Guy,' zei ik en steek mijn hand uit. Opnieuw hoor ik Julius' woorden in de trein: 'Verdomd goed dat Guy er al is, zeg.' Plotseling boos pak ik zijn hand stevig beet en begin mijn arm iets te hard op en neer te pompen. Guy lijkt helemaal niet op zijn broer; hij oogt zachtaardig en is tamelijk mager, draagt een sjofel geruit hemd met een corduroy jasje. Hij glimlacht naar me.

'Leuk om je weer eens te zien, Natasha. Dat is lang geleden.' Hij knikt, zijn grijze ogen staan vriendelijk.

'Hoi,' groet ik. Ik heb hem in geen jaren gezien.

'Ik was pas in een winkel waar ze jouw armbanden verkochten,' zegt hij. 'Had er bijna een gekocht voor mijn dochter.'

'Dat zou leuk zijn geweest,' reageer ik. Hij staart me aan.

'Guy is antiekhandelaar,' vertelt Louisa achter me. Ze verfrommelt een theedoek in haar hand. 'Het leek ons wel nuttig dat hij ook naar de begrafenis kwam, snap je? Om alvast te beginnen aan de klus die ons te wachten staat. Want er staan uiteraard nogal wat interessante spullen in het huis.'

Interessant. 'Is er al iemand in haar atelier geweest?' vraag ik. 'Dat zit op slot, toch?'

'Ja,' antwoordt ze met een strak gezicht. 'Je moeder heeft een paar dagen geleden de sleutel gevonden en is binnen geweest. Ze begon een paar dingen weg te halen, maar ik wist haar tegen te houden. Iemand zou erop toe moeten zien dat alles fatsoenlijk wordt gedaan.'

'Arvind wilde ook naar binnen,' zegt de Bolhoed. 'Uit eerlijkheid naar Miranda toe.'

'Nou, prima,' reageert Louisa dwars, maar overtuigd lijkt ze niet. 'Hoe dan ook, alles staat er nog.'

'Zoals?'

Ze reageert kordaat. 'Een paar schilderijen, wat fantastisch is. Maar dat is het wel. En haar oude schetsboeken en verf. Hoezo, wat verwachtte je dan dat ze zouden vinden?'

Ik schud mijn hoofd, voel me een idioot.

'Het is tijd dat we alles uitzoeken.' Louisa knijpt haar ogen iets toe. 'Gaat Florian nu weg? Ja.' Ze draait zich naar me om. 'Ik bedoel, in andere opzichten waren ze niet rijk, al jaren niet meer. Maar er zijn heel wat waardevolle schilderijen, brieven, boeken, dat soort dingen.

En we moeten beslissen wat er het best mee kan worden gedaan. Met al haar werk, en alles wat ze hier hebben.'

Ik weet van de gesigneerde eerste edities van Stephen Spender, Kingsley Amis en T.S. Eliot, die aan weerszijden van de open haard gerangschikt staan op de planken die van de vloer tot het plafond reiken; van de reproductie van Ben Nicholson in de hal, de Macready-schets met zijn witte lijst in de eetkamer: 'Frances at the Chelsea Arts Club, 1953'. Die leenden ze een paar jaar geleden nog uit voor zijn retrospectief in het Tate. Het was ook de cover van de catalogus. Ik had daar allemaal niet over nagedacht. Voor mij zijn het dingen die bij het huis horen, net als de deuren, de kranen en de vloeren.

Het is wel verstandig dat een of andere trust kan toezien op oma's schilderijen, maar ik voel me er toch wat ongemakkelijk bij. Ik ken Guy amper en dat geldt volgens mij ook voor mam en Archie. Natuurlijk, ze brachten jaren geleden allemaal een zomer met elkaar door, maar dat telt niet echt. Of wel? En ik wou dat het niet zo was, maar ik heb er bezwaar tegen dat hij verlekkerd deze spullen in het huis bekijkt, rondsnuffelt in oma's atelier, de twee Juno-vazen op de schoorsteenmantel oppakt, of de Clarice Cliff-theepot, en dat hij dan even goedkeurend met zijn tong klakt. Ik werp een woeste blik naar Louisa, maar ze heeft niets in de gaten, en dus kijk ik maar boos naar Guy. Hij glimlacht vriendelijk terug, en ik wil hem slaan. Dit is niet het moment om naar de sappigste stukjes van het huis te zoeken alsof je het karkas van een kip afkluift.

'Waar is je moeder heen?' vraagt hij. 'Ik heb haar al in geen tijden meer gezien. Het zou goed zijn om hier met haar wat over te praten.' Hij valt even stil. 'En ook met Archie.'

'Ze stonden net daar...' Ik kijk rond naar hen, maar ze zijn verdwenen. Wel zie ik Jay in de hoek, die nu met Julius praat. 'Ze zijn waarschijnlijk in de keuken. Excuseer,' zeg ik. 'Fijn om je weer te zien.'

'O,' zegt Guy, duidelijk verbaasd over mijn abrupte aftocht. 'Goed, tot snel dan.'

Ik beland bij Julius en Jay, die met hun glas krampachtig in de hand tegen de muur hangen en niet echt veel zeggen.

'Hoe voel je je?' vraagt Jay me.

'Prima, prima.' Ik maak een wegwuifgebaar. 'Hoi, Julius.'

'Eh...' Hij krabt aan zijn gezicht. Hij oogt verveeld. 'Het spijt me van jou en, eh, Oli.' Ik weet niet of hij nu verlegen is of dat hij zich zijn naam echt niet kan herinneren. 'En... wat is er gebeurd? Is hij met iemand anders naar bed geweest?'

'Hoe weet jij dat?' vraag ik.

Hij haalt zijn schouders op. 'Goed geraden dus. Dat is meestal de reden, toch?'

Jay, die nog steeds naast hem staat, rolt met zijn ogen. Julius is familie van ons, je kunt het je niet voorstellen. Hij is nogal vilein.

'Ja, hij is met iemand anders naar bed geweest,' reageer ik. 'Maar...'

Maar wat? Precies. Ik kijk naar mijn moeder en bijt op mijn lip. Ik heb het haar zelfs nog niet verteld, en dat voelt verkeerd. Niet omdat ik haar doorgaans alles vertel, eigenlijk vertel ik haar doorgaans niets, maar ze is wel mijn moeder. Ik zou eerst met haar moeten praten.

'Afijn.' Ik verander van onderwerp. 'Ik heb net een praatje gemaakt met je oom. Vind je het wel gepast dat hij hier is?'

'Waarom zou hij hier niet mogen zijn?' vraagt Julius onverstoord. 'Hij was immers haar neef. Hij is helemaal uit San Diego komen overvliegen voor die verdomde begrafenis, wat toch hartstikke aardig van hem is als je erover nadenkt.'

'Niet je oom Jeremy,' zeg ik geërgerd. Julius werkt me op de zenuwen. 'Je andere oom. Guy. Jouw moeder heeft hem hierheen gehaald om... om eigenlijk alle spullen in het huis te taxeren. Ik vind het gewoon een tikkeltje te snel.'

Hij knippert niet eens met zijn ogen. 'Er is geld nodig voor het verzorgingstehuis waar je grootvader naartoe gaat,' zegt hij.

'Kom op,' reageer ik. 'Dat is onzin. Er is... er is geld. mam en Archie kunnen dat regelen.'

'Met wat?' riposteert Julius. 'Met al het geld waar ze allebei in zwemmen?' Jay verstijft, en ik kijk bedenkelijk. 'Er is niks meer, ze hebben alles uitgegeven,' zegt Julius op vlakke toon. Als een kind tuit hij zijn dikke, rubberachtige lippen, en ik verafschuw hem al weer net zo kinderachtig. Ik word er even hard aan herinnerd hoe hij me vroeger beneden bij het strand tegen de rotsen duwde, en dan lachte, en gedurende onze hele vakantie samen was mijn rug dan geschaafd, met een steeds terugkerende uitslag van bruine, parelvormige korstjes. Eerlijk gezegd kende ik hem of Octavia niet eens zo goed. De rest van het jaar zagen we elkaar nooit en ik was niet gewend aan agressieve, ruwe jongens als hij. Ik was bang voor hem, het was niet het plaatje van Summercove zoals ik dat wenste te koesteren. Ik bekijk hem nu eens goed. Hij is niet eens zoveel veranderd. 'Je hebt anders verdomd veel mazzel dat mijn moeder die klerezooi voor jullie uitzoekt.'

'Waarom bemoeit ze zich hier überhaupt mee, met dit alles…?' Ik gebaar in de rondte en doe mijn best niet kwaad te worden. 'Ze doet alsof oma háár moeder was, alsof het háár huis was, ze heeft alles geregeld, het is compleet…' Ik dwaal af, wil er niet over doorgaan, verrast over de woede die ik voel.

'Wie zou het volgens jou verdomme dan hebben moeten doen?' reageert Julius half boos, half lachend en agressief. Jij dom gansje, hoor ik in zijn toon. 'Jouw moeder? Ja, vast. Dan zou er helemaal geen begrafenis zijn en zou je opa op straat belanden of binnen een paar weken dood zijn omdat je moeder vergeet dat hij eigenlijk de trap niet meer op kan of wat te eten voor zichzelf kan kopen.' Hij begint aardig boos te worden en wendt zich tot Jay. 'Enne, Guy zal in elk geval niet proberen de boel te verkopen om de winst in zijn eigen zak te steken.'

Na deze woorden valt er een vreselijke stilte. Wat erger is, is dat Julius zich helemaal niet lijkt te schamen voor wat hij heeft gezegd. Alsof hij weet dat hij gelijk heeft. Jay en ik staren elkaar aan en vervolgens kijken we naar Julius. Op Jays wangen verschijnen donkerrode vlekken van woede.

'Rot op, Julius,' zegt hij. 'Je gaat nu echt te ver, ja?'

Julius lijkt onaangedaan. 'Toe nou. Zo zijn ze altijd al geweest, die twee. Dat weet iedereen.'

Dan loopt hij naar Octavia die staat te kletsen met een oud dametje.

Jay en ik blijven starend naar elkaar achter. Hij zucht eens en fluit traag tussen zijn tanden. 'Wat leuk om Julius weer eens te zien, hè?'

'Ja,' zeg ik. 'En het is een droevige dag, maar het is heerlijk om de familie weer te zien. Met z'n allen bij elkaar, weer eens herenigd op deze plek,' zeg ik met een typische BBC-voice-overstem. Ik doe mijn best spottend te klinken, maar het is alarmerend. Zo zijn we dus nu oma er niet meer is. Alles is veranderd, en vraag me niet naar het hoe of waarom.

8

Het duurt nog even voordat het laatste groepje aanstalten maakt om op te stappen: oude buren, een paar kunstenaars die hier na hun pensioen zijn gekomen, een rechter, een bekende schrijver en haar man. Ze kennen elkaar en hebben totaal geen haast om op huis aan te gaan of wat dan ook. Ik sta bij de deur van de zitkamer. Ik kijk toe terwijl iedereen opstapt, werp een blik om me heen en denk na. Een koude windvlaag strijkt langs mijn rug. Ik ril, draai me om en zie dat Jay meneer en mevrouw Neil uitzwaait, die verderop wonen. Ze wonen daar misschien al dertig jaar en zullen oma ongetwijfeld net zo gaan missen als wij. Zij zagen haar dagelijks, dat is meer dan ik kan zeggen. Gisteren, toen ik probeerde wat te slapen, drong het tot me door dat ik haar al in geen drie maanden meer had gezien, vanaf november, toen ze langskwam voor een expositie in de Royal Academy. We lunchten in de pub, waar ook andere oude dames en heren elkaar treffen voor een kop koffie alvorens weer op de trein te stappen voor de terugreis naar de provincie.

Terwijl we daar zaten vroeg ik me af of iemand van hen wist wie deze nog altijd opvallend mooie, oude dame was, of iemand wist dat ze hier zelf had geëxposeerd, dat ze zelfs een RA, een lid van de Royal Academy was. Dat ze in haar eigen tijd min of meer gevierd was en in de *Picture Post* en *Life* had gestaan: de beroemde bohemien schilderes die samen met haar exotische partner en kinderen een huis aan zee bewoonde. Met hun halfbloedkinderen, hoewel iedereen natuurlijk te beleefd was om dat te zeggen, en gebeurde het dan toch, dan alleen omdat ze het zo ongelóóflijk interessant vonden. Ik vroeg me af of ze het wisten, of oma wist wat mam me op een onbewaakt moment ooit heeft verteld: dat als het nieuwe semester voor de deur stond mam, voordat ze op de trein stapte, snel nog even naar de apotheek van Boots rende voor een pakje wegwerpscheermesjes om de zwarte haren van haar donkere armen te scheren.

Jay loopt naar me toe. 'Ha.' Hij werpt een blik in de verlaten hal. Het buffet en de tafel liggen vol met papieren bordjes en halfvolle champagneglazen. 'Goddank beginnen ze eindelijk op te krassen,' zegt hij voorzichtig.

We kijken allebei op ons horloge. Het is zeven uur en de slaaptrein vertrekt om negen uur. 'Hoe ga je naar het station?' vraagt hij. 'Ik geef je wel een lift, hoor.'

Precies op dat moment, alsof ze op dit onderonsje heeft gewacht, verschijnt Octavia in de hal. Met haar degelijke zwarte schoenen luid klepperend over de vloer komt ze op ons af gebeend. 'Jullie hebben het over de trein?' vraagt ze. 'Toevallig ga ik vanavond zelf ook terug. Morgen heb ik overleg op Defensie, hoor ik net.' Ze zwaait opvallend met haar BlackBerry. Haar dikke paardenstaart zwaait heen en weer terwijl ze naar ons knikt.

'Mag je ons dat wel vertellen?' vraagt Jay. 'Moeten we je nu niet liquideren?'

'Ha.' Ze negeert hem en ze draait zich om naar mij. 'Hoe gaan jullie naar het station?'

'Ik heb een taxi gebeld. Mike is er over een uur.'

'Dan rij ik met je mee,' zegt Octavia, om er bijna binnensmonds aan toe te voegen: 'als je dat niet bezwaarlijk vindt.' Geen denken aan dat ik daarop kan reageren met: nou en of ik dat bezwaarlijk vind. Ik kan jou, en die verschrikkelijke broer van je niet luchten of zien! Ik wil niet samen met jou terug! Min of meer de woorden die mijn achtjarige ik haar zou willen toesissen.

In plaats daarvan schud ik van nee, en antwoord: 'Nee, hoor. Heb je al een coupé gereserveerd?'

'Ja, net,' antwoordt ze. 'Geen zorgen, Natasha, ik dwing je niet om samen een coupé te delen, net als vroeger.' Intussen strijkt ze opgelaten met een hand door haar pony en ik word bevangen door een schuldgevoel, want ze haalt de woorden uit mijn mond.

'Nou, dat is dan geregeld. Dan ga ik mam maar eens zoeken,' zeg ik met een tikje op Jays schouder waarna ik snel naar de keuken schiet. Mam is in gesprek met Guy, de broer van de Bolhoed. Ze staat met de handen in haar zij en buigt zich naar hem toe alsof ze hem in zijn gezicht wil spugen. Ze schrikken allebei op als ik binnenstruin.

'Ah, daar ben je,' zegt ze terwijl ze haar rug recht. Haar gezicht staat woest, haar groene ogen spuwen vuur. Ze kijkt Guy met een welhaast verachtelijke blik aan, en ik weet al hoe laat het is. Ze staat op ontploffen. Ze knippert even met haar ogen, alsof ze zichzelf wil kalmeren. 'Nat, schat, mijn lieve schat,' zegt ze, 'hoe voel je je? We moeten praten, vind je niet?' Ze draait een lok om haar vinger.

Ik kijk Guy argwanend aan. 'Alles in orde?'

'Ja, hoor. Absoluut,' is zijn gladde antwoord. 'Top. Ik vroeg je moeder net over... het spul in huis.'

'Het spul in huis,' herhaal ik behoedzaam, want ik wil niet onbeleefd zijn. 'Luister... en dit heb ik al tegen je broer gezegd, dus vat het alsjeblieft niet verkeerd op, maar vind je dit werkelijk het goede moment om hier een beetje te gaan lopen inventariseren?' Zijn gezicht slaat rood uit. 'Qua timing nogal zwak, vind ik.' Gek genoeg hoor ik mijn stem beven. 'Misschien dat je het beter tot een andere dag kunt uitstellen.'

Guy kijkt naar mijn moeder, die haar ogen heeft neergeslagen. Op de linoleum vloer ligt een klodder kippenragout. 'Waarom weet ze het niet?' vraagt hij.

Mam zwijgt.

'Weet ze wát niet?' is mijn wedervraag.

'Nou, daarom lijkt het allemaal zo uit de lucht te vallen, Natasha. Jouw grootouders zijn het er al jaren geleden over eens geworden dat als Frances komt te overlijden, ze een soort nalatenschap verdient. Een liefdadigheidsstichting in haar naam of een galerie. Weet je, ze heeft al in geen jaren meer geëxposeerd. Een schande, voor een schilderes van haar allure. Maar ze heeft er nooit toestemming voor gegeven. Er stond een grote tentoonstelling gepland voor de herfst, na Cecily, na haar overlijden.' Hij zwijgt even en vermant zich. Het schiet me te binnen dat hij haar dus ook moet hebben gekend, die zomer. Dat was nog niet eerder in me opgekomen. 'Afgezien van die twee keer in het Tate Modern, en een paar keer in Amerika, heeft dit land al in geen veertig jaar het werk van Frances Seymour kunnen zien.'

Ik knipper wat met mijn ogen en ik probeer het allemaal tot me te laten doordringen. 'Dus?'

'Nu ze er niet meer is moet de stichting zo snel mogelijk in het leven worden geroepen, zo bepaalt haar testament. Miranda,' klinkt het dan vermanend, 'jij had dat tegen Natasha moeten zeggen. Zij is een van de trustees, godbetert.'

'Ík?' roep ik verbaasd. 'Ik weet helemaal niets van schilderkunst. En bovendien heb ik haar nooit aan het werk gezien.'

'Dat heeft er allemaal niets mee te maken. Ze wilde dat jij een van de trustees zou worden. Jij, je moeder en ik…' Onbeholpen schraapt hij zijn keel. 'Ik… ik begrijp niet helemaal wat mijn rol te betekenen heeft, maar…'

'Luister,' onderbreekt mijn moeder hem met hese stem. 'Ik snap het heus wel, ja? Ik begrijp het volkomen. Het enige wat ik zeg is: Archie en ik willen er ook voor zorgen dat zowel het huis als het meubilair op een correcte manier wordt verkocht. Deze toestand brengt onkosten met zich mee, en vergeet ook Arvinds verzorgingstehuis niet.' Ze draait de ring van jade rond haar vinger, een gebaar dat haar woorden een zeker momentum verschaft. 'Weet je, Guy, je hebt wel lef, hè, om hier langs te komen en óns na al deze jaren te gaan vertellen wat we wel en niet moeten. Ik wilde het Natasha vertellen, maar ik heb een drukke dag achter de rug, begrijp je?' Ze schudt wat met haar haren, tuit haar lippen en staart hem woest aan. Ik moet zeggen, ze is een indrukwekkende verschijning. 'Na al die jaren,' herhaalt ze, zachter nu, 'zou jij dat wel moeten weten.'

'Prima,' antwoordt Guy met een afwerend gebaar. 'Ik begrijp het. Je hebt gelijk. We praten er een andere keer wel over.' Hij kijkt omhoog en kauwt op zijn pink. 'Luister, het spijt me… ik realiseerde me niet…'

'Het is wel goed, zo,' zeg ik terwijl ik mijn moeder aankijk. 'Bedankt, Guy.' Ze staart me aan, maar ik vat het op als een stilzwijgende goedkeuring van mijn actie. Confrontaties zijn niets voor haar, ook al vertoont ze de hele tijd divagedrag.

Guy kijkt mijn moeder weer aan. 'Tot ziens, Miranda. Het was een verdrietige dag, maar toch heerlijk om je weer eens te zien.'

'Nou…' Traag knippert ze even met haar ogen. Haar roetzwarte wimpers raken haar gladde huid. Er zit een kloddertje mascara op haar jukbeen. Ik staar ernaar. 'Het was ook heerlijk jou weer te zien. Alweer zo lang geleden.'

Hij knikt en buigt even het hoofd naar me. 'En jou ook, Natasha.' Hij schraapt zijn keel. 'Nogmaals, het spijt me als jullie het ongepast van me vonden, of zo. Laat me…' Hij frommelt wat in zijn broekzak en trekt een kaartje tevoorschijn. 'Mochten jullie eens in de buurt zijn…'

Guy Leighton
Antiek & antiquariaat
Cross Street
Londen N1

'Ik weet zeker dat we op z'n minst contact zullen blijven houden over de stichting.' Ik aanvaard het kaartje. 'Nou, bedankt, Guy. Dank je.' Alsof ik een adellijke weduwe ben die hij onfortuinlijk genoeg nooit meer zal ontmoeten.

'Nou, tot ziens dan,' zegt hij. En met nog een laatste verontschuldigende blik naar mijn moeder trekt hij zachtjes de deur achter zich dicht.

Het is stil in de kamer. 'Gaat het?' vraag ik. Mam knippert haar tranen weg.

'Ja,' antwoordt ze. 'Ik ben alleen behoorlijk moe. Het is een lange dag geweest. Een hoop herinneringen, snap je? En ik maak me zorgen om je, Natasha.'

Ze zegt het rustig, zonder met haar haren te schudden, met haar ogen te rollen of op iets uit te zijn. Ze oogt gewoon afgetobd en het voelt als een voltreffer in mijn maag. Ik sla een arm om haar heen. 'Het spijt me, mam. Ik wilde het uitleggen over mij en Oli, maar... ik kon het gewoon niet. En toen ging oma ook nog eens dood... ik kon het toch niet zomaar even in de groep gooien?'

'Dus wat is er allemaal gebeurd?' vraagt ze. 'Wil je het je oude moedertje nog vertellen?'

Een rol als moeder in een reclamespot is in elk geval niet voor haar weggelegd. Ze doet het beter als ze gewoon zichzelf is.

'Hij heeft het met een ander gedaan,' zeg ik.

'Een verhouding?' Haar ogen sperren zich al open.

'Nee,' zeg ik en ik schud mijn hoofd. 'Een meisje op het werk. Het gebeurde een paar maanden geleden. Hij zegt dat het niets voorstelt. Het is alweer achter de rug.'

'Ooo!' reageert mijn moeder met een hoge stem, alsof daarmee de kous af is. 'Juist.'

Ik kijk haar aan.

'Wat verschrikkelijk voor je,' voegt ze eraan toe. 'Arm kind.'

Ik kan niet geloven dat ik dit gesprek met haar voer, ik herinner me zelfs een van de redenen waarom ik er niet aan moest denken het juist aan haar te moeten vertellen. Mam is werkelijk helemaal weg van Oli. Ze kunnen het echt uitstekend met elkaar vinden. Soms denk ik wel eens dat ze het zonder mij veel leuker hebben, samen. Hij vindt haar fantastisch, helemaal top, en zij schikt zich helemaal in die rol. Dan worden ze samen dronken en hitsen ze elkaar op, als twee ouwe zuiplappen in de kroeg, terwijl ik het vanuit mijn stoel allemaal vermoeid aanzie en ik me als een beige vloerkleed tussen Perzische tapijten voel.

Een frons trekt een plooi in haar voorhoofd. 'Volgens mij wil hij bij me terugkomen,' zeg ik, 'maar ik zou niet weten wat ik moet zeggen als hij het vraagt. Ik weet gewoon niet of ik hem wel kan vertrouwen.'

'Hm,' peinst ze met een vinger tegen haar wang, alsof ze hier diep over nadenkt, en ik denk terug aan de keren dat ik haar vroeg hoe laat ze thuis zou komen van een feestje of een etentje met vrienden. 'Hm' peinsde ze dan met een vinger tegen haar wang, en zweeg. 'Niet laat, schat,' antwoordde ze dan eindelijk. 'Niet zo laat.' En nadat ik dan murw van de enge geluiden in de flat, die, zo vreesde ik, wel van ratten of boosaardige indringers móésten zijn, en van de geluiden buiten, waarvan ik wist dat ze van gemaskerde dieven of gestoorde psychopaten waren, eindelijk in slaap was gevallen, ving ik in de stilte van de vroege ochtend het gekraak van de deur op en daarna de zachte tikjes op de parketvloer terwijl ze langs mijn slaapkamer naar haar bed sloop. 'Hm... ja, wat zal ik zeggen?'

'Nou, laat mij het maar zeggen,' reageer ik. 'Ik kan hem niet vertrouwen. Ik kan niet meer met hem verder als ik hem niet vertrouw.'

'Hij is je man, hij zorgt voor je, en jij hoeft nergens naar om te kijken,' klinkt het op scherpe toon. 'Ik vind echt dat je het zo moet bekijken, Natasha. Ik bedoel, hij heeft toch niemand vermoord? Hij heeft met iemand geslapen. Hij is een goeie echtgenoot.'

'Wat?' Ik sta even perplex, alsof ik plotseling in een moderne versie van *Gigi* ben beland en ik als een Leslie Caron me er gewoon maar in moet schikken. 'Hij betaalt ons luxe leventje, mijn nieuwe laarzen, en dus moet ik gewoon niet zeuren?'

Ze kijkt me uitdagend aan. 'Soms, schat, heb ik echt het idee dat je er geen snars van begrijpt. Ik wil alleen maar zeggen dat het niet meevalt om er alleen voor te staan.'

Op dat laatste heb ik geen weerwoord, want ik weet dat ze gelijk heeft. Maar ik kan het niet met haar eens zijn zonder haar te kwetsen. 'Ik weet het gewoon niet, mam,' zeg ik. 'Ik bezie ons leven samen, en ik...'

Ze onderbreekt me. 'Relaties zijn nooit perfect. Dat is gewoon zo. Je moet eraan werken. Jij was de eerste van al je vriendinnen die ging trouwen, weet je nog?' Dat klopt en het verrast me dat ze dat weet. 'Misschien maak jij je vriendinnen nooit in dezelfde situaties mee. En wat dat betreft ben ik bepaald geen rolmodel geweest, hè?' Ze grijnst en knippert met haar ogen.

'Mam, hij heeft met een ander geslapen. Het is niet dat hij mijn verjaardag is vergeten. Dit is wel even wat anders.'

'Zoals ik al zei, mensen gaan soms in de fout.' Ze zwijgt even. 'Je grootouders zijn daarvan een goed voorbeeld. Maar ze overwonnen het.'

'Hoezo? Hoe bedoel je?'

'Wat ik wil zeggen...' maar halverwege valt haar mond open, alsof ze niet precies weet hoe ze de zin moet afmaken. Dan horen we een geluid.

'Hallo?' roept iemand van boven. 'Hallo? Volgens mij heeft uw grootvader hulp nodig.' Ik duw de klapdeur van de keuken open. Boven aan de trap staat een oude mevrouw die vanuit het donker naar ons tuurt. 'Ik wilde net even naar het toilet toen ik zijn stem hoorde... hij roept om iemand.'

Ik zie dat Louisa zich losmaakt van haar man en zich samen met Guy naar de gang haast. Ik stap de keuken uit.

'Ik ga wel,' zeg ik plotseling, kijkend naar moeders gezicht. Ik vang Arvinds stem op, die steeds luider klinkt.

'Laat snel iemand naar boven komen. Hij klinkt zo benauwd!'

'Dank u,' zeg ik tegen de oude dame, die in de bocht van de trap op me wacht. 'Ik zie je nog wel, mam,' zeg ik, en met mijn handen glijdend over het gladde donkere hout van de trapleuning ren ik naar boven.

'Ik hoop maar dat er niets aan de hand is,' zegt de oude mevrouw met een bezorgde blik naar de gesloten slaapkamerdeur. Ik duw hem open en stap naar binnen.

9

'Hallo, Natasha,' begroet Arvind me. Hij zit rechtop in bed, klein als
een kind en kaal als een baby, en met zijn gerimpelde handen op de
frisse witte lakens. De rolstoel staat netjes in de hoek geparkeerd;
naast het bed staat een metalen nachtkastje. Ze horen niet bij de
kamer, deze metalen ziekenhuisspullen. Ze passen er niet bij.

Ik ben dol op deze kamer, houd er misschien wel meer van dan
van de andere vertrekken in het huis. Maar hier op deze donkere
avond in februari zijn de zware, brokaten gordijnen dichtgetrokken,
en met slechts het licht van een lamp aan Arvinds kant van het bed is
het schemerdonker. Aan oma's kant zijn de lakens gladgestreken, en
op een blauwe plastic beker na – er zit nog water in – is haar nachtkastje leeg. Ik vraag me af hoe lang het zal duren voordat alles is ver-
dampt.

'Wat is er aan de hand, Arvind?' vraag ik. 'Voel je je niet goed?'

'Ik verveelde me,' zegt hij. 'Ik wil niet slapen. Ik wilde muziek opzetten, maar dat werd me belet door je goedbedoelende bloedver-
want.' Hij knikt. Zijn gebit zit in een potje op het kastje. Zijn stem
klinkt gedempt.

'Muziek?' Ik doe mijn best niet te glimlachen.

'Ik hou van Charles Trenet, net als je grootmoeder. Wat is nou een
beter moment om een cd van Charles Trenet te draaien dan op haar
begrafenis? Maar dat is niet belangrijk.' Hij trommelt met zijn vingers
op de lakens. Ze zien bleekjes en droog, dode twijgen die over het
gladde linnen schrapen. Maar zijn hersenen zijn druk aan het werk,
en hij kijkt me aan. Hij trekt een bedenkelijk gezicht. 'Ga zitten.'

Ik neem plaats op de rand van het bed.

'Weet jij wat de verzamelnaam is voor roeken?' vraagt Arvind.

'Wat?' reageer ik.

'De verzamelnaam voor roeken. Dat zit me nu al de hele dag dwars.'

'Het spijt me, geen idee,' antwoord ik. 'Een roekenkolonie?'

'Nee.' Geërgerd werpt hij me een blik toe. 'Normaal zou ik het je grootmoeder vragen. Die zou het wel weten.'

'Zeker,' beaam ik. Ik kijk even naar hem.

'Het is triest,' zegt mijn grootvader. Zijn handen glijden over de lakens. Hij staart naar het plafond. 'En, hoe is de sfeer beneden? Ik moet eerlijk zeggen dat ik het niet erg vond om me terug te trekken. Ik vond het nogal vermoeiend.'

'De meeste mensen zijn al weg,' zeg ik. 'Maar er is nog een harde kern overgebleven.'

'Je grootmoeder was een erg geliefde vrouw,' zegt Arvind. 'Ze had een hoop bewonderaars. Het huis zat er altijd vol mee. Lang geleden.'

'Nou,' zeg ik terwijl ik mijn best doe om mijn toon licht te houden, 'misschien tref je er morgenochtend wel een paar slapend op de bank aan.'

Hij glimlacht. 'Dan zal het weer net als vroeger zijn, behalve dan dat iedereen grijzer en niet veel wijzer is. Blijf jij slapen vannacht?'

'Nee,' antwoord ik. 'Ik moet terug. Ik heb een afspraak met de bank. Ze willen hun geld terug.'

'O. Hoezo dat?'

'Nou, ik stop met m'n bedrijf.'

Ik weet niet waarom ik hem dit vertel. Misschien omdat hij niet gemakkelijk schrikt en ik weet dat hij niet in zijn handen zal wringen of gaat zuchten.

'Dat spijt me.' Hij knikt, alsof hij de situatie accepteert. 'Weer. Waarom?'

'Ik ben dom bezig geweest, dat is het eigenlijk,' antwoord ik. 'Heb naar anderen geluisterd terwijl ik gewoon mijn eigen ding had moeten doen.'

'Maar misschien krijg je er wel wat vrijheid voor terug.'

'Vrijheid?'

'De banden die binden kunnen ook vaak verstikkend zijn,' zegt Arvind, alsof we een praatje maken over het weer. 'Het is waar, is mijn lange ervaring. Hoe gaat het met Oli?'

'Tja...' Nu is het mijn beurt om het dekbed met mijn vingers glad te strijken. 'Dat is nóg iets. Ik ben bij hem weg. Of hij is bij mij weg. Ik denk dat het voorbij is.'

74

Arvinds ogen worden wat groter, en hij knikt opnieuw. 'Dat is nog meer slecht nieuws.'

Ik plaats een hand onder mijn kin. 'Sorry. Het gaat even niet zo goed met me.' Mijn keel doet pijn van het proberen om niet te huilen. 'Ik ben min of meer wel blij dat oma er niet van weet. Ze was... nou ja, zij zou de boel niet zo hebben verknald.'

'Weet je, je grootmoeder was ook niet volmaakt,' zegt hij langzaam. 'Iedereen dacht dat wel, maar dat was ze niet. Zij vond dingen... moeilijk. Net als haar dochter. En net als jij.' Hij staart naar de gordijnen, alsof hij er dwars doorheen kijkt, naar de zee en de horizon erachter. 'Jullie lijken allemaal meer op elkaar dan je denkt. "De zonden der vaderen zullen aan de kinderen worden bezocht."'

Ik snap niet waar hij het over heeft: qua uiterlijk lijkt mam op oma, maar twee meer verschillende mensen kun je je verder eigenlijk niet voorstellen. Oma, hardwerkend, charmant, geïnteresseerd en interessant, mooi en getalenteerd. En mijn moeder; tja, een paar dingen daarvan gelden ook wel voor haar, denk ik, maar ze heeft eigenlijk nooit echt haar draai gevonden, haar eigen plaats. In tegenstelling tot haar broer. Oma was zeker van haar plaats in de wereld. Of niet?

Een diepe stilte daalt neer over de kamer, als van een dikke, fluwelen deken. Van beneden vang ik zwakke geluiden op. Er wordt een deur dichtgesmeten, ik hoor wat gedempte stemmen, het gekletter van vaatwerk. Ik vraag me af hoe laat het nu is. Ik wil niet weggaan, maar weet dat ik wel moet, en snel ook. Arvind slaat me gade, alsof ik een merkwaardig wezen ben.

Langzaam opent hij zijn mond om iets te zeggen.

'Je lijkt precies op haar,' zegt hij. 'Wist je dat?'

'Op oma?'

'Nee.' Hij schudt zijn hoofd. 'Nee. Op Cecily. Je bent echt net Cecily.'

'Dat is grappig; dat zei Louisa net ook al. Echt waar?' Een herinnering van lang geleden begint zich te roeren in mij.

'O ja.' Arvind krabt met twee dunne vingers langs zijn kin. 'Ik dacht dat je het wel begreep. Dat is de reden.'

'Hoezo, dat is de reden?'

'Dat is de reden waarom je grootmoeder het soms moeilijk vond om bij je te zijn. Ze was enorm trots op je, zei dat jij haar bloed door je aderen had stromen. Ze hield van je werk, was er dol op. Maar ze vond het bij tijd en wijle heel moeilijk. Want kijk, jullie zijn net een tweeling.'

'Dat... dat wist ik niet,' zeg ik, en de tranen springen in mijn ogen.

'Daar kun jij niets aan doen.' Hij beweegt zijn tenen onder het dekbed en kijkt er emotieloos naar. Ook ik kijk naar zijn wiebelende tenen. 'Maar je leek echt heel veel op haar. Misschien dat haar huid wat donkerder was, net als haar haren, maar het gezicht... het gezicht is hetzelfde...' Hij slaakt een diepe, huiverende zucht, bijna te heftig voor zo'n klein lichaam, en zijn stem kraakt. 'Cecily. Cecily Kapoor. We praten niet over jou, hè? Dat doen we nooit.'

Hij knikt en vervolgens mompelt hij iets in zichzelf.

'Wat zei je nou?' vraag ik.

'Nee, doet er niet toe. Hier. Wacht.'

Plotseling schuifelt hij als een oude krab naar zijn nachtkastje en trekt de bovenste la open. Hij is verrassend lenig.

'Het is goed zo.' Hij buigt zich voorover en pakt iets uit de la.

'Wat is goed?'

Arvind begeeft zich weer naar zijn kant van het bed. Ik kom naar voren om zijn kussen op te schudden, maar hij schudt ongeduldig zijn hoofd. Zijn gezicht is springlevend, zijn donkere ogen dansen. 'Dit is voor jou. Het was van je grootmoeder. Ze wilde dat jij het kreeg. Ik denk dat je het nu maar moet krijgen.'

Als een tovenaar opent hij met een zwierig gebaar zijn vuist. Ik kijk aandachtig. Het is de ring die oma altijd droeg, diamanten en witgouden bloemen samengevlochten op een dunne band, Arvinds familiering, de ring die zijn vader al die jaren geleden voor de kersverse bruid van zijn zoon opstuurde. Ik ken hem zo goed, maar het is schrikken om die hier te zien, in mijn grootvaders handpalm en niet om oma's vinger.

'Die is van oma,' zeg ik onnozel.

'En nu van jou,' laat hij me weten.

'Arvind, dit kan ik niet aannemen. Mam wel, of Sameena of Louisa...'

'Frances wilde dat jij hem kreeg, dat heeft ze me heel duidelijk gezegd.' Zijn stem verraadt geen greintje emotie en hij staart naar de zware, brokaten gordijnen. 'Jij bent edelsmid, zij was vol lof over je werk. Ze wist dat je deze mooi vond. We hebben alles gepland, alles besproken. Jij mag hem hebben.'

Ik weet niet wat ik moet zeggen. 'Dat is erg lief,' begin ik aarzelend. Lief, wat een nietszeggend woord hiervoor, voor hem. 'Maar ik neem het toch liever niet aan.'

'Jij mag hem echt hebben, Natasha,' zegt Arvind opnieuw. 'Ze gaf hem aan Cecily. Nu is hij voor jou. Dit heeft ze zo gewild.' Hij legt de ring in mijn hand, waarbij zijn dunne, bruine vingers de mijne, groot en onhandig, stevig vasthouden. Zwijgend staren we elkaar aan. Arvind is nooit het type grootvader geweest die uit hout speelgoedsoldaatjes sneed, je driewieler repareerde of je het worstje op de barbecue liet proeven. Hij is vaak traag van begrip en het is soms lastig te begrijpen wat hij bedoelt.

Maar hoewel ik niet weet wat op dit moment nu precies zijn bedoeling is, weet ik al kijkend naar hem dat we elkaar begrijpen. Ik schuif de ring om de ringvinger van mijn rechterhand, net als bij een trouwerij. Mijn oma had sterke, grote handen, en ik ook. De bloemetjes schitteren zacht in het zwakke licht.

'Bedankt,' zeg ik zacht. 'Hij is prachtig.'

'Zou je zo lief willen zijn om de gordijnen open te doen?' vraagt hij even later. 'Ik zou de zee zo graag willen zien. Het is vanavond volle maan. Ik wil niet zo opgesloten zitten. Dat moeten ze begrijpen, daar waar ik straks naartoe ga. Ik wil de maan kunnen zien. Dat zal me aan thuis herinneren.'

Ik sta op en trek de zware gordijnen open. De maan schijnt laag en zwaar op het donkere water, net als een middagzonnetje: een gouden gloed die naar de horizon rimpelt. Buiten is het nu rustiger, maar als een regenwolk even voor de maan schuift, huiver ik. Er is iets op komst. Een storm misschien.

Ik open het raam en snuif de geur van de zee op: fris, gevaarlijk, levend. Het goud van oma's ring voelt warm aan tegen mijn vingers. Ik staar naar het water, in het niets.

'Het is een zachte avond,' zeg ik na enige stilte.

'Er broeit iets,' is zijn eenvoudige reactie. 'Ik ruik het in de lucht. Dat krijg je wanneer je oud bent. Vreemd, maar wel nuttig.'

Ik glimlach naar hem en loop terug naar het bed. De la van zijn nachtkastje staat nog open, valt me op, en ik buig me voorover om hem dicht te duwen. Maar terwijl ik dat doe, zie ik iets naar me omhoog staren. Een gezicht.

'Wat is dit?' vraag ik. 'Mag ik even kijken?'

Ik weet niet waarom ik het vraag, het gaat me helemaal niet aan. Maar de gedachte dat Louisa straks misschien door deze kamer gaat snuffelen, dat alles hier zal eindigen, moedigt me aan, denk ik.

'Pak het er maar uit,' zegt Arvind terwijl hij even in de la kijkt. 'Ja, pak het maar, dan zul je het zien.'

Ik til het op. Het is een klein probeerseltje in olieverf, niet groter dan een A4'tje, op een zandkleurig stuk schilderslinnen. Zonder lijst. Het zijn het hoofd en de schouders van een tienermeisje, dat zich met een vragende blik op haar gezicht half naar de kijker toe draait. Haar zwarte haar zit in de war; ze heeft blozende wangen. Haar huidtint is donkerder dan de mijne. Ze draagt een wit Aertex-shirt, en de ring die ik nu om mijn vinger heb, hangt aan een kettinkje om haar slanke hals. 'Cecily, fronsend' staat er met potlood onderaan geschreven.

'Is dat haar?' Heel voorzichtig houd ik het schilderijtje omhoog. Ik kijk ernaar. 'Is dat Cecily?'

'Ja,' antwoordt Arvind. 'Ze was mooi. Je moeder niet. Ze haatte haar.'

Dit moet ironisch bedoeld zijn, want mam is een van de mooiste mensen die ik ken. Ik kijk nog eens. Dit meisje... ze oogt zo fris, zo enthousiast, zoals ze zich naar mij toe draait, het heeft iets heel urgents, alsof ze wil zeggen: Kom. Kom met me mee! Dan dalen we af naar het strand, nu de zon nog hoog staat, het water warm is en het riet in de bosjes ruist.

'Waar deed... waar was dit?'

'Het was in het atelier,' zegt hij. 'De dag na haar overlijden nam ik het mee.'

'Je bent binnen geweest?'

Hij plaatst zijn vingers tegen elkaar. 'Natuurlijk.' Hij kijkt dwars door me heen. 'Dat had ik nog nooit gedaan. Zij is er ook nooit meer binnengegaan. Ja, de dag na haar overlijden. Ik maande mezelf dat ik wel moest. Ze had het me gevraagd. Om te pakken wat in het atelier stond. Maar het was deels verdwenen.'

'Wat moest je daar dan pakken?' Ik begrijp het niet.

Ik kijk mijn grootvader aan. Zijn ogen staan vol tranen. Hij laat zich achteroverzakken in de kussens en sluit zijn ogen.

'Ik ben erg moe,' zegt hij.

'Ja, het spijt me,' reageer ik. Maar ik wil haar niet terug in de la leggen, weer uit het zicht, weggestopt.

'Ik ben blij dat je haar gezien hebt,' zegt hij. 'Nu snap je het. Jullie lijken zo op elkaar.'

Dat is gewoonweg niet waar, dit plaatje van een meisje lijkt helemaal niet op mij. Ik ben ouder dan zij ooit is geweest; ik zie er moe, overwerkt en saai uit. Ik kom overeind om het schilderijtje terug te leggen. Terwijl ik dat doe, valt iets wat achter op het niet ingelijste doek vastzat op de vloer, en ik buk en raap het op.

Het is een bundeltje gelinieerd papier, bijeengebonden met een groen touwtje dat door een gat in de linker bovenhoek geknoopt is, en in tweeën is gevouwen. Ongeveer tien pagina's, meer niet. Ik vouw het open. In een handschrift met lussen staan de woorden:

Het dagboek van Cecily Kapoor, vijftien jaar.
Juli, 1963.

Ik hou het in mijn hand en staar ernaar. Bovenaan zit een stempel met het opschrift 'St Katherine's School'. Eronder heeft iemand, vermoedelijk een docent, met een blauwe vulpen geschreven 'Cecily Kapoor, klas 4B'. Het ziet er zo prozaïsch uit en het ruikt licht naar vocht, naar kerken en oude boeken. En toch oogt het handschrift fris, alsof het gisteren werd geschreven.

'Wat is dit?' vraag ik.

Arvind slaat zijn ogen open. Hij kijkt naar mij en dan naar de pagina's in mijn handen.

'Ik wist wel dat ze het had bewaard,' zegt hij. Op zijn gezicht valt niets van verrassing of schrik af te lezen. 'Er is nog meer. Ze schreef een heel schrift vol, die zomer.'

Ik werp opnieuw een blik in de la. 'Waar is het dan?'

Arvind trekt zijn tandeloze mond samen. 'Weet ik niet. Ik weet niet wat er met de rest is gebeurd. Onder meer daarom ben ik in het atelier geweest. Ik wilde ernaar op zoek. Ik wilde het bewaren.'

'Waarom?' vraag ik. 'Waarom, wat staat erin? Waar is de rest gebleven?'

Plotseling horen we voetstappen onder aan de trap, een bekend gedreun.

'Arvind?!' roept iemand. 'Is Natasha daar bij je? Natasha? De taxi komt toch zo?'

'Pak aan,' zegt hij fluisterend en hij duwt het dagboek in mijn handen. De voetstappen komen dichterbij. 'En pas er goed op, bewaar het veilig. Het staat er allemaal in.'

'Hoe bedoel je?' vraag ik.

'Je grootmoeder, ze moet een reden hebben gehad om het te bewaren,' zegt hij op zachte, dwingende toon. Dan, nog zachter: 'Deze familie is vergiftigd.' Hij staart me aan. 'Ze zullen het je niet vertellen, maar ze zijn het wel. Lees het. Vind de rest. Maar zeg het tegen niemand, laat het verder aan niemand zien.'

De deur zwaait open, en Louisa komt de kamer in. Haar luide stem doet de stilte uiteenspatten.

'Ik heb je net geroepen,' zegt ze verwijtend. 'Hoorde je me niet?'

'Nee,' lieg ik.

'Ik was bang dat je je trein niet zou halen...' Haar blik valt op het geopende nachtkastje, op het schilderijtje bovenop, waarop het glimlachende gezicht van het meisje schittert. 'O, Arvind,' zegt ze nors, en ze sluit haar ogen. 'Nee, dat is helemaal verkeerd.' En ze smijt de la dicht.

Ik laat de papierbundel in een van de royale zakken van mijn zwarte rok glijden en knijp mijn handen dicht zodat ze de ring niet kan zien. 'Sorry,' zeg ik. 'Ik kom eraan.' Ik buig voorover om mijn grootvader te kussen. 'Doeg,' zeg ik terwijl ik zijn zachte, perkamentachtige wang kus. 'Hou je taai. Ik zie je over een paar weken.'

'Misschien,' zegt hij. 'En gefeliciteerd. Ik hoop dat je van je vrijheid kunt genieten.'

'Vrijheid? Nou ja...' mompelt Louisa afkeurend en ze begint het dekbed weer glad te strijken en het nachtkastje op te ruimen. 'Het is niet iets om haar mee te feliciteren, Arvind. Ze is weg bij haar man.'

Ik glimlach.

'Vrijheid,' zei hij, 'kent vele gedaanten.'

Terwijl ik de kamer verlaat trillen mijn handen. Ik loop naar het einde van de gang, naar de trap en langs mijn kamer, die ook van mam en Cecily is geweest. Helemaal naar het einde, naar de nis die naar de deur van oma's atelier leidt. Ik staar ernaar, loop eropaf en duw hem vlug open, alsof ik verwacht door iemand gebeten te worden.

Overal dakvensters, hier en daar met spetters zeemeeuwenpoep op de ramen. Achterin een verhoging. Een zweem van iets, wat weet ik niet, tabak, stoffen en terpentijn, hangt nog steeds in de lucht. De maan schijnt door een van de grote dakvensters naar binnen. De wereld buiten is zilver, groen en grijs, de zee is het enige wat te zien is. Vanuit dit perspectief heb ik de tuin nog nooit gezien. Ik heb nog nooit in dit deel van het huis gestaan. Heel raar. Op de betonnen vloer ligt een dunne laag stof, maar niet zoveel als ik zou hebben verwacht. Een erker met een zitje bij het raam, twee doeken tegen de muur en enkele opgestapelde houten kistjes met verftubes ernaast, netjes weggezet, en pal in het midden van het vertrek een schildersezel, naar mij toe gedraaid, en een kruk. Op de vloer ligt een bevlekte, stugge lap. Meer niet. Het is alsof ze op de dag dat ze het atelier afsloot elk ander spoor van zichzelf heeft uitgewist.

Ik kijk nog eens langzaam rond en adem in. Ik voel oma hier helemaal niet, hoewel haar aanwezigheid in de rest van het huis nog bijna tastbaar is. Deze ruimte is een lege huls.

Als ik de deur weer zachtjes achter me heb dichtgetrokken en ik intussen hard mijn best doe niet te trillen daal ik de trap af; ik voel hoe de velletjes van het dagboek in mijn zak om mijn dij buigen. Daar zijn ze, bijeen in de zitkamer, de weinigen die nog over zijn gebleven: mijn moeder op de bank naast Archie, verwikkeld in een gesprek, de Bolhoed, met de handen in de zakken van zijn blazer en de kamer rondstarend met een blik alsof hij liever ergens anders was, en naast hem zijn broer Guy, eveneens zwijgend; zo anders dan hij maar net zo duidelijk niet op zijn gemak. Als op een teken verschijnt Louisa achter me terwijl ze haar pony uit haar gezicht veegt.

'Iedereen oké?' vraagt ze, en het valt me op hoe moe ze oogt. Ik voel me opeens vreselijk bezwaard. Arme Louisa.

Kijk eens wat Arvind me heeft gegeven, zou ik eigenlijk gewoon moeten zeggen, Cecily's dagboek. Moet je kijken.

Maar ik doe het niet, hoewel het wel zou moeten. Het blijft waar het is, diep in mijn zak, terwijl ik de kamer rondkijk en me afvraag wat Arvind zo-even bedoelde.

10

Jay staat in de deuropening, terwijl Mike buiten in zijn grote, ron-kende voertuig wacht en Octavia haar ouders een afscheidsknuffel geeft. 'Kon je maar blijven,' zegt hij. 'Bel me morgen en vertel me hoe het is gegaan bij de bank, en zo. Misschien dat we dit weekend ergens kunnen afspreken? Lekker lamskoteletjes eten?'

'Leuk,' antwoord ik. Op dit moment kan ik niet verder kijken dan de eerstvolgende vijf minuten. Het weekend lijkt nog een eeuwigheid te gaan en er valt in de tussentijd nog zoveel te doen. 'Lamskoteletjes. Ja, goed plan.'

Waarschijnlijk vanwege de geboorteplek van onze grootvader zijn we allebei totaal in de ban van het Lahore Kebab House, vlak achter Commercial Road. Geen van onze beide ouders wil er eten. Niet chic genoeg. Maar we zijn er een keer met Arvind geweest toen hij in Lon-den was om een eredoctoraat in ontvangst te nemen. Hij vond het heerlijk. Het is er groot en rijk gemeubileerd, het zit er vol met jonge mannen in leren jasjes en gel in het haar, die terwijl ze hun eten naar binnen schrokken aan de grote tv-schermen gekluisterd zitten waar-op de cricketwedstrijden te zien zijn. 'Ali…! Mijn broeder!' En alle-maal met van die handdrukken zoals jonge kerels dat doen, met daar-na een stevige omhelzing en een klop op de rug. Ze bekijken me van top tot teen. 'Mijn nicht, Natasha,' stelt Jay me voor. Ze knikken be-leefd en zakken weer terug op hun stoel om verder te eten. O, dat eten… mals, sappig. Op houtskool gegrilde lamskoteletjes. Peshwari naan-brood, je weet niet wat je proeft: knapperig, geurend naar knof-look, en toch zacht en donzig… Boterkip… Woorden schieten te kort. Jay grapt altijd dat ik expres naar Brick Lane ben verhuisd om zo de Lahore om de hoek te hebben. Oli en ik hebben er ooit in een week drie keer gegeten. Het leek zelfs volkomen normaal.

Terwijl ik buiten voor Summercove sta en de natte Cornish wind in mijn gezicht slaat, lijkt de Lahore ver weg. 'Lijkt me te gek,' zegt Jay.

'Misschien dat ik eerst nog even weg moet voor mijn werk, maar binnenkort? Je hebt het toch niet... druk?'

'Nee,' zeg ik. Natuurlijk heb ik het niet druk. Ik doe niet veel tegenwoordig. Ik ga naar mijn atelier, staar naar een muur, ga weer naar huis en staar naar een tv.

Octavia beweegt zich in mijn richting en we vallen stil. 'Ben je zover?' vraagt ze kordaat.

'Yep,' zeg ik. 'Tot ziens, Jay.' Ik knuffel hem nog een keer.

'Hou je taai, Nat. Komt allemaal goed.'

Bij Jay voel ik me op mijn gemak. Als hij het zegt, dan is het zo, zo voel ik dat. De mantel der wanhoop die voortdurend op mijn schouders rust, zo lijkt het, zal van mijn schouders vallen en wegzweven. Oli en ik zullen het uitpraten en we zullen sterker uit de strijd komen. De bank zal mijn lening verlengen en ik zal in mijn inkomen kunnen voorzien. Iemand gaat me die kans geven.

En dan denk ik aan het dagboek in mijn tas. Ik frons. Bijna wil ik het tegen hem zeggen, maar ik herinner me opa's woorden: waak er goed over.

Jay begrijpt het niet, weet het niet. Hoe kan het ook anders? Hij geeft me een kus op mijn wang en ik klauter het grote voertuig in. We zitten achterin. Het is donker en het regent al een tijdje.

'Kunnen we?' vraagt Mike met zijn zachte, geruststellende stem.

'Ja,' antwoorden Octavia en ik in koor. Opeens bonkt iemand tegen het raam en we schrikken ons rot.

'Nat, lieverd, tot ziens!' Mijn moeder staat op de oprit met de handen plat tegen de natte autoramen gedrukt. Haar haren hangen voor haar gezicht en ze tuurt naar binnen. 'We spreken elkaar. Hou me op de hoogte.' Ze praat veel te hard en ik vraag me af of ze dronken is. Ze komt een beetje hysterisch over. 'Het spijt me.'

Ik heb zo-even in de woonkamer al afscheid van haar genomen. Ik druk mijn handen tegen het glas, zodat ze de hare spiegelen. 'Dag mam,' zeg ik. Jay verschijnt achter haar en slaat zijn arm om haar heen.

'Het spijt me,' zegt ze nogmaals. 'Hou je taai, lieverd.'

Terwijl ze ons samen met Jay nakijkt, rijden we weg. Ik kan het huis niet zien, daarvoor is het te donker, en ik ben opgelucht. Het dringt tot me door hoe blij ik ben dat ik hier weg kan.

De stilte in de auto wordt slechts doorbroken door het getik van Mikes richtingaanwijzer terwijl hij wacht om de hoofdweg in te slaan.

'Is alles wel goed met je moeder?' vraagt Octavia terwijl ze haar rok over haar knieën trekt en gladstrijkt.

'Hoe bedoel je?' vraag ik.

'Ze doet de hele dag al zo vreemd, zelfs voor haar doen.'

Haar toon staat me niet aan en ik ben niet in de stemming voor Octavia met haar 'mijn familiegeschillen-uithuilhoekje'. 'Vandaag is haar moeder begraven. Reden genoeg, lijkt me,' is mijn antwoord. Om er daarna, stom, aan toe te voegen: 'We zijn niet allemaal van steen, hoor.'

'Heb je het over mij?' Ze kijkt strak voor zich uit. 'Je bedoelt mij en mijn familie?'

O, jee. Ik ben te moe en er spookt te veel door mijn hoofd om mijn woorden te kunnen beteugelen.

'We zijn allemaal familie,' vertel ik haar. 'Ik wil alleen maar zeggen dat het voor haar vandaag niet meevalt, dat is alles. We moeten een beetje coulant zijn.'

Bij deze woorden draait Octavia zich naar me toe en trekt haar lange neus scheef. Het is donker, hier op deze rustige provincieweg, en het maanlicht marmert haar gezicht, wat haar iets demonisch geeft. Vraag me niet waarom, maar ik herinner me opeens dat ze op haar twaalfde, tijdens een schoolvoorstelling, een heks speelde. Jay en ik lagen in een deuk.

'We zijn geen familie,' zegt ze.

'Eh,' reageer ik, 'toch wel, Octavia. Het spijt me.'

Ze glimlacht. 'Waar haal je die onzin toch vandaan, Natasha. We mogen dan verwant zijn – ja, onze moeders zijn nichten van elkaar, maar daarmee houdt het op. We brengen zo nu en dan de vakantie samen door. Maar we zijn geen echte familie, gelukkig.'

Ik staar haar aan. 'Als jullie "geen echte familie zijn", waarom loopt jouw moeder iedereen dan te commanderen en trommelt ze allerlei lieden op om het huis alvast te inventariseren terwijl oma nog niet eens onder de zoden ligt? Als jij geen familie bent, waarom sleepte ze jou dan elk jaar weer mee om hier een prachtige vakantie te vieren? Ik kan me niet herinneren dat ik je daar ooit over heb horen klagen!' Ik lach nu. Ze is zó dom.

Octavia tuit haar lippen en zucht, maar haar ogen glinsteren en ergens voel ik gewoon dat ze me heeft waar ze me hebben wil.

'Zoals ik al zei,' vervolgt ze langzaam, alsof ik een verstandelijke beperking heb, 'wij zijn géén familie, Natasha. Mijn moeder is, of was, zeer op haar tante gesteld. Ze…' Ze zwijgt even. 'Ze hield van haar. Ze vond dat Franty iemand nodig had die naar haar omkeek, die na Cecily's overlijden voor haar zorgde. Immers, er was niemand anders die dat deed. Jóúw familie al helemaal niet.'

'Wel waar,' begin ik, maar ze brengt een hand omhoog.

'Jij leeft in een droomwereld, Natasha,' klinkt het ijzig kalm. 'Je grootvader leeft in zijn eigen bovenkamer, heeft nauwelijks in de gaten wat er zich voor zijn neus allemaal afspeelt. Je oom doet alsof het allemaal één grote grap is en wacht rustig af totdat zijn zus hem vertelt wat hij moet doen. En wat haar, jouw moeder, betreft… tja. Jouw moeder is wel de láátste die ze om hulp zou vragen.'

In gedachten zie ik mams verdrietige gezicht weer tegen het autoraam, haar verslagen blik tijdens ons gesprekje over Oli, en ik wil het voor haar opnemen. Het is zo makkelijk om haar als moeilijk, als achterlijk, af te schilderen. Dit is niet leuk meer, zeker niet vandaag. 'Moet je horen, Octavia,' reageer ik zo kalm mogelijk, 'ik weet dat mijn moeder nu eenmaal anders is dan de jouwe…'

'Zeg dat wel!' klinkt het op een hatelijke triomftoon.

'Maar dat wil nog niet zeggen dat ze… dat ze boosaardig is.'

Boosaardig. Waar heb ik dat woord onlangs nog meer gehoord? Op Octavia's gelaat staat nog altijd een neerbuigende glimlach gekerfd. Opeens word ik kwaad. Ik ben doodziek van haar en haar 'familie' met hun o-wat-zijn-wij-toch-onberispelijk-maniertjes, haar saaie, vervelde pa, haar bemoeial van een oom en die Truus de Mier van een Louisa, die overal haar neus in steekt en ons uit de tent wil lokken… 'Enkel omdat mam niet naar Tunbridge Wells is verhuisd,' zeg ik op een toon alsof het de verschrikkelijkste plek op aarde is. 'Enkel omdat zij niet haar hele leven lang op hetzelfde kantoor heeft gewerkt, enkel omdat zij géén speciaal, achterlijk com-par-ti-men-tje in haar naaidoos heeft voor naametiketjes, ja? Dat wil nog niet zeggen dat ze slecht is, Octavia.'

Ik beef, ik ben zó kwaad.

'Je snapt het echt niet, hè?' is haar weerwoord. 'Ik had nooit gedacht dat je echt geen flauw idee hebt over hoe je moeder in elkaar zit. Echt géén idee!' Geveinsd bezorgd kijkt ze me indringend aan. 'O, Natasha.'

'Hoe bedoel je?' vraag ik.

'Gaat het een beetje, daar achterin?' roept Mike.

We verstijven.

'Prima!' antwoordt Octavia met een snelle glimlach. Dan kijkt ze me weer aan en sist: 'Weet je dan echt niet hoe het werkelijk zit met haar?'

Haar gezicht zweeft vlak voor het mijne. Ik schud mijn hoofd en ik probeer te kijken alsof het me koud laat.

'Het zal allemaal wel, Octavia. Het interesseert me niet.'

Haar gezicht ziet bleek, zo vlak voor mijn ogen. Ik zie de open poriën, de donshaartjes op haar wangen, ik ruik haar warme adem tegen mijn huid. Dan klinkt haar stem zacht en zangerig: 'Ze heeft haar zus vermoord, Natasha. Die zomer.'

Eerst denk ik dat ik haar vast niet heb begrepen, maar ik laat in gedachten nogmaals haar woorden de revue passeren. 'Nee,' zeg ik een paar seconden later. 'Dat klopt niet.'

Maanlicht flakkert door de bomen naar binnen, alsof iemand heel snel een lamp aan en uit knipt. Ik knipper met mijn ogen.

'Ga maar na,' vervolgt Octavia. 'Heb je dan nooit geweten dat er iets vreemds is gebeurd?' En dan kijkt ze me zwijgend aan terwijl ik verwoed mijn hoofd schud. 'Luister, het spijt me,' zegt ze even later, alsof ze weet dat ze over de schreef is gegaan. 'Ik wilde je niet…'

'Ik wist wel dat je onzin uitkraamde,' zeg ik, omdat ik denk dat ze haar verontschuldigingen wil aanbieden, dat ze het allemaal heeft verzonnen om me te kwetsen. Maar ze antwoordt: 'Het was niet mijn bedoeling dat je er op deze manier achter moest komen. Ik ging ervan uit dat je het inmiddels wel wist.'

Deze familie is vergiftigd. Het dagboek zit in mijn zak.

'Ik geloof niet dat het opzet was,' gaat Octavia verder. 'Niet dat ze haar heeft vergiftigd of zo.' Het klinkt bijna smekend, alsof ze wil dat ik het me niet zal aantrekken, alsof het haar zelf ook een rotgevoel geeft. 'Maar, ze hadden ruzie over iets, weet je. Vraag me niet waarover het ging. Ik geloof niet dat mam het weet. Knallende ruzie. En Miranda duwde Cecily. Ze gleed uit op het paadje en ze brak haar nek.

Dat is wat er is gebeurd. Archie zag ze. Vraag... vraag het Guy maar,' zegt ze plotseling terwijl ze de rug van haar hand langs haar neus haalt, iets wat helemaal niet bij haar past. 'Hij weet alles. Je moeder probeerde hem te verleiden. En ook mijn vader.'

'Hoor eens, dit slaat echt nergens op...' zeg ik. Ze negeert me.

'Nou, ze zagen allebei helemaal niets in haar. Dat is de reden waarom niemand haar mag.' Ze pakt een tissuetje en snuit haar neus. 'Daar ging die ruzie dus over.' Ze haalt luid haar neus op. 'Iedereen weet wat je moeder flikte, maar ze wilden je grootmoeder niet van streek maken. Ze mochten het in haar bijzijn zelfs niet over Cecily hebben, of wel soms?' Ik knik. Verboden − de enige regel op Summercove. 'Maar nu oudtante Frances er niet meer is... Tja, dat maakt alles totaal anders, hè?'

De zeepbel is geknapt. Het is koud in de taxi en ik pers mijn armen tegen mijn zij. 'Ik... ik... geloof er helemaal niets van.'

'Denk je niet dat dit heel veel over haar verklaart?'

'Nee,' zeg ik. 'Absoluut niet. En om eerlijk te zijn, Octavia...'

'Misschien was het geen opzet, maar ze heeft haar hoe dan ook vermoord. Vraag het maar aan Guy. Hij was erbij,' herhaalt ze op vastberaden toon.

'Wat een onzin allemaal... hoe weet jij in hemelsnaam wat er is gebeurd?' Vol gerechtvaardigde woede ga ik rechtop zitten. 'Hoe weten zij dat? Waarom heeft niemand me dat ooit verteld? Waarom is mam er zelf nooit over...'

'Zal ze ook niet doen, of wel soms?' klinkt het oprecht meelevend. 'Maar je moeder... och, ik weet echt niet wat er allemaal speelde die zomer.' Ze krabt op haar voorhoofd. 'Ik denk dat zelfs mam het niet weet. Enkel dat... ik wil alleen maar zeggen dat jouw moeder niemand wilde vertellen waar die ruzie om te doen was, en het is onmogelijk om daar achter te komen, toch?'

'Nee,' zeg ik, en ik denk weer aan het dagboek, en ook aan hoe dun, hoe kinderlijk het aanvoelt tussen mijn vingers. Maar ik raak het niet meer aan. Ik wil niet dat Octavia iets zal vermoeden. Ik kijk haar aan en bedenk hoe vreemd het is dat ik haar weliswaar echt goed ken, en toch ook weer helemaal niet. Ik ben nooit bij haar over de vloer geweest, ken niemand van haar vriendinnen, weet niets van haar liefdesleven of haar lievelingsboeken en dergelijke. Ze is er altijd gewoon geweest. Ik dacht dat we familie waren, en nu blijkt dat ik haar eigenlijk ook niet ken.

Ze heeft gelijk. Ik heb altijd in een droomwereld geleefd.

'Luister,' zegt ze, alsof ze liever niet zo haastig het woord neemt. 'Ik hoop... sorry, misschien had ik beter mijn mond kunnen houden.' Ze schraapt haar keel. 'Maar je moest het gewoon weten. Ik kan me niet voorstellen dat je nooit ook maar iets ter ore is gekomen.'

Ik zou hier uitgebreid op in kunnen gaan, maar ik doe het niet en breng een hand omhoog. 'Laat maar zitten. Laten we het er gewoon niet meer over hebben.'

De rest van de rit brengen we door in een ongemakkelijke stilte. Ik zou bij god niet weten waar we het over zouden moeten hebben.

11

De slaaptrein vanuit Penzance beschikt over een eigen perron, naast het hoofdstation. Dat staat mij wel aan; het verleent de trein een bijzondere positie. 's Zomers kan het een beproeving zijn. Het is er altijd druk, vaak ongelofelijk warm (de airconditioning vertoont kuren) en het wordt zo vroeg licht dat ik als kind altijd, liggend op het bovenste stapelbed onder de kriebelige blauwe dekens, heen en weer geschommeld door de bewegingen van de trein, al om halfvier wakker werd en niet meer kon slapen.

Mam zou tegen het eind van de zomer weer komen om me mee terug naar Londen te nemen, tenzij oma daar zelf heen ging. Ik vond het altijd vreselijk wanneer mam kwam, want ik haatte het om Summercove te moeten verlaten. Het was alsof je een sprookjespaleis achterliet, een warm, fris, zoetgeurend paleis waar ik vrij was, waar mijn grootmoeder er altijd was zodat ik nooit eenzaam hoefde zijn, waar de zon scheen en Jay en ik samen waren. In Londen wisten we dat september ons op de hielen zat, met nevelige ochtenden waarop de zon een stuk later opkwam en waar het kouder was; en met de winter pal om de hoek om mij en vooral mijn moeder in een depressie onder te dompelen die tot het voorjaar zou duren.

In de trein terug naar huis nam ik in gedachten de vakantie altijd nog een keertje door om alles te memoriseren. De wandeling naar Logan's Rock en de angstwekkende wind die je dreigt het verraderlijke water daar beneden in te blazen. Buiten zitten in het Minack Theatre, een in de kliffen uitgehouwen amfitheater, gillend van de lach om *Een Midzomernachtsdroom*. Jay en ik, tussen de rotsen door klauterend naar het strand, onder aan het huis; de verrassende tinten groen en blauw van het zeewater, het gemberbier dat scherp en zoet smaakte, de woestheid, de wetenschap dat in Cornwall vertoeven net zoiets is als in het buitenland zijn, en dat elke kilometer die je na vertrek aflegt voelt alsof je een deel van jezelf achterlaat. Ja, ik vond het als iets uit een sprookje.

Als we Mike hebben betaald en hebben uitgezwaaid, staan Octavia en ik op de winderige kade, voor de ingang van het station.

'Weet je in welk rijtuig jij zit?' vraag ik op bijna formele toon.

Ze schudt van nee. 'Ik moet mijn kaartje nog uit het apparaat gaan halen.'

'O,' reageer ik. 'Goed.'

We zwijgen. Ik sla mijn ogen neer en ik kijk naar mijn zwarte laarzen. Om halfzes vanmorgen, in het donker nog, heb ik ze aangetrokken. Het lijkt een eeuwigheid geleden.

'Nou, ik heb het mijne al,' zeg ik, zwaaiend met mijn oranje kaartje. 'Ik denk dat ik maar...'

'Ja, ja,' zegt ze een tikkeltje te gretig. 'Nou, het was...' Haar stem sterft weg. 'Eh, leuk om je te zien.'

Iemand haast zich langs ons en sleurt een koffer op wieltjes achter zich aan. Het ding kraakt luid. 'Luister, Natasha,' zegt Octavia na alweer een stilte. 'Het spijt me. Misschien had ik het niet zo moeten zeggen.' Ze houdt haar handen omhoog. Reken het me niet aan. 'Ik dacht alleen dat je het al wel gehoord had. Snap je? Iedereen is altijd...' Weer valt ze stil, en ze slaat defensief de armen over elkaar. 'Ach, het is allemaal lang geleden, toch?'

'Kennelijk niet dus, hè?' reageer ik. 'Het is allesbehalve lang geleden. Het verklaart hoe dan ook een hoop.' Ik doe mijn best om niet boos over te komen. 'Hoor 's, jouw moeder heeft altijd de pik gehad op mijn moeder en ik heb nooit geweten waarom, maar nu dus wel. Daarom verbaast het me niet.'

'Je begrijpt nu waarom.' Ze knikt alsof ze wil zeggen: 'Mooi. Eindelijk snapt ze het.'

'Nee Octavia, ik geloof het niet. Wat ik bedoel is...' Ik zucht eens diep. 'Ik begrijp nu waarom je altijd zo gemeen tegen ons bent geweest. Ik bedoel, heeft je moeder jou dit zelf verteld?'

'Niet met zoveel woorden,' zegt ze. 'Je gaat niet bij elkaar zitten om zoiets uit te leggen; we hebben het gewoon altijd geweten. Pap ook. En oom Jeremy. Daarom komt hij nooit terug.' Ze haalt haar schouders op.

'Goed, wat je wilt. Ik geloof geen moment, geen mómént...' ik verhef mijn stem zodat ik zo hard mogelijk klink zonder te schreeuwen, en ik hoor mezelf boven de tinkelende masten in de haven en boven de treinlocomotief uit, '... dat mijn moeder Cecily, of wie dan

90

ook, heeft vermoord. Ik weet niet wat er gebeurd is, maar dát weet ik wel.' Ik werp mijn tas over mijn schouder.

'Hé...' begint ze. 'Dat is gewoon wat ze beweren, ik zeg alleen maar...'

'Nee,' val ik haar in de rede. 'Laten we erover ophouden, oké? Ik denk dat ik nu maar ga. Ik zie je wel weer. Bedankt voor...' Geen idee waar ik haar voor zou moeten bedanken, maar aangezien ik A heb gezegd kan ik maar beter ook B zeggen. 'Eh... bedankt voor het delen van de taxikosten.'

Octavia knikt, wat moet ze anders? 'Geen dank,' zegt ze.

Als ik naar de trein loop kijk ik niet meer achterom. Ik hoop dat ik haar straks niet opnieuw tegen het lijf loop, maar ik ben er vrijwel zeker van dat ze deze keer uit mijn buurt zal blijven. Ze denkt dat ze mij een dienst heeft bewezen. Daar ben ik nog het kwaadst over. Mij voorhouden hoe dom ik ben geweest.

's Zomers is de restauratiewagen altijd vol; mensen arriveren zo vroeg mogelijk om een plaatsje te bemachtigen zodat ze niet in hun coupé opgesloten zitten, die aanvankelijk nog gezellig lijkt maar al snel claustrofobisch wordt. In de winter is de restauratie bijna leeg, en nadat ik mijn tas in de eenpersoonscoupé heb gedumpt en ik de gratis toiletspullen heb bewonderd, nestel ik me in een van de enkele zitplaatsen aan het raam, compleet met een tafeltje en een lamp, en zet ik mijn tas voor me. Haastig kijk ik om me heen, maar Octavia is niet verschenen. De bladzijden uit het dagboek zitten nog steeds in mijn zak. Daar zit ik dan, en langzaam glijdt de trein het station uit. Ik weet niet hoe ik me moet voelen.

Op de stoel tegenover me ligt de *Times*, die heeft de conducteur vast over het hoofd gezien, en ik pak hem op. Hoewel ik eigenlijk geen honger heb bestel ik thee en wat biscuitjes, waarna ik de krant begin te lezen. Het nieuws neemt me geheel in beslag. Ik lees over een samenzwering binnen het kabinet om de minister-president af te zetten, de overstromingen overal in het land, de problemen van een tweederangs sportman en diens vrouw, wat er zich zoal afspeelt in een realityprogramma op tv en welk parlementslid heeft geprobeerd de kosten voor een antiek tapijt te declareren. Ik heb het gevoel dat ik een eeuwigheid ben weggeweest en ik verzamel de informatie om mezelf beetje bij beetje bijeen te rapen.

Voordat ik de pagina omsla naar de overlijdensberichten weet ik dat ik daar een foto zal zien van mijn grootmoeder, de sjaal in het haar, een brede glimlach rondom een volmaakt gebit, kwast in de hand, een mok thee en schildersattributen – palet, kwasten, lappen, terpentijn – rommelig om haar heen, in het atelier waar ik ruim een uur geleden nog stond. Het ziet er totaal anders uit, met overal schildersdoeken, ansichtkaarten aan de muren, potplanten, een grammofoon.

Ik krijg een brok in mijn keel. Ze glimlacht naar me. Het is net als Cecily's gezicht, dat me vanuit de la aanstaarde.

Frances Seymour

Hooggewaardeerd observator van het Cornische landschap, die na 1963 nooit meer heeft geschilderd

Frances Seymour, die op negenentachtigjarige leeftijd is overleden, was wat men een ster zou noemen. Echter, de zwierigheid, de grillen en nukken, kortom, de clichés van de kunstenaar waren niets voor haar: zij was algemeen geliefd, charismatisch en mooi, aantrekkelijk voor mannen én vrouwen. Haar huis, het prachtige landgoed Summercove vlak bij Treen in Cornwall, was voor iedereen toegankelijk en een toevluchtsoord voor vrienden en familie. Zij verlichtte elke kamer waar ze kwam en in haar gezelschap verkeren was een zeldzaam geschenk.

Vanwege haar charme en sterke persoonlijkheid is het feit dat ze stopte met schilderen na de dood van haar jongste dochter Cecily bij een tragische ongeluk gemakkelijk te vergeten. Frances heeft zichzelf de dood van haar dochter nooit vergeven, en sommigen hebben wel gespeculeerd dat dit haar vorm van boetedoening was voor de gebeurtenissen van die zomer in 1963. Dit is nooit bewezen. Wat echter wel belangrijk is om vast te stellen is de bijdrage die Frances Seymour vóór die tijd leverde aan het vestigen van de reputatie van de Britse schilderkunst midden twintigste eeuw.

Frances Seymour was niet een Cornish schilderes, of een vrouwelijke schilder. Ze was eenvoudigweg een van de meest getalenteerde kunstenaars van de afgelopen eeuw.

Dit was mijn grootmoeder! wil ik uitroepen. Ik wil met de krant uit het raam zwaaien, als de aardige, oude heer uit The Railway Children. Kijk eens hoe knap ze was, hoe geniaal!

Tranen wellen op in mijn ogen en ik huil, ik kan er niets aan doen. Ik begrijp er helemaal niets meer van. Telkens weer hoor ik Octavia's stem, en wanneer ik mijn ogen dichtdoe zie ik haar grote grijze ogen en haar puntige neus in het donker voor me opdoemen terwijl ze mijn moeder o-zo-zorgvuldig keer op keer in de rug steekt. Ik wil haar haten, haar uitlachen, maar ik kan het niet. Ik vraag me af waarom niet.

Omdat ik doodsbang ben dat ze gelijk heeft, ondanks dat wat ik slechts een uur geleden nog tegen haar heb gezegd.

Ik kijk uit het raam, alsof ik verwacht daarbuiten iemands gezicht te zien. We hebben snel gereden, door een waas van onopvallende dorpen, maar opeens is het donker; een landschap zonder enig lichtje. Ik zie mijn eigen spiegelbeeld in het glas, verder niets. Mijn hals en de krant steken beide verbijsterend wit af tegen de duisternis buiten en tegen het zwart van mijn jas. Ik staar naar mezelf, de tranen kan ik niet zien; ik lijk wel een geest. In het zwart en wit van het licht lijk ik op Cecily.

Voorzichtig scheur ik het overlijdensbericht uit de krant en vouw het op. Het scheuren van het papier klinkt hard, en het stel aan het tafeltje naast me kijkt nieuwsgierig op. Glimlachend kom ik overeind en ik trek me terug in mijn coupé, waar ik me op de vertrouwde, oude, kriebelige blauwe deken en de gladde witte lakens laat zakken. Ik haal de schriftvelletjes uit mijn zak en ga op het onderste stapelbed zitten; ik hou ze in mijn hand, staar ernaar, naar het zwarte krabbelhandschrift, mijn vinger en duim gereed om de eerste bladzij om te slaan. Ik sluit mijn ogen.

En nu zie ik plotseling mezelf weer in Summercove. Ik hoor stemmen die ik herken, maar die op een of andere manier toch anders zijn, dunner en hoger. Het felle zonlicht stroomt de woonkamer binnen, de geur van de zee en van gras en nog iets anders, iets gevaarlijks, bijna tastbaar, raast op me af... En Cecily's gezicht, net als op het olieverfschilderijtje. Kom met me mee! Kom met me mee, zegt ze. En ik doe het. Ik adem diep in en ik volg haar, naar de zee.

Het dagboek van Cecily Kapoor, vijftien jaar.
Juli 1963.

St. Katherine's meisjesschool
Denmouth
Devon
Engeland

Bij verlies graag terugbezorgen

Zaterdag 20 juli 1963

Lief dagboek,

Eerste dag van de vakantie. Dat wil zeggen, tellen maar, schatjes van me, tellen maar...
ZEVEN WEKEN van zalig heerlijk lekker geen school!!!!
Mijn zomerproject begint NU.

Ik schrijf dit zittend op mijn bed in Summercove, op de lapjessprei die Mary voor me genaaid heeft toen we hierheen verhuisden en ik 's nachts altijd bang was. Een van mams schetsen hangt aan de muur, van onze kleine baai beneden bij het strand. In de muur is een inbouwkast voor onze kleren, met lieve plastic handvatjes bespikkeld met sterren. Wat verder? Er zijn twee witgeschilderde planken waar al mijn boeken op staan (ik deel deze kamer met mijn zus Miranda. Maar zij leest alleen de Honey). Ik heb alles van <u>My Friend Flicka</u> tot <u>Pride & Prejudice</u> & ze zijn allemaal van mij.
   Vandaag is de eerste echte vakantiedag. Gisteren ben ik thuisgekomen. Ik ben dol op de luxe van als de vakantie nog moet beginnen en de tijd zich als een eeuwigheid voor je lijkt uit te strekken. Op 8 september gaan we terug. Dat lijkt nu nog een mensenleven ver weg.
   Ik heb nog nooit eerder een dagboek bijgehouden. Twee dagen geleden, op de laatste schooldag, deelde juf Powell de hele klas tien velletjes uit, samengebonden met een touwtje en met onze naam erop. Ze gaf ons de opdracht om een verslag bij te houden over onze

zomervakantie: we moesten opschrijven wat we deden, wie we zagen en wat er gebeurt. Toen juf Powell het zei, begon iedereen te zuchten, maar ik was blij. Ik wil later schrijver worden & dit is dus een goeie oefening.

Niemand reageerde er zo uitgelaten op, alleen ik eigenlijk. Annabel Taylor, die amper normaal kan schrijven, leek echt geschokt gewoon. Ik ben met mezelf een weddenschap aangegaan: ze zal twee velletjes over de zomer schrijven, en die gaan alleen maar over de jongens die ze kent.

(Dat is niet erg aardig van me.)

Juf Powell zegt dat ze niet zelf naar onze dagboeken zal kijken, maar ze wil dat als we in de herfst weer terug zijn, we de rest van de klas er wat stukjes uit voorlezen. Jaren later, zegt ze, zullen we ze terug-vinden en lezen en ons de zomer van 1963 herinneren. Ze zegt dat dit een jaar is dat we ons zullen willen herinneren. Ik dacht dat ze bedoelde vanwege meneer Profumo en het schandaal. Daar mogen we op school dus absoluut niet over praten. Toch hoopte ik dat ze dat zou noemen. Maar ze zei gewoon iets in plaats van dat er nu een andere wind waait. Ik vind juf Powell tof. Ze is jonger dan de meeste leraressen, en ze heeft prachtig kort haar en ze vindt _Bonjour Tristesse_ mooi. Rita is echt dól op juf Powell, 's nachts huilt ze over haar. Alles beter dan juf Gilchrist, zeg ik. Dat vreselijke mens met die vlezige handen van haar heeft vroeger vast in de bak gezeten. Juf Powell is heel anders.

Goed, genoeg gekletst over school. Na maandenlang op St. Kat's te hebben gezeten is het soms lastig om hier thuis weer een beetje op gang te komen. Je hoofd zit vol saaie dingen, zoals gymschoenen, valiezen en gezangboeken. Nu ben ik terug. Het is voorbij! (Voor een tijdje dan.)

Dus wat zal ik je vertellen, dagboek? Laat ik beginnen met te beschrijven waar ik ben en wat er gebeurt.

Het is na de thee & het is stil in huis, maar er zijn wel geluiden die me na al die maanden op school dierbaar & vertrouwd zijn. Mary is in de keuken. Ze is bezig met het avondeten, ik hoor haar voetstappen op de vloer & de kletterende pannen.

Pap zit te neuriën in zijn werkkamer. Het klinkt als zoemende wespen. Pap is zeg maar een beroemd schrijver. Hij heeft een boek geschreven waar de mensen voortdurend over willen praten. Het heet <u>The Modern Fortress</u>. Ik heb het niet gelezen, maar veel mensen wel. Het is een BELANGRIJK BOEK. Juf Green, onze directrice, zei afgelopen jaar tegen me: 'BELANGRIJK BOEK CECILY.' Dat wil zeggen dat ze het dus niet heeft gelezen, durf ik te wedden.

(Ik moet aardig zijn & stel dat ze het wel lezen ook al zeiden ze van niet?)

Mijn nichtje Louisa en neefje Jeremy zijn vandaag aangekomen. Ze spelen met Claude, onze hond, op het gras. Louisa heeft een mooi gestreept badpak aan, waar ik stikjaloers op ben. Ze heeft een nieuwe lippenstift en ze vindt zichzelf helemaal super, want ze heeft een beurs in de wacht gesleept voor Girton en ze is heel erg ambitieus en bijdehand. Jeremy studeert medicijnen in Londen. Hij is mijn lievelingsneef. Ik heb er maar twee voorzover ik weet: mijn neven in Lahore, in Pakistan, ken ik niet, en wie weet zou ik die zelfs nog leuker vinden dan Jeremy. Maar dat betwijfel ik. Hij is gewoon heel erg leuk.

Jeremy is wezen zwemmen & heeft na de regen de tafel naar buiten gesjouwd voor het avondeten. Zo, dat is voorlopig wel even genoeg over hen.

Mijn zus en broer (Archie & Miranda maar dan omgedraaid) roddelen op hun stiekeme, irritante manier over van alles terwijl ze langs de rand van het gazon

lopen, als twee Jane-Austenheldinnen die een rondje
maken door de tuin. Ze zijn een tweeling, 2 jaar ouder
dan ik en zijn net klaar met school. Maar Archie blijft
een extra semester voor het toelatingsexamen voor
Oxford en Cambridge, hoewel hij zegt dat hij niet zal
gaan. Miranda doet dat examen niet. Ze doet helemaal
niets.

~~Ze zijn een vreemd stel, die tweeling. Ik weet niet
zeker of~~

Mijn hand doet nu al pijn. Maar ik moet doorgaan!

Tot slot mam. Mam is aan het schilderen. Ze is in haar
atelier, helemaal aan het eind van de gang. Ze is een
gevierd schilder. 'Gevierd schilderes', ik weet niet of dat
iets goeds is of niet, maar zo wordt ze altijd genoemd.
De Picture Post wijdde een paar jaar geleden een
dubbele pagina aan ons. 'Gevierd schilderes thuis bij haar
gezin'. Alsof haar roem net zo belangrijk is als haar
schilderwerk. Ik vraag me af of het haar ergert.
Komende herfst heeft mam een expositie & ze laat mij
nu poseren voor een portret. Ik poseer niet graag voor
haar behalve als we kunnen praten, wat ik wel leuk vind.
Vanmorgen heb ik voor haar geposeerd. De expositie is al
snel & ze schildert als een gek, ze loopt achter. Ze doet
kortaf tegen pap, maar hij merkt het niet. Ze rookt &
kijkt veel uit het raam, & als ik in mijn kamer ben hoor
ik haar door het atelier ijsberen. Dat doet ze nu ook.

Maar goed, ik zal vast nog wel meer schrijven over
iedereen, zeker weten. Over een paar dagen krijgen
we gezelschap van Frank en Guy Leighton, Frank is een
schoolvriend van Jeremy & hij is Louisa's vriendje. Guy is
zijn broer. Mam is er dol op als er mensen komen. Ik
ook, hoe meer zielen, hoe meer vreugd.
Er zijn zoveel dingen die ik wil lezen & zien & doen,
zoveel gedachten die me bezighouden. Ik wil het allemaal
opschrijven, nieuwe dingen beleven die ik niet heb

opgeschreven (neem het me alsjeblieft niet kwalijk, lief dagboek, ik zal mijn best doen & zoveel mogelijk schrijven). Ik wil mijn Blik Verruimen, & de zomervakantie is dé tijd van het jaar om hier iets aan te doen, & ik ga het serieus aanpakken. Ik zal de krant lezen & er commentaar op geven zodat dit dagboek ook een degelijk verslag van deze tijd is.

Zo las ik bijvoorbeeld vol belangstelling dat de herdenkingsdienst voor dominee Cuthbert Creighton gisteren vlak bij Worcester heeft plaatsgevonden, & dat juffrouw BP Hards (dat is een grappige naam) zich heeft verloofd. En ook dat de hertog van Edinburgh volgende week dinsdag in Grosvenor House in Londen een lunch van de Verwarmings- & Ventilatiemonteurs zal bijwonen.

De bel voor het avondeten heeft nog niet geklingeld. Dus hier volgt nog wat meer informatie, nu over mij.

Naam: Cecily Ann Kapoor
Leeftijd: 15 (16 in november)
School: St. Katherine's meisjesschool
Lievelingsvakken: Engels! Toneel, tekenen, geschiedenis, Latijn
Beste vriendinnen: Margaret, Jennifer, Rita (NB. Ik zou Linda Langley ook graag als vriendin hebben, maar dat is ze dus niet, want zij zit een jaar hoger)
Lievelingsdocent: juf Powell
Lievelingsboek: <u>Bonjour Tristesse</u>, Françoise Sagan
Lievelingsgedicht: <u>The Prisoner</u> van Emily Brontë
Lievelingsactrice: Kay Kendall (†). Jean Seberg in <u>Bonjour Tristesse</u> de film, ik wil mijn haar net zo kort als zij, zo chic & stoer maar mam zegt NEE.
Lievelingsacteur: Stewart Granger in <u>Moonfleet</u>, ZWIJMEL! Gregory Peck in <u>To Kill a Mockingbird</u>, DUBBELZWIJMEL, ook Dirk Bogarde & Rock Hudson
Lievelingsfilm: was altijd <u>Moonfleet</u> maar is nu wat te kinderachtig voor me. <u>Bonjour Tristesse</u>, ik ben gek op

die film & het boek, het is allemaal zo ~~chic~~ betoverend.
En <u>To Kill a Mockingbird</u>, wat een schitterend & mooi
sfeerbeeld oproept van het Diepe Zuiden & de
problemen daar.
Lievelingsnummer: NIET The Beatles, iedereen vindt ze
tof & ze zijn zo saai! Elke keer dat ze op de radio
zijn moeten Miranda & Louisa bijna huilen. Ze draaien
'Please Please Me' echt elke dag op de pick-up. Ze
vinden ze alleen maar leuk omdat het jongens zijn &
uit Liverpool komen m.a.w. gevaarlijk, volgens mijn
tante Pamela, Louisa's moeder, maar zij vindt de
vuilnisman in haar straat een gevaarlijke communist
omdat ze hem een keer de <u>Tribune</u> zag lezen.
Miranda & Louisa zijn sowieso imbeciel als het op
J.O.N.G.E.N.S. aankomt. Ik hou niet van jongens (behalve
dan van Gregory Peck & Stewart Granger & dat zijn
mannen). Ik wil heel graag een interessant & talentvol
iemand worden omdat ik schrijver wil worden &
schrijvers worden geen schrijvers door op de bank te
hangen en te luisteren naar Please pleazzzzzzzze
me. Of naar Frank Ifield. Geloof het of niet, Louisa
heeft een elpee van Frank Ifield. Gaaaap.
Afijn, mijn lievelingsnummer & -album is Juliette Gréco.
Ik hou ook van de Four Seasons & de Beach Boys.
Zij is Frans, zij zijn Amerikaans & dat vind ik leuk,
het is weer eens wat anders. Niet steeds dat saaie
oude Engeland. Soms zou je denken dat er op de
hele wereld geen ander land was.

Nog wat andere interessante dingen over mij: mijn vader
komt uit wat nu Pakistan heet. Mijn huid is donkerder
dan die van andere meisjes op school & dus hoef ik niet
in de zon te liggen om bruin te worden, en dat is fijn.
Sommige meisjes zoals Annabel Taylor bezorgen me er
een rotgevoel over & maken rotopmerkingen, ik wou dat
ze daar nu eens mee ophielden. Ik ben net zo Engels als
zij. Mevrouw Charles, ons plaatsvervangend hoofd, noemde

me een onhandig koffieboontje toen ze boos werd nadat ik alle krijtjes had laten vallen & er een krijtwolk in haar gezicht vloog & ze een hoestbui kreeg. Ik vroeg Archie wat dat woord betekende & hij werd heel kwaad op me.

Lief dagboek, (eerlijk gezegd wil ik hier helemaal niet over schrijven) maar tegen Miranda doen ze nog erger. Haar huid is donkerder dan de mijne. Ik heb medelijden met haar, maar dat vertel ik haar niet, want dan wordt ze boos. We zijn de enige meisjes op onze school die er zo uitzien. Afgelopen jaar ging pap met mam mee om ons weer te brengen & ik weet niet waarom, hij weet amper dat we bestaan. Ik mag dit eigenlijk niet zeggen, dagboek, maar ik schaamde me voor hem. Hij is klein & best wel excentriek & je snapt niet wat hij zegt, want hij spreekt in raadselen. Ook al is hij dan een gevierd schrijver, de meisjes op school weten dat niet, of het kan ze niets schelen. Ik wou van wel, maar dat is dus niet zo.

Goddank is mam er nog. Ze lijkt op een filmster, heeft ze altijd al gedaan. Ze is heel mooi, ik weet zeker dat Miranda & ik een jammerlijke teleurstelling zijn voor iedereen die zijn blik op ons laat rusten. Mam heeft 'het' gewoon; ik weet niet wat dat 'het' precies is, maar zij kan een overall of een oud hemd aantrekken & dan nog ziet ze er oogverblindend uit. Ik lijk gewoon op een jongen.

Nog steeds geen bel voor het eten. Hoe zit dat? Ik sterf van de honger.

Soms verwonder ik me ook over waar pap vandaan komt; ik stel me paleizen voor van goud & de broeierige hitte & markten met zijde & exotisch eten, net als in The Horse & His Boy van C.S. Lewis. Pap zegt dat het daar wel een beetje op lijkt, maar niet echt. Hij komt uit Lahore. Dat is een vestingstad, Akbar woonde er. Hij was een van de grootste Indiase heersers; we behandelden hem in de les & ik kon toen vertellen dat pap daar vandaan komt. Het lag in de Punjab, nu ligt het in Pakistan. Dat komt doordat India niet meer van ons is. Ik vind het allemaal prachtig, de Mongoolse keizers & de forten & bazaars. Ik wil naar India. Dat zal ik ooit doen ook, als ik volwassen ben & een gevierd schrijver. Dan heb ik een sjaaltje van Liberty & rook ik van die Russische sigaretten en zit mijn haar als Juliette Gréco.

We kunnen aan tafel, ik moet gaan. Ik heb nu ruim een uur zitten schrijven, het is bijna zeven uur & mijn linkerhand doet echt HEEL ERG pijn.

Ik zal mijn oefeningen nog toevoegen als ik ze vanavond heb gedaan.

Borstoefeningen: 30
Neuspletoefeningen: 5 min.

Liefs, Cecily

Zondag 21 juli 1963

Lief dagboek,

Na de schrijfmarathon van gisteren doet mijn hand NOG STEEDS pijn, dus ik hou het kort. Volgens mij hebben we een goed begin gemaakt. Het is heerlijk om weer thuis te zijn, maar het is grappig hoe de vaste dingen die je bent vergeten maar die er altijd zijn na een paar dagen weer terugkomen. Het is zelfs gekker om ze te lezen terwijl je ze opschrijft. Misschien moet ik het laten, maar als ik niet zou bijhouden wat er gebeurt en wat ik van mijn familie denk, dan zou ik niet oprecht zijn, of wel?

Ik ben de hele dag op het strand geweest & en heb daarna met Jeremy een lange wandeling gemaakt naar Logan's Rock. Ben hondsmoe. We hebben gepraat over zijn wandelvakantie in Zwitserland. Klinkt heel boeiend. Ik deed mijn best om ook interessant over te komen, maar ik ben eigenlijk nooit ergens geweest en heb ook nooit iets gedaan, dus dat is lastig. Ik denk dat Jeremy in Londen met allerlei waanzinnig interessante meiden omgaat. Ik moet er eigenlijk niet aan denken.

Heb vanmorgen weer geposeerd voor mam. We waren in haar atelier, waar ik anders nooit kom, dus alleen wat dat betreft is het interessant. Het is erg wit & stil & ze leek helemaal niet mijn moeder toen we daar binnen waren. Ik kan het niet uitleggen. Ze is veel... kordater. Zegt me hoe ik moet zitten & wat ik moet doen. Maalt er niet om dat ik haar dochter ben. Ze stelt vragen uit beleefdheid, net als Sandra, onze kapster in Penzance. Na een poosje wordt het vervelend, zo lang stilzitten. Ik vind het wel leuk omdat ik de ring waar ik zo dol op ben aan een kettinkje om mijn nek mag dragen. Het is mams ring, die ik afgelopen jaar mee mocht nemen naar school en waarop ik mocht passen. Ooit mag ik hem hebben, als ik me netjes gedraag.

Het enige wat ik wel moet opschrijven is dat mam me de hele tijd maar over Miranda bleef vragen. Of ik misschien nog ideeën had over hoe we haar konden helpen, want ze is van school af & heeft niets in het vooruitzicht. Ik weet niet wat ik moet zeggen aangezien Miranda al tot een 'probleem' is bestempeld. Door mam. (Volgens mij is het pap niet eens opgevallen dat we weer thuis zijn van school, laat staan dat M haar school zowaar heeft afgemaakt & iets omhanden moet hebben.) Ze vinden dat ze moet weten wat ze wil, maar om het voor Miranda op te nemen: ze hebben haar er nooit eerder naar gevraagd, dus ik snap niet waarom ze er nu bezorgd over zijn. Ik zei dat ze haar bij het Franse vreemdelingenlegioen moeten aanmelden. Mam kon er niet om lachen.

Ze draait jazzplaten. Chet Baker & John Coltrane & ze rookt terwijl ze schildert, wat vreemd is want dat doet ze nergens anders. En ze is anders. Ik kan het niet uitleggen.

Doodmoe & begin onzin uit te kramen dus ga naar bed of zoals Jeremy altijd zegt, Hup naar Bedfordshire. O, Jeremy. xxx

Borstoefeningen: 5

Moet beter mijn best doen met dit & alles. Morgen!

Liefs, Cecily

Maandag 22 juli 1963

Mijn liefste dagboek,

Ik haat Miranda. Soms zou ik haar gezicht stuk willen slaan, mijn nagels in haar huid zetten totdat het bloedt. Ze is lelijk & gemeen & IK HAAT HAAR. Ze geeft me het gevoel dat ik dom ben en wil me de hele tijd als een kleuter afschilderen. Zij is de kleuter van ons twee. Ik HAAT haar. Vandaag stak ze haar been uit toen ik net uit bad kwam, alleen maar omdat ik haar vertelde wat mam gisteren heeft gezegd. Ik probeerde alleen maar te helpen! Ik struikelde en viel languit op de vloer, & zij ging gewoon op bed zitten en lachte me uit en noemde me toen een kleuter omdat ik huilde. Ze zegt de hele tijd dat ik nog een kleuter lijk voor mijn leeftijd. Maar dat ben ik niet. Dat ben ik NIET. Ik ben alleen geen vamp zoals zij.

O, als ik aan haar denk krijg ik meteen een rothumeur. Door haar krijg ik een hekel aan ons gezin, dat ik hier ben verziekt alles. Ze vindt het niet leuk hier. Ze haat de vakanties. Ze wil het huis uit en naar Londen. Nou, deed ze het maar.

106

Maar goed.

Ik heb mijn echte lievelingsboek van mijn lijst gelaten. Heel belangrijk. Emily Brontë is echt geweldig. Afgelopen zomer lazen we Wuthering Heights op school. Het is echt een fantastisch boek, vol met inzichten in die meest wonderlijke aller emoties: die van de menselijke liefde. (Ik moet wel zeggen dat als ik Heathcliff tegen het lijf liep, ik me in een kast zou verstoppen. Hij is eng.) Het verhaal is heel, heel erg verdrietig & toen ik las dat hij haar levenloze dode lichaam zag, moest ik zo huilen dat ik bang was dat mijn hart ervan zou breken.

Het is veel beter dan Jane Eyre. Ik vond mr. Rochester saai & ik wilde meer beschrijvingen van hoe de eerste mvr. Rochester kwijlde & zo.

Na mijn bonje met Miranda heb ik vandaag verder weinig gedaan, wat in zee gezwommen & gelezen, weer voor mam geposeerd. We kletsten over onze lievelingsfilms. Zij is ook helemaal weg van Gregory Peck. Het ging ietsjes beter vandaag, maar toch snauwde ze weer tegen me toen ik mijn arm krabde en lieve hemel zeg, ik mag me toch zeker wel op mijn arm krabben?

Vandaag hadden we broodjes en jam bij de thee, echt heerlijk. Terwijl de anderen gingen zwemmen heb ik buiten in de krant over de herfstmode gelezen. Ik wil helemaal geen hoed in de vorm van een kegel op mijn hoofd, wat ze ook mogen zeggen. Miranda heeft deze zomer heel leuke kleren bij zich. Waar ze die gekocht heeft weet ik niet, maar ze heeft ze gepast in onze kamer. Mam heeft ze nog niet gezien, maar dat komt wel. Grappig. Ze zijn duur, en ze zijn voor volwassenen, en ze... ik denk dat ze haar staan. Miranda haalt ze tevoorschijn als ze denkt dat ik niet kijk. Waar heeft ze ze vandaan? Er zit een zwarte ribzijden jurk bij, waar ik vooral weg van ben; ze heeft hem helemaal achter in onze kledingkast gehangen, maar die trekt ze telkens open om ernaar te staren. Ze is behoorlijk dom.

Gisteren was het de zesde zondag na Drievuldigheidsdag. Ik wou dat de sfeer anders was. Ik krijg echt het gevoel dat iedereen deze zomer een rothumeur heeft, op Jeremy na dan.

Borstoefeningen: 45!

Neuspletoefeningen: 5 min.

Liefs, Cecily

Dinsdag 23 juli 1963

Lief dagboek,

Ik ben bang dat ik geen goed begin heb gemaakt met dit dagboek. Te veel onzin en zelfmedelijden. Ik moet iedereen, vooral juf Powell, Jeremy, Miranda & anderen, laten zien dat ik een volwassen jonge vrouw ben, want helaas zijn er een paar mensen die me nog steeds als een vijfjarige behandelen en wanneer ik dood ben & ze dit lezen wil ik dat ze weten hoe ze zich hebben vergist.

Het is een beetje zoals op school, maar dan minder erg, want iedereen is ongeveer even oud. Ik stoor me eigenlijk niet zo aan school, Miranda haat het. Ik hou van Engels, toneel & geschiedenis. Ook kan ik haast niet wachten om in september juf Powell weer te zien, omdat zij je als een individu behandelt. Toch moet ik er niet aan denken om Annabel Taylors vreselijke verhaal over haar afgrijselijke vakantie met haar ouders in Saint Tropez of waar dan ook te moeten aanhoren. Ze is zo'n uitsloofster. Juf Powell zegt altijd dat je nooit met je rijkdom of status te koop moet lopen & daar ben ik het mee eens. Ik loop toch ook niet op school op te scheppen dat mijn vader een Officier in de Orde van het Britse Rijk is & heel belangrijke boeken schrijft & lezingen

108

geeft aan de Sorbonne, & dat mijn moeder een expositie heeft gehad in de Royal Academy in Londen, of wel soms? Nee dus. AT is ook zo ordinair. Wat zij belangrijk vindt is hoe blond je haar is, of je thuis een tennisbaan hebt & van je ouders champagne mag drinken. Ze scheldt mij & Miranda ook uit, gewoon omdat onze huid donkerder is dan die van haar. Ze heeft prachtig dik, donkerblond haar & grote groene ogen met dikke zwarte wimpers & roze wangen & lieve sproetjes, fijn voor haar op een school als die van ons.

AT is echt vreselijk. Ik zal haar de rest van dit dagboek 21 noemen (A is de 1ste letter van het alfabet, T de 20ste, tel ze bij elkaar op), want ik krijg haar naam gewoon niet meer op papier.

Er gaat stiekem een verhaal over haar rond & ook al ruziën Miranda en ik vreselijk, de zusjes Kapoor komen wat sommige dingen betreft wel voor elkaar op:

Miranda zit door 21 vreselijk in de nesten. Pap & mam weten het niet, maar Miranda werd dit jaar bijna van school gestuurd vanwege 21. Twee weken voor de zomervakantie ging ze helemaal over de rooie door haar. Miranda was bezig het water voor de bloemen te verversen, het was haar beurt. Mam had ons een brief gestuurd waarin ze schreef dat er twee vreemde jongens in Summercove zouden komen logeren & we zaten wat te giechelen over hen en te kletsen over de vakantie. Eindelijk eens ouderwets gezellig kletsen. 'Misschien trouwt een van ons wel met een van hen en wordt ze schatrijk & krijgt ze heel veel kinderen,' zei Miranda. Op dat moment liep 21 langs & hoorde Miranda. Ze schold haar weer vreselijk uit & zei dat haar kinderen op aapjes zouden lijken. Zomaar.

Nou, Miranda werd helemaal gek. Zo vreemd. 'Ik ben het zat,' zei ze. 'Ik ben het zat.' Ze duwde haar (21's) hoofd in een lessenaar & en beukte met de klep op haar hoofd, zo hard dat ik echt dacht dat 21's schedel zou barsten & haar hersenen over de vloer zouden stromen. 'Hou op, hou op!' gilde 21 & Miranda riep de hele tijd: 'Kan me niks schelen, kan me niks schelen!' & ondertussen maar knarsetanden. Haar ogen stonden wijd open, ze liep rood aan, het leek bijna alsof ze ervan genoot. 21 moest een nachtje op de ziekenzaal. Ze had wekenlang blauwe plekken op haar jukbeenderen. En een pieptoon in haar oren.

Miranda zat urenlang bij juf Stephens, de directrice, op haar kamer. Ze zou van school worden gestuurd, ik wist het zeker. Ze zeiden dat ze M vervroegd naar huis zouden sturen, maar op een of andere manier wist ze juf Stephens om te praten dat niet te doen. Ik zal nooit weten wat ze heeft gezegd of hoe het haar is gelukt. 21 heeft haar niet meer gepest, ze vond het niet leuk dat mensen wisten dat ze zo was toegetakeld.

Ik denk er liever niet meer zo vaak aan, want het maakt me bang. Ik vind het wel goed dat ze van zich afbeet, en op een vreemde manier was ik best trots op haar. Maar als ik eerlijk ben maakt Miranda me bang. Ze heeft een vreemd trekje. Iets gemeens. En ik kan het hier best verklappen, maar ik vind dat zij & Archie dus echt vreemd zijn, ze lijken op mij maar ik kan ze niet volgen.

Toen mam vanmiddag boven aan het werk was, ben ik de woonkamer ingegaan & heb ik stiekem <u>The Times</u> gelezen, want ik had Archie & Jeremy vanmorgen bij het ontbijt horen praten over de Profumo-affaire, dat er nieuwe sappige wendingen waren & ik brand van nieuwsgierigheid.

Het gaat om de rechtszaak tegen dr. Stephen Ward, die alles heeft veroorzaakt, zeggen ze. Nou echt, ik geloof dat ik een jong, ruimdenkend iemand ben, maar lieve hemel, het woord 'geslachtsgemeenschap' staat er wel tien keer in. Elke keer dat ze Christine Keeler vragen of ze met iemand geslachtsgemeenschap heeft gehad, is het antwoord steevast 'ja'. Ik weet niet eens precies wat dat betekent, ik denk seks, maar dan helemaal of alleen een beetje seks? (Voelt raar om dat woord op te schrijven.) ... Lief dagboek, ik wou dat jij het me kon vertellen. Bij ons op school heeft Dinah Collins seks gehad met haar vriendje, in zijn auto tijdens de kerst. Wat een slet. Toen het bekend werd, heeft niemand het afgelopen voorjaar meer met haar gepraat. Waarom weet ik niet. Ik wilde haar vragen hoe het was, of het pijn doet, of het niet gênant is. Als je erbij stilstaat lijkt het zoiets raars om te doen. Mensen lopen keurig & beleefd over straat & toch doen ze <u>dat</u> 's avonds met elkaar... ik begrijp het niet.

Mijn hand doet pijn! Ik heb nu een uur zitten schrijven. De knobbel op mijn vinger van het schrijven tijdens de examens zwelt weer op. Ik voel me heel ijverig. Zo meteen gaan we eten & ik moet me eigenlijk gaan omkleden of op z'n minst mijn haar kammen. We eten vanavond vispastei; dat is stom in juli, zegt pap & we zouden die hele pastei terug de zee op moeten laten drijven, waar hij hoort.

Borstoefeningen: 25
Neuspletoefeningen: 10 min.

Liefs, Cecily

Woensdag 24 juli 1963

Mijn liefste dagboek,

Ik heb nog eens teruggelezen wat ik tot nu toe in dit dagboek heb geschreven & ook nu moet ik bijna blozen. Ik ben een vreselijk mens met een simpele geest. Bovendien haat ik Miranda helemaal niet. Nou ja, soms wel dus. Ze is soms gewoon een beetje moeilijk. Ze heeft niet echt een rare, gemene trek. Ik wilde deze velletjes eruit scheuren & ze verbranden, maar ik wil schrijfster worden & dan moet je wel oprecht zijn. Ik zal ze dus bewaren, als een lesje voor mezelf & en daarna verbrand ik ze misschien, want JEETJE IK ZOU HET BESTERVEN als bijv. Jeremy wist dat ik gek op hem ben of waar ik allemaal aan heb zitten denken. Ik heb deze velletjes nu bijna volgeschreven en ik wil nog niet ophouden. De jongens zijn er nog niet en ik wil ook over hen schrijven. Spannend. Ik moet snel naar Penzance om een schrift te kopen zodat ik de rest van de zomer kan blijven schrijven.

President Kennedy heeft een kernstopverdrag getekend & hij heeft beloofd om de Amerikaanse immigratiewet te wijzigen – maar ik weet niet hoe, ik heb alleen de kop kunnen lezen omdat Archie de krant afpakte. Ik vind president Kennedy goed, & hij lijkt een beetje op Jeremy maar dan minder knap (maar wel knap dus).

Ik wil een beter mens worden dan ik nu ben. Ik wil er ook beter uitzien. Ik ben zo lelijk. Mijn neus is te groot. Gisteren was ik in de badkamer heel lang bezig met mijn oefeningen: ik druk mijn neus plat zodat-ie minder uitsteekt. Ik weet niet of het werkt, net als de vijftig bustevergrotende oefeningen die ik dagelijks doe, maar ik doe ze toch maar voor het geval dat. Het is vreselijk om een kleine buste te hebben. Dat haat ik. Mam zegt dat ze wel zullen groeien, maar ik heb er een hekel aan om daar met haar over te praten. Dat wil ze namelijk de hele tijd, & ze wil altijd gespr. voeren over het 'vrouw' zijn, ik word nog liever misselijk. Soms denk ik dat ik haar teleurstel, ik weet nooit wat mam echt wil.

Maar goed, vandaag vroeg ik kan dit alsjeblieft de laatste keer zijn dat ik voor je poseer. Ze vroeg waarom? Sorry mam, zei ik, maar ik vind het gewoon niet echt leuk. Ze reageerde behoorlijk chagrijnig. Juf Powell zegt dat vrouwen onafhankelijk zouden moeten zijn & voor zichzelf moeten zorgen, net als Elizabeth I, maar het lukt me niet om mam te vertellen wat ik wil. Ze kan heel goed onafhankelijk zijn & voor zichzelf opkomen, dat weet ik zeker. 'Ook al heb ik het lichaam van een zwakke & fragiele vrouw, ik heb het hart van een koning, & van een koning van Engeland bovendien.'

Dat moesten we deze zomer van juf Powell declameren op school. Ik ben er helemaal weg van. Hier volgt mijn toptienlijst van lievelingsstukjes om hardop voor te lezen:

10. 'Ik zou een wilgenhut maken bij uw poort' uit <u>De twaalfde nacht</u>

9.

8.

7.

Donderdag 25 juli 1963

Lief dagboek,

Sorry, ik werd geroepen voor de thee & daarna hebben we spelletjes gedaan. Ik zal de lijst binnenkort afmaken.

Vandaag was een leuke dag. Frank en Guy Leighton zijn hier nu en alles voelt anders. Waarom weet ik niet. Want ik ben een beetje in de war. Onderweg naar Penzance om ze op te halen zei Louisa iets. Ze zei dat mijn broer een gluurder is. Hij kijkt stiekem als ze zich uitkleedt. Ik weet zeker dat het niet waar is. Als het wel waar is, is het walgelijk. Ik weet het niet...

Maar ik ga veel te snel en zou juist over deze dag moeten vertellen. Vanmorgen heb ik voor mam geposeerd & we hebben gepraat over Profumo. Ik ben met Louisa en Jeremy naar Penzance gegaan om de jongens op te halen. En ik heb bij Boots een nieuw schrift gekocht zodat ik zoveel kan schrijven als ik wil, en dat is mooi, ik zit namelijk al op het laatste velletje zoals je kunt zien! Gekke Cecily. Misschien komt het toch nog helemaal goed met deze vakantie. Ik ben in elk geval blij dat de anderen er nu zijn. Help, ik heb bijna geen ruimte meer! Ik heb al veel te veel geschreven. Nu stap ik over op mijn prachtige nieuwe schr. en kan ik daar verder.

Liefs, Cecily

113

Deel 2

Juli 1963

12

'Dus, hoe laat kunnen we Louisa's nieuwe vriendje verwachten?'

'Hij is mijn vriendje helemaal niet, dus hou je kop, Cecily.'

'Wel waar! Je gaat hem op z'n mond zoenen! En Miranda heeft nog nooit iemand gekust. Word je daar niet stikjaloers van, Miranda?'

'Echt, Cecily, je bent zó'n kleuter. Je bent nu vijftien, ja? Wanneer word je eens volwassen?'

'Arme Wardy. Het ziet er niet best voor hem uit. Ouwe viezerik. Zeg, Archie, heb jij vanochtend toevallig *The Times* gelezen?'

'Ik heb natuurlijk meteen die pagina opengeslagen. Ik moet zeggen, ze lust er wel pap van, die Keeler. Geen haar beter dan... Afijn, laat maar zitten. Sappig nieuws, vind je niet?'

'Je bent echt walgelijk, Archie.'

'Louisa, ik wil niet dat je zo over mijn broer praat.'

'Dat doe ik wél. Hij is echt ontzettend walgelijk, en hij weet waarom.'

'Hoezo? Hoe bedoel je? Wat is sappig?'

Vanaf het hoofdeinde van de tafel vermaant een melodieuze stem de jongens: 'Jeremy, Archie. Toe. Niet tijdens het ontbijt.'

'Sorry, Franty. Laat maar, Cec. Hebt u limoenmarmelade? Echt heerlijk spul, Franty.'

'Dank je, Jeremy.'

Ik ga gillen. Ik ga gillen. Nou en of.

Frances Seymour keek de kamer rond in een poging zich te beheersen.

Onlangs was het oude gevoel weer teruggekeerd. Jarenlang had ze het weten te onderdrukken, in de veronderstelling dat het huis in Cornwall de oplossing vormde, maar steeds vaker leek ze de situatie niet de baas te zijn: haar kinderen, haar huis, haar eigen gedachten. Was ze maar ergens anders, overal behalve hier, aan het hoofd van het ontbijt met deze luide, ongeregelde jonge bende, met haar als de verstandige volwassene. Het klopte niet.

Er was een hoop te doen. Te veel, misschien. Ze moest het portret van haar jongste dochter, Cecily, nog afmaken voor een grote, aanstaande expositie in Londen. Ze had drie tieners, met nog twee logés, plus nog eens twee onderweg, en een echtgenoot die het niet kon schelen of je nu wel of geen aandacht aan hem besteedde. Ze had Arvind eens afwezig kauwend op een papiertje aangetroffen. Toen ze hem erop wees, had hij vaag gereageerd met: 'Ik had honger. Ik dacht, laat ik de krant eens proberen. Ik heb hem toch al uit.'

De buren waren net aangekomen voor de zomer, ze moest dus even langs; die vermaledijde kerkbazaar was al de week daarna en Mary bleef maar zeuren over wat ze moest maken. Besefte dat mens dan werkelijk niet dat het haar koud liet? Echt volkomen koud?

Frances drukte haar koele hand tegen haar voorhoofd. De week daarop zouden de Mitchells komen logeren. Ze moest dus een gezellige bende mobiliseren, flink wat drank inslaan, want Eliza moest voortdurend vermaakt worden, met jongemannen om te bekijken. De meute was in aantocht. Pas een paar dagen voordat de kinderen schoolvakantie kregen had ze net een gigantische party achter de rug: wat oude vrienden van de kunstacademie, Arvinds uitgever en twee stellen van vroeger aan Redcliffe Square. Ze vond het leuk om gastvrouw te zijn, vond het heerlijk om weer oude gezichten te zien, de loftuitingen, het gezelschap, de gesprekken, de inspiratie; Frances had inspiratie nodig om te kunnen schilderen. Ze kon het alleen als er in haar iets broeide, iets haar gedachten oprakelde, haar aanspoorde.

Maar ook het dagelijks leven moest door, en Frances was degene die daarvoor zorgde. De kamer van Cecily en Miranda moest worden uitgemest. Het laatste trimester was Cecily zo enorm gegroeid dat er genoeg naar de kringloop kon. Ze moesten met hun drieën maar eens naar Penzance, of misschien wel naar Exeter, voor wat nieuwe kleren. Mary sloeg vaak de plank mis. Cecily kreeg altijd Miranda's afdankertjes, maar Frances – vroeger zelf de jongste – had het oneerlijk gevonden dat ze nooit iets nieuws kreeg. Ze had recht op een eigen feestjurk, een paar korte broeken, een paar zomerhemdjes.

Ze fronste opnieuw, keek naar Miranda en vroeg zich af waar ze toch dat alleraardigste roomwitte topje vandaan had. Had ze dat al eerder gezien? Het stond Miranda, wat op zichzelf al ongewoon was, dacht ze, en ze voelde zich meteen schuldig.

Wat kan mij hun rotkleren schelen.

Er was een tijd dat ze zelf nieuwe kleren had gedragen, haar haar had opgestoken, haar benen in satijnen kousen had laten glijden en zich in de Chelsea Arts Club, met een glas champagne in de hand, lachend met jonge mannen had vermaakt, of elders, in keldertjes waar de sigarettenrook te snijden was, tot diep in de nacht had gepimpeld. Ze was ooit jong geweest, begeerlijk, met de wereld aan haar voeten. En nu... ze zuchtte. Ze was flets geworden. Saai. Gewoontjes. Een fletse vrouw en moeder van drie, een schilder van fletse, saaie, telkens dezelfde landschappen. En dus kroop de oude, steelse onrust weer naar boven.

'Laat me met rúst!' snerpte Miranda luidkeels. Verschrikt keek Frances op terwijl een triomfantelijk meesmuilende Cecily kinderachtig grijnsde en Miranda zich tegen de hoge rugleuning van de eetstoel liet ploffen. Aan het andere eind van de tafel at Arvind onverstoorbaar verder van zijn kipper en keek voor zich uit alsof hij in zijn eentje was.

Frances glimlachte naar hem, maar hij zag het niet. Hij zag nooit wat. Dat was een van die dingen waarom ze van hem hield. Arvind was niet achterdochtig. Achteloos was hij ook niet. Meestal verkeerde hij gewoon in een andere wereld, en juist daarom klikte het zo goed tussen hen. Frances herinnerde zich nog altijd de eerste keer dat ze hem zag, tijdens die uitvoering in de National Gallery, rustig en keurig in zijn tweedpak, volkomen immuun voor alles om hem heen, behalve de muziek, met dat kleine lichaam, dat zich verkrampte terwijl de pianocadensen aanzwollen. Ze had even traag naar hem geglimlacht, maar hij had haar slechts kort aangekeken en zich weer op de muziek geconcentreerd. Zijn blik was dwars door haar heen gegaan, alsof ze niet bestond. De jaren daarna zou ze zich telkens weer afvragen of dat nu het moment was geweest waarop ze voor hem was gevallen: dat hij langs haar heen, in plaats van naar haar, had gekeken. Dat was ze niet gewend.

Ze keek nu naar hem en haar blik gleed daarna naar hun zoon Archie, een jonge Louis Jourdan: helemaal het heertje, de haren keurig gekamd, het overhemd onberispelijk. Maar hij bezorgde haar een ongemakkelijk gevoel. Ze durfde... ja, wat eigenlijk? Ze durfde hem niet te vertrouwen? Haar eigen zoon? Hij schilde zijn appel o zo zorgvuldig met een klein mesje, alsof er geen vuiltje aan de lucht was. Er broeide iets achter die charmante glimlach, maar ze kon haar vinger er niet achter krijgen. Waarom was Louisa zo ziedend op hem? Wat had hij nu weer gedaan? Weer het oude probleem? Of waren hij en Miranda uit op kattenkwaad?

Miranda. Frances zuchtte. Miranda was deze dagen behoorlijk gemeen en ze wist niet hoe ze moest ingrijpen. Ze wist nooit wat ze met haar aan moest.

Als baby was ze al zo humeurig. Ze was mager en at slecht. Een klein, harig wezentje, met voeten die naar buiten wezen, als een aapje, een gezichtje dat voortdurend op onweer stond en vanaf het moment dat ze kon lopen was haar lichaamshouding bijna komisch, echt een puberloopje: het hoofd tussen de schouders en een boze blik. Zelfs jaren later was daar bijna niets in veranderd. Het grappige was dat Frances met haar schildersoog kon zien dat Miranda een geheel eigen vorm van schoonheid bezat. Ze was een robbedoes, jongensachtig, met verrassend indringende ogen en een prachtige glanzende, donkere huid. Als ze lachte, dan straalde haar hele gezicht opeens. Maar ze lachte zelden, behalve dan met haar tweelingbroer Archie.

Sinds Miranda terug was van haar laatste schooltrimester was ze, wat Frances betrof, zelfs nog erger dan normaal. Ze had geen plannen, in tegenstelling tot Archie, die nog een extra trimester bleef om zijn toelatingsexamen voor Oxford te kunnen doen. Miranda probeerde hem te demoraliseren, Frances wist het gewoon. Ze had haar eindexamen gedaan maar van haar werd niet verwacht dat ze met tienen thuiskwam. Ze zei altijd dat ze dol was op kleren, en stoffen – Frances betwijfelde of dat ook werkelijk zo was – maar hoezo dan? Dat was geen báán. Het enige waar Miranda zich pas de vorige dag enigszins belangstellend over had uitgelaten, was een etiquetteschool in Zwitserland. Moesten ze weer een of andere eliteschool betalen om haar ruwe kantjes wat bij te schaven? Het zou haar zeker goed doen, maar Frances moest er niet aan denken. Het was zo... o, zo akelig. Zo burgerlijk!

Ze wist dat ze helaas niet een en al aandacht voor de tweeling was.

120

Na de expositie zou ze meer tijd hebben om te kunnen nadenken, een betere moeder te kunnen zijn, na te denken over wat ze met de twee aan moest. Nog even.

Haar blik gleed door de kamer, naar haar neef en nichtje aan de overzijde van de tafel. Onwillekeurig staarde ze naar de twee. Het gaf haar een ongemakkelijk gevoel te zien hoeveel ze op haar, haar zus, hun ouders leken. Haar eigen kinderen hadden Arvinds trekken – donker, indringend, complex. Maar ze waren ook wispelturig. Iets wat Arvind en zij helemaal niet waren. Van wie hadden ze het dan? Afgezien van Cecily had ze regelmatig het gevoel helemaal niets van zichzelf in haar eigen kinderen te herkennen. Maar Louisa en Jeremy waren een en al vrolijkheid, hartelijk, nuchter en makkelijk, als de advertenties op de zijkant van een pak ontbijtgranen.

Met een tollend hoofd keek ze op haar horloge. Het was over halftien. Ze stond op. 'Ik ga naar mijn atelier.' Ze keek naar Miranda. 'Schat, kun jij ervoor zorgen dat de tafel wordt afgeruimd?'

'Waarom ík?' Met een boze blik zakte ze onderuit op haar stoel. 'Ik wilde naar het strand gaan.'

'Omdat het jouw beurt is. En bovendien gaan de anderen naar Penzance,' reageerde Frances terwijl ze haar best deed om niet te gaan tieren. Maar argumenten waren niet aan Miranda besteed. 'Vraag Archie maar of hij je wil helpen.'

'Waarom kan Louisa het niet doen?'

'Zoals ik al zei, gaat Louisa vandaag naar Penzance.' Een zware lusteloosheid daalde over haar neer. 'O heer, wat kan het mij ook schelen,' sprak ze kwaad terwijl ze van de tafel weg liep. 'Vraag Mary of ze voor de lunch wat kipsalade voor me bewaart.'

'Wilt u dat iemand het op een dienblad komt brengen?' vroeg Louisa terwijl ze de borden opstapelde en ze op het dressoir zette. 'Ja. Dat zou fijn zijn,' antwoordde Frances met een dankbare blik. 'Kom, Cecily.' Ze keek haar jongste aan. 'Kom, dan gaan we.'

'O, nee,' jammerde deze terwijl ze zich tegen de muur liet ploffen. 'Toe, mama. Moet ik écht mee?'

Frances kneep haar ogen even stevig dicht. 'Wil je niet mee dan?'

Cecily beet op een nagel. 'Nou, weet je, het is zo saai, de hele tijd maar stilzitten. En het is zó heet in je atelier. Soms denk ik gewoon dat ik doodga, en het kan je niet eens wat schelen.'

'Inderdaad,' reageerde Frances. 'Het kan me werkelijk geen klap schelen als jij door de hitte bevangen raakt en dood neervalt in mijn atelier. Mij zou het geen zier interesseren.' Ze gaf haar dochter speels wat zachte tikjes op haar achterwerk. 'Kom, Cec. De laatste loodjes.'

'Maar ik wilde juist naar Penzance! Ik wilde Louisa's vriendje zien!'

'Die zie je bij de lunch. Kom.'

Cecily's ogen vulden zich met tranen en haar donkere korte haar viel voor haar ogen. 'Maar ik moet mijn nieuwe boek ophalen bij de bieb en bij Boots een nieuw schrift kopen. Ik wil iets van mijn zakgeld kopen, mam, en jij zei dat ik dat mocht. Ik heb het nodig om mijn dagboek af te maken. Ik heb bijna alles al volgeschreven. Juf Powell zegt…'

Het noemen van de heilig verklaarde juf Powell was voor Frances, die het kookpunt bijna genaderd was, genoeg om zich gewonnen te geven. 'Ze zijn nog niet weg. Louisa komt je wel halen als het zover is.' Met stralende ogen sprong Cecily overeind. 'Is dat goed, Louisa?'

'Ja hoor, ze kan er nog wel bij,' antwoordde een behoorlijk blozende Louisa met een kuchje. 'Tante Frances, ik hoop maar dat ik het al heb gezegd, maar dank… dank u dat Frank en Guy mogen komen logeren. Het is echt reuze aardig van u.'

Wat moet het toch makkelijk zijn als je Louisa bent, dacht Frances terwijl ze haar nichtje bekeek. In elk geval plezierig. Een echte Engelse schoonheid. Grote blauwe ogen, vlasblond haar, benen waar geen eind aan komt en een gulle glimlach. Al bijna zeker aangenomen op Cambridge, rijke ouders, en een jong, aantrekkelijk vriendje dat de zoon is van een oude familievriend. Allemaal zo keurig, zoals het hoort. Net als de hoofdpersoon uit een roman, dacht ze vaak. Emma, misschien. Wat een leuk leven, toch. Doelbewust. Vruchtbaar. Geworteld in traditie. Ze dacht terug aan toen ze zelf die leeftijd had. Achttien en op weg naar Londen. Ze glimlachte. Ze had er alles aan gedaan om vooral níét zo te worden, om de ketenen van deze saaie, zelfgenoegzame, Engelse manier van doen van zich af te schudden. Toch wenste ze soms dat ze zich tevreden kon stellen met een leven zoals dat van Louisa. Zonder iets… te moeten voelen, wat dat ook mag zijn. Gevaar, verdriet, geluk. Zonder dat je voortdurend alles maar moet voelen. Wat was het precies? Frances wist het niet. Alleen dat ze het voor zich moest houden.

'Graag gedaan,' antwoordde ze met een glimlach. Vanuit een ooghoek door de openslaande deuren zag ze Arvind over het gazon lopen. Mompelend in zichzelf en met een pot limoenmarmelade in zijn hand.

Ze genoot van haar schildersessies met Cecily, meer nog dan ze wilde toegeven. Gewoonlijk beschouwde ze portretschilderen als iets noodzakelijks voor een goed resultaat, maar het was vermoeiend om het onderwerp op zijn of haar gemak te stellen. Ze schilderde meestal het landschap, genietend van hoe het kon veranderen, in plaats van iemand een uur lang stil te laten zitten.

Maar dit was anders. Ze genoot van de gesprekjes met haar jongste dochter. Cecily's geest was als een bruisende fontein, altijd weer overlopend van nieuwe ideeën en gedachten, en dat zonder filter, zonder een zintuig dat haar influisterde of iets goed of verkeerd was. Op een dag zou ze ervan genezen zijn, zelfbewuster worden, maar voorlopig vond Frances het nog heerlijk. Wat dat betrof was Cecily net haar vader: een origineel denker, niet gehinderd door alledaagse opvattingen. Ze was heerlijk en verfrissend anders dan haar zus, zowel wat temperament, ambitie als uiterlijk betrof.

Deze ochtend kletsten ze over het nieuws. Cecily wilde niets liever dan praten over de rechtszaak tegen Stephen Ward. Gezien de tot dusver ongekend onsmakelijke details had het veel weg van een welhaast perfect zomers amusement voor heel het land.

'Ik zou wel eens willen weten wat hij eigenlijk verkeerd heeft gedaan. Hij heeft die meisjes alleen maar aan meneer Profumo voorgesteld. Niet degene die... daarna al die dingen met ze heeft gedaan, toch? Dat is meneer Profumo geweest. Die heeft tegen het parlement gelogen, en hij hoeft niet eens voor de rechter te komen. En...' Cecily's stem viel terug tot een bijna-fluistertoon, 'meneer Profumo was getrouwd!'

Frances, zittend achter haar ezel, glimlachte. Het zonlicht viel royaal door de grote ramen in de witte kamer, belichtte het gezicht van haar dochter en vormde het tot een schaduw terwijl ze doorpraatte. Ze wilde al lange tijd Cecily's levendigheid vangen, hoe ongrijpbaar ook.

'Cec, zit eens even stil, schat. Een momentje maar,' verzocht ze haar.

'Volgens mij is Stephen Ward een... zondebok. Ze beschuldigen hem ervan dat hij op een onzedelijke manier zijn geld verdient – stilzitten! Dat betekent dat je geld verdient aan meisjes die prostituee zijn. Houden zo.'

'Nou, op mij komt hij niet bepaald correct over, hoor,' oordeelde Cecily. 'Wat een vreemde manieren, zeg.'

Frances lachte vrolijk. 'Wat een kritiek, zeg, juffrouw Kapoor!' Ze voelde haar hart kloppen. Cecily was in allerlei opzichten nog zo onschuldig dat ze echt geen idee had hoe volwassenen konden zijn. Als ze terugdacht aan hoe ze zelf op die leeftijd was, schoot ze bijna in de lach. 'Ik kan me gewoon niet voorstellen dat hij echt zo schuldig is als dat ze hem afschilderen. Net als Profumo. Het is allemaal niets meer dan een storm in een glas water.' Ze keek weer op van haar doek. 'Zo blijven zitten. Nog ietsjes langer, graag.'

Er viel een korte stilte. Buiten klonk het zachte geruis van de golven die tegen de rotsen sloegen, en flarden van het onsamenhangende onderonsje tussen Miranda en Archie, buiten op het terras. Beneden werd heen en weer gelopen. Frances ving geneurie op. Dat betekende dat Arvind aan het werk was. Hij neuriede altijd tijdens het werk. Ze glimlachte.

'Mam?'

'Ja, schat.'

'Wat betekent "een miskraam bewerktstelligen"?'

'Hm?'

'Een miskraam bewerktstelligen. In de krant van gisteren moest een man de gevangenis in omdat hij dat bij twee dames had gedaan.'

Frances zuchtte. Ze had een hekel aan censuur, aan kinderen voorliegen over de wereld waarin ze opgroeiden. Ze kon Cecily dus moeilijk de krant verbieden, maar soms viel het niet mee om de dingen uit te leggen. Cecily was nogal wereldvreemd, ze had immers vier jaar lang bij de nonnen op het internaat gezeten, maar het deed haar goed dat Cecily zich steeds meer bij de tijd toonde. Welk een verschrikking toch om een burgerlijk kind, een Jeremy of een Louisa, te moeten hebben! 'Het is bewerk-stelligen, niet bewerkt-stelligen. Daarmee help je meisjes van hun zwangerschap af als ze die niet meer willen. Een abortus.'

'Waarom willen ze die niet meer?'

'Kan van alles zijn, denk ik,' antwoordde Frances na een korte stilte. 'Ze hebben geen geld. Het is het verkeerde moment. Er zit iets niet goed. De man is ervandoor gegaan. Het meisje wilde helemaal geen seks, maar ze werd er misschien toe gedwongen.'

'Verkrachting?'

'Ja.' Ze keek even op naar Cecily, maar op het gezicht van haar dochter viel geen emotie te bespeuren. 'Wat een prettig gesprek voor een donderdagochtend, vind je niet? Prostitutie, verkrachting, abortus. Oké, nog even stilzitten, ik ben bijna klaar.'

Een flauw stemgeluid dreef omhoog naar het zonnige atelier boven in de woning. 'Cecily, als je nog meewilt, over een paar minuten gaan we weg.'

'Goed!' riep Cecily terug terwijl haar lange benen opgewonden langs de kruk zwaaiden. 'Ik kom eraan.'

'Want ik wil echt niet te laat zijn voor Frank, weet je,' vervolgde de stem. 'Cecily?'

'Ja-haa!' riep ze terug. 'O, mam,' vertrouwde ze Frances op zachte toon toe, 'ik weet dat ik het niet mag zeggen, maar Louisa begint echt sááí te worden.'

Frances verborg haar gezicht zodat haar dochter het even niet kon zien, en keek daarna met een berispende blik op. 'Je kunt gaan, schat. Dank je. Wees een beetje aardig voor je nicht.'

Cecily sprong van de kruk, trok haar blauwe Aertex-shirt recht en gaf haar moeder een zoen. 'Ik ben aardig, mam. Ik ben de aardigste van allemaal, echt.' Ze zweeg even, om er met aplomb aan toe te voegen: 'Op Jeremy na, dan. Jeremy is héél aardig. Ik vind hem leuk.'

Ze trok de atelierdeur open en stormde de trap af. 'Louisa, Jeremy! Ga niet zonder mij!' riep ze terwijl haar schoenen aritmisch over de treden klepperden.

Frances pakte een doek en begon weifelend haar kwasten schoon te maken. De stilte in het ruime vertrek van glas en beton weerklonk in haar oren. Ze keek naar haar gebruinde, ranke hand. Spatjes vermiljoen droogden op haar arm. Ze krabde ze weg en haar vingers gleden over de gladde, besproete huid. Omhoog en omlaag. Ze sloot haar ogen, genoot van het gevoel van haar eigen aanraking, voelde de ribbeltjes van elke vingertop langs de haartjes op haar arm strijken... Ze haalde diep adem. Het was warm en ze was moe, meer niet. Vanmiddag kwamen er nieuwe logés. Dat zou een stuk schelen. Twee jonge-mannen voor wat meer afwisseling, weer wat extra reuring, om het gevoel hier in dit glazen atelier gevangen te zitten weer te doorbreken...

Ze stond op, liep naar het raam en keek omlaag naar de tuin en het tuinhuisje waar haar echtgenoot een boek zat te lezen. Ze keek naar hem. Ze was nu tweeënveertig, maar ze voelde zich wel twee keer zo oud. Ze was het allemaal beu. Op een dag, zo beloofde ze zichzelf, zou ze iedereen de rug toekeren, gewoon in haar eentje naar de zee lopen, in het heldere, koele water glijden en wegzwemmen.

Ze slaakte een snoevend lachje terwijl ze de auto hoorde wegrijden.

Op een dag.

13

'Archie heeft weer naar me zitten kijken,' zei Louisa terwijl Jeremy's blauwe Ford Anglia (waarvoor hij twee jaar had gespaard en waarop hij overdreven trots was) langzaam wegreed van het huis, in de richting van de minder directe kustweg die naar Penzance voerde. Ze namen deze route op verzoek van Cecily, voort deinend door het golvende groene landschap met zijn hagen vol oranje clivia's, in elke tuin en langs elke oprit de in bloei staande roze en paarse rododendrons, en in de verte, lager richting zee, de palmbomen.

Het was warm in de auto, en de motor maakte een onheilspellend sputterend geluid dat het hele chassis deed trillen.

'Wat is er met Archie?' vroeg Cecily achterin.

Louisa, die voorin zat, negeerde haar. 'Wat moet ik doen? Hij is walgelijk, Jeremy.'

Jeremy stuurde de auto voorzichtig door een verraderlijke bocht. Hij zweeg even; Jeremy zweeg vaak. 'Weet je het zeker?'

'Wat?'

'Of hij heeft... gegluurd.'

Louisa lachte. 'Natuurlijk weet ik dat zeker. Ik heb hem een keer betrapt. Ik kan hem horen. En hij glimlacht naar me. Van die walgelijke glimlachjes, alsof hij weet dat ik het weet. Alsof het ons geheimpje is.' Ze huiverde. 'Afschuwelijk... ik haat hem.'

'Waar hebben jullie het over?' wilde Cecily weten, nu op een wat dwingender toon. 'Ik kan het achterin niet goed horen. Wat doet Archie?'

'Archie valt Louisa lastig,' antwoordde Jeremy luid. 'Niks om je zorgen om te maken, Cecily.'

Plotseling verscheen Louisa's scherpe, knappe gezicht tussen de voorstoelen. 'Jouw broer knielt buiten voor mijn kamer op de vloer en kijkt door het sleutelgat naar mij terwijl ik me... uitkleed,' zei ze venijnig. 'Ik heb hem nu twee keer betrapt. En ook als ik me omkleed om te gaan zwemmen.'

'O,' reageerde Cecily zachtjes. 'O.' En na een korte stilte: 'Dat is niet erg aardig van hem.'

Louisa negeerde haar opnieuw. 'Het is hoe hij naar me kijkt, Jeremy.' Ze begon nu nog zachter te praten, en Cecily maakte een geïrriteerd geluidje. 'Dat kan ik niet uitstaan. Kun jij er iets aan dóén? Eens met hem praten? Vooral nu Frank en Guy komen.' Ze zuchtte en beet op de nagel van haar pink. 'Ik moet zeggen, ik vergeet steeds weer hoe raar ze allemaal zijn, maar dit jaar is het erger. Arvind is gek en die lieve Franty is deze zomer in een vreemde bui, ik weet niet wat er aan de hand is. Ik wil niet dat de Leightons denken dat wij er iets mee te maken hebben. Vind je ook niet?'

'Eh…' aarzelde Jeremy. 'Min of meer. Luister,' zei hij, en hij deed zijn best opgewekt te klinken. 'Maak je geen zorgen, meid. Archie is te lang van school weggeweest, heeft niet genoeg meisjes gezien. Hij is gewoon… nou ja, hij is een nieuwsgierige jongen.'

Cecily volgde Jeremy nauwlettend en opende haar mond om iets te zeggen, maar sloot hem vervolgens snel weer. Louisa slaakte een wanhopige zucht.

'Zeg dat wel. Hij is een… een viezerik.'

'Ik bedoel, hij is nieuwsgierig naar de wereld.' Jeremy knipperde met zijn ogen. 'Wat volkomen normaal is. Maar ja, je hebt gelijk. Hij hoort geen mensen te begluren of te besluipen. Dat doe je niet.'

'Je moet niet achter iemands rug om praten,' merkte Cecily op luide toon op. 'Vooral niet als je te gast bent in hun huis. Ik ga alles in mijn dagboek opschrijven.'

'Ach, hou je kop, tuttebel,' reageerde Louisa. 'Wat weet jij nou? Niks.' Ze draaide het raampje naar beneden en stelde het metalen zijspiegeltje wat bij, zodat ze zichzelf kon bekijken.

'Hé,' zei Jeremy. 'Zo kan ik niet zien wat er aankomt.'

'Even maar, Jeremy.' Ze pakte een roze lippenstift en begon geroutineerd haar lippen te stiften, intussen een losse blonde krul om een vinger windend. Ze duwde het spiegeltje weer in zijn oude stand. 'Zo.' Ze leunde achterover en sloot haar ogen. 'Verdorie, deze dag is nu al vermoeiend. Ik ben best zenuwachtig, moet ik toegeven.'

Ze was jong en mooi, zo achteroverleunend in haar stoel, en daar was ze zich van bewust, de wind die door haar haren golfde, haar gladde lichtgebruinde huid, haar lange slanke dijbenen gehuld in een appelgroene, linnen korte broek.

Cecily bekeek haar eens. 'Je ziet er mooi uit, Louisa,' zei ze bewonderend.

'Dank je,' zei Louisa, die wist dat het waar was.

'Als een prinses – hé, kijk eens naar het Keltische kruis!' riep Cecily plotseling, en Louisa schrok. 'Iemand heeft er een krans aan gehangen, is dat niet vreemd? Jeremy, kunnen we even uitstappen om te kijken?'

'Geen tijd, Cecily, niet als je bij Boots een nieuw schrift wilt kopen,' zei Jeremy terwijl ze door een klein, groen dal reden en langs de afslag naar Lamorna Cove, vol met dagjesmensen die naar het strand gingen. Een auto toeterde naar hen en mensen zwaaiden uitbundig. Het weer werkte aanstekelijk op het humeur van mensen.

'Sommige mensen…' merkte Louisa geërgerd op, alsof de moderne beschaving op instorten stond.

Links van hen markeerden de akkers het begin van het verlaten, woestere heidelandschap van Noord-Cornwall, rijk aan tin en steenkool. In de verte stond een schoorsteen, een overblijfsel van de ooit zo bloeiende tinmijnindustrie die nu op sterven na dood was.

Cecily zuchtte terwijl ze alles in zich opzoog. Ze was haar moeders dochter, ze vond het landschap hier opwindend, ongeacht de tijd van het jaar. Ze leunde weer achterover en staarde uit het raam terwijl Jeremy opzij keek naar zijn zus. 'Onder ons gezegd, zus, is het Miranda van wie ik soms niet zo zeker ben.'

Als Louisa al verrast werd door deze vertrouwelijke mededeling van haar broer, dan liet ze daar niets van merken. 'Ze is nogal een rare meid, hè,' reageerde ze terloops. 'Maar wat bedoel je precies?'

Jeremy nam een hand van het stuur en krabde zich onbewust à la Stan Laurel op het hoofd. 'Weet ik eigenlijk niet. Ik heb het gevoel dat ze op problemen uit is.'

'Typisch Miranda, ja,' zei Louisa zelfgenoegzaam. 'Ze is nooit anders geweest.'

'Dat bedoel ik dus,' zei Jeremy. 'Ze… tja, deze zomer is ze anders.'

'Hoe dan?'

Hij zocht naar de juiste woorden. 'Ik weet het niet. Meer… volwassen, in zekere zin. Maar in elk geval erger. Ze staart je aan alsof ze je iets te vertellen heeft.'

Louisa begreep het verkeerd. 'Staart zij ook al naar me? O, lieve hemel.'

'Nee, niet… sorry zus, ik was niet duidelijk. Ik bedoel "je" in algemene zin,' legde Jeremy uit.

'O,' zei Louisa terwijl ze opnieuw haar hand door haar haar haalde. 'Ja, natuurlijk.'

'Niemand vindt Miranda aardig,' zei Cecily. 'Het is gewoon vreselijk. Ook op school niet. Dat komt doordat ze zo humeurig is,' voegde ze er informatief aan toe. 'De meisjes op school weten hoe ze haar op de kast moeten krijgen. Ze raakte vreselijk in de nesten…' Snel klemde ze haar kaken opeen.

'Waardoor?' Azend op wat voor schandaaltje dan ook draaide Louisa zich nieuwsgierig om. 'Wat heeft ze gedaan?'

'Dat kan ik niet zeggen,' zei Cecily.

'O, ik durf te wedden dat het niets voorstelde en dat je het gewoon uit je duim zuigt.'

'Nietes, het was heel ernstig,' reageerde Cecily fel. 'Echt. Ik heb beloofd dat ik niks zou zeggen. Ze hebben haar er bijna uitgedonderd… gossie, ik zeg verder maar niets. Maar,' voegde ze eraan toe alsof ze redelijk wilde zijn, 'erg aardig is ze niet. Zelfs ik mag haar niet. En ik ben nog wel haar zusje.'

Het werd voorin even stil. 'O jee,' mompelde Louisa vervolgens luchtig terwijl ze een blonde lok om een van haar ranke vingers krulde, zeker van haar positie als familielid dat wél door iedereen werd geliefd. 'O jee. Weet je, je zou je zus niet moeten haten.'

'Ik kan er niets aan doen,' zei Cecily. 'O, kijk, de Merry Maidens, ik ben dol op ze. Kijk dan. Ik wil er altijd nog eens een verhaal over schrijven. Misschien dat ik er later aan kan beginnen. Als ik klaar ben met mijn dagboek, natuurlijk.'

Ze zuchtte en zweeg weer nu ze Newlyn naderden. Louisa rolde met haar ogen en keek naar haar broer, maar hij reageerde niet. Nu al begon Cecily's dagboek een vervelend aspect van de vakantie te worden, met overduidelijke verwijzingen naar waarom iemand er al dan niet in werd vermeld, de lijstjes die het bevatte en zijn rol als vergaarbak van Cecily's kijk op de wereld. Gisteravond, onder het genot van vispastei, had ze de hele tafel getrakteerd op een ellenlange beschrijving van een of ander meisje bij haar op school, dat vast nog wel eens spijt zou krijgen omdat ze gemeen tegen haar, tegen Cecily dus, was geweest.

'Waarom, Cecily?' had Arvind gevraagd. 'Waarom zal dat meisje zo verschrikkelijk bang zijn voor je dagboek?'

De anderen rond de tafel waren verrast. Arvind sprak normaliter geen woord tijdens het eten. Cecily had zich dolenthousiast tot hem gericht. 'Omdat ik, pap, op een dag schrijfster zal zijn en dit dagboek beroemd zal worden. Ze zal er zo'n superspijt van hebben dat ze gemeen tegen me heeft gedaan. En me heeft uitgescholden.'

Louisa en Miranda hadden in koor hun neus heel hard opgehaald en verrast naar elkaar opgekeken.

'We zouden het een en ander moeten verzinnen voor de jongens,' zei Louisa nu tegen haar broer. 'Voor die knullen. Ze vragen waar ze zin in hebben.'

Jeremy knikte. 'Ik dacht dat we misschien een avond naar het Minack-theater kunnen gaan.'

'Jippie, ja toe!' riep Cecily op de achterbank.

'O, moet dat?' verzuchtte Louisa. 'Theater is zo ongelofelijk saai.'

'Maar het Minack is geweldig,' zei Jeremy, lachend om zijn zus. 'Ze spelen er nu Julius Caesar. We kunnen naar Logan's Rock wandelen, dat zullen ze vast leuk vinden. Lunchen in de pub misschien. En wie weet mogen we van tante Frances rond middernacht picknicken op het strand, wat eten maken op een kampvuurtje. Weet je, dit is voorlopig het laatste jaar dat we allemaal bij elkaar zijn. Zonde toch om daar geen feest van te maken?'

'Hoe bedoel je, het laatste jaar? Summercove loopt heus niet weg, of wel soms?'

Jeremy reageerde niet onmiddellijk en keek even in het spiegeltje. 'Alleen…' ging hij even later verder, 'ik denk soms dat volgend jaar wel eens anders kan zijn. Dan zullen we allemaal andere dingen aan ons hoofd hebben. En Franty zal ons niet elk jaar over de vloer willen hebben.' Hij keek wat ongemakkelijk. 'Ik weet gewoon niet of we nog wel elk jaar zullen komen.'

Louisa keek ietwat geschrokken. 'Ik kan me niet voorstellen dat we niet elk jaar zouden komen,' zei ze. 'Ik ben zo dol op Summercove.' Cecily's gezicht verscheen weer tussen de voorstoelen.

'Dat dacht ik ook altijd, maar nu niet meer,' zei Jeremy. 'Daarom wil ik op en top genieten van deze zomer.'

Cecily deed haar mond open en meteen weer dicht. Haar ogen stonden als stuiters zo groot. Maar Louisa keek opzij naar haar broer, die zich nooit ergens over uitsprak. Ze gaf hem een tikje op zijn arm.

'Lijkt me een tof idee, het Minack,' zei ze. Ze bevonden zich inmiddels aan de rand van Penzance, waar een op de twee panden een bed & breakfast of een café was. Vakantiegangers wandelden met emmertjes en schepjes langs de haven. Het buitenzwembad met zeewater, achter de haven, was stampvol. Meisjes in bikini en met volmaakt haar lieten zedig hun voeten in het water bungelen. Een groepje in zwartleren jacks gestoken jongens hing tegen een paar motoren, die vlak bij de boten stonden. Ze rookten. Hun haar was glad naar achteren gekamd, en ze staarden naar de auto die langs hen pruttelde. Geboeid staarde Cecily naar hen.

'Mods zijn zo passé. Eerlijk, Penzance loopt enorm achter,' merkte de mondaine Londenaar Louisa op terwijl ze in het voorbijrijden een minachtende blik naar hen wierp. 'Durf te wedden dat ze zelfs nog nooit van Bazaar hebben gehoord.' Angstvallig streek ze haar lokken achter haar oren terwijl Cecily gefascineerd toekeek. 'Kom op, Frank. Schiet op.' Ze corrigeerde zichzelf: 'Jeremy, sorry.'

Jeremy lachte en ontspande zich. 'Geen zorgen. Kijk, we zijn er.'

Cecily stapte al uit voordat Jeremy de auto parkeerde. Louisa was inmiddels duidelijk gespannen en in elk raam dat ze passeerden bekeek ze haar spiegelbeeld, zelfs in het glas van het loket aan het eind van het perron. Dit tot grote verwondering van de kaartjesverkoper met zijn stompe neus, die terugstaarde. Het was een warme dag, warmer in het station dan buiten, waar nog een verkoelende zeebries stond.

'Vreemd om op zo'n snikhete dag in de stad te zijn, na een paar dagen Summercove,' zei Jeremy terwijl zijn wijsvinger langs de kraag van zijn shirt streek. 'Je beseft nu pas hoe heerlijk het daar is.'

'Ik weet het,' reageerde Louisa. 'Het is echt een mooie plek. En we boffen maar. Ik zou niet zo onbeleefd over ze moeten zijn. Ik hou echt wel van Franty. Ik ben er graag. Met z'n allen daar, samen...'

'Wat ben je toch een huismoedertje,' zei Jeremy terwijl hij haar zachtjes aanstootte. 'Je vindt het heerlijk als we allemaal samen zijn en we het naar ons zin hebben, hè? Zelfs al vinden zij van niet?'

Louisa plaatste haar handen op haar heupen. 'Hou je mond, Jeremy.

Dat is onzin. Ik hou gewoon... ik hou gewoon van het idee dat we allemaal samen zijn. En dan komen we hier en... is het toch anders dan ik had verwacht.' Ze haalde haar schouders op. 'Maar hé – laten we naar het perron lopen, oké?' opperde ze turend naar het spoor.

Ze wachtten in het overdekte station totdat de trein langzaam in zicht kwam, langs St. Michael's Mount in de verte, het granieten kasteel op het eilandje in zee, dat in de middagzon goudkleurig opgloeide.

'Daar is-ie!' riep Louisa. 'Daar is-ie!' Ze staarde naar de zwarte locomotief die zwoegend in zicht kwam, alsof ze verwachtte dat Frank en zijn broer erbovenop zouden staan, zwaaiend met een spandoek. 'Ik zie ze niet!'

'Natuurlijk niet, sufferd,' reageerde Jeremy hoofdschuddend naar zijn zus. Goeie genade, meiden deden soms zo idioot over jongens. Neem Frank, helemaal niets mis mee, geen wildebras, excentriekeling of rare snuiter, maar Louisa was hoteldebotel van hem. Het bezorgde hem bijna een ongemakkelijk gevoel en hij wist niet hoe hij er met haar over moest praten. Ze had zelfs het woord 'trouwen' al in de mond genomen! Louisa, die hij altijd als een verstandige meid had beschouwd, het soort zus waar je geen bezwaar tegen kon hebben, het soort dat een beurs kreeg om iets verstandigs te gaan studeren, zoals biologie... Maar ze bleek net als al die anderen, toch weer geobsedeerd door bruiloften en baby's. Jeremy wist absoluut niet hoe Frank hierover zou denken. Ja, meisjes waren soms vreemd, zelfs je eigen zus.

De dikke witte en grijze stoompluimen losten op, de deuren gingen open en er ontstond een chaos. Kruiers repten zich om de passagiers uit de eerste klas te helpen: oudere heren in tweedpakken en hun onberispelijke echtgenotes met keurige hoeden en handschoenen, die reiskoffers van krokodillenleer droegen. Chagrijnige, gewichtig ogende heren uit de City, met hun bolhoeden en hun gesteven kragen die slap werden in de hitte, en de opgevouwen paraplu's en aktetassen stevig in de hand.

Louisa en Jeremy tuurden langs hen heen terwijl de eersteklaspassagiers zich geleidelijk verspreidden. Maar in plaats van twee jongemannen volgden er hele hordes gezinnen, worstelend met gehavende, zware koffers en krijsende kinderen; flink wat jongens met Beatleshaar, zwetend in hun coltruien; meisjes in mooie katoenen jurkjes en lage hakken, met hun gebreide vestjes over de schouders gedrapeerd; huisvrouwen met hoofddoekjes en hun inkopen in rieten manden; landarbeiders; opdringerige mannen in pak met een snor; rondhangende mannen, oude mannen... maar geen spoor van Frank en zijn broer.

Terwijl de gestage mensenstroom afnam tot ten slotte het perron weer verlaten was, keken Louisa en Jeremy elkaar vertwijfeld aan. 'Misschien hebben ze de trein gemist?' vroeg Louisa zich hardop af terwijl haar mondhoeken zakten. 'Maar dan zouden ze toch wel hebben gebeld, om het ons te laten weten?'

'Dat lijkt me wel, ja,' zei Jeremy. 'Het is niets voor Frank om ons te laten wachten.'

Louisa tuurde nog even wanhopig het perron af. 'Misschien zijn ze... misschien zijn ze nog aan het kletsen met de machinist.'

'Lou, dat denk ik niet,' zei Jeremy. 'Ze weten toch dat we wachten. Die beste Frank zou ons niet hier laten wachten terwijl hij met een of andere spoorwegbeambte horrorverhalen over dr. Beeching uitwisselt. Misschien is hun ouweheer weer eens ziek geworden, die was rond Pasen ook al niet lekker. Ik vraag me af of dat het is... Hallo! Wie is dat? Frank?' riep hij opgelucht nu iemand hem in de ribben porde. 'O verhip, jij bent het. Hallo, Cecily.'

Cecily's gezicht betrok bij het zien van zijn gelaatsuitdrukking. 'Hallo, Jeremy,' groette ze met een klein stemmetje en met een knalrood gezicht. 'Ik heb mijn boek en mijn nieuwe dagboek. Kijk.' In de ene hand hield ze een Georgette Heyer en in de andere een eenvoudig rood schoolschrift omhoog, met een stempel op de voorkant: Naam, Klas, Vak.

'The Toll-Gate,' las Jeremy hardop. 'Juist. Sorry, Cec. Ik dacht dat je Frank was,' voegde hij eraan toe, zich niet bewust van haar gepijnigde gezicht. Hij draaide zich weer om naar zijn zus. 'Ik ga even informeren bij die vent achter het loket. Misschien ligt er wel een bericht voor ons, hoewel ik dat betwijfel. Wacht hier.'

Louisa's gretige ogen misten niets, en toen hij weg was stootte ze Cecily aan. 'Echt niet te geloven dat je net bloosde, Cecily. Je bent smoor op Jeremy. Ha!'

'Niet waar!' riep Cecily terwijl ze Louisa kwaad op de arm sloeg.

134

Met een nog altijd hoogrood gezicht stampte ze met haar voet. 'Hou je kop, het is niet waar!' En ze sloeg haar armen over elkaar terwijl ze haar tranen wegpinkte zoals het een tiener betaamde.

'Sorry, Cec,' verontschuldigde Louisa zich schuldbewust. 'Dat is je nieuwe dagboek, hè? Goh, wat heb je dan al veel geschreven, dat je nu al een nieuwe hebt gekocht. Geniet je er een beetje van?'

'Ja,' antwoordde Cecily terwijl ze weer rechtop ging staan. 'Ik vind het hartstikke leuk. Dit nieuwe deel zal zelfs nog geheimer zijn. Ik kan nu schrijven wat ik wil omdat ik het schoolproject afheb.' Ze drukte het boek en het schrift stevig tegen zich aan.

'Geen hond te zien,' zei Jeremy toen hij weer opdook. 'Ik moet zeggen,' herhaalde hij, 'het is niets voor hem om ons zo in het ongewisse te laten. Ik dacht dat die beste ouwe Frank...'

'Ach, hou toch eens op met dat "beste ouwe Frank",' zei Louisa terwijl ze zich omdraaide. 'Ze komen niet. Laten we nu alsjeblieft maar naar huis gaan.'

'Ja,' viel Cecily haar bij terwijl ze haar gebaren na-aapte. 'Ik wil ook naar huis.'

Jeremy zuchtte en liep achter hen aan.

Op de terugweg was Louisa stil. Jeremy nam nu de snellere hoofdweg door het open platteland en gaf flink gas want hij had honger gekregen en hij had Mary iets horen zeggen over een kipsalade voor de lunch.

'Ik snap niet wat er is gebeurd,' zei Cecily, wier gemoedsrust was hersteld, en ze stak haar hoofd weer tussen de voorstoelen. 'Waarom zouden ze niet zijn komen opdagen?'

'Misschien hebben we ons vergist in de tijd. Of de dag,' opperde Jeremy.

'Misschien zijn ze gewoon van gedachten veranderd,' zei Louisa. 'Zou me niks verbazen.'

'Dat zou Frank nooit doen,' zei Jeremy. 'Ik ken hem nu al elf jaar, hij zou heus niet zomaar wegblijven. Guy ook niet.'

'Hoe ken je hem?' vroeg Cecily. 'Ik dacht dat hij Louisa's vriendje was.'

'Ik zweer het, Cecily,' siste Louisa kwaad, 'als je dat nog één keer zegt, ram ik dit door je strot.' Ze draaide zich om en zwaaide vervaarlijk met een gehavende oude Shell-strategids van Groot-Brittannië. Haar lippenstift was een beetje uitgelopen, haar haar zat in de war.

'We hebben samen op school gezeten,' vertelde Jeremy. 'Ik ken hem al jaren. Hij woont bij ons in de buurt. We tennisten altijd samen, met ons drietjes. Met Guy erbij. Die zul je aardig vinden,' zei hij tegen Cecily. 'Hij wil ook schrijver worden.'

'Hij is vast niet zo aardig als jij,' mompelde Cecily zacht.

Jeremy hoorde het niet. 'Het zijn geschikte jongens. Ze houden van tennis, zwemmen, samen dingen doen, en zo.' Hij stuurde de auto van de hoofdweg af en de donkere, lommerrijke laan boven Summercove op.

'Nou, als het dan van die ontzettend geschikte types zijn, waarom... o, verdómme!' riep Louisa opeens uit. 'Die stomme auto ook, Jeremy! Kijk dan, die spiraalveer is dwars door de rotzitting heen gekomen. Kijk, nu zit er een scheur in mijn broek! Mijn mooie korte broek... o, jezus.' Ze bewoog onrustig op haar stoel.

'Misschien dat je verder niks meer scheurt als je de strategids op de veer legt,' opperde Cecily behulpzaam. De blik die Louisa haar toewierp was er een van pure verachting.

Ze stopten voor het huis. 'Als jullie er even uit willen springen, dan zet ik de auto in de garage,' zei Jeremy, en de meisjes stapten uit. Cecily opende het hek terwijl een nog altijd mokkende Louisa haar volgde.

Lopend over het gazon naar het huis snoof Cecily de lucht diep in zich op. 'O, wat is het heerlijk om op een dag als deze terug te zijn, vind je ook niet?' vroeg ze. 'Ik ruik de zee, ik ruik de zee...'

Vanaf het terras aan de andere kant van het huis dreven stemmen op hen af. 'Ze zitten vast al te eten,' zei Louisa quasizielig. 'Konden vast niet wachten.'

Ze liepen verder langs de tuin, en Louisa slaakte een kreet.

'O! O, hemel!' Verbaasd staarde ze over het gras.

Daar, knielend op een deken, in een strakke zwarte broek, een wit T-shirt en een zwart vest dat over haar schouders hing, en met een wit lint in haar donkere haar, was Miranda; met in haar gezelschap twee jongemannen, de een in een keurig gestreken, linnen korte broek en een donkerblauw poloshirt en een crickettrui om zijn schouders geslagen, de andere in een spijkerbroek en een shirt waarvan het bovenste knoopje los was. Ze lachten om iets wat Miranda had gezegd. Ze keek op.

'O, kijk!' riep ze, en haar katachtige gezicht brak open in een glimlach nu ze de meisjes op zich af zag lopen. 'Louisa is terug van het station! Ze kan vast wel uitleggen wat er is gebeurd. Louisa, kijk!' riep ze lief naar haar nicht. 'Frank en... Guy, is het niet?' voegde ze er verlegen aan toe. 'Ze hebben gisteren een telegram gestuurd om te zeggen dat ze vroeg zouden komen, maar dat is blijkbaar nooit aangekomen. Is dat niet raar?'

Frank en Guy sprongen overeind terwijl Louisa en Cecily aan de rand van het gazon met open mond van verbazing toekeken. 'Hallo!' zei Louisa terwijl ze angstvallig het gescheurde lapje stof op haar achterste vasthield. 'Lieve hemel! Wat een leuke verrassing! We hadden de hoop al opgegeven. Wat vreemd!'

'Alles goed met je?' vroeg Miranda met een bezorgde blik. 'Is er... iets?'

'Nee, nee,' antwoordde Louisa haastig. 'Ik heb alleen mijn korte broek gescheurd. Heel irritant!' voegde ze er heftig aan toe, met een hand nog altijd op de gescheurde stof. 'Hallo Guy, Frank...' Met haar vrije arm tikte ze de twee wat onbeholpen tegen de schouder terwijl ze gegeneerd haar hoofd boog.

'Hallo, Louisa,' groette Frank, en hij kuste haar op de wang. 'Heel... heel leuk om je te zien.'

'O, wat zijn wij blij dat jullie terug zijn,' zei Miranda. Ze trok haar benen onder zich vandaan, kwam elegant overeind en strekte haar lange armen uit, waarop Guy haar hulpvaardig een hand aanbood om haar omhoog te helpen.

'Wauw,' zei Cecily vol bewondering. 'Miranda, wat zie jij er vandaag mooi uit.'

'Dank je.' Ze trok even aan haar paardenstaart en keek haar nichtje begripvol aan. 'Arme Louisa!' zei ze met honingzoete stem. 'Ga maar gauw iets anders aantrekken, we lunchen over vijf minuten. Guy, Frank... zijn jullie al op je kamer geweest? Willen jullie je eerst nog opfrissen?'

'Hoe laat zijn jullie dan aangekomen?' vroeg Cecily. 'Wat vreemd dat we het telegram niet hebben gekregen!'

137

'Ongeveer een uur geleden,' antwoordde Guy. Hij glimlachte naar Cecily. 'We kregen een lift van een meneer die naar Sennen Cove moest. Heel aardig van hem. We zaten een beetje omhoog en wisten niet wat we moesten doen. En we wisten niet precies welke bus naar Summercove zou gaan, en met een taxi waren we nu platzak geweest.' Hij boog zich voorover. 'Ik ben Guy,' zei hij terwijl hij Cecily de hand schudde.

'Hallo,' zei ze aangenaam verrast.

'Hallo, Cecily,' zei Frank, die nu ook een stap naar voren deed. 'Ik ben Frank, Jeremy's vriend.' Hij schraapte zijn keel. 'Aangenaam.'

Cecily staarde hem aan. 'Hallo, Frank.'

Hij knikte. 'Eh, ja,' zei hij opgelaten. Hij wees naar zijn korte broek. 'Zoals je kunt zien zijn we al helemaal uitgedost voor een zomervakantie.'

Ze zei niets maar bleef hem slechts aankijken.

'Grappig,' zei ze na een poosje. 'Je lijkt me helemaal geen kortebroekendrager.'

'Eh... klopt, ik voel me ook wat onwennig,' zei Frank.

'Je lijkt meer een type voor...' Ze zweeg even. 'Een bolhoed.'

Er viel een stilte.

'Cecily, dat is beledigend,' kwam Miranda tussenbeide, en ze gaf haar een duw. 'Zeg dat het je spijt.'

Maar Frank lachte. 'Nee, ik vind het geen belediging. Ze heeft gelijk.' Met een glimlach op zijn knappe gezicht friemelde hij met een paar denkbeeldige manchetknopen. 'Het klopt dat ik me doorgaans meer op mijn gemak voel in een keurig pak.'

Cecily wreef over haar wang. 'Het spijt me,' verontschuldigde ze zich toch. 'Ik wilde u niet beledigen, meneer Bolhoed.'

Guy schoot even in de lach en Frank viel hem bij. Maar Louisa keek alsof ze door de grond ging.

'Ik denk dat we jullie onderweg zijn gepasseerd,' zei Frank tegen Louisa. 'We lieten onze vriend nog toeteren, en we stopten even in de berm, maar jullie leken ons niet te zien.'

'O, mijn hemel,' reageerde Louisa. 'Natuurlijk. Nu weet ik het weer...' Ze beet geïrriteerd op haar lip en greep daarna weer naar haar achterste. 'Ik moet me nu echt gaan omkleden,' zei ze blozend. 'Sorry. Redden jullie twee je zolang?'

Ze keek naar Frank, maar die luisterde naar Miranda. 'Geweldig dat jullie er zijn,' zei deze. 'Ah,' voegde ze eraan toe terwijl ze zich naar het huis omdraaide, 'daar heb je Jeremy. Nu zijn we eindelijk compleet.' Ze slaakte een zucht en glimlachte blij naar de nieuwkomers terwijl ze intussen een haarlok om een vinger wond.

Plotseling viel er een schaduw over haar heen. 'Hallo,' klonk een stem achter haar. Miranda en de twee jongens keken om en zagen Frances met uitgestoken hand op hen af lopen.

'Ik ben Frances Seymour,' stelde ze zichzelf voor terwijl ze haar hoofddoek afdeed. Ze schudde haar honingkleurige haren los en krabde zich op haar hoofd. 'Wat een verschrikkelijke ontvangst hebben jullie gehad.' Met fonkelende ogen en een fris, gebruind gezicht dat straalde van plezier glimlachte ze hen toe.

'Helemaal niet,' zei Guy duidelijk van zijn stuk gebracht terwijl hij haar de hand schudde. 'Het is heerlijk om hier te zijn.'

'Ja,' zei Frank terwijl hij zijn hand aan zijn korte broek afveegde en deze vervolgens naar haar uitstak. 'Dank u, mevrouw Kapoor.'

Frances sloeg haar ogen op naar de lange, blonde, goddelijke Frank en glimlachte bijna geamuseerd. 'Toe, zeg maar Frances,' zei ze.

'Ik ben Frank,' reageerde hij. 'Nou, dat betekent dus dat we bijna dezelfde naam hebben!'

'Jaha.' Er verscheen een blik op haar gezicht die hem tamelijk verontrustte. 'Goed, laten we voor jullie iets te drinken inschenken.' Ze lachte, haar groene ogen schitterden in het zonlicht, en ze gaf Miranda een tikje op de schouder. 'Sta eens op, lieverd. Is het niet fantastisch? Ik heb het gevoel dat de vakantie nu echt kan beginnen.'

14

'More tea, vicar?'

'Thee? Ha! Lekker. Schenk maar in, Louisa.'

'Guy, nog wat champagne?'

'Dank je, heel gastvrij van je.'

Louisa keek haar tante aan. 'Franty, kan ik verder nog iets doen?'

'Nee, hoor,' antwoordde Frances met een glimlach. 'Je hebt het prima gedaan, zo. Ga lekker zitten, schat, en geniet.'

Ze hadden zich op het gazon van de voortuin verzameld voor een aperitiefje. Het was windstil, er stond zelfs geen zeebriesje. De geur van lavendel en de petroleumgeur van de buitenlampen hingen in de verstilde lucht. Vanaf een grammofoon dreven de klanken van 'My One and Ony Love', John Coltrane en Johnny Hartman naar buiten.

Louisa, gekleed in een schitterende moerbeikleurige zijden jurk, ging rond met de champagne, maar het was Miranda die deze avond de show stal. Nadat iedereen op het terras een plekje had gevonden, verscheen ze in een zwarte, ribzijden cocktailjurk, uiterst eenvoudig en overduidelijk tamelijk prijzig, bestaande uit een tulprokje en een strak lijfje dat haar jongensachtige figuur perfect omspande.

'Wat een mooie jurk, Miranda,' complimenteerde Louisa haar genereus terwijl ze haar een glas champagne aanreikte. 'Je lijkt Jackie Kennedy wel.'

Miranda bloosde en op haar olijfbruine huid verschenen rode vlekken.

'Inderdaad een mooie jurk,' viel Frances haar bij. 'Mag ik vragen waar je die vandaan hebt?'

Miranda draaide zich om naar haar moeder. 'Ik heb het je nog niet verteld, mam,' antwoordde ze beschaamd, 'dus wees alsjeblieft niet boos, maar op school kreeg ik een postwissel van Connie. Voor tien pond. Ik heb dit in Exeter gekocht. En nog wat andere dingen.' Ze smeekte om goedkeuring.

'Ze gaf jou tien pond?!' riep Cecily. 'Ik wist niet dat het zoveel was!'

Het hemdje van vanochtend. De prachtige blauwe pumps die ze gisteren aanhad. Natuurlijk. Frances knikte en bekeek haar dochter nog eens goed. Miranda had duidelijk gevoel voor stijl, dat moest ze haar nageven.

Het speet Frances ook nu weer dat ze haar oude schoolvriendin, getrouwd met een rijke industrieel en zelf kinderloos, tot Miranda's peetmoeder had gemaakt. Ze was verstrooid maar zeer gul. Toen Miranda tienenhalf was kreeg ze een parelketting van Asprey's. Maar tegenover de andere kinderen was het niet helemaal eerlijk.

'Moet je voelen wat een heerlijke stof.' Ze pakte haar moeders hand en liet de vingers over de prachtige dikke stof glijden terwijl haar ogen schitterden. 'En ook de capri-broeken. Die snit! Helemaal perfect. Zulke mooie dingen heb ik nog nooit gehad.'

Frances wist even niet wat ze moest zeggen. Gek toch wat de juiste kleding en een glinstering in de ogen met het meisje konden doen. Eerst jarenlang piekeren over hoe ze Miranda blij kon maken, om nu pas te ontdekken dat ze haar gewoon naar Harrods had moeten meenemen voor wat leuke kleren.

Ze wist niet of ze nu moest lachen of huilen. Terwijl ze zichzelf vervloekte keek ze weer even naar haar dochter, die nu aan het giebelen was met Cecily en haar nu eens niet afsnauwde en intussen met stralende ogen haar glanzend zwarte haar achter een oor streek. Zo had ze Miranda lange tijd niet meer gezien. Ook zij, Frances, had haar soms gekleineerd, en opeens werd ze overweldigd door berouw.

Miranda draaide zich weer naar haar om. 'Je vindt het echt niet erg, mam?'

'Heb je Connie al een bedankje gestuurd?' vroeg ze, en ze nipte van haar champagne.

'Tuurlijk heb ik dat gedaan.' Met haar groene, half toegeknepen ogen keek ze haar moeder aan. 'Ik heb haar een heel lange brief geschreven, met een lijstje van alle mooie dingen die ik voor tien pond kon kopen. En toen stuurde ze me nóg een pond, zomaar! Voor het geval ik te duur uit was.'

141

Frances zuchtte. Typisch Miranda. 'Schat, dat is echt vreselijk van je.' Toch kon ze slechts naar haar glimlachen.

Cecily nipte van haar champagne en hield haar glas voorzichtig bij de steel vast. Dit was een bijzondere avond, en dus mocht zij ook een glas. 'Hmm,' zei ze terwijl de bubbels haar opgetrokken neus kietelden. 'Zo bruisig.'

'Niet dronken worden en gek gaan doen, hè,' waarschuwde Archie haar. Ook hij zag eruit om door een ringetje te halen, met zijn donkere haar glimmend van de brillantine. Als een tieneridool. Zo naast zijn zus vormden ze een behoorlijk opvallend duo.

'O? Zoals een beetje zitten gluren als mensen zich aan het omkleden zijn?' kaatste Cecily fel de bal terug terwijl ze hem de rug toekeerde.

Archies gezicht betrok. 'W-wat?' stamelde hij.

Cecily bloosde, maar het geluid van rinkelende glazen verloste haar van een antwoord. 'Welkom iedereen,' zei Arvind die tot veler verrassing het gezelschap ging toespreken. Hij pakte de hand van zijn vrouw. 'We zijn blij dat jullie er allemaal zijn.'

'Ja. Proost,' zei Jeremy terwijl hij zijn glas hief. 'Dank u, oom Arvind. We komen hier graag.'

Miranda, naast hem, rolde met haar ogen. Frances zag het en deed haar best om niet te glimlachen. In plaats daarvan keek ze haar hoofdschuddend aan. Lieve, bezadigde Jeremy.

Arvind wierp hem een beleefde glimlach toe. 'Op je gezondheid, jullie allemaal. Jullie zijn de toekomst. Ik groet jullie.'

Hij deed een stap naar voren, hief zijn glas en fronste, alsof hij verrast was over zijn eigen woorden.

'Pap is best wel excentriek,' fluisterde Miranda luid verstaanbaar tegen Guy, die naast haar stond. 'Gewoon negeren.'

Guy knikte. 'Excuseer me even, wil je? Eh, meneer,' begon hij en hij zette doelbewust een stap in Arvinds richting, waarbij hij Miranda alleen liet. 'Het spijt me ontzettend u over uw werk lastig te moeten vallen, maar ik kan niet aanwezig zijn zonder u te vertellen hoe enorm ik heb genoten van *The Modern Fortress*.'

'Je hebt ervan genoten? Wat buitengewoon, zeg.'

Guy was even perplex. 'Nou, "genoten" is misschien niet het goede woord.' Er viel een stilte. 'Ik, eh, het is in elk geval een heel interessant boek.'

'Dank je,' zei Arvind terwijl hij de jongeman door zijn kleine brillenglazen aanstaarde. 'Jij draagt ook een bril, zie ik.'

'Klopt, ja,' was het flegmatieke antwoord. 'Soms. Om te lezen.'

'Wat doe jij precies?'

'Eh, ik?'

'Inderdaad, jij, ja,' reageerde Arvind terwijl hij zogenaamd even om zich heen keek, alsof er nog een derde persoon bij was.

'Ik zit op Oxford,' antwoordde Guy. 'FPE.'

'Juist, ja.'

'Wat is FPE?' vroeg Cecily zacht, die opeens naast de twee mannen verscheen.

'Het staat voor Filosofie, Politicologie en Economie,' legde Guy uit.

'Klinkt behoorlijk verschrikkelijk, zeg,' oordeelde Cecily. 'Heel interessant, bedoel ik. Sorry, pap.'

'Ah,' reageerde deze. 'Het kind wijst de ouder af. Wat een teleurstelling.'

'Het kind rolt met de ogen naar de ouder,' was Cecily's sombere repliek, maar haar ogen twinkelden.

Guy kuchte even terwijl hij de twee met verbaasde blik gadesloeg. De meeste leeftijdgenoten spraken hun vader thuis met 'vader' aan, en je haalde het niet in je hoofd om zijn werk als 'verschrikkelijk' te bestempelen. 'Je bent bijna groter dan je vader,' schutterde hij, waarbij hij licht bloosde.

'Fijn, jongeman, dat u mij attendeert op mijn tekort aan lichaamslengte,' zei Arvind, hij prikte Guy met een vinger in zijn maag en glimlachte, waarop Guy, plotseling bevrijd van zijn zenuwen, hardop lachte.

'Ik vroeg me af,' vroeg Guy haastig, 'of u dr. Kings "Brief uit de gevangenis van Birmingham" hebt gelezen? Want die bevat diverse punten die u in The Modern Fortress ook aanstipt. Over dat onderdrukking nooit voor eeuwig kan zijn. Dat is gewoon onmogelijk. Het verlangen naar vrijheid maakt zich altijd kenbaar en bewandelt hoe dan ook zijn pad, ook al kan dat lang duren.'

'Ah.' Arvinds ogen lichtten op. 'Het gevaar van de gematigde blanke, erger nog dan dat van de extremistische blanke. Ja, dat boeide mij zeer.'

'Waar hebben ze het over?' fluisterde Miranda tegen Cecily.

'Echt heel saaie dingen. Ene dr. King.'

'Martin Luther King, dus,' verduidelijkte Archie. Met een hand losjes in de zak van zijn blazer verscheen hij naast hen. 'Leider van de NAACP. Een geweldenaar.'

'De NAACP?' vroeg Cecily.

'De. National. Association. For. The. Advancement. Of. Colored. People,' verduidelijkte Archie, daarbij elk woord benadrukkend. Hij nam een slokje van zijn drankje, wendde zijn knappe gelaat af en richtte zijn blik op de ondergaande zon.

'Hoe weet jij wie dat is?' vroeg Miranda spottend. 'Jij weet helemaal niets, Archie.'

Boos keek ze naar haar broer, net als altijd wanneer Archie liet doorschemeren een andere mening dan de hare te zijn toegedaan, of eentje die ze nog niet kende.

Hij haalde even zijn tong langs de lippen, alsof hij nerveus was. 'Ik weet dat alle mensen als gelijken werden geschapen. Maar wij zijn de enige uitzonderingen die we kennen,' sprak hij plotseling, en keek achterom. Zijn vader was diep in gesprek met Guy; Louisa en Frank hadden samen plezier op de rand van het terras en Jeremy en Frances zaten op het bankje bij de terrastreden. 'Op school noemen ze me een Paki, en jongens wier ouders nauwelijks kunnen lezen en schrijven, vertellen me dat ik moet opdonderen. En dat terwijl mijn vader een van de intelligentste mensen ter wereld is en zijn familie ooit in een paleis in Lahore woonde.' In zijn beide mondhoeken hadden zich speekselbelletjes verzameld. 'Jíj bent dom, Miranda. Jij laat je gewoon pesten door die meiden, omdat je vader uit India komt. Je moet ze juist vertellen dat jij ver boven ze staat.'

'Ze pesten me helemaal niet,' stamelde Miranda terwijl ze het hoofd liet hangen en haar haren voor haar gezicht vielen. 'Hou erover op, Archie.'

'Ze pesten je wel degelijk,' viel Cecily hem bij. 'Ze doen verschrikkelijk tegen haar,' vertelde ze Archie. 'Ze maken haar uit voor alles wat lelijk is.'

'Daar praten we niet over,' siste Miranda en ze greep Cecily bij de arm. 'Weet je nog?'

'Daar praten we nooit over!' riep Cecily luid terug terwijl ze haar arm lostrok. Met een vragende blik keek Frances op naar haar drie kinderen, die nu opstandig maar gekalmeerd weer bij elkaar zaten. *Klap niet uit de school.*

'Er valt trouwens toch nergens over te praten,' fluisterde Miranda terwijl ze haar rug weer rechtte. 'Oké? Dus hou je kop.'

'En trouwens,' voegde Cecily eraan toe, 'volgens mij maakt het niet uit of pap in een paleis opgroeide of niet. Wie weet was het wel in een hut. Ze mogen zoiets helemaal niet zeggen.'

Maar Archie luisterde niet. 'Pap ging naar een van de beste scholen in India. Met maharadja's en... en Engelse jongens. Heel wat beter dan die hel waar ik op zit.'

'Alleen maar omdat zijn vader er lesgaf,' wees Cecily hem terecht. 'Dat bedoel ik dus. Het maakt van beide kanten niet uit. Vertel ze gewoon dat ze bekrompen zijn.'

'Nee,' vond Archie. 'Zo wil ik het niet. Ik wil ze laten zien dat ik beter ben dan zij. Dat ik meer ga verdienen dan zij allemaal, dat ik veel Engelser ben dan zij. Ik wil die flikkers laten zien wie hier de baas is.' Hij knikte, alsof hij in zichzelf sprak. 'Want ik heb een plan, weet je. Je kunt gewoon niet zonder een plan.' Zijn ogen rustten een moment op zijn tweelingzus. 'Dat moeten jullie twee toch wel begrijpen? Ze gaan je heus niet helpen, punt.'

De twee staarden hem wezenloos aan, alsof hij een vreemde taal sprak. Waarna door het open raam plotseling het geklingel van de zilveren etensbel klonk, alsof hiermee een afsluitend signaal werd gegeven.

'Volgens mij betekent dit dat het eten op tafel staat,' zei Frances.

Miranda wendde zich af van haar broer en zus en legde behoedzaam een hand op Guys arm. 'Guy, wil je naar binnen om te gaan eten?' vroeg ze zwoel.

Guy draaide zich om. 'O, hallo Miranda. Ja, graag. Zullen we?' vroeg hij terwijl hij zich naar Arvind omdraaide.

'Nou, als we het niet doen,' reageerde deze met een schouderklopje, 'wordt het eten koud. Vrienden, aan tafel. Laten wij gaan eten.'

'Jullie zijn dus twee weken vrij,' zei Frances. 'Hebben jullie nog grote wensen? Behalve ontspannen en lekker vakantie vieren, natuurlijk?'

Guy, die Miranda net de kom met sla wilde aanreiken, wierp een blik over de tafel naar zijn broer, gezeten naast Frances.

'We hebben eigenlijk geen plannen,' antwoordde Frank nerveus terwijl hij in Frances' geamuseerde groene ogen keek. 'We willen graag naar het strand. Uiteraard!' Hij lachte iets te luid. Naast hem sloeg Cecily hem met verbazing gade. 'Eumm...' Hij keek zijn broer smekend aan. Hij was nerveus, wilde dat het ophield. Tegenover hem glimlachte Louisa lief en hij keek haar wat zieligjes aan. *Normaal ben ik niet zo'n stoethaspel.* Sinds zijn aankomst had hij nauwelijks een woord gezegd. Zoiets als Summercove had hij nog niet eerder meegemaakt.

De ramen stonden open, de gordijnen waren dicht en de avond was verstild. Zo nu en dan hoorden ze het gekras van een uil vanuit het bos achter het huis.

'Ik zou graag eens naar het Minack-theater gaan,' zei Guy. 'Heb ik altijd al gewild.'

'Nou, als we kaartjes kunnen krijgen,' reageerde Louisa met een blik naar Frank in de hoop dat hij te porren was. 'Maar het is vaak uitverkocht.'

Frances wuifde het weg. 'Niks aan de hand. Ik ken ze daar. Ik weet zeker dat als we er morgen heen tuffen, er nog kaartjes zijn. Leuk!' Ze leek in haar sas. 'Ik ben dol op het Minack, Guy, en ik hoop echt dat jij dat ook zult zijn. Zo'n geweldige setting. Zo dramatisch. Het is net of het hele toneel elk moment zo in zee kan storten.'

'Is de zee hier erg gevaarlijk?' vroeg Frank.

'We wonen hier nu acht jaar permanent. Daarvoor was het alleen maar ons vakantiehuis,' antwoordde Archie ernstig. 'We zijn allemaal behoorlijk aan de zee gewend.'

'De rotsen kunnen gevaarlijk zijn,' vulde Frances aan terwijl ze haar nagels bekeek. 'Zolang je maar voorzichtig bent. Je hoofd erbij houdt.'

Jaja, doe voorzichtig. Hou je hoofd erbij. Laat de boot niet omslaan. Ze glimlachte.

'Nou, een picknick op het strand lijkt me wel wat!' liet Frank zich plotseling ontvallen. 'Met eten.'

'Ja!' viel Jeremy hem aangenaam verrast bij. 'Dat lijkt me wel wat. 's Avonds, als jullie dat tenminste goed vinden. Tante Frances?' Hij keek zijn tante, naast hem, aan. 'We willen u 's avonds natuurlijk niet alleen laten, als u dat niet prettig vindt.'

'We zijn dus niet uitgenodigd voor de picknick op het strand, stel ik vast?' vroeg ze geamuseerd.

'O!' reageerde Jeremy geschrokken. 'Natuurlijk. Als u dat leuk vindt... graag wilt. Wat onbeleefd van me... Ik dacht gewoon, als vader en moeder er zijn, dan wilt u vast...'

'Ik zit liever op het strand,' zei Arvind.

'Zeg Guy, Frank,' kwam Archie tussenbeide, 'hebben jullie de zaak Ward nog een beetje gevolgd? Behoorlijk pikant, hè?'

'Zeg dat,' reageerde Guy. 'Niet te geloven dat ze het elke dag weer zo opdienen.'

'Profumo loog tegen het parlement. Hij verdient elke mogelijke straf,' vond Guy en hij trommelde met zijn vingers op de tafel. 'De tijden zijn aan het veranderen. Dat dit establishment maar alles toedekt wanneer het ze uitkomt, kan echt niet meer.'

Archie knikte ingenomen. 'En jij, Frank?' vroeg Frances haar stille buurman.

'Ik ben bang dat het me weinig interesseert,' antwoordde hij met zijn knappe gezicht in een frons. 'Het is gewoon reuze vermakelijk, meer niet.' Schaamtevol keek hij de tafel rond. 'Behalve dan dat het afschuwelijk is om zoiets te zeggen.'

'Ik denk dat we er allemaal wel zo over denken,' ging Guy verder. 'Het is walgelijk, maar ik wil het toch lezen.' Hij keek Miranda aan. 'Lees je *Private Eye* wel eens?'

'O ja. We smokkelen hem stiekem naar school. Ik vind het superleuk.'

'Wat een onz...' wilde Cecily roepen, maar ze beet plotseling op haar lip nu Archie, die naast haar zat, haar tegen de benen schopte.

'Ik heb de indruk dat dit de enige krant of het enige tijdschrift is dat de waarheid laat zien. Er is zoveel hypocrisie in de samenleving, dat het gewoon walgelijk is. N... Neem nou de Argyll-echtscheidingszaak. Ik werd er misselijk van. We verlekkeren ons als een stel hyena's aan de slachtoffers zodat we de volgende ochtend vanachter de cornflakes kunnen zeggen hoe decadent en vreselijk ze wel niet zijn, om meteen weer te knipmessen en te flemen zodra een lord of een lady de kamer binnenloopt,' sprak hij op steeds luidere toon, waarna hij zweeg.

Er viel een stilte terwijl iedereen beleefd en opgelaten knikte. Frances bekeek haar nagels weer en Guy liet zich schaamtevol achteroverzakken. Mary verscheen in de deuropening. 'Zal ik afruimen?' vroeg ze. 'O, er is niet veel meer over, hè?'

'Dank je, Mary,' zei Frances. 'Het was overheerlijk.' Ook de anderen mompelden goedkeurend en glimlachten. Mary keek tevreden. 'Daarna mag je naar boven, hoor. Wij zetten wel koffie.'

'Aanschouw het symbool van het onderdrukkende bourgeois-regime alhier,' zei Arvind tegen Guy nadat Mary weer naar de keuken was verdwenen. 'Mary bereidt Beef Wellington en maakt voor ons schoon, en in ruil daarvoor geven wij haar geld.'

'Meneer, ik wilde niet…' stamelde Guy met het schaamrood op zijn gezicht. 'Alstublieft, wees niet…'

Arvind wuifde het weg. 'Toe, ik maakte maar een grapje. Je hebt helemaal gelijk, jongeman. De tijden zijn aan het veranderen en dat dienen we onder ogen te zien. Ik vermoed alleen dat geen van ons precies weet waar het heen gaat. Nog niet.' Hij keek de tafel rond, naar zijn zoon Archie die in het niets voor zich uitstaarde, naar Louisa, die Frank aangaapte, naar Miranda, die de twee met nieuwsgierige woede gadesloeg, naar Guy, die netjes van zijn kaas at, naar Cecily, die aandachtig een druif pelde en vanonder haar wimpers naar Jeremy loerde, en ten slotte naar zijn vrouw. Die knikte weliswaar even terug, maar toch verscheen er een lichte frons op haar voorhoofd.

Die avond trokken ze zich een voor een terug; Arvind ging al vroeg naar bed, gevolgd door Cecily en daarna Jeremy. De anderen bleven buiten op het terras en kletsten zacht verder onder het genot van een kop koffie. Guy was de volgende die opstond. Hij was moe, zei hij. Kort daarna volgde Archie. Frances, Miranda, Louisa en Frank bleven zitten, totdat Frances de hint begreep en met een blik naar Louisa, Frank en haar dochter opstond.

Frank sprong overeind. 'Welterusten, mevrouw… mevrouw Kapoor.'

Met een speelse glimlach liet ze hem haar hand omvatten. Ze was vergeten hoe aandoenlijk deze jongens konden zijn. En hoe dikdoenerig. 'Welterusten, Frank. En toe, ik heet Frances. Bijna hetzelfde als Frank. Niet al te moeilijk te onthouden, lijkt me.'

Nerveus staarde hij haar aan. 'Ja… Ja, natuurlijk.'

Ze draaide zich om naar Miranda en haar blik schoot terug naar Frank en Louisa, die verlegen naar de flagstones tuurde.

'Je laat deze twee dus lekker even alleen, Miranda, schat? Tot morgen.'

Verslagen wierp Miranda haar moeder een woeste blik toe en stond op van haar gekunstelde zithouding op de grond. 'Ja, ik ga ook naar boven. Slaap ze, jullie twee. Niet te laat maken, hoor. En laat de voordeur niet open staan, dat is gevaarlijk,' klonk het ietwat duister.

Miranda ging niet meteen naar boven. Cecily zat geknield op bed met haar dagboek naast haar en tuurde uit het raam toen ze eindelijk verscheen.

'Zit je te gluren?' vroeg Miranda. 'Kijken wat de jonge minnaars aan het doen zijn? Zitten ze nog buiten?'

'Nee,' antwoordde Cecily blozend. Snel sloot ze het raam. 'Bah, je stinkt. Duurde het daarom zo lang? Heb je zitten... roken? Uch.'

'Ach, hou toch je kop, kleuter.' Ze liet zich op het bed met het messing frame ploffen. 'Ik ben verdomme achttien, ja? Ik ben verdomme volwassen.' Ze staarde naar de muur. 'Niet dat iemand als mam dat lijkt te begrijpen, overigens.'

'Dat komt omdat je je niet als een volwassene gedraagt,' flapte Cecily eruit. 'Jij hebt geen plan, zoals Archie.' Miranda negeerde het en begon haar jurkje los te ritsen. Haar jongere zus keek toe. 'Wat ben je dan van plan? Weet je dat al?'

'Geen idee. Dus laat me met rust.'

'Je moet toch wel een béétje een idee hebben?' hield Cecily vol, maar haar zus hief een hand.

'Begin nou niet tegen mij aan te zeuren, Cecily, alsjeblieft. Ik ben niet in de stemming. Archie is soms echt een idioot. Echt zo'n studentje, met zijn ideeën over geld verdienen en al die onzin. Zo saai. Ik red me wel, hoor. Ik bedenk wel iets.'

'Miranda, mag ik je iets vragen?'

'Zolang het maar niet over mij gaat,' antwoordde ze terwijl ze met haar rits worstelde.

'Nee.' Cecily boog zich naar haar zus en trok het kledingstuk omlaag.

'Dank je. Ga door.'

'Vind je het slecht als mensen...' Ze zweeg. 'Een man en een vrouw. Gaan ze...' Ze liet zich weer achterover op haar kussen ploffen. 'Ach, laat ook maar.'

'Een man en een vrouw?' Miranda's belangstelling was gewekt. 'Wat dan, wil je je dagboek een beetje kruiden? Wat dan?'

'Niks,' antwoordde Cecily ferm. 'Ik ga slapen. Welterusten, Miranda.'

15

Toen Frank de volgende ochtend voor het ontbijt aan tafel verscheen, lang en knap in een korte broek en een licht verkreukeld poloshirt, tuitte Louisa haar lippen en sloeg haar ogen neer.

Frank schraapte zijn keel. 'Hallo, Louisa.'

Ze bloosde, negeerde hem en richtte zich tot Guy. 'Wat wil je vandaag gaan doen, Guy?' Ze stopte een aardbei in haar mond en glimlachte naar hem.

Miranda kwam aan tafel zitten en wierp een zijdelingse blik naar Cecily, die met een knalrood hoofd driftig op haar toast kauwde, alsof dat haar kwaad had gemaakt. Dus dat had Cecily gisteravond dwarsgezeten. Ze glimlachte.

'Ja, Guy,' zei ze, eveneens de ongelukkige Frank negerend, die zijn bord krampachtig vasthield en plaatsnam. 'Wat wil je gaan doen?'

Guy legde zijn mes neer. 'Ik dacht naar het strand misschien? Ik weet het eigenlijk niet. Wat willen de anderen?' Hij keek naar Cecily. 'Wat doe jij graag als je hier bent, Cecily?'

'Ik?' Verbaasd dat iemand haar om een mening vroeg keek ze op. 'Eh… ik hou van zwemmen in zee, en kaarten en mijn boek lezen.' Ze strekte haar benen uit. 'En dat ik niet voor mam hoef te poseren, wat vandaag gelukkig ook niet hoeft.'

'Schildert ze jou?'

'Ja.' Ze keek even om zich heen om zich ervan te vergewissen dat Frances niet in de buurt was. 'Het is behoorlijk saai,' vertrouwde ze hem toe.

'Je moeder is een fantastische schilderes,' zei Guy. 'Wie weet hang je op een dag nog eens in de National Portrait Gallery.'

'Dat zou leuk zijn,' moest ze toegeven. 'Ik kan me alleen niet voorstellen dat iemand naar mij zou willen staan staren.'

'Onzin, Cec,' reageerde Jeremy, die achter haar langs liep. Hij gaf een tikje op haar hoofd. 'Je bent een schoonheid, toch Frank?'

'O… eh. Ja, natuurlijk,' reageerde deze terwijl hij Louisa nog steeds aankeek. Intussen liep Cecily rood aan.

'Frank… Franty, jouw naam lijkt veel op die van mam,' zei Cecily. 'Ik vind dat we jou voortaan maar Bolhoed moeten noemen, om elke verwarring te voorkomen.'

'Ja,' viel Louisa haar bij terwijl ze opeens met een dun glimlachje opkeek. 'Bolhoed is gewoon perfect. Want ik heb er eens over nagedacht en Cecily heeft gelijk: je ziet er inderdaad uit alsof je een bolhoed zou moeten dragen. Een korte broek staat jou echt niet. Je knieën zijn veel te mager.'

In de stilte die op deze bewering volgde, verscheen Mary. 'En, wil er iemand nog koffie?' vroeg ze terwijl ze haar handen aan haar schort afveegde. 'Eieren? Jij, Frank?'

'Nee… nee, bedankt,' antwoordde Frank. Zenuwachtig streek hij met zijn handen over zijn gespierde armen. Hij oogde te groot voor de kleine stoel, de gezellige eetkamer.

'We noemen hem nu Bolhoed, Mary,' zei Louisa. Ze schoof haar stoel naar achteren en stond op, haar lange benen staken in een smetteloze korte broek, ditmaal een lichtblauwe. Lusteloos strekte ze haar armen boven haar hoofd uit. 'Dus geen Frank. Dat is te verwarrend.'

'Bolhoed, hm?' reageerde Mary terwijl ze de lege schaal van de roereieren van tafel pakte. 'Je hebt helemaal gelijk.'

'En,' begon Miranda achteloos toen zij en Cecily na het ontbijt aan de kleine wastafel op hun kamer hun tanden poetsten, 'vroeg Frank Louisa gisteravond iets wat een beetje… ongemanierd was, Cec? Is dat wat je toevallig opving?'

Cecily's mond zat vol tandpasta. Ze stopte even met poetsen en hield de tandenborstel in haar hand.

'Wa'?' vroeg ze.

'Iets over seks.' Het laatste woord vormde Miranda met haar lippen. 'Iets wat ze niet wilde doen.'

Cecily boog zich over het wastafeltje en spuugde. Toen ze weer overeind kwam was haar gezicht rood.

'Ik heb ze niet afgeluisterd. Echt niet.'

'Dat weet ik wel,' zei Miranda.

'Ik vind de Bolhoed niet erg aardig,' zei Cecily.

'Wat heeft-ie gedaan?'

'Nou…' Cecily sprak op fluistertoon en draaide de kraan open zodat het water ruiste. 'Ik keek naar ze, omdat ik mijn naam hoorde. Ik had de ramen open omdat ik niet kon slapen. Ze zaten op de vloer en hij…' Ze viel stil. 'O, jee.'

'Wat?' vroeg Miranda, die bijna gek van nieuwsgierigheid werd.

'Hij… nou, hij legde zijn hand op haar… boezem.'

'O. Is dat alles?'

'Miranda!'

'Kom op, Cecily. Wat ben je toch een kleuter!' Miranda draaide de kraan dicht. 'Wat deed Louisa?'

'Ze duwde hem weg,' antwoordde Cecily. 'Nogal hard.'

'En wat deed hij toen?'

'Hij vroeg nog wat andere dingen. Ik zeg niet wat.' Ze had inmiddels een knalrood hoofd. 'En hij werd boos. "In godsnaam, Louisa," zei hij. "Doe niet zo frigide."'

'Jeetje,' zei Miranda. 'De Bolhoed is echt net Stewart Granger. Wie zou dat nou hebben gedacht?'

'Hij is níét net Stewart Granger.' Het in twijfel trekken van haar idool wekte haar woede. 'Stewart Granger is lang en knap, en hij is een heer. En Frank is… lang. Meer niet.'

'O, hij is zeker knap. En ik vind hem best wel lief, op een verkrampte manier,' vond Miranda terwijl ze mijmerend uit het raam keek. 'En de broer ook.'

Cecily fronste haar voorhoofd. 'God, zeg,' reageerde Miranda geïrriteerd toen ze zich omdraaide en het gezicht van haar zus zag. 'Word toch eens volwassen, Cecily. Je bent zo'n kleuter. Het leven is niet als op die verdomde kostschool, weet je. Een dezer dagen zul je ontdekken dat het voor een man en een vrouw normaal is dat ze bij elkaar willen zijn.' Ze keek in de door het weer aangetaste spiegel boven het wastafeltje en streek met een vinger behoedzaam over een zijdezachte donkere wenkbrauw. 'Het wordt vandaag weer heet. Snikheet. Ik hoop dat de anderen op het strand niet gruwelijk verbranden.' Ze glimlachte naar Cecily en streek met een hand over haar eigen gladde, koffiebruine huid. 'Heb jij wel eens een jongen gezoend?'

'Ik?' reageerde Cecily verdwaasd. 'Nee.' Ze wendde zich af. 'Hou eens op met zo overdreven te doen over jongens en meisjes, Miranda.'

'Daar draait het hele leven juist om, Cec, lieverd,' zei Miranda. 'Kijk naar mam, die flirt met iedere man die in haar buurt komt. Kijk naar Louisa, die haar kont naar de Bolhoed draait alsof ze een aap in de dierentuin is. Zelfs jij, lieve Cecily. Het zal jou ook op een dag overkomen...'

'Je bent echt erg,' zei Cecily terwijl ze zich langs haar zus drong. 'Ik luister niet meer. Hou op.'

Ze pakte haar zwempak en rafelige handdoek en rende de trap af.

Het pad dat van het huis naar zee voerde was smal en 's winters onbegaanbaar. Elk jaar met Pasen werden de overwoekerende braamstruiken die de hoge hagen dreigden te verstikken teruggesnoeid. Eind juli hadden de bramen zich weer teruggevochten en zich verstrengeld met kleefkruid, wilde rozen en klimop, en hoorde je er de sprinkhanen tjirpen. Cecily liep voorop, gevolgd door Guy en Frank. Louisa en Jeremy zeiden dat ze de mand zouden inpakken.

'Het is pas elf uur, en nu al snikheet,' merkte Cecily op. Ze sprong over een verdwaalde stengel van een braamstruik. 'Het zeewater is vast zalig, lekker warm maar niet té. Een paar jaar geleden gingen we naar Italië,' voegde ze er vrolijk aan toe, 'en de Middellandse Zee leek wel een bad. Zo warm en soepachtig, walgelijk gewoon.'

'Waar in Italië?' vroeg Guy. 'Ik ga er in augustus naartoe, voor een maand.'

'Ik ben dol op Italië, bofkont,' reageerde Cecily. 'Wij gingen toen naar Florence en Siena, en daarna naar de Toscaanse kust. Ik was er niet met vrienden, hoor. Pap gaf er een lezing.'

'Ik snap het,' zei Guy ernstig.

'Maar ik wil een keer terug. Als ik zelf studeer.' Ze vertraagde haar pas iets en draaide zich om naar Guy. 'Ik wil door heel Europa reizen. Ik heb een kaart getekend van waar ik allemaal naartoe wil.' Ze stopte. 'Hier is het pad. Het is een beetje gevaarlijk, dus kijk goed uit.'

De in de rotsen uitgehakte treden waren nog geen meter breed. 'Lieve hemel,' zei Frank terwijl ze naar beneden klauterden. 'Ik word er duizelig van.' Hij keek achterom. 'Redt Louisa het wel met die enorme mand langs dit pad?'

'O, die redt zich prima,' antwoordde Cecily opgewekt. 'Ze loopt hier al sinds ze een peuter was, Bolhoed. Rustig maar.'

Maar Frank liet weten dat hij zou wachten zodat hij de mand samen met Jeremy kon dragen. Cecily en Guy daalden verder af.

'O grote goden nogantoe!' riep Guy uit toen ze beneden waren. Hij wreef zich over het hoofd. 'Is dit allemaal van ons? Zeker weten?' Cecily rende over het zand. 'Eigenlijk is het niet ons eigen strand, maar wie komt hier verder nog? Niemand!' Ze grijnsde naar hem terwijl ze haar haren uit haar gezicht hield. 'Is het niet fantastisch?'

'Het is geweldig,' was Guys reactie. Hij zette zijn rugzak neer. 'Alles hier is geweldig.' Hij glimlachte naar haar. 'Ik snap niet dat je het kunt verdragen om weer naar school te moeten als je op een plek als deze woont.' Zijn blik dwaalde terug naar de velden. 'En je ouders zijn ook geweldige mensen. Zo interessant, zo ontspannen.'

Haar glimlach verstarde een beetje. 'Het zal wel. En de jouwe?' vroeg ze.

'Ach, je weet wel.' Hij liet zich zakken op een van de grote zwarte keien. 'Ze neigen meer naar de Bolhoed dan... dan jouw ouders. Heel correct. Denken dat Weybridge het middelpunt van de wereld is. Heel aardig, tamelijk streng.' Hij grimaste een beetje hulpeloos. 'We zijn het niet altijd eens over dingen, laat ik het zo zeggen. Ze kijken zeker niet naar TW3. En een onderwerp als het Profumoschandaal...' Hij lachte. 'Mijn hemel, als ze een dochter als jij hadden en ze wist een paar van de dingen die jij weet, zouden ze denk ik een hartaanval krijgen.'

Cecily was bezig wat stenen op te rapen, maar bij deze laatste woorden kwam ze overeind en ze keek hem aan. 'Hoezo?' vroeg ze eenvoudig. 'Wat is er mis met een dochter als ik?'

'Niets,' antwoordde Guy hoofdschuddend. 'Helemaal niets. Je bent alleen anders dan de meeste meisjes. Jij denkt voor jezelf, niet voor anderen. Tof. Tenminste, dat vind ik.'

'Dat klinkt niet erg charmant,' meende Cecily terwijl ze haar arm krabde. 'Meisjes horen niet graag dat ze een beetje vreemd zijn, Guy. Ik mag hopen dat je dat niet zegt tegen die meisjes in Oxford. Geen wonder dat je broer je deze vakantie op sleeptouw moest nemen, als je altijd zo tegen je gastheren praat.'

Guy schoot hard in de lach. 'Kom hier, gemeen kind!' riep hij terwijl hij overeind sprong en op haar af vloog. Hij greep haar beet en begon haar te kietelen, waarbij hij haar armen boven haar hoofd hield.

'Hou op!' riep ze buiten adem, maar hij ging door. 'Hou op, Guy, hou op!' Plotseling sloeg haar stemming om, alsof ze het niet meer leuk vond. 'Blijf van me af.'

Ze sprong overeind.

'Het spijt me,' zei Guy terwijl hij hijgend overeind kwam. 'Cecily, het spijt me, ik wilde niet...'

'Laat maar,' onderbrak ze hem, en ze wendde zich van hem af, naar de zee.

Louisa verscheen onder aan het pad. 'Hé!' riep ze terwijl Jeremy en Frank achter haar opdoken. Ze manoeuvreerde behoedzaam met de mand. De drie werden gevolgd door Archie, die een zonnebril met schildpadmontuur op had. Louisa wierp een tamelijk afkeurende blik naar Cecily en Guy. 'Jullie twee maken een hoop kabaal, zeg.'

Cecily wendde zich af en beet op haar lip terwijl Frank de mand ver boven zijn hoofd tilde en deze de laatste paar treden naar het strand droeg. 'Pff,' zuchtte hij terwijl hij de mand in het zand zette. 'Dat pad is behoorlijk griezelig, hoor.'

'Dank je, Frank,' zei Louisa terwijl ze even naar hem keek. 'Oké, wat zit hier allemaal in?' Ze knielde neer op de grond en terwijl ze de mand openmaakte, trok hij voorzichtig haar hoofd naar zijn schoot. Haar vingers morrelden aan de leren riempjes terwijl Frank, neerkijkend op haar vlasblonde hoofd, zachtjes door haar haren streelde. 'Eh,' stamelde Louisa. 'Nou...'

'Is er ook iets anders dan ham voor de lunch?' klonk een stem achter haar, en daar stapte Miranda in een badpak met blauwe en witte verticale strepen, die elke ronding van haar lichaam sterker deden uitkomen, het strand op. Ze wuifde halfhartig naar Archie. 'Ik vind het nu eenmaal niet echt lekker, vooral niet zoals Mary hem rookt. Het smaakt vreselijk naar zeep.'

'Ja,' antwoordde Louisa onverstoord. 'Er zijn tomaten, met wat sla en mosterd.'

'O,' reageerde Miranda, wier gelaatsuitdrukking door de grote zwarte bril niet te zien was. Ze haalde haar schouders op. 'Nou, dat is prima. Ik zal de tomaten eruit pikken.'

Louisa opende haar mond, maar Jeremy zei haastig: 'Ontzettend bedankt, Louisa, het ziet er allemaal fantastisch uit. Heeft iemand zin in een spelletje slagbal voor de lunch?'

'Spelletjes?' vroeg Miranda verbaasd. Voorzichtig spreidde ze haar handdoek uit op het zand. 'O nee, dank je. Ik ga zonnen. En in mijn *Private Eye* lezen.' Ze vlijde zich neer, en steunend op haar ellebogen en met een klein pruilmondje trok ze een tijdschrift uit een linnen tas. Cecily wilde iets zeggen, maar sloot haar mond meteen weer. Louisa haalde hoorbaar haar neus op. 'Leuk zeg,' zei ze. 'Geef me vooral een seintje als je uitleg nodig hebt. Of vraag het anders liever aan Guy.'

Frank schraapte zijn keel. 'Louisa,' opperde hij verzoenend, 'waarom gaan wij niet even een wandelingetje maken over het pad? We kunnen straks ook nog slagballen.'

'Ja, graag,' zei Louisa. Ze keek op en glimlachte. 'Lijkt me leuk.' Ze nam zijn hand. 'Kom, dan gaan we.'

Ze verdwenen via de uitgehakte treden. Miranda keek om zich heen. 'O, is Louisa gaan spelen met Frank?' vroeg ze even later. 'Ik hoopte eigenlijk dat ze iets voor me zou inschenken. Het is hem vergeven. Ik pak het zelf wel.'

'Miranda,' siste Archie. 'Hou daarmee op.' Hij draaide zich om naar de anderen en wiegde wat heen en weer. 'We kunnen toch ook met z'n vieren spelen? Beetje improviseren?'

'Natuurlijk,' was Guys antwoord. Hij keek langs het pad omhoog en vervolgens weer naar Miranda. 'Doe je echt niet mee, Miranda?'

'O.' Ze voelde zich voor het blok gezet. 'Eh... nee, dank je, lieve Guy. Later misschien? Ik wil zo graag mijn *Private Eye* lezen.'

'Ik heb met Miranda te doen,' zei Cecily toen ze met hun viertjes naar een wat vlakker stuk van het strand liepen. 'Vreselijk toch, als je iets wilt zijn wat je gewoon niet bent.'

'Hou je kop, Cecily,' reageerde Archie automatisch. 'Je weet niet waar je het over hebt.' Hij draaide het cricketbat rond in zijn hand. 'Leighton, Jeremy, wat vind je ervan, zullen we anders gaan cricketen? Ik wil heel graag mijn nieuwe bowlingtechniek uitproberen. Wes Hall kan zich gaan schamen.'

'Goed idee,' zei Jeremy, wiens lijvige gestalte beter geschikt was voor rugby dan voor cricket. 'Cecily, wil jij batten?'

'Ja, graag,' zei Cecily. 'Juf Moore zei afgelopen schooljaar dat ik een geweldige batsvrouw was. Ik heb blijkbaar echt vorderingen gemaakt. Misschien kom ik ooit nog eens uit voor Engeland.'

De drie mannen zwegen. Ze keek naar hen en glimlachte een beetje.

'O, sorry hoor, helemaal vergeten, ik ben een meisje. Wat dom van me.'

'Juist,' zei Archie, en hij gaf haar zijn bat. 'Laat maar eens zien wat je kunt.'

Er volgde een nogal hilarisch spelletje cricket, waarbij Cecily op een piepkleine pitch liet zien dat ze eigenlijk best een getalenteerde batsman was. De tennisbal belandde zo vaak in zee dat het spel een extra draai kreeg, maar dat ontmoedigde Cecily niet in het minst.

'Mijn hand-oogcoördinatie is voortreffelijk,' merkte Cecily onbescheiden op toen Guy haar feliciteerde. Ze glimlachte naar hem. 'Dat is me vaak verteld, hoor. Ik ben uitzonderlijk.'

'Dat zie ik, ja,' zei Guy, en hij keek op naar Louisa en Frank, die terugkeerden van hun wandeling. 'Hallo daar.'

'Waar zijn jullie geweest?' vroeg Archie terwijl Louisa de mand opende.

'O, gewoon een stukje omhoog langs de rotsen,' antwoordde ze. 'Op het strand achter ons stikt het van de toeristen.' Ze diepte een groot, in vetvrij papier gewikkeld pakket op. 'Te gek toch, een strandpicknick?' Ze slaakte een diepe tevreden zucht. 'O, wat fijn als alles fijn is. Hier zijn de sandwiches,' zei ze, plotseling weer helemaal de praktische Louisa. 'Frank, wil jij ze uitdelen?'

'Natuurlijk.'

'We hebben behoorlijk snel gelopen,' ging ze verder. 'Het is mooi nu, er staat een flinke bries als je boven op het pad bent. Ik zag een prachtige bloem, heel bijzonder. Wat dachten we ook alweer dat het was, Frank?'

'Jij dacht dat het misschien een ooievaarsbek was,' antwoordde hij.

'Wauw,' zei Miranda, die behoedzaam de stapel sandwiches inspecteerde die Frank haar voorhield. 'Boeiend. Wat een lol.'

Na de lunch staken Jeremy, Frank en Louisa een sigaret op en namen er hun gemak van. Zo nu en dan daalde er een lichte nevel van waterdruppeltjes vanuit zee over hen neer, maar verder was alles rustig.

'Ik wil om te stikken zo heet worden en dan in zee duiken,' zei Cecily, en ze sloot haar ogen en rekte zich uit. 'Zodat mijn huid heet aanvoelt.' Ze liet een van haar slanke benen over een gladde, zwarte steen glijden. 'Dat brandt!'

'Geweldig,' zei Frank. 'We zouden zo in Griekenland kunnen zijn. Of in India.'

'Of Frankrijk, daar wordt het ook flink heet,' zei Jeremy.

'Ik wil een keertje naar India,' zei Cecily. 'Om eens te zien waar pap vandaan komt. Alleen heet het nu Pakistan, Lahore.'

'Ik wil ook naar India,' zei Guy. 'Een paar vrienden van me denken dat ze erheen zullen gaan als ze klaar zijn op Oxford.'

De anderen zwegen. 'Het is anders een heel eind,' merkte Louisa ten slotte op.

'Ja, maar we hebben er de rest van ons leven voor,' reageerde Guy luchtig. 'Ik wil nog wel wat meemaken voordat ik me ga settelen. Over tien jaar ben ik een of andere saaie, ouwe man. Dan wil ik terug kunnen kijken en zeggen: "O ja. Dat heb ik gedaan." Voordat ik weer indut voor de haard.'

'Jij zult nooit een of andere saaie, ouwe man worden, Guy,' zei Frank tegen zijn broer. 'Ik wel. Jij niet. Jij zult op de Left Bank in een flat wonen, met een baret op je hoofd en een Gitane in de mond, pratend over de zomer die je doorbracht bij Arvind Kapoor.'

Guy lachte even.

'De Bolhoed heeft gelijk,' zei Louisa. 'Jij zult elke avond in de Moulin Rouge rondhangen, met cancandanseressen en aan de absint...'

'Je meent het, en wanneer is dit?' vroeg Guy geamuseerd. '1890? Is Toulouse Lautrec mijn beste vriend?'

Louisa leek met stomheid geslagen. 'O, weet ik veel,' zei ze.

'Wat zul jij dan zijn over tien jaar?' vroeg Guy haar. 'Niet een van de cancandanseressen, wed ik, Louisa. Jij niet.'

'Och, ik weet 't niet. Wat denk jij?'

Guy zette zijn koffiekop neer en tuurde naar de zee. 'Ik denk dat je dan in New York zit, als baas van de VN.'

'O, Guy! Schei uit!' riep Louisa.

'Hij heeft gelijk,' zei Frank. 'Dat denk ik ook.'

'Ja,' zei Archie. 'Honderden mannen onder je. Dat zou je leuk vinden, Louisa.'

'Hou je kop, Archie, viespeuk,' zei Louisa.

'Ik wilde niet...'

'God, wat ben jij erg, echt.' Verbluft keken Guy en Frank haar aan.

Ze draaide Archie de rug toe en keek Frank in het gezicht. 'Dat denk je toch niet echt, hè?'

Frank staarde nog altijd in verwarring naar Archie, maar keek daarna weg en trok even zijn neus op. 'Ik weet niet, maar ik kan het me wel voorstellen, Louisa. Je bent een ontzettend efficiënt meisje. Erg bijdehand, veel meer dan ik. Je bent een echte streber.'

'Nou, ik weet niet of ik dat wel wil zijn,' zei Louisa schalks. Ze leek een beetje van haar stuk. 'Misschien wil ik wel gewoon thuis zitten. Een paar kinderen krijgen, voor ze zorgen. Een goede echtgenote zijn.'

'Beh!' Achter haar maakte Cecily wat braakgeluiden. 'Asjeblief, Louisa.'

'Weet je, je kunt het ook allebei doen,' meende Guy. Louisa keek hem wezenloos aan.

'En jij?' vroeg ze terwijl ze Frank licht aanstootte. 'Waar denk jij dat je over tien jaar zult staan? Wat zul je dan doen?'

'O. Hm.' Frank keek ongemakkelijk. 'Weet ik niet.' Hij pulkte aan het geborduurde logo op zijn poloshirt. 'Dat klinkt nogal saai, als je het hardop zegt.'

'Zeg het,' moedigde Guy hem zacht aan. 'Het is niet saai, beste jongen, niet als je het echt wilt.'

Frank rekte quasinonchalant zijn armen uit boven zijn hoofd. 'Goed, het stelt eerlijk gezegd weinig voor, hoor. Ik hoop ergens een mooi huis te hebben. Met een kleine oprit, wat heggen.'

'Heggen?' reageerde Cecily bijna ongelovig. 'Nou ja…' Guy gaf haar een por.

'En verder… zou ik een gerenommeerd architect zijn. Bij een goed bedrijf werken. Ik zou dagelijks met de trein naar de stad reizen. Met een paar aardige collega's werken. Ik heb er eigenlijk nooit zoveel over nagedacht. En… nou,' ging hij verder, nu goed op dreef, 'er zou thuis… een gezin op me wachten als ik van mijn werk kwam.'

'Jij bent echt de laatste der grote romantici, Bolhoed,' zei Cecily. 'Waar zou je gezin uit bestaan, een hoop zwervers voor wie je je huis open hebt gezet?'

Hij pakte Louisa's hand.

'Nee,' zei hij terwijl hij even zacht in haar vingers kneep. 'Een eigen gezinnetje. Mijn vrouw en onze kinderen.'

Er viel een stilte nu de anderen dit tot zich lieten doordringen, en Louisa's ogen straalden.

'Als zij van haar werk terug is, natuurlijk,' voegde Frank eraan toe. 'Eh... ze zou uiteraard nog steeds kunnen werken. Wie weet nemen we samen de trein terug,' zei hij, nu echt goed op gang gekomen.

Cecily stond op. 'Ik zal voor jullie bij elkaar passende bolhoedjes kopen voor de bruiloft. Goeie genade, zeg, ik heb me behoorlijk vergist in je, hè?' Lusteloos strekte ze zich uit. 'En jij, Archie?'

'Weet ik veel,' antwoordde deze slechts. Zijn ogen dwaalden rond. 'Daar heb je Miranda.' Hij riep naar zijn zus. 'Ga je zwemmen?'

'Was ik wel van plan, ja. Ik stik. Kom je ook?'

'Zeker,' antwoordde Archie. 'Miranda is een fantastisch zwemster.'

'Echt waanzinnig, ja,' zei Cecily tegen Guy. 'Op school kan ze van de duikplank een salto in de lucht maken. Ze zwemt als een vis. Het is...' Ze hield op nu Miranda voor hen stond.

'Hebben jullie het over mij?' vroeg ze argwanend.

'Ja,' antwoordde Cecily. 'We zeiden alleen maar dat je zo goed kunt zwemmen.'

'Niet liegen.'

'Echt waar! Of niet soms?' vroeg ze terwijl ze zich naar Guy toe draaide.

'En jij, Miranda?' vroeg Guy. 'Waar denk jij dat je over tien jaar zult staan? Wat zul je dan doen?'

De vragen leken Miranda te verrassen.

'Ik ga de VN runnen,' zei Louisa. 'Guy gaat op de Left Bank wonen en een baret dragen. Frank neemt een bolhoed en pendelt elke dag op en neer naar de City, en Jeremy, over jou hebben we het nog niet gehad, of over jou, Cec.'

'O, ik ben een saaie pief,' zei Jeremy. 'Ik word dokter. Dat weet ik nu al.'

'Dat is geweldig.' Cecily keek hem vol bewondering aan.

'En jij, Archie?' vroeg Miranda vlug aan haar broer.

'Ik weet het niet,' antwoordde hij onbeholpen. 'Ik zou graag in een hotel wonen. Je weet wel, Monte Carlo of zo. In een snelle auto rijden, een beetje leven in de brouwerij.' Hij sloeg zijn armen over elkaar. 'Maar ik zou wél een geslaagd man zijn. Mijn eigen zaak hebben, auto's verkopen of zoiets. Studeren is tijdverspilling.'

161

'Maar je gaat toch naar Oxford, dacht ik?' vroeg Cecily.

'Nee hoor.' Archie haalde zijn schouders op. 'Ik zie er het nut niet van in. Er ligt een hele wereld aan mijn voeten, vol lol en avontuur. Ik ben niet van plan om drie jaar te verpieteren in een of ander oud gebouw en iets te studeren wat niemand verder nog interesseert.'

'Maar...' Cecily's mond viel open. 'Wist jij dat, Miranda?'

'Hij mag doen wat hij wil, hoor,' reageerde Miranda.

'Maar heb je dat tegen pap en mam gezegd?'

'Ik zie wel als het zover is,' zei Archie terwijl hij zich naar de zon draaide en zijn ogen dichtdeed.

'Dus dat is je plan,' knikte Cecily. Ze keek van haar broer naar haar zus. 'Goed, Nou ja, het gaat mij ook niet aan.'

'En jij, Miranda?' zei Louisa, die deze woordenwisseling negeerde.

Miranda trok haar ranke schouders op. 'Ik heb er nooit echt over nagedacht,' zei ze terwijl ze het rubberen bandje van haar duikbril op haar hoofd bijstelde.

'Je weet nog niet wat je wilt gaan doen?' vroeg Louisa.

Miranda draaide zich naar haar toe. 'Ach, hou toch je kop, Louisa,' klonk het fel. 'Alleen maar omdat jij zo volmaakt bent en precies weet hoe je stomme vervelende leventje verloopt. Laat mij erbuiten, ja? Ik weet 't niet, zeg ik toch? Ik ben nergens goed in, en dat maakt het nogal lastig.'

'Je bent toch wel érgens goed in,' zei Guy niet onvriendelijk.

'Nou, niet dus,' zei Miranda op vlakke toon. 'Ik ben lelijk, ik ben te mager, te behaard en te dom om naar de universiteit te gaan. De enige dingen die ik leuk vind zijn kleren kopen, zonnebaden en zwemmen, en volgens mij kun je daar nog steeds niet je werk van maken. Ik ben de sukkel van de familie, en ik weet dat jullie me allemaal verachten. Dus... dus... flikker gewoon op.'

De laatste drie woorden spuugde ze bijna uit, waarna ze kwaad naar de zee beende. Archie rende achter haar aan.

'Arme meid,' zei Frank, haar nakijkend terwijl ze zich in het blauwgroene zeewater liet zakken.

'O, die redt zich wel,' zei Cecily met het ongeduld van een zus. 'Ze wil gewoon naar de etiquetteschool, leren hoe je netjes uit een auto stapt, en ze is kwaad op pap en mam omdat ze niet mag.'

'Hoe stap je netjes uit een auto?' vroeg Guy opeens nieuwsgierig.

'Geen idee, maar kennelijk doen we dat nu nog allemaal verkeerd,' zei Cecily. 'Zij zal het wel leren en dan aan ons laten zien, en daarna kan ze een rijke man trouwen en de hele dag in Harrods doorbrengen om alle jurken te kopen die ze maar wil. Ik denk dat ze daar gelukkig van kan worden.' Maar ze klonk niet zeker.

Jeremy knikte. Louisa zweeg. Het groepje viel even stil en keek naar de tweeling, die op en neer deinde in de golfslag van het heldere water.

'En jij?' vroeg Guy aan Cecily. 'Wat zul jij over tien jaar doen?'

'Bedankt dat je het eindelijk vraagt, Guy.' Delicaat stak ze een voet iets voor zich uit. 'Werken aan het script van de verfilming van mijn bestseller over Maria I van Schotland,' zei ze. 'Wonen in Hollywood met Stewart Granger. Mijn tweede zilverkleurige Rolls-Royce kopen omdat de eerste helemaal op zal zijn van de ritjes naar filmpremières en feestjes. En zoveel roomsoesjes eten als ik maar wil.' Ze kwam overeind. 'Oké?'

'Ja,' reageerde Guy overdonderd. 'Je hebt het goed op een rijtje, nietwaar?'

'O, absoluut,' zei ze zakelijk. 'Maar daarvoor zal ik tijd hebben om met jou naar India te gaan, als je wilt. Kom, laten we gaan zwemmen.'

16

Die avond ontstond er een feeststemming aan tafel. Misschien was het vanwege de zon, maar toen iedereen zich op het terras verzamelde, bleek er iets in de lucht te hangen. Deze vakantie was écht, het was geen grap. Ze konden ervan genieten.

Ja, ze waren allemaal in vorm, die avond. Louisa, à la Grace Kelly, in een blauwe Griekse jurk terwijl ze stiekem Franks hand betastte; Frank was met zijn jasje, overhemd en lange broek een stuk overtuigender gekleed voor het avondeten dan in zijn shorts, terwijl hij Louisa's glimlachjes braaf beantwoordde. Miranda, die als laatste beneden verscheen, leek ten slotte weer een andere van haar recente aankopen te showen, ditmaal een geplooid zwart met wit hemdjurkje, met aan de achterkant een gestrikte sjerp, en met een zwartzijden Alice-haarband in het achterovergekamde haar.

Haar moeder staarde haar aan, Frank en Guy slikten even en Cecily floot zacht.

'Wauw, jij ziet er tof uit, Miranda,' complimenteerde Jeremy haar. Bewonderend gaapte hij haar aan. 'Je lijkt wel een filmster, vind je niet, Franty?'

Frances knikte. 'Absoluut. Als een zwaan, schat.'

Ook Guy floot even. 'Maar juffrouw Kapoor, *you look ravishing*,' sprak hij met een verschrikkelijk Amerikaans accent.

'*Thank you so very much, darling*,' reageerde ze met een zwoel filmsterstemmetje. Maar haar stem klonk alsof ze nerveus was. 'Zo allerliefst van je.' Ze aanvaardde een drankje van Jeremy. 'Je ziet er prachtig uit vanavond, Louisa,' zei ze hardop.

Louisa, zichtbaar geraakt, keek nog steeds verbijsterd. 'O, Miranda... Dank je.'

'Niemand die mij heeft gecomplimenteerd met hoe ik eruitzie,' zei Arvind, die aan de rand van het terras in een stoel zat en van de ondergaande zon genoot. 'Niks geen: "Wat zie je er vandaag leuk uit, Arvind."'

'Papa, je ziet er echt oogverblindend uit,' zei Miranda, die nu iedereen met complimentjes wilde overladen. 'En mam, jij ook.'

'Oprecht bedankt, Miranda,' reageerde Frances droogjes. 'Ik ben nog niet rijp voor de rolstoel en het bejaardenhuis, hoor.'

'Moeder,' vervolgde Miranda vleierig, 'zou je mij een heel groot plezier willen doen?'

'Eh, wat dan?'

'Mogen we de Beatles opzetten? Alsjeblieft? Jullie pick-up is echt veel beter dan die van boven.'

Louisa klapte vurig in haar handen. 'O, tante Frances, toe! Ik denk dat u het echt heel leuk vindt.' Tot dusver was dit zo'n beetje het enige wat Miranda en Louisa met elkaar bleken te delen.

'Ik ken ze anders heel goed, hoor,' zei Frances droogjes. 'Ik heb die vreselijke muziek de afgelopen week wel tien keer per dag de trap af horen waaien. En ook met Pasen. Ik kan het niet meer aanhoren.'

'Alsjeblieft,' smeekte Miranda en ze nam nog een slokje van haar gin-tonic. 'Ga er eens voor zitten. Toe. *Please, Please Me!*' Frances lachte en ze ontdooide.

'Goed dan.'

En dus werd het avondeten genuttigd met op de achtergrond flarden van 'Please Please Me' op de oude grammofoon in de zitkamer. Louisa zong zachtjes mee met 'Love Me Do', in Franks richting, en zelfs Cecily (die John Lennon stiekem toch wel heel erg tof vond) zong mee met 'Twist and Shout'. 'Omdat ze dit niet zelf hebben geschreven,' legde ze uit toen Miranda haar koeltjes aankeek en vroeg waarom ze toch meezong als ze de Beatles zo haatte?

Arvind en Frances waren ruimdenkende ouders, en dus mocht er wijn op tafel komen, hoewel Cecily maar één glaasje kreeg. Misschien was het de wijn, de hitte die van hun zonverbrande huid straalde, de laatzomerse geur van lavendel, zee en zonnebrand, die maakten dat de fles sneller leeg raakte dan anders.

'Nog een fles?' vroeg Mary toen ze verscheen met de pêche melba.

'O…' Frances, die de hele dag in haar atelier had gewerkt, was moe en behoorlijk lusteloos. Ze wuifde even. 'Ja, doe er nog maar een paar, graag. Mijn glas is leeg.' Ze keek de tafel rond. 'Ik voel me echt oud,' zei ze tegen niemand in het bijzonder.

Buiten was het nog altijd behoorlijk zwoel en stil. Na het eten ging Frances naar bed. Ze had hoofdpijn, zei ze. Arvind volgde. De jongere generatie zocht het terras op en bleef daar nog een tijdje hangen, te moe om zich veel te bewegen en zonder veel te zeggen. Frank en Louisa stonden wat afzijdig bij elkaar, hij met een arm om haar middel en in zijn andere hand een glas wijn. Hij was behoorlijk aangeschoten.

'Volgende week om deze tijd zijn je ouders hier ook,' doorbrak Cecily de stilte. Ze streek met een hand over haar voorhoofd naar de sjaal waarmee ze haar haar bijeen had gebonden, en stond op. 'Ik ga naar bed,' zei ze alsof het tot haar doordrong dat ze niet in de juiste stemming was om de feestsfeer luister bij te zetten. 'Welterusten iedereen.'

Met haar vertrek leek de betovering te zijn verbroken en de stemming zakte in.

'Ik ben eigenlijk best moe,' zei Louisa terwijl ze Franks arm, die steeds verder naar haar borst kroop, terugduwde. Hij dronk zijn glas leeg en ze maakte zich van hem los. 'Het komt vast door al die zon.'

'Nou, ik ga naar boven,' zei Jeremy. 'Ik neem de glazen wel mee naar binnen.'

'Ik help je wel,' bood Louisa aan. Ze draaide zich om naar Frank en kuste hem op de wang. 'Trusten, Frank. Ik zie je – morgen.'

'O.' Hij knipperde met zijn ogen. 'Ja, tot morgen. Je... gaat slapen?'

'Ja,' antwoordde ze.

Franks mondhoeken zakten. 'O, oké dan. Ik denk dat ik dan ook maar snel mijn bed opzoek. Trusten, Louisa.'

Terwijl de anderen een voor een naar binnen gingen en hem welterusten wensten, bleef hij achter. Hij stond wat onvast op zijn benen en na een minuutje keek hij om zich heen, alsof hij nu pas in de gaten had dat het feestje afgelopen was. Mijmerend staarde hij naar de duisternis.

Iemand verscheen om de hoek en hij schrok even.

'Mevrouw Ka... Frances, hallo,' groette Frank haar met grote ogen. 'Ik dacht dat u naar bed was.'

Ze leunde tegen de houten tafel en haar ogen fonkelden. 'Ik genoot net even van een sigaret bij het tuinhuisje. Het is zo'n mooie avond. Ik vond het zonde om nu al naar binnen te gaan.'

Ze sloeg haar ranke blote armen in een omhelzing om haar in zwarte zijde gehulde lichaam. Frank staarde haar aan.

'Heb je een sigaretje voor me, Frank?' vroeg ze en stak haar hand uit.

Beneveld door de wijn maar betoverd door haar verschijning gaf hij zijn gastvrouw een sigaret. Ze stak hem in haar mond en ze keek toe terwijl hij haar vuur gaf.

'Geen zorgen,' klonk het geamuseerd, 'ik bijt je niet.'

'We hebben zo'n toffe vakantie, Frances,' vertelde hij haar.

'Dat doet me deugd,' reageerde ze met een glimlach in het donker. 'Ik hoop dat er nog meer leuks in het verschiet ligt.' Ze rolde haar hoofd naar links en naar rechts en hoorde haar wervels lichtjes kraken. 'Au.'

'Gaat het?' vroeg Frank.

'Het is niets... Het is alleen een lange dag geweest,' antwoordde ze. 'Ik heb een stijve rug. Ja, jullie boffen maar. Jullie zijn nog jong. Jullie slapen goed, eten goed, hebben plezier... En dan word je echt volwassen, en is het opeens heel anders.'

Het leek nu tot Frank, die ondertussen zijn glas scheef hield, door te dringen dat hij ietsjes te dronken was voor dit gesprek. 'Wat vervelend.'

'Kun jij niets aan doen.' Ze beet op haar lip, liet zich op de terrastegels zakken en viel even stil. 'Maar dat is voor een andere keer. Ik wil de gouden dromen van de jeugd niet doorprikken.' Ze haalde diep adem. 'Ah, toen ik nog jong was kwamen we al naar deze streek om te picknicken, te zwemmen. Pamela, ik, onze vriendinnen. Dan keek ik naar dit huis, hier op de heuvel, en dan mijmerde ik erover.' Ze trok haar benen op zodat haar kin nu op haar knieën rustte. 'Ik wilde hier altijd al wonen. En nu woon ik er.'

'Nou, dat is toch geweldig?' Zwaar plofte hij naast haar neer.

'Ja,' antwoordde ze zacht. 'Ja. Ik heb ontzettend geboft. Dat moet ik goed in mijn oren knopen. Het is alleen dat ik soms wel eens wens dat ik ergens anders was... overal behalve hier.'

Hij zweeg, net als zij. Boven werd stilletjes een raam geopend, maar verder was het doodstil in het huis.

17

Meer dan een week ging voorbij, maar het had net zo goed een jaar kunnen zijn: de tijd leek stil te staan en iedereen in een cocon te hullen. De dagen werden gevuld met warm weer, frisse duiken in het koude zeewater, luieren, lezen, naar muziek luisteren. 's Avonds sloegen ze elkaar gade op het terras of tijdens het avondeten, volgden elkaar belangstellend naarmate ze bruiner werden van de zon, ze zich meer op hun gemak voelden, elkaar beter leerden kennen, ten goede en ten slechte. Het was alsof het altijd zo was geweest, een soort intensere werkelijkheid waarbij alles meer opwindend was, kleuren scherper en mensen mooier waren, en het leven voor het grijpen lag. Maar natuurlijk was dat niet echt zo. Misschien kwam het door de zomerwind, die vanaf zee het huis in dreef en hen meevoerde. Maar niemand die er niet door werd beïnvloed.

Ze verlieten Summercove ook wel eens. Frank regelde kaartjes voor het Minack-theater en ze zagen *Julius Caesar*: zittend in de verkoelende avondbries in het theater aan de rand van de zee. Ze aten vruchtentaartjes in Marazion, en Cecily en Guy wandelden over het glinsterende, zilverachtige voetpad naar St. Michael's Mount.

Een aantal van hen ging surfen bij Sennen Cove; een ochtend bleven de anderen achter terwijl Guy, Louisa en Cecily met Frances naar St. Ives gingen om met haar galeriehouder te praten over de expositie in Londen. Bij hun vertrek maakte Frances een misstap en stapte boven op Franks voet terwijl hij net Louisa gedag kuste; met haar naaldhak doorboorde ze zijn voet en ze zag tot haar afgrijzen dat hij creperend van de pijn naar de grond zakte. Om het goed te maken kochten ze in St. Ives lichtroze zuurstokken, maar het zoete goedje zat al vastgeplakt aan de gestreepte papieren zakken voordat Frank die middag ondersteund door Miranda en Jeremy al hinkend van het strand terugkeerde. Op een avond gingen ze Penzance in om in het Savoy *Doctor in Distress* te zien. Guy nam foto's met zijn oude boxcamera, de Kodak Brownie: Cecily op het strand, staand op een rots, waarbij haar bobkapsel als een glanzende bruine halo om haar hoofd waaide; spelletjes cricket, waarbij de bal in zee vloog; Frances bij haar schildersezel (nadat hij natuurlijk eerst toestemming had gevraagd); Frank (inmiddels hersteld, met nog slechts een lelijk rood stigma op zijn voet) als een sluimerende blonde god snurkend op het gazon, het pad naar zee verblindend wit in de middagzon.

Vanaf de buitenkant bezien was het alsof ze in een zorgeloze en paradijselijke vakantiebel vertoefden. Ook leken de Leightons zich goed aan te passen aan het huishouden, hoewel de zomer natuurlijk juist vanwege hun status van buitenstaander zinderde van opwinding, van plezier, wat hun – hun allemaal – het gevoel gaf dat ze naar zichzelf op het witte doek keken, dat het onwerkelijk was.

Hoe langer hun verblijf, hoe warmer het werd, zowel 's nachts als overdag. Frank was het gelukkigst als hij buiten was; sporten met Jeremy en Archie, flirten met Miranda en Frances, en ook probeerde hij – zonder succes, zo leek het – zijn vriendin te verleiden. Zijn dwalende handen werden min of meer een kenmerk, waarbij zijn vingers over Louisa's volslanke, bekoorlijke figuur kropen, en tot zijn grote teleurstelling al snel bruusk werden weggeduwd. Guy daarentegen leek gewoon met iedereen goed te kunnen opschieten. Op Miranda na.

'Hij is zo verdomd zelfingenomen,' zei ze op een vrijdag, een week nadat de Leightons waren gearriveerd, tegen Cecily.

Cecily was net weer beneden, klaar met een poseersessie voor haar moeder. Ze verkeerde in een rotbui want ze had er een hekel aan om zo lang stil te moeten zitten. In de koelte van de woonkamer hing ze onderuitgezakt in een van de versleten damasten leunstoelen, bladerend door een recent nummer van Country Life. 'Hier, moet je die meid zien,' zei ze terwijl ze met de rug van haar hand geërgerd tegen het blad sloeg. '"Lady Melissa Bligh". Waarom staan er altijd foto's in van saaie Engelse meiden met een slecht gebit?' Ze staarde begerig naar de zwarte kanten jurk van Lady Melissa en haar ranke zwanenhals. 'Afijn, Guy is in elk geval niet zelfingenomen,' voegde ze er even later aan toe.

'O jawel,' vond Miranda, die ook door een tijdschrift bladerde. 'Hij denkt dat hij alles weet. Wat goed is en wat fout is. Als je het mij vraagt is hij juist heel erg zelfingenomen.' Ze keek door de openslaande deuren naar het gazon, waar Guy, Frank en Jeremy aan het cricketen waren om hun bowlingtechniek te oefenen. 'De manier waarop hij doet alsof hij ons allemaal zo goed kent, dat staat me helemaal niet aan.'

'Dat vind ik nou juist leuk aan hem,' zei Cecily. 'Ik heb het gevoel alsof ik hem al jaren ken.'

Miranda rolde met haar ogen. 'Dat zeg je alleen maar omdat ik het tegenovergestelde zeg. Natuurlijk.'

'Nee, echt, ik meen het,' protesteerde Cecily. Opgelaten keek ze haar zus aan. 'Toe. Laten we nu niet weer ruzie maken,' klonk het smekend. 'Gisteravond was echt vreselijk. Ik heb sorry gezegd. Dat weet je best.'

'Goed dan,' reageerde Miranda dwars. Ze raakte de gloeiende, felrode schram op haar wang aan, en haar zusje ook; ze leken wel heel erg op elkaar. 'Het gaat nu goed tussen ons. Laten we het in hemelsnaam zo houden.'

Er viel een stilte. Het tijdschrift gleed van Cecily's schoot op de vloer; ze negeerde het. 'Nou, ik mag Frank niet,' zei ze na een poosje. 'Ik kan er niks aan doen.'

'Waarom ga je ook niet even cricketen buiten, Cecily?' opperde Miranda ijzig. 'Kun je voor de lunch wat van die energie verbranden. Kleine meisjes moeten zich wel gedragen, hoor, als ze met de volwassen willen mee-eten.'

'Nou, ik ga even cricketen,' zei Cecily, alsof haar zus dat zo-even niet had gezegd. Ze schoot door de openslaande deuren naar buiten. 'Hoi! Mag ik meedoen?'

'Natuurlijk,' antwoordde Jeremy, en hij glimlachte lief naar zijn nichtje terwijl ze op hen af rende. 'Wil je veldspeler zijn?'

'O,' reageerde ze. 'Eh ja, waarom niet?'

'Cec,' zei Guy, en hij reikte haar zijn slaghout aan, 'ik stond net op het punt om alvast mijn handen te gaan wassen voor de lunch, neem jij het van me over?'

Op dat moment klonk vanaf de bovenverdieping in huis opeens een gil. 'O! O, mijn god!' Gevolgd door een gedempte dreun. 'Laat me met rust, vieze, gore smeerlap die je bent!'

'Wat is dat?' Geschrokken keek Frank omhoog. 'Dat is Louisa. Louisa? Alles goed?'

Er kwam geen antwoord. Frank stoof naar het huis. 'Louisa? Hallo? Zeg 's, wat is er gebeurd?'

Jeremy volgde hem. 'Louisa?' riep hij terwijl hij een sprintje trok. 'Hé!'

'Archie weer,' mompelde Cecily zacht tegen Guy, die omhoogkeek naar het huis.

'Hoezo Archie weer?' vroeg deze vlug.

'Hij is een gluurder,' klonk het vlak. 'Kom, laten we gaan kijken of haar niets mankeert.'

Maar toen ze boven aan de trap kwamen bleek het Archie te zijn die hulp nodig had. Door de open deur was Frank te zien terwijl hij zijn armen om de huilende Louisa heen had geslagen om haar te troosten. En op de overloop wiegde Archie heen en weer. Bloed drupte uit zijn neus op het groene tapijt, waar nu donkere vlekken op verschenen. Zijn normaal zo verzorgde haar zat in de war, waarbij de spuuglok nu los voor zijn voorhoofd danste, en ook op zijn prachtige, witte shirt met korte mouwen zat bloed.

'Wat is hier gebeurd?' vroeg Guy. Hij boog voorover. 'O, hemel. We hebben Jeremy nodig, waar is hij? Ik denk dat je je neus hebt gebroken.'

Met grote geschrokken ogen staarde Cecily naar haar broer, waarna ze de trap weer af rende om Jeremy te halen.

'Ze heeft me geslagen,' zei Archie. 'Dat imbeciele kreng.' Hij wierp Louisa een hatelijke blik toe terwijl hij zijn hand tegen zijn neus hield. 'Ik liep net terug van de wc en opeens kwam zij haar kamer uit en sloeg me. Ik heb geen idee waarom. Ze is hysterisch. Ze is gewoon een hysterisch kreng. Kreng!' herhaalde hij, alsof dat het ergste was wat hij kon zeggen. Hij veegde een hand af aan zijn spijkerbroek en liet zo een veeg bloed achter. Hij vloekte opnieuw. Dat was eigenlijk bijna net zo schokkend als om hem zo verfomfaaid te zien. Want bij Archie zat nooit één haartje verkeerd, nooit toonde hij enige emotie anders dan geamuseerde afstandelijkheid of voorzichtige oplettendheid.

Cecily verscheen weer, nu samen met Jeremy, die een bezorgd gezicht trok. Hij bracht een vinger onder Archies kin en bekeek zijn neef, wiens bloed van zijn gezicht op zijn shirt stroomde. 'Lieve hemel,' zei hij. 'Hoe heb je dit voor elkaar gekregen?'

'Dat zal ik je vertellen,' zei Louisa, die zich losmaakte van Frank en een stap naar voren deed. 'Hij bespiedt me, dat zei ik je toch, Jeremy! Ik stapte net uit mijn badpak om me om te kleden toen ik weer een geluid hoorde, en ik keek naar de deur. Onderaan zit een kier, waar je schaduwen kunt zien bewegen. Dus ik deed net alsof ik naar het dressoir liep om mijn borstel te pakken.' Ze slikte. 'En toen trok ik de deur open en – ik stootte mijn knie pal in zijn gezicht. Hard.' Ze liep op Archie af. 'Walgelijk, misselijkmakend ventje dat je bent! Viespeuk!' brieste ze. 'Wat mankeert jou? Wat mankeert jullie toch, jou en die rotzus van je? Jullie zijn allebei wálgelijk!'

'Ik heb niks gedaan!' riep Archie, om zich heen kijkend voor steun. Zijn blik rustte op Miranda, die net was verschenen en boven aan de trap alles gadesloeg. 'Miranda, ik heb niks gedaan. Jij weet dat ik zoiets niet zou doen.' Hij keek zijn zus smekend aan.

'Wat deed je daar dan?' vroeg Guy zacht.

Archie zei niets.

'Precies,' was Louisa's triomfantelijke reactie. 'Moet je jezelf nou zien.'

Frank sloeg zijn armen weer om haar heen. 'Arme pop,' zei hij in haar haar. 'Laten we maar wat gaan drinken.' Hij keek naar Cecily. 'Waar zijn je ouders? Je zou denken dat ze wel iets hadden gehoord.'

'Mam is boven nog aan het werk, denk ik, die hoort niet veel als ze in haar atelier zit. En pap... ach, wie zal het zeggen. Hem is waarschijnlijk ook niets opgevallen.' Ze verstrengelde haar vingers, alsof ze zich schaamde voor de onverschilligheid van haar ouders. Ze wendde zich tot Guy. 'Wat doen we nu?'

'Waarom vraag je dat aan hem?' vroeg Miranda smalend. Guy keek Jeremy even aan en trok vragend zijn wenkbrauwen op.

'Ik help je de trap af naar de wc beneden om je gezicht schoon te maken,' zei Jeremy op kalme toon tegen Archie. 'En daarna moeten we maar eens een gesprekje hebben.'

'Ik ga het tegen je ouders zeggen,' zei Louisa. Ze trok er een hatelijk, lelijk gezicht bij. 'Ik ben het helemaal zat. Deze hele vakantie al, jullie twee... is je zus geen loopse teef dan ben jij wel een krolse kater.'

'Wat bedoel je daar nou weer mee?' vroeg Archie.

'Ik bedoel, dit huis is... O god, weet ik veel!' Bijna wanhopig wierp ze haar handen in de lucht. 'Ik haat het hier! Jullie tweeën samen, jij gluurt en bespiedt, en Miranda die 's nachts ik weet niet hoe laat opstaat om god weet wat te gaan doen. Ik heb haar wel gehoord, ik weet wat er aan de hand is...' Ze viel even stil. 'Jullie zouden allebei achter slot en grendel moeten, wat mankeert jullie toch? Is het iets in jullie bloed? Van de ándere tak van de familie, bedoel ik.'

Er viel een akelige stilte.

'Als ik jou was zou ik maar niets meer zeggen, Louisa,' zei Miranda met haar handen op de heupen terwijl ze haar nicht aankeek. 'Dit is niet jouw huis, maar het onze. Je mag van geluk spreken dat je hier mag zijn.'

'Sla niet zo'n toon tegen me aan.'

'Ik praat tegen je zoals ik dat wil.' Miranda trilde en haar stem klonk laag en was vol venijn. 'Hier zul je spijt van krijgen, Louisa. Ik waarschuw je. Zit... zit mij niet dwars.'

Er viel een stilte. Iedereen stond als aan de grond genageld en staarde elkaar aan, alsof ze elkaar voor het eerst zagen.

Louisa verbrak de betovering.

'Ik heb hier genoeg van,' zei ze met trillende stem, en ze liep, met Frank aan haar hand, terug haar slaapkamer in. 'Van alles.' Ze sloot de deur achter zich en liet de anderen daarmee op de overloop achter: Archie, die nog steeds bloedde, Miranda, die bijna verbaasd naar de dichte deur staarde, en de andere drie, onzeker wat ze nu moesten doen.

De sfeer was geladen, alsof de opgebouwde spanning eindelijk een uitweg had gevonden.

'Kom,' zei Jeremy opgelaten terwijl hij Archie nog een tissue gaf, en de vreemde stoet daalde de trap af. 'Volgens mij moeten we op zoek naar...'

'Hallo?' riep een dunne, tamelijk verongelijkte stem vanuit de zitkamer, en toen ze onder aan de trap kwamen, dook er plots iemand op in de hal. 'Hallo? Is daar iemand?'

'O mijn god,' fluisterde Jeremy.

'Jeremy? Ben jij dat? Lieve hemel, wat is hier in vredesnaam gebeurd?'

'Moeder?' vroeg Jeremy toen hij in de hal verscheen. 'We hadden u niet voor de thee verwacht!' Met een glimlach op zijn gezicht beende hij naar voren.

Pamela James, de zus van Frances, stond in de hal, met een paar onberispelijk witte handschoenen in de hand. Ze bood haar zoon haar wang aan. 'We zijn eerder vertrokken, om de ergste drukte op de weg voor te zijn. Hallo, lieverd,' begroette ze hem. 'Papa zet net de auto weg. Waar is Frances? Naar Arvind vragen heeft zeker geen zin, hè?'

Ze leek een personage uit een andere wereld, gestoken in een fuchsiarood tweed mantelpakje en praktische, zwartleren pumps, en met haar handtas aan haar arm. Met haar kalme, nogal afwezige blik nam ze Cecily, Guy en ook Archie op, die een zakdoek tegen zijn neus hield. 'Nogmaals: kan iemand uitleggen wat hier gebeurd is?'

Jeremy nam het heft in handen. 'Archie is tegen een deur opgelopen,' zei hij. 'Ik ga hem even helpen wassen, moeder. Cecily, ga jij even op zoek naar Franty, ik bedoel tante Frances?' Cecily knikte en rende via de achtertrap naar de kamer van haar ouders.

'Nou, in elk geval fijn om hier te zijn, ook al lijkt niemand op onze komst voorbereid,' zei Pamela, waarna ze haar handschoenen op het tafeltje legde en even rondkeek terwijl Archie, Jeremy en Miranda nog altijd als versteend op de gang stonden. 'Het was een erg lange autorit en ik ben behoorlijk moe. Weten jullie of we al snel gaan lunchen?'

'Ik denk van wel...' zei Jeremy, en op dat moment verscheen, tot hun grote opluchting, Frances ten tonele. 'Hallo, hallo,' zei ze, op haar zus af vliegend terwijl ze haar haren weer onder de sjaal om haar hoofd deed. 'Pamela, lieverd, wat fijn om je te zien. We hadden je niet verwacht voor de thee! Jullie zijn mooi op tijd.'

'Dank je,' zei Pamela. 'Ja, we zijn vroeg vertrokken. Ik hoop alleen dat we nu niet je plannen in de war schoppen. Ik had gezegd dat we er misschien rond de lunch zouden zijn.'

'Nee, natuurlijk niet!' reageerde Frances druk gesticulerend. 'Het is heerlijk dat jullie er zijn.' Ze haakte de arm van haar zus in de hare en daar stonden ze dan: beide zussen waren lang en leken qua uiterlijk op elkaar, maar waren verder volkomen verschillend. Frances blootsvoets in een afgeknipte broek en een opbollende schilderskiel, een sjaal om het hoofd om haar haren uit het gezicht te houden, gloeiend van de zon en een veeg verf op haar shirt en haar lange, ranke hals; en Pamela, op en top gekleed en geen haartje verkeerd, zelfs niet na een autorit van zes uur.

'Ik ga wel even met de koffers helpen,' zei Guy, blij met een excuus om te verdwijnen.

'We zijn onder de voet gelopen door de jongelui,' liet Frances haar zus weten. 'Volkomen onder de voet gelopen. Ik heb me vreselijk oud en slonzig gevoeld, maar nu jij en John er zijn, kunnen we eindelijk het evenwicht herstellen.' Ze glimlachte een beetje verward naar Pamela.

'Ik hoop dat de kinderen zich een beetje hebben gedragen,' zei Pamela. 'Dat ze jullie niet te veel tot last zijn geweest.'

'De kinderen?' Frances trok aan haar blauwe glazen halsketting. 'O... hemeltje, nee. Ze zijn fantastisch. Geweldig om ze allemaal hier te hebben. En de Leightons zijn twee lieve jongens. Volgens mij kunnen ze allemaal prima met elkaar opschieten; ik vrees dat we het als gastheer en gastvrouw vreselijk hebben laten afweten,' zei ze terwijl ze zich op het hoofd krabde en even vaag glimlachte nu Guy weer opdook met twee koffers, gevolgd door John James, die bij het betreden van het huis zijn autohandschoenen uittrok. 'Ha, John, wat leuk!' Ze kuste hem op de wang. 'Ik zeg net tegen Pamela dat de kinderen vast allerlei kattenkwaad hebben bekokstoofd. Het is maar goed dat jullie er zijn!'

Pas op dat moment kreeg ze Archie in het oog, en nogal onbeholpen streek ze met een hand over haar voorhoofd. 'Hemeltje, Archie, wat zie jij er gehavend uit, lieverd.'

Iedereen zweeg. Pamela en John keken toe. Van boven klonk het geluid van een snikkende Louisa.

'Is dat húílen?' vroeg Pamela op een toon alsof het een geluid was dat ze nog nooit had gehoord.

'O jee,' zei Frances met een bijna geërgerde blik. 'Wat voeren jullie in je schild?'

'Je hebt echt helemaal niets gehoord, hè?' fluisterde Cecily tegen haar moeder.

'Nee,' zei Frances. 'Zijn jullie gek geworden? Elkaar een beetje toetakelen? Is dit *Lord of the Flies*?' Ze lachte, maar het klonk vreemd, scherp.

'Wat hebben we ons op de hals gehaald, schat?' vroeg John, ongemakkelijk wiebelend op zijn voeten. Zijn gezicht was streng. Het was slechts half schertsend bedoeld.

Er kwam geen antwoord. De anderen hielden hun mond. Frances liep naar de voordeur en duwde hem dicht. 'Kom binnen,' zei ze, en ze ademde diep in. 'Ik zal eens vragen hoe laat we lunchen. Het spijt me. Welkom, welkom.'

18

Voorlopig zou er geen 'Please Please Me' meer vanaf de grammofoon in de zitkamer lekker hard de eetkamer in blèren nu Pamela en John waren aangekomen, zoveel was wel duidelijk. Er zou na het eten ook niet meer worden gerookt en Cecily hoefde niet meer op dat ene glaasje wijn te rekenen. En het was ook afgelopen met lui rondhangen op het terras. De sfeer was veranderd.

Toen Pamela en John die avond in de zitkamer verschenen, zei Guy net tegen Frances: 'Binnenkort zijn er toch gemeenteraadsverkiezingen van Stratford? Ik durf te wedden dat de ouwe Macmillan nu al de zenuwen heeft. Zoals het er nu naar uitziet kan die Monster Raving Loon-partij wel eens gaan winnen, hoor. Op mijn stem kunnen ze in elk geval rekenen.'

'Sorry, maar ik vind dat geen geschikt gespreksonderwerp,' zei Pamela, die even voor hem bleef staan. 'En ik vind ook niet dat je de minister-president van ons land zomaar "de ouwe Macmillan" mag noemen, Guy.'

Frances schoot overeind. 'Nee, dat kan natuurlijk niet,' reageerde ze laf terwijl ze Guy een verontschuldigende blik toewierp. 'Helemaal mee eens. Zeg Jeremy, kun jij even een drankje regelen voor je moeder? Cocktailtje, Pam? Schat, wat een prachtige jurk, de mijne verbleekt er gewoon bij.' Ze gaf haar zus een paar klopjes op de arm, draaide zich om en zag haar dochters verveeld op de bank zitten. 'Miranda, Cecily, jullie zien eruit als twee zwervers,' sprak ze vermanend. 'Hup, ga in godsnaam iets anders aantrekken.'

'Maar mam,' reageerde Cecily licht verbaasd over haar moeders scherpe toon, 'Guy en ik hebben bramen geplukt. Je zei zelf dat dat mocht.'

'Maar toch niet zo? Moet je jezelf eens zien.' Met een armgebaar benadrukte ze de gele, bevlekte korte broek en het verfomfaaide witkatoenen topje. Cecily's haar was door de wind tot een klittenbos verwaaid. 'Guy heeft zich ook omgekleed, dus waarom jij niet?'

Verwonderd keek ze haar moeder aan. 'Moeder, je bent heel, heel erg irritant.'

'Cecily!' riep Pamela gechoqueerd. 'Zo praat je niet tegen je moeder!'

'Ze is gewoon irritant,' stelde Cecily. ''s Ochtends, als ik moet poseren, wil ze dat ik er kreukelig en vies bij zit, en als ik dan kreukelig en vies ben, dan moet ik me opeens gaan omkleden! Kom, Miranda.'

'Ik ga me niet omkleden,' zei Miranda. Ze sloeg de armen over elkaar en met haar dikke haar aan één kant van haar gezicht en een pruilend mondje keek ze haar moeder uitdagend aan.

'Nou en of,' reageerde Frances met kalme stem.

Miranda liet zich niet vermurwen. 'Nee. Ik doe het niet. En je weet best dat je me niet kunt dwingen.'

Ze bleef Frances met opeengeklemde kaken en vuurspuwende ogen aanstaren. Cecily keek toe.

'Prima,' antwoordde Frances ten slotte en ze draaide zich weg van Miranda, maar niet zonder haar eerst een harde, afstandelijke blik toe te werpen die opvallend kil overkwam.

'Hoe ben je aan die schram op je wang gekomen?' vroeg ze plotseling. Blozend bedekte Miranda haar gezicht.

'Zelf gedaan,' mompelde ze.

'Waar is Archie?' vroeg Frances vervolgens.

'Ligt al op bed,' antwoordde Guy. 'Nog steeds een beetje geschrokken.' Frances keek alsof ze nog iets wilde vragen, maar in de gang, achter haar, klonk opeens een stem.

'Ah, de buitenstaanders zijn dus binnen.' Opgelucht draaide Frances zich om.

'Hij leeft!' riep ze in een poging de hardvochtige toon te onderdrukken die ze voelde opkomen. 'Schat, hallo. Neem een drankje. Hoe was je dag?'

'Vervelend,' antwoordde Arvind. 'Kommervol. Ontwrichtend.'

Voorzichtig liep hij de woonkamer in. In het bijzijn van zijn lange, zelfingenomen, veel te Engelse schoonzus voelde hij zich ongemakkelijk.

Frances liep naar hem toe en plots toverde ze een glimlach op haar gezicht. 'Arme schat. Neem een cocktailtje. Dank je, Mary.'

'Welkom,' zei Arvind terwijl hij zijn glas hief naar Pamela en John, die beleefd knikten.

De stilte dreigde de kamer in zijn bezit te nemen. 'Hoe… hoe gaat het met jullie werk?' vroeg John terwijl zijn blik wat onzeker van Arvind naar Frances gleed, wier vak, voorzover je dat kon noemen, voor hem één groot mysterie vormde. John was een jurist van de oude stempel. Filosofen en schilders vielen buiten zijn jurisprudentie. Maar in tegenstelling tot zijn vrouw vond hij dat, wilde je ergens achter komen, je dingen moest vragen.

Frances en Arvind keken elkaar aan als twee ondeugende schoolkinderen die door de meester waren betrapt.

'Jij eerst,' zei Arvind.

'O, nou eh, ik bereid me voor op een expositie in galerie Du Vallon, in september,' vertelde Frances.

'Interessant,' knikte John.

'Dank je,' glimlachte ze. 'Het wordt een feest! Binnenkort worden de uitnodigingen verzonden.'

John knikte nog eens. 'Leuk.'

Er viel een opgelaten stilte.

'Heb je… heb je al gehoord dat Ward een overdosis heeft genomen?' vroeg Miranda. Haar moeder fronste.

'Ze zeggen dat hij de ochtend niet meer zal halen,' voegde Jeremy eraan toe.

'Deze hele zaak, hoe het land ervoor staat als dit allemaal achter de rug is… De schade zal niet te overzien zijn,' zei John hoofdschuddend.

Pamela knikte. 'Nou en of. Helemaal mee eens. En al die details…!' Ze schudde haar hoofd.

Frances gaf haar echtgenoot een speels klopje op de arm. 'Wil jij even kijken of Mary al klaar voor ons is, schat?'

'Natuurlijk!' riep Arvind opgelucht. Met een 'excuseer' begaf hij zich naar de keuken.

Terwijl Guy toekeek werd zijn aandacht getrokken door een beweging achter de openslaande ramen. Cecily maakte haar rentree in een eenvoudige zwarte linnen jurk, het haar glad en glanzend, een blos op de wangen. Ze leunde tegen de deurpost terwijl ze met een combinatie van een glimlach en tranen in haar ogen het gezelschap aanstaarde.

'Hé, wat krijgen we nu?' zei hij terwijl hij naar haar toe liep en haar zacht aanstootte. 'Wat is er?'

'Niets!' antwoordde ze snel terwijl ze iets van haar wang veegde. 'Ik ben alleen maar een beetje moe. Het is bijna om te stikken, vind je niet? Volgens mij krijgen we storm. Er staat niet eens een briesje.'

Guy negeerde het. 'Cecily? Wat scheelt eraan?'

Ze glimlachte. 'Lieve Guy. Niets. Ze zijn alleen zo grappig, mijn ouders, meer niet. Ik snap ze niet. Ik kijk naar ze en dan is het net of ik ze niet ken. Dat zal vast raar klinken.'

'Jij klinkt nooit raar,' verzekerde hij haar, zijn stem een en al warmte. 'Echt.'

'Je bent aardig.' Ze draaide zich naar hem toe en haar gezicht straalde. Het overweldigde hem. Het moment ving haar op haar allermooist, haar gave, koffiebruine huid bedekt met donkere, karamelkleurige sproetjes van de zon, haar groene ogen zo donker dat ze bijna zwart leken, en de avondbries die zacht door haar haren blies. Zijn adem stokte. De lavendelgeur van de struiken naast hem was bijna bedwelmend. Ook zij ademde met een huivering in. 'Soms vind ik mezelf te emotioneel. De meeste meiden op school vinden het best fijn om hun ouders en hun broers en zussen maandenlang niet te zien. Weg van huis. Ik vind het verschrikkelijk, weet je. Ik hou van ze en ik vind het hier heerlijk. Het is vreselijk om van huis te zijn. En als ik dan weer terug ben, vergeet ik... hoe het is.'

Hij was geraakt. 'Waarom vertel je het ze niet?'

Cecily haalde haar schouders op. 'O, voor mij is het wel goed als ik wat harder word, hoor. Ik... ik wou alleen maar dat ik alles niet meer zo vóélde. De hele tijd.'

'Zoals?'

Ze staarde hem aan. 'Dat... dat kan ik niet zeggen.' Ze lachte even. 'O, Guy, ik wou dat ik het kon. Vooral tegen jou, ik wou dat ik het kon. Maar ik kan het niet.'

'Het is juist heel goed dat je alles te veel voelt, Cecily,' reageerde hij. 'Het betekent dat je om de dingen geeft...' Hij raakte haar blote arm aan en was verrast dat ze schrok. 'Sorry. Ik wilde je niet bang maken.'

'Doe je ook niet,' zei ze. Met haar onderlip tussen de tanden sloeg ze langzaam haar ogen naar hem op.

'God...' hoorde hij zichzelf zeggen, 'wat ben je toch mooi, Cecily.'

Een moment staarden ze elkaar als verloren aan. Zijn hand ging naar haar, de hare naar hem. Even raakten hun vingers elkaar, waarna ze haastig een stap achteruit deed en Guy haar na staarde terwijl ze naar haar moeder liep. Iets vreemds, iets elementairs, roerde zich in hem. Met zachte stem riep hij haar na. 'Cecily...'

Maar ze negeerde hem.

Pas toen ze aan tafel gingen voor het avondeten lieten zijn ogen haar met rust.

Louisa haakte een arm in die van Frank en ze begaven zich naar de eetkamer.

'Ik hoop maar dat pap niet al te saai is, vanavond,' zei ze zacht. 'Hij kan nogal... ouderwets uit de hoek komen. Hij is woedend over die Profumo-affaire. Vraag me niet waarom. Als hij een glas wijn op heeft begint hij vaak over zijn stokpaardjes. Tamelijk gênant.'

'O, ben eraan gewend,' zei Frank met een geeuw, en knikte. 'Sorry. Ik ben nogal moe. Let maar niet op mij, Louisa. Ben niet lekker in vorm, vanavond.'

Quasiwanhopig kneep ze hem eventjes olijk in de arm. 'Hoe kun jij nou moe zijn? Toen wij vanmiddag aan het zwemmen waren en bramen plukten, heb je nog een dutje gedaan.'

'Misschien ligt het daar wel aan,' zei hij. 'Ach, gewoon te veel slaap, denk ik. Het is... Echt, ik voel me al een stuk beter.'

Ze sloeg haar ogen naar hem op. 'Voel je... je wel goed, lieverd?'

'Ja, hoor,' antwoordde hij met een kneepje in haar arm. 'Ik was vandaag niet helemaal mezelf, sorry. Maar ik voel me nu helemaal top.' Hij gaf haar een kus op haar voorhoofd. 'Luister, ik ben deze vakantie nogal hard van stapel gelopen, weet ik. Jou verleiden tot iets wat je niet wilt. Zullen we na het eten een stukje gaan wandelen? Er even tussenuit zodra de grote mensen naar bed zijn?'

'Frank?'

'Ik moet iets met je bespreken,' zei hij. Hij pakte haar stevig bij de hand. Louisa glimlachte en haar ogen vulden zich met tranen.

Vanachter de deur klonken opeens stemmen op, en haar gezicht veranderde totaal.

'O jee. Ik vrees dat ik gelijk had.'

'Waarover?' vroeg Frank geschrokken.

'Over pap.'

'Klinkklare onzin,' sprak John James terwijl ze even later plaatsnamen aan tafel. 'Ik zeg je, die vrouw is gewoon een ordinaire lichte-kooi, meer niet. Die kerels met wie ze omging: zwarten, in Nottingham Hill. Dan die vent uit Edgecombe, die opeens opdook en mensen neerschoot. Dát is het soort figuren waar meneer Powell het over heeft, en ík begrijp dat. Waar moet dat heen? Allemaal leuk en aardig, en ja, mensen hebben recht op toegang tot dit land, maar als ze dit soort enclaves beginnen…' hij zwaaide met zijn wijnglas, 'dan draait het hele systeem in de soep.'

'Welk systeem?' vroeg Miranda, die, tussen Guy en Cecily in, tegenover hem zat. Ze bekeek haar vieze vingernagels en ze verhief nauwelijks haar stem. Het was de minachting in haar toon die nog het meest verraste. 'Het systeem van de blanke die al eeuwenlang anderen aan het onderdrukken is? Of het systeem van vreemde landen en volkeren plunderen om maar geld binnen te halen?'

Opeens was de sfeer aan tafel geladen.

'Miranda,' waarschuwde Frances.

'We hebben een kipkerriesalade,' deelde Mary opgewekt mee. 'Als dat genoeg is…'

Allemaal bleven ze stijf op hun stoel zitten. Niemand stond op. 'Jongedame,' vervolgde John, 'je haalt de dingen door elkaar. Waar het om draait, is hoe deze immigratiekwestie onze prachtige natie vervuilde, en nog steeds vervuilt, dankzij deze slappe… slappe reactie vanuit de samenleving…' Hij viel stil en kuchte even. 'Met alle respect, maar volgens mij heb je geen idee waar je het over hebt.'

'Precies,' reageerde Miranda minachtend. 'Ik ben maar een meisje. Wat weet ik nou? Immers, meisjes zijn vreselijk dom, nietwaar?'

'Miranda…' siste Cecily, naast haar, wanhopig. Met een licht opgetrokken wenkbrauw staarde haar oom haar onverstoord aan. Koude ogen in een smal, gebeeldhouwd gelaat.

'Ik vind dit niet gepast,' zei Pamela en ze richtte zich tot haar dochter. 'Louisa, hoe gaat het met je tennis? Frank, weet je al dat Louisa's tennisleraar vindt dat ze…'

'Nee,' doorkliefde Miranda's heldere, vinnige stem de lucht. 'Meisjes zijn lang niet zo slim als jongens. Natuurlijk niet. Ze worden geboren met minder hersencellen, wist u dat? En dat ze niet normaal kunnen autorijden of wiskundesommen kunnen oplossen? Het enige waar ze goed voor zijn, is…'

'Ja?' John keek zijn jonge nicht minachtend aan. 'Vertel, Miranda.'

'Neuken en koken.' Ze stond op en wierp haar servet op haar volle bord dat Mary net voor haar had neergezet. Louisa hapte naar lucht en Guy verfrommelde zijn servet met zijn vuist. 'Dat is het enige waar we voor deugen, vindt u niet?' Ze zweeg, keek om zich heen, alsof ze zich realiseerde dat er geen weg terug meer was. Roekeloos draafde ze door. 'En geldt dat ook voor iemand als ik? Mijn zus en mijn broer en mijn vader. Zit u wel op ons, landvervuilers, te wachten?'

'Miranda!' siste haar moeder woedend. 'Miranda, bied je oom je excuses aan!'

'O, hou jij alsjeblieft je mond tegen me,' las ze haar moeder de les en haar ogen spuwden vuur. 'Vooral jij. Waag het niet! Jij bent de grootste hypocriet van allemaal, mij een beetje vertellen wat het beste voor me is, dat ik nergens voor deug!' Frances keek alsof ze zojuist een klap in haar gezicht had gekregen. 'Ja, en we wonen ook nog eens in zo'n eerlijk land, hè?' Haar stem beefde. 'Hoezo hypocriet? Welnee, zeg. Vooral blijven handhaven, die oude tradities. Heel belangrijk!' Haar gezicht was bleek en haar ogen waren als schotels zo groot. 'Was Archie maar hier. Hij zou het een stuk beter hebben gezegd. Pff, weg ermee.'

Ze pakte Cecily stevig bij de hand. Die probeerde zich vol schaamte los te wurmen en durfde haar zus niet aan te kijken. Alsof Miranda melaats was.

Vanaf het hoofdeinde van de tafel doorbrak een stem de perplexe stilte.

'Nee, Cecily, pak je zus bij de hand,' gebood Arvind. 'Goed gezegd, Miranda,' liet hij zijn oudste dochter weten. 'Heel goed gezegd. Dat vloeken is niet nodig, maar afgezien daarvan heb je op alle punten absoluut gelijk.'

Miranda's blik gleed van haar vader naar haar moeder, die in zichzelf gekeerd naar haar bord staarde, en weer terug naar haar vader, terwijl ze, bijna als in een shock, zwakjes naar hem glimlachte.

'Tja...' begon Pamela. 'Ik moet zeggen...'

Frances legde een hand op die van haar zus. 'Nee, Pamela, niet doen.' Ze leek verwikkeld in een soort innerlijke tweestrijd. 'Dit kan écht niet.' Ze probeerde Miranda's blik te vangen, maar haar dochter staarde recht voor zich uit.

'Eet smakelijk,' sprak Arvind terwijl hij een grote opscheplepel naar zijn mond bracht die op een of andere manier op zijn bord was beland. Zijn gezag was zoals altijd ook nu weer absoluut. 'Wij gaan het in mijn huis niet over de vervuiling van dit prachtige land hebben. In plaats daarvan betuigen we het onze dank. Geniet van jullie kipkerriesalade.' Zijn gezicht stond ernstig, maar zijn ogen twinkelden.

In de benauwde eetkamer werd stilletjes gegeten.

19

Niet veel later kwam het voor hen tot een einde. De volgende dag, zaterdag, was het warm en drukkend, en in de paar dagen daarna leek de wind af te nemen terwijl de temperatuur juist toenam.

Ook in huize Summercove was de sfeer, nadat Archie was betrapt op gluren en na Miranda's aanvaring met haar oom, veranderd. De neven en nichten bekeken elkaar met meer argwaan; ze vielen terug in hun oude groepjes, alleen Jeremy was een beetje het buitenbeentje. Louisa sprak nauwelijks een woord met Miranda of Archie, en gedroeg zich overdreven genegen naar de Bolhoed, die daar plichtmatig op reageerde. Miranda en Archie waren nu zelfs nog meer samen. Ze spraken bijna geen woord tegen Cecily, die ze als een soort paria beschouwden. En Cecily... Cecily veranderde bijna van de ene dag op de andere. Ze was aangegrepen door iets. Wat het ook was, in de dagen die volgden was ze niet meer dezelfde.

Die dinsdagochtend, vier dagen na de komst van John en Pamela James, wees de thermometer in de keuken drieëndertig graden aan, en Mary zei dat ze het nog nooit zo heet had meegemaakt. Aan de ontbijttafel deed John wat hij sinds zijn komst naar Summercove telkens had gedaan: zwijgend eerst de *Express* en daarna *The Times* doorspitten. Hij verdiepte zich in elk detail over Stephen Wards overlijden, drie dagen eerder, en diens aanstaande begrafenis, terwijl de anderen wrokkig hun kans afwachtten om erover te lezen, om het uiteindelijk maar op te geven, naar buiten te gaan en de betrekkelijke koelte van de ochtendschaduw op te zoeken.

Arvind had deze laatste ochtenden de gewoonte aangenomen om in zijn werkkamer te ontbijten. Guy was vroeg opgestaan voor een lange wandeling, liet de Bolhoed weten. Niemand had hem gezien. De anderen verdwenen geleidelijk een voor een naar buiten, hopend op wat verkoeling.

Sierlijk haalde Pamela haar servet over haar bovenlip. 'Het is extreem benauwd, hè?' vroeg ze aan Frances. 'Te benauwd. Je zou denken dat het briesje uit zee wel wat verkoeling zou bieden, maar nee hoor.'

'Het spijt me,' zei Frances. Onrustig trommelde ze met haar vingers op tafel, ze had donkere kringen onder haar ogen. 'Misschien dat de bewolking straks wat oplost. Het is nog vroeg.'

'Hm,' was Pamela's reactie. 'Het wordt gewoon ondraaglijk,' zei ze terwijl ze opstond. Ze knikte naar haar zus en verliet de kamer.

'Mee eens,' zei Frances somber. Ze wendde zich tot Cecily, die verderop in haar eentje nog aan tafel zat. 'Cec, lieverd, ben je om tien uur zover om te beginnen?'

Cecily pakte haar placemat op. Ze keek op. 'O,' zei ze met een zacht stemmetje. 'Natuurlijk, mam.'

'Je ziet nogal bleekjes, lieverd. Is er iets?'

'N-nee.' Cecily staarde weer naar de schaal. 'Nee hoor, ik voel me prima. Ik heb niet zo goed geslapen, dat is alles. Onze kamer is snikheet.'

'Weet ik, daar moet ik iets aan doen. Het spijt me, schat. In het atelier zal het ook wel om te stikken zijn, vrees ik. We kunnen het ook vanavond doen, als het koeler is. Ga anders even lekker zwemmen met Guy.'

'Nee. Niet met Guy.'

'Wat is er mis met Guy?' Frances staarde haar dochter aan. 'Cec lieverd, wat is er in vredesnaam aan de hand?'

'Er is niks mis met Guy,' antwoordde Cecily. 'Ik bedoelde er niks mee. Laat maar.'

Ze oogde zo flets en vol zelfmedelijden dat Frances zich vooroverboog en de handen vouwde. 'Lieverd, weet je zeker dat er niets is?'

Cecily keek haar moeder strak aan. 'Mam...' begon ze na een lichte aarzeling. 'Je houdt toch van me, hè, ongeacht wat ik heb gedaan?'

'Natuurlijk,' antwoordde Frances.

'En ook van Miranda en Archie? Je zou nog steeds van ons houden, zelfs als we iets vreselijks hebben gedaan?' Ze sloeg haar ogen neer en pulkte stukjes raffia van haar placemat. 'Zo werkt dat toch? Dat we gewoon van elkaar houden, ongeacht wat?'

'Wat is er aan de hand, Cecily?' vroeg Frances na een korte stilte.

'Weet ik niet precies,' antwoordde Cecily. Schichtig keek ze de kamer rond. 'Ik weet het allemaal niet meer zo goed. Alles is opeens anders.'

Frances draaide zich naar de openstaande deur. Er stond daar niemand. Jeremy en Louisa lagen buiten in de tuin op het gras, met *The Times* als een enorme, zwart- en zandkleurige handdoek voor hen uitgespreid. Ze lagen aandachtig te lezen.

'Wat is er dan?' vroeg ze opnieuw. 'Cecily?'

Cecily stond op en ademde eens diep in. 'Niets, mam. Ik doe gewoon een beetje raar. Luister, mag ik naar boven om mijn tanden te poetsen en mijn haar te doen? En eerst nog even wat in mijn dagboek schrijven? Ik ben over een paar minuutjes klaar.'

'Natuurlijk,' antwoordde Frances. 'Ik zal alles alvast klaarzetten.' Ze haalde iets uit het zakje van haar geborduurde top. Het was de ring die Arvind haar had gegeven, de ring die zijn vader vanuit Lahore had opgestuurd nadat hij zijn aanzoek had gedaan. Cecily vond hem prachtig. Ze was er verliefd op, en ze had hem afgelopen jaar zelfs een keer mee mogen nemen naar school. Bij het poseren liet Frances haar de ring dragen aan een halskettinkje. 'Hier, die is voor jou.'

Cecily staarde er niet-begrijpend naar. 'Wat, moet ik hem nu al omdoen in plaats van straks?'

'Nee,' reageerde Frances. 'Ik wil dat jij hem houdt. Van mij. Omdat... omdat ik het wil.'

'Maar hij is van jou.'

'Nu is hij van jou,' zei Frances. Haar ogen stonden vol tranen.

'Waarom?'

'Jij vindt hem mooi, toch? Dat heb je altijd al gezegd.'

Cecily staarde naar de ring in haar kleine handpalm. 'Ja. Maar waarom wil je dat ik hem nu krijg?'

'Dat wil ik gewoon.' Haar moeders stem klonk dunnetjes. 'Ik vind het een mooie gedachte dat je iets van mij hebt, lieverd, een sieraad van mij dat alleen jij mag dragen. Als een talisman.' Ze glimlachte. 'Kom zeg, je bent nu al bijna een vrouw, het wordt tijd dat we aan dit soort dingen denken.'

Op Cecily's gezicht verscheen zelfs geen glimlach. 'Dank je wel,' zei ze.

Frances wist even niet wat ze nu moest doen. Ze stapte op haar dochter af en kuste haar zijdezachte haar. 'Ik zie je zo direct, mijn schat. Het komt allemaal wel goed,' voegde ze eraan toe.

Cecily bleef nog even bij de deur staan. 'Echt?' klonk het zacht. 'Ik weet het nog niet zo zeker.'

Frances keek haar dochter na. Waarom wist ze niet, maar wel dat Cecily in zeker opzicht volwassen was geworden, dat de tiener met de slungelige benen, die voor de anderen uit naar het strand rende en aan één stuk door kletste, voorgoed verdwenen was.

20

'Wat eten we met de lunch?'

'Geen idee.' Louisa vlijde zich languit op het gras. 'Je bent zo gretig, Jeremy. Het is veel te warm om daar nu al aan te denken.' Ze ging op haar zij liggen. 'Weet je waar Miranda en Archie zijn?'

'Volgens mij zijn ze in de richting van de kliffen verdwenen.'

'Wie weet komen ze Guy tegen. Jee, iedereen is in een rothumeur vandaag.' Ze rolde haar hoofd een beetje heen en weer. 'Ik begin al naar het afscheid te verlangen, weet je. Alsof ik, zeg maar, blij ben dat ik hier weg kan.'

'Tja, ik weet niet hoor,' reageerde Jeremy wat opgelaten. 'Ik zou niet weten waarom.'

Louisa keek hem achterdochtig aan. 'Jij bent anders degene die zei dat hij het niet leuk vond, hier, nog voordat de Leightons er waren.' Ze beet op een nagel. 'Het is… ik weet niet. Hoe kan alles weer normaal worden na wat Archie heeft gedaan?' klonk het zakelijk. 'Ik bedoel, hij kán in de gevangenis belanden. En Miranda, nou wat zij tegen pap heeft gezegd, ik kan echt niet geloven dat ze daar geen straf voor heeft gekregen!'

'Volgens mij hechten Franty en Arvind niet zo aan orde en tucht,' was Jeremy's diplomatieke antwoord.

'Ja, en dit is het resultaat,' reageerde Louisa sarcastisch, maar met ingehouden stem. Ze keek haar broer aan. 'Vind jij niet dat Miranda te ver is gegaan? Ik bedoel, ze was werkelijk verschrikkelijk, en niemand die er echt iets van heeft gezegd.'

'Eh, ja, dat was wel een beetje onbeleefd van haar. Maar… eh, volgens mij meende ze, eh, wat ze zei. Misschien kwam het er wat ongelukkig uit.' Hij plukte aan wat grassprietjes. 'Pap loopt een beetje achter. Hij snapt niet hoe het er vandaag de dag aan toe gaat. Of waar het heen zal gaan, zeg maar.'

'Ik weet het. Ik bedoel, wij, met onze Indiase neven en nichten, wij weten hoe het is.'

'Eh…' mompelde Jeremy weer. 'Ik denk het…' Hij keek zijn zus aan. 'Ik ben gewoon een beetje achterdochtig tegenover Miranda, meer niet. Ik vermoed dat het helemaal geen morele verontwaardiging was maar dat ze gewoon wilde scoren.'

'Nou, typisch Miranda, hè?' reageerde Louisa luchtig. Ze liet haar hoofd achteroverzakken en keek naar de lucht. 'Klam, zeg. Ik kan de zon niet eens zien. Ze reageert zo overdreven. En de laatste dagen is ze echt vreselijk geweest.'

'Klopt.' Jeremy was het met haar eens. 'Het is allemaal nogal…' Hij liet de schouders hangen. 'Ik ben haar en Archie een beetje zat, om heel eerlijk te zijn. Al dat stiekeme gedoe tussen die twee en dat gefluister. Vreemd gedoe. Ik weet niet wat Guy en Frank ervan vinden. Onze Frank is in elk geval een toffe vent,' voegde hij er geruststellend aan toe.

'Ja-aa,' klonk het traag. 'Dat is hij.'

Ze klonk niet echt overtuigd, maar Jeremy was niet het type om verder te vragen. Hij zweeg. Een paar seconden later doorbrak Louisa de stilte. 'Hij heeft me ten huwelijk gevraagd.'

'Potdorie!' riep hij, en stond op. 'Louisa, schat, wat een goed nieuws! Waar is hij?' Jeremy keek om zich heen. 'Verhip zeg…!'

Louisa ging rechtop zitten en trok hem naar beneden. 'Ga toch zitten, Jeremy! Domoor! Hou 'ns even je mond.' Ze greep hem bij een arm. 'Ik heb nee gezegd.'

'Wat?' Zijn mond viel open en even leek hij volkomen verbouwereerd. 'Je zei nee tegen Frank? Ik dacht dat je hem helemaal zag zitten!'

'Ja,' antwoordde ze. 'Het verraste mij ook. Maar…' Ze rolde op haar buik en staarde naar het gras. 'Ik vraag me af of ik dat wel wil.'

Ze zwegen allebei een ogenblik.

'Je meent het echt?' zei hij. 'Onze Frank?'

'Frank, ja… eh, nee…' Ze schudde haar hoofd. 'Ik weet niet. Hij is zo anders deze vakantie. Nogal saai. Maar ik hou, denk ik, toch van hem. Voordat zij kwamen, wist ik het zo zeker.' Met haar grote blauwe ogen keek ze Jeremy aan. 'Ik dacht dat we een stille afspraak hadden, zeg maar; dat we ons zouden gaan verloven, ook al praatten we er niet over. En nu… nu weet ik het gewoon niet meer.'

'Waarom?' vroeg hij zacht.

'Iets wat Miranda zei, geloof het of niet. Over vrouwen, over ons, en hoe wij ons eigen leven kunnen leiden. Ik... ik hou echt van Frank, maar god, Jeremy...' Met de muis van haar hand sloeg ze zich tegen haar voorhoofd. 'Kun je het eigenlijk wel begrijpen? Ik betwijfel het. Als ik met hem trouw, denk ik dat mijn leven voorbij is.'

'O, Louisa, doe even normaal.'

Glimlachend schudde ze haar hoofd en ze stond op. 'Je begrijpt het niet, ik wist het wel.' Ze stak een hand uit om hem gerust te stellen. 'Geen zorgen, het is mijn probleem. Ik moet beslissen. Naar Cambridge, hard studeren, daarna een goeie baan zoeken.' Zorgvuldig veegde ze haar korte broek schoon.

'Kun je het niet combineren?' was Franks vraag. Ook hij stond op en hij keek verward.

'Ik denk van niet,' glimlachte ze. 'Ik voel echt dat als ik met hem trouw, mijn identiteit, mijn eigen ik, zal verbleken.'

Jeremy keek geschrokken. 'Ik snap niet...'

Ze legde haar hand op de zijne. 'Geen zorgen, grote broer van me. Dat verwacht ik ook helemaal niet van je.'

Terwijl ze naar de voordeur liepen, verscheen Frances beneden aan de buitentrap.

'Goh, wat is het heet. Weten jullie soms waar Cecily is?' vroeg ze. 'Ik zit al uren op haar te wachten.'

'Die zit toch bij u?' antwoordde Louisa naïef.

'Nee. Dat was wel de afspraak, maar ze ging haar tanden poetsen en in haar dagboek schrijven. Dat was een halfuur geleden. Ze is niet op haar kamer.' Ongeduldig gleed haar blik over het terras. 'Waar hangt ze in hemelsnaam uit? Ik weet dat ze het ontzettend vervelend vindt, maar het zijn echt de laatste loodjes.'

En toen klonk er een gil, gevolgd door paniekerig geschreeuw. Ergens vanaf het pad naar zee. 'Help! Help!'

'Wat krijgen we n...?' Jeremy schoot naar voren. 'Wat gebeurt daar?'

Ze renden omlaag naar de rand van het terras. Miranda rende de twee tegemoet, gevolgd door Archie, met achter hem nog iemand.

'Hulp! Haal hulp! Een ambulance!' gilde ze. 'Bel de... bel de ambulance!'

'Wat?' vroeg Louisa, die haar nicht tegemoet rende. 'Miranda, wat is er aan de hand?'

Frances stond als aan de grond genageld.

'Het is Cecily, Cecily!' Miranda rende de benen onder haar lijf vandaan, haar haren sloegen tegen haar gezicht. Op haar wangen gloeiden twee rode cirkels. 'Ze viel... ze deed een stap achteruit en ze gleed uit... O, god.' Ze bleef staan en keek de anderen smekend aan. 'Wat heb ik gedaan?'

'Jij hebt helemaal niets gedaan,' zei Archie.

Guy verscheen achter hen. 'Wat is er gebeurd?' riep hij naar het groepje. 'Ik hoorde geschreeuw. Om wie gaat het? Waar... waar is Cecily?'

'Ik bel de ambulance,' snikte Miranda. 'O... Cecily... o, mijn god!'

'Wat?' Guy stopte. Het zweet gutste over zijn voorhoofd. 'Cecily?'

Frances rende naar de zee. 'Waar is ze?'

Ze opende het hek, maar Archie hield haar tegen, legde zijn hand op haar arm en versperde haar de weg. 'Nee, mam,' zei hij met een blik waarop niets af te lezen viel. 'Ik denk dat je maar beter niet kunt gaan kijken.'

'Waarom niet?' vroeg ze, en haar stem brak. 'Blijf van me af. Waarom niet?'

'Omdat ik niet wil dat je haar zo ziet,' antwoordde hij zacht.

Op dat moment wisten ze het. Miranda's stem dreef hun tegemoet: 'Ja. Summercove. Parry Lane. Familie Kapoor. Nee, Ká-poor, verdomme. Snel!' De emotie sloop in haar stem. 'Alstublieft, kom snel!'

'Ik ga erheen,' besloot Guy, maakte zich los van het groepje en rende naar het hek. 'Ik ga erheen... misschien is ze nog te redden. We moeten iets doen.'

Miranda kwam naar buiten. Haar gezicht was bleek en betraand. Ze keek hem slechts aan, daarna Archie, en schudde haar hoofd.

'Wat is er gebeurd?' vroeg Frances, en ze keek haar dochter aan. 'Wat heb je gedaan, Miranda?'

Haar zoon pakte haar steviger beet. 'Mam. Zeg dat niet. Ze heeft helemaal niets gedaan.'

Miranda, die haar moeder had willen omhelzen, liet de armen slap langs haar lichaam vallen. Ze keek haar moeder even aan en plofte als een slappe pop neer op de stenen drempel.

Die avond laat werd Cecily's lichaam van het strand naar het huis vervoerd. De zon ging onder en de grijze motjes fladderden rond het licht van de brandende kaarsen die ze buiten langs het pad hadden neergezet, waarna de storm losbrak en het begon te regenen.

Ook de politie kwam natuurlijk langs: ze moesten weten wat er was gebeurd, de plek inspecteren waar ze was gevallen, dingen opmeten, foto's maken. En wat er was gebeurd, zo leek het, was dat Archie en Miranda samen aan het einde van het pad naar zee Cecily waren tegengekomen. Guy naderde van de andere kant, in de richting van de kliffen, en hoorde stemverheffingen, geschreeuw en daarna gegil. Kennelijk had Cecily zich omgedraaid, was ze uitgegleden en was er een stukje rots onder haar voeten losgeraakt.

Ze was over de treden omlaag getuimeld en had in haar val haar nek gebroken. Na de komst van de familie James had het geregend en zelfs hartje zomer waren de in de rotsen uitgehakte, beschaduwde treden vaak vochtig en glibberig. Arvind en Frances hadden het advies gekregen ze te laten reinigen. Het was een van die klusjes die weliswaar op de agenda stonden, maar sinds wanneer deden deze twee iets wat van hen werd verwacht?

Ze had voorzichtiger moeten zijn, zelfs Cecily, die het pad, de treden en het strand zo goed kende. Ze had voorzichtiger moeten zijn. Ze had niet mogen sterven. En hoewel niemand het hardop zei, en men tijdens het onderzoek vaststelde dat er sprake was van dood door ongeval, bleven de geruchten dat er meer aan de hand was, dat het dus geen ongeluk was geweest, hardnekkig.

Er hing die zomer iets in de lucht, als een alsmaar uitdijende gifwolk. En toen die brak, net als de storm die na haar dood de hele nacht doorraasde, werd opeens alles anders. De dag na Cecily's crematie, toen ze haar as over de zee hadden uitgestrooid (Arvinds idee), en iedereen afscheid had genomen – de rouwenden, de rest van de familie, een geschokte Guy, een betraande Louisa – deed Frances de deur van haar atelier op slot en liep naar haar slaapkamer. Arvind zat uiteraard in zijn studeerkamer.

Het was een matte, natte avond, halverwege augustus. Het werd al merkbaar vroeger donker. De lucht had een koud randje, het eerste teken dat de zomer zijn einde naderde. Met de sleutel in haar hand keek ze door het slaapkamerraam naar buiten, starend naar het tuinhuisje, waar haar zoon en haar overgebleven dochter troost bij elkaar hadden gezocht en naar de zee tuurden. Haar ogen vernauwden zich tot spleetjes. Haat, zo hield ze zichzelf voor, haat legde haar hart in een klem.

'Het is voorbij,' sprak ze in zichzelf.

Ze sloot haar vingers nog even stevig om de sleutel en huiverde. Daarna trok ze het laatje van haar nachtkastje open en liet de sleutel erin vallen, naast de ring die ze een week geleden van Cecily's klamme, koude vinger had verwijderd. Ze sloot het laatje, begaf zich naar beneden en ging zitten in de woonkamer, totdat het licht vervaagde en ze in haar eentje in het donker zat. Miranda en Archie kwamen een voor een binnen en gingen naar bed. Net als Arvind. Niemand wist iets te zeggen, en dus zeiden ze maar niets.

Deel 3

Februari 2009

21

'Goed. Juffrouw Kapoor. Dank u voor uw komst vandaag.'

'Geen dank,' zeg ik. 'Ik ben er niet zo op gebrand als u om dit te regelen?'

Helaas schiet mijn stem omhoog, zodat het als een vraag klinkt in plaats van een antwoord.

Aan de andere kant van het grijze plastic bureau is het stil. Ik veeg mijn plakkerige handen af aan mijn rok en knipper vermoeid met mijn ogen; ik heb amper vier uur geslapen. Dat valt nog mee, de slaaptrein in aanmerking genomen, waar spullen op de vloer vallen als het rijtuig plotseling trilt of laden uit de kasten vliegen als je een bocht rondt, en je uit je al te lichte sluimeringen wakker schrikt. Maar vergeleken met een normale nacht stelt het weinig voor, en ik ben dan ook doodmoe. Ik kan maar niet ontsnappen aan het gevoel dat ik nog steeds daar ben, liggend in een heen en weer schuddende couchette. Het kantoor in Wimbledon, waar mijn zakelijke accountmanager gehuisvest is en waar ik dus naartoe moet als ik wil dat de bank ophoudt met incassobureaus te mobiliseren, is warm en mijn oogleden voelen zwaar. De bult op mijn hoofd van het flauwvallen in Victoriaanse stijl is nog steeds behoorlijk dik, en is afgelopen nacht verkleurd tot een indrukwekkende paarse tint. Ik ben nog niet thuis geweest; draag nog steeds mijn rouwoutfit, ironisch genoeg ook voor vandaag wel zo gepast.

Gisteren lijkt alweer een eeuwigheid geleden. De velletjes van Cecily's dagboek zitten nog steeds in de zak van mijn rok. Als ik op mijn plek wat verschuif, maken ze een knisperend geluid. Tien bladzijden, meer niet, en dan... ja, wat? Niets.

Toen ik vanmorgen lusteloos uit de trein stapte, vroeg ik me af of ik de voorgaande vierentwintig uur misschien had gedroomd. Op de een of andere manier zou dat logischer zijn geweest. Deze weinige pagina's in Cecily's slordige, kriebelige handschrift bieden al te wei-

197

nig inzicht. Ik denk de hele tijd aan iedereen, na de begrafenis, in de woonkamer van Summercove. Mijn familie, verspreid in kluitjes, niet met elkaar pratend. De taxirit met Octavia, hoe ze me bijna met genoegen de waarheid over mijn moeder meende te moeten vertellen. Of was het de waarheid?

Ik kan er nu niet over nadenken. Ik doe mijn ogen weer dicht.

Clare Lomax, manager klantenbeheer, zit met haar handen keurig gevouwen op het bureau tegenover me en staart me onbewogen aan. Het jasje van haar mantelpakje is iets te groot. Het lijkt voor een man bedoeld.

'Goed. We hebben een tijdje geprobeerd contact met u op te nemen over uw bankschuld, juffrouw Kapoor.'

'Ja.' Ik richt mijn aandacht weer op het heden. Ik knik alsof we in hetzelfde schuitje zitten.

'We zijn ons buitengewoon ongerust gaan maken over uw vermogen om een levensvatbaar bedrijf overeind te houden. Zoals u wel weet. Daarom hebben we besloten uw kredietlimiet in te trekken en om onmiddellijke restitutie van het bedrag in kwestie te verzoeken.'

'Ja,' zeg ik weer.

Clare Lomax kijkt even op haar vel papier. Ze leest eentonig voor: 'Op dit moment hebt u uw krediet met vijfduizend pond overschreden, en u bent tweemaal uw aflossingsverplichting niet nagekomen voor de lening die u afgelopen jaar bij ons hebt afgesloten, ook voor vijfduizend pond. Ik zie hier dat u ook een aanzienlijke schuld hebt op uw creditcardrekening, ook bij deze bank. En ondanks verschillende brieven met het verzoek om terugbetalingen zijn we door u niet benaderd over deze kwesties, wat de reden is waarom u ons geen andere keuze laat, zo vrees ik, juffrouw Kapoor.'

'Ja,' zeg ik weer, nog steeds knikkend, inmiddels zo heftig dat ik pijn in mijn nek begin te krijgen. Het is zo gigantisch veel geld. Het lijkt gewoon onwerkelijk. Hoe heeft het zover kunnen komen? Wat heb ik toch gedaan? En het antwoord dient zich meteen aan, helder en galmend: Octavia's aanhoudende stem in mijn oor. *Je leeft in een droomwereld.*

'Als we naar de rekeningafschriften van het bedrijf kijken...' ze bladert snel door de bundel papier op haar bureau totdat een amandelvormige, paarlemoerkleurige nagel er het verderfelijke vel papier uit opdiept – 'goed, dan zien we wat het probleem is. Te veel uitgaven, niet genoeg inkomsten. In feite vond de laatste betaling op de bedrijfsrekening plaats in oktober 2008, zegge honderdvijfendertig pond.'

Cathy, de schat. Dat waren kerstcadeautjes voor haar moeder en haar zusjes. Maar ik bloos van schaamte dat dit de laatste bijschrijvingen op mijn rekening waren: ik word overeind gehouden door vrienden, door mijn man. Sindsdien is er via de website niets meer verkocht.

'Juffrouw Kapoor.' Met een zwierig gebaar slaat Clare Lomax de map dicht, waarna ze haar vingers onder haar kin plaatst en me aanstaart. 'Het ziet er niet goed uit, hè?'

'Nee,' zeg ik.

'En intussen...' dezelfde nagel krast langs een lange lijst – 'zien we regelmatig betalingen vanaf deze rekening, waardoor u dieper in de schulden raakt.' Ik staar omlaag. 'Hosting van de website... driehonderd pond... Tweehonderd pond naar Walsh and Sons, Hatton Garden?'

'Die maken gereedschap. Eh... tangetjes en zo.' Het is echt waar, maar het klinkt allesbehalve overtuigend. 'Juist. En deze betaling hier, zeshonderddrieënveertig pond, in september, aan Aurum Accessoires?'

'Dat was voor benodigdheden.'

'Wat voor benodigdheden?'

Mijn stem klinkt hoog, meisjesachtig. 'Eh... gouddraad, oorknopjes en sluitinkjes, dat soort dingen.' Ik doe mijn best het me te herinneren. 'Ik heb de bonnetjes hier bij me in mijn map, even kijken.' Ik heb echt elk stukje papier dat ik maar nodig kan hebben keurig gearchiveerd, meegenomen naar Cornwall en terug in voorbereiding op vandaag. Ik heb het mislukken van mijn zaak nauwgezet gedocumenteerd.

'Hoeft niet, hoor.' Clare Lomax krabbelt iets op haar notitieblok. 'Hebt u overwogen om goedkopere benodigdheden te gebruiken?'

'Wat, touw bijvoorbeeld?' Ik glimlach, maar er valt een stilte en ik realiseer me dat ze het meent.

'Ik wil alleen maar zeggen dat er echt heel mooie kettingen en armbanden zijn die zijn gemaakt van nylondraad en kraaltjes. Je weet wel, je ziet ze in Accessorize, Oasis. Enzovoorts,' voegt ze eraan toe, waarbij ze de laatste 's' lekker lang uitrekt om er extra cachet aan te geven, zo lijkt het. 'Ik wil alleen maar zeggen,' herhaalt ze, 'u moet eens wat andere opties overwegen, juffrouw Kapoor.'

'Zulke sieraden maak ik niet,' leg ik uit. 'Ik werk hoofdzakelijk met metalen, email, laseruitsnedes, dat is anders...'

'Juffrouw Kapoor.' Clare Lomax verheft haar stem iets en schuift haar armen naar voren en dan weer terug. Heel even vang ik een flits op van een tatoeage op haar pols, die snel weer verdwijnt onder de mouw van haar polyester jasje. Ik vraag me af hoe oud ze is. 'We zitten hier vandaag om te praten over uw bedrijf en een manier te vinden om te voorkomen dat u failliet gaat, wat op dit moment nog heel aannemelijk lijkt.' Ze spreekt met staccato stem, kortaf en precies. 'U bent tweemaal uw betalingsverplichtingen niet nagekomen. U hebt geweigerd om naar ons te reageren over uw bankschuld. Als u een aflossingsplan wilt voorkomen, waarbij we u twintig procent rente in rekening gaan brengen en met ingang van heden aflossing van uw schuld eisen, moeten we een manier zien te vinden om uw werkmethode te veranderen zodat u uw schuld niet verder laat oplopen.' Ze glimlacht dunnetjes. 'Anders hebt u straks geen zaak meer. Is dat duidelijk?'

Ik knik. 'Ja. Heel duidelijk.'

'Wilt u het roer omgooien?'

Ze staart me aan. Ik ga rechtop zitten en beantwoord haar blik. Deze vrouw, een meisje nog eigenlijk, die ik nog nooit eerder heb gezien, zit me uit te dagen, mij op mijn tekortkomingen te wijzen zoals nog nooit iemand heeft gedaan, zoals ik zelf nooit zou kunnen. Als zij mijn gebreken kan zien, moeten die wel behoorlijk zichtbaar zijn.

Ik schraap mijn keel. 'Ja,' antwoord ik zacht.

'Wat?' Ze buigt voorover.

'Ja,' zeg ik opnieuw, nu wat harder. 'Ja, dat wil ik zeker. Ik wil het anders aanpakken. Ik wil niet dat het zo doorgaat.'

Als ik mijn stem zo hoor, zacht en weifelachtig, terwijl ik deze woorden hardop zeg, schrik ik ervan, en ik realiseer me weer hoe waar het is. Ik knik, alsof ik daarmee mijn woorden bevestig. Voor haar, en voor mezelf.

Clare Lomax vouwt een hoekje van een van de rekeningafschriften om. 'Juist.' Ze staat zichzelf een glimlachje toe en ook ik wil glimlachen. 'Laten we het dan van hieruit aanpakken. Goed... vijfhonderdvijftig pond in november uitbetaald. Aan Aird PR Limited. Afgelopen jaar is daar een paar keer een betaling aan verricht. Wie zijn dat?'

'Het is een pr-bedrijf. Ik heb ze ingehuurd om reclame te maken voor mijn sieraden.' Ze kijkt me wezenloos aan, wat haar goed recht is. 'Ze hebben gewerkt met een aantal ontwerpers die ik ken. Mensen die zijn begonnen met een kraampje of die eerst via een paar winkeltjes spullen verkochten en daarna in bladen en op weblogs verschenen, zodat er over je geschreven wordt, mensen je opzoeken bij tentoonstellingen, enzovoorts. Het helpt je een beetje naam te maken.'

'En hebben ze daar in uw geval ook voor gezorgd?'

'Nee,' geef ik toe. 'Niet echt. Ze regelden een vermelding in de *Evening Standard*, maar mijn website pakten ze helemaal verkeerd aan. Dus veel wijzer ben ik er niet echt van geworden.'

'U moet zich afvragen of uw product wel bestemd is voor het gewone publiek,' klinkt het opeens op vriendelijke toon. 'En of u misschien niet meer kunt doen. Met eenmansbedrijven maken we dit voortdurend mee.'

Nu ik me meer zelfverzekerd voel adem ik eens diep in om een poging te wagen het voor mezelf op te nemen. 'Mevrouw Lomax, we zitten midden in een recessie. Twee jaar geleden had ik nog stagiaires om me te helpen. Ik had bestellingen van winkels hier en in Japan, het Verre Oosten, voor telkens vijftig kettingen en honderd armbanden. Maar dat is nu allemaal opgehouden.' Ik doe mijn best te klinken alsof het me niet dwarszit. 'Mensen kopen wel nog steeds sieraden, maar niet meer zoals vroeger. En als ze iets willen kopen wagen ze niet de gok bij een of andere willekeurige dame van wie ze nog nooit hebben gehoord. Het is best moeilijk.' Ik klink alsof ik probeer haar over te halen om me juist géén geld meer te lenen.

'Dat snap ik,' reageert ze droogjes. Ze buigt zich iets naar me toe, waardoor een lok van haar dunne bruine haar voor haar gezicht valt. 'Maar als ik zo vrij mag zijn: mij lijkt het dat u uw hoofd in het zand hebt gestoken, juffrouw Kapoor. Het is u niet gelukt uw aflossingen bij te houden, u hebt ons niet verteld wat er aan de hand is en waarom u in de problemen bent gekomen, en het allerbelangrijkste: u

201

hebt nagelaten met ons te communiceren, ondanks tal van pogingen van onze kant. En dat maakt u naar mijn mening tot een ernstig risico. U moet dit onder ogen zien. Zoals het er nu naar uitziet, zult u uw bedrijf waarschijnlijk kwijtraken als u zo doorgaat.'

U moet dit onder ogen zien. Ik staar haar aan, mijn hart bonst in mijn borstkas. 'Oké. Oké.'

'Ik begrijp gewoon niet waarom u het zo ver hebt laten komen,' klinkt het vervolgens niet onvriendelijk. Even lijkt ze wel een bezorgde vriendin. Ik knipper met mijn ogen. Ik kan het niet uitstaan als ik nu begin te huilen. Niet huilen.

Luidruchtig schraap ik mijn keel en ik ga rechtop zitten. 'Ik begrijp het zelf ook niet,' zeg ik zacht. 'Ik heb een hoop shi… andere dingen voor mijn kiezen gehad. En het is een zware tijd geweest. Veel vrienden van me stoppen met hun bedrijfje. Maar ik ben hoopvol. Ik ben net klaar met wat ontwerpen voor een nieuwe collectie.'

'Echt?'

'Ja,' zeg ik. Dit is een leugen, maar wel een optimistische.

'Ik moet alleen nog het geld bijeen zien te krijgen om het allemaal te vervaardigen. En dan ermee naar de exposities. En ik moet weer op de markt gaan staan. Dat brengt geld in het laatje.'

'Ik begrijp niet waarom u dat dan niet al eerder hebt gedaan,' zegt Clare Lomax. 'Volgens mijn aantekeningen verkocht u minstens twee keer per week vanuit een kraampje toen u de rekening opende, en altijd op zondag.'

'Dat doe ik niet meer.'

'Waarom niet?'

Waarom niet? IJdelheid, hebzucht, omdat ik tijd wilde doorbrengen met Oli, omdat hij het niet kon hebben dat hij me zondags niet voor zichzelf had, mijn geloof in de hype van Joanna, de pr-vrouw die ik in de arm had genomen en die me wijsmaakte dat ik niet in de kou hoefde te staan naast een hele zwik andere sieradenverkopers, die allemaal wedijverden om aandacht en ruimte. Nadat het veelbelovende popsterretje werd gefotografeerd met mijn ketting begonnen de bestellingen binnen te stromen, en een paar maanden later werd de website gelanceerd. Ik heb naar hen geluisterd, naar Oli en Joanna, toen ze zeiden dat ik dat allemaal niet meer hoefde te doen. En het was duur: tachtig pond per dag voor het kraampje, en de Truman

Brewery markt bij mij in de buurt heeft sowieso te veel kraampjes en niet genoeg klanten, maakte ik mezelf wijs. Ik, Oli en ik eigenlijk, besloten dat ik wel zonder kon, dat ik mijn tijd beter kon benutten als ik dat niveau achter me liet en probeerde een treetje hoger te komen.

Ik heb fouten gemaakt. Ik betaalde te veel voor de website, ik luisterde naar de verkeerde mensen en verlegde mijn focus op een verkeerde manier. Ben, in het atelier naast me, waarschuwde me nog, maar ik luisterde niet.

'Je houdt van je kraampje, Nat,' zei hij dan. 'Je vindt het leuk om de mensen te ontmoeten, het houdt je fris. Het is niet goed voor je om de hele dag maar thuis of in het atelier te zitten.'

Ik probeerde een merk te worden. Een merk zoals de merken die Oli promoot. Hij denkt dat iedereen zijn eigen merk is en ik ben ervan overtuigd dat hij gelijk heeft, maar ik kan alleen maar zeggen dat ik beter af was toen alles nog simpel was, toen ik gewoon wat kon schetsen. Het was allemaal leuker toen ik die aardige oude man om de hoek van Hatton Garden kon betalen om mijn gouden en zilveren hangertjes te laten maken, en ik opgewekt in mijn atelier halskettingen kon vervaardigen, kettinkjes knippen, het juiste tangetje uitkiezen om goud- en zilverdraad te buigen, research plegen naar leveranciers, nieuwe ideeën bedenken en ze gewoon uitproberen. En intussen luisteren naar mijn iPod en slap ouwehoerend met Ben en Tania, zijn vriendin, die bij hem werkt. Het probleem is alleen dat ik meestal liever in hun studio zit dan in mijn eentje. Als zij in de buurt zijn is alles oké. Zo heb ik wat afleiding, iemand om tegenaan te praten in plaats van in mijn uppie te midden van de accessoires en tangetjes te zitten, voor me uitstarend en me afvragend wat ik nu weer kan verwachten. Het is zo gemakkelijk om even bij de buren binnen te wippen voor een kopje thee of hun wat biscuitjes te brengen.

Ben lijkt er nooit mee te zitten. Hij is zo'n open, vriendelijk type dat net zo goed midden op Piccadilly Circus kan werken en zich dan nog kan concentreren. Hij houdt van lekker kletsen, net als ik. We houden van dezelfde soort humor, dezelfde oude films, dezelfde biscuitjes, we waren voorbestemd elkaars kantoormaatjes te zijn, zeggen we steeds. Ik denk dat Tania er niet echt blij mee is dat ik daar de hele tijd als een nare geur blijf rondhangen terwijl zij probeert contactsheets te corrigeren of met een tijdschrift te onderhandelen. Volgens mij weet ze dat ik eenzaam ben. Ze wil me duidelijk maken dat ik moet aftaaien en eens aan het werk moet gaan. En daarom ben ik begonnen mezelf te beperken tot één keer aankloppen per dag.

Wanneer ik me realiseer dat ik er zo over ben gaan denken, zie ik opeens in dat ik mijn eenzaamheid moet zien te beheersen. Dat tranen met tuiten huilen bij Ben toen Oli bij me wegging, terwijl Tania thee zette en even de deur uitging om Jaffa Cakes te halen (en zij is Française, dus Jaffa Cakes zijn voor haar niet te bevatten, en daarom waardeerde ik het gebaar des te meer) iets is wat je één keer doet, omdat het een crisismoment is, niet elke week, elke dag.

De nieuwe, sterke, zelfverzekerde ik kijkt Clare Lomax aan om te zien of ze het zou begrijpen, het brein dat over te veel tijd beschikt om na te denken. Nee, ze zou het niet begrijpen. Ik ook niet als iemand het me uitlegde. Het is alsof mijn leven volledig uit koers is, en hoewel ik nog steeds niet snap waar dit is begonnen, erken ik het in elk geval. Ik plaats mijn handen op het bureau en adem diep in.

'Luister, mevrouw Lomax,' zeg ik. 'Ik heb het echt verknald, maar ik kan u laten zien hoe en waarom, en hoe ik het een en ander ga veranderen. Ik weet dat ik goed ben in wat ik doe, en ik wil nu de mouwen opstropen. Ik heb alleen naar slechte adviezen geluisterd, en ik weet nu hoe ik dit moet fiksen.' Smekend kijk ik haar aan. 'Alstublieft, gelooft u me. Ik heb u genegeerd en dat spijt me heel erg, maar ik ben stom geweest en heb mijn kop in het zand gestoken. Ik ga achter het geld aan om de uitstaande aflossingen te betalen, ik kan ze vandaag met mijn creditcard betalen. Maar toe, trek mijn kredietlimiet alstublieft niet in. Ik heb iets meer tijd nodig, maar ik ga alles afbetalen.'

Ze knijpt haar ogen iets toe.

'Echt,' benadruk ik. 'Ik wil niet dat het zo doorgaat. U moet me vertrouwen.' Ik glimlach en ik hoor mijn stem trillen. 'Ik weet wel dat u daar geen reden toe hebt, maar ik hoop echt dat u me toch vertrouwt.'

Ik leun achterover in mijn stoel en hou weer krampachtig de papieren vast.

Clare Lomax slaakt een zucht. 'Oké, luister, er is een uitweg.' Ik hou mijn adem in. 'U zult ons elke maand een vast bedrag terug moeten betalen en als u nog één keer in gebreke blijft, dan is het afgelopen en zullen we een incassobureau inschakelen. U zult uw bedrijfsuit-gaven moeten verlagen. En ik zie dat u getrouwd bent, klopt dat?'

'Ja.'

'De flat staat op uw beider namen?'

'Alleen op die van mijn man.'

'Dus die kunnen ze u niet afnemen.'

'Wat kunnen ze me niet afnemen?'

'U zult uw flat niet kwijtraken.'

Mijn hoofd tolt. 'De flat kwijtraken? Nee, natuurlijk niet... nee toch?'

'Juffrouw Kapoor,' zegt ze peinzend, 'ik geloof eerlijk gezegd niet dat u zich realiseert hoe ernstig dit is.'

'Echt wel,' zeg ik bijna smekend. 'Dat realiseer ik me absoluut.'

'Uw man werkt?'

'Ja... ja, die werkt. Maar...'

'U hebt geluk,' zegt ze terwijl ze haar papieren bij elkaar zoekt. 'U kunt een paar maanden op zijn zak teren terwijl u alles op een rijtje zet. We zullen ook een schema maken voor uw aflossingen en daarna een nieuwe manier uitwerken waarop u uw bedrijf kunt voortzetten.'

Ik knik nederig. Misschien zal ik wel moeten, maar het idee staat me niet aan. Ik wil terug naar Oli, maar niet omdat hij dan voor alles zal betalen. Ik raak hem en de zaak nog liever kwijt dan dat ik het ge-voel heb dat ik hem terugneem zodat ik 'op zijn zak' kan teren, zoals Clare Lomax voorstelt. Maar ik zeg niets. Want heb ik een keus? Ik moet ervoor zorgen dat dit gaat lukken. Ik moet veranderingen door-voeren. Ik ben zo vastberaden dat ik zowaar tril. Ik snap niet dat het Clare Lomax niet opvalt.

'En daarna gaan we kijken of u uw bedrijf op een meer rendabele manier runt. Zodat het levensvatbaar is.' Ze schraapt haar keel. 'Klinkt dat als een stap voorwaarts, juffrouw Kapoor?' Ze kijkt om-laag naar haar notitieblok. 'O, neem me niet kwalijk. Het is dus me-vrouw Kapoor?'

'Nee,' antwoord ik. 'Het is mevrouw Jones.' Om alle voor de hand liggende redenen haat ik het om mevrouw Jones te zijn. Ik ga weer wat verzitten, en de papieren in de zak van mijn rok wikkelen zich om mijn dijbeen.

'O. Sorry.' Ze let niet echt goed op.

'Geeft niet,' zeg ik. 'Geen probleem. En...'

'Ik denk dat we hier wel uit gaan komen,' zegt ze ten slotte, en ze schuift het toetsenbord voor zich en draait rond in haar stoel om naar haar beeldscherm te kijken. 'Zoals ik al zei, juffrouw Kapoor, er zal het een en ander moeten veranderen. De vraag is: bent u daartoe bereid?'

'Ja, dat ben ik,' zeg ik. Ik knik en deze keer hoor ik mezelf praten en mijn stem klinkt helder, kalm en zelfverzekerd, en voor het eerst in lange tijd geloof ik zowaar wat ik zeg. 'Dat ben ik echt.'

22

Het is een koude maar zonnige dag als ik met mijn handen in mijn zakken van Liverpool Street naar het atelier loop. Ik bevind me aan de andere kant van de City, op de terugweg naar mijn dierbare Oost-Londen. Links en rechts schieten jachtige Cityemployés langs me heen, slechts opgefleurd door een streepje rood van een stropdas of een kleine glinstering van een gouden oorbel. Ik ril in de ijzige wind en loop stevig door.

Ik druk de documenten stevig tegen me aan om mezelf warm te houden. Nu het achter de rug is, leek het gesprek bijna grappig, zo vreselijk als het was. Eén ding staat vast: hoewel Clare Lomax en ik nooit vriendinnen zullen worden, vind ik wel dat ze volledig in haar gelijk staat. Zij zag het aankomen. Er moeten dingen veranderen. In mei word ik eenendertig. Ik ben een volwassen vrouw, godbetert.

Vijf minuten later trek ik de deur van Petticoat Studios, aan het eind van Brick Lane, open. 'Atelier' is een eufemisme voor de ruimte die ik er huur. Het is eigenlijk een oud jaren zestig-pakhuis dat min of meer in verschillende ruimtes van verschillende afmetingen is opgesplitst. Mijn tante Sameena vertelde dat toen ze in de jaren zeventig familieleden ging opzoeken, ze naar Brick Lane kwam en daar rijen mannen uit Bangladesh op de grond zag slapen. 's Ochtends vroeg gingen ze aan de slag op een bouwterrein, vlakbij, waarna hun bedden werden ingenomen door de nachtploeg die net klaar was. Nu zijn de bakstenen en binten gewoon te zien en heeft Lily, de textielontwerpster, achter de zo af en toe bemande receptiebalie reusachtige patronen op de muur gesjabloneerd. Bohemien en cool wil nog niet zeggen dat de verwarming het doet en de wc's altijd doorspoelen, zo heb ik ontdekt.

'Hoi!' groet ik Jamie, een van de twee receptionistes die worden betaald uit de exorbitante huur die we dokken. Jamie kijkt op en veegt met een vinger haar blonde pony opzij. Jamie draagt een zwarte katoenfluwelen trui met capuchon, die ze over haar hoofd heeft getrokken. Ze bladert door een nummer van *Pop*.

'Ha die Nat!' ze knikt opgewekt, want dat is ze. Ze is mooi, lief en aardig, een Oost-Londense versie van Sophie Dahl. 'Hoe was de begrafenis?'

'Goed,' zeg ik terwijl ik in mijn postvakje reik en de post eruit haal. 'Ach, je weet wel.'

'O, hou op.' Ze knikt begrijpend. 'Heftig, zeker?'

Ik ben niet in de stemming voor onbenullige begrafenisgesprekjes of voor de mooie, zonnige Jamie, die ik 's ochtends soms het liefst achter het behang wil plakken, zo goedgeluimd als ze is. Ik glimlach, knik, sjok vervolgens de koude betonnen trap op en ontgrendel de deur van mijn atelier.

Ik ben hier pas twee dagen niet meer geweest, maar het lijkt langer geleden. Binnen is het steenkoud. De grote vierkante ramen houden de warmte bepaald niet binnen, maar het is er altijd licht. Mijn eigen ateliertje meet ongeveer drieënhalf bij drieënhalf. Alles is witgeverfd. Naast het raam reiken balken van de grond tot aan het plafond, er is een alkoof met een kluis. Ervoor hangt een gordijn, een lap met rode, grijze en limoenkleurige geometrische figuren, afkomstig uit een van de slaapkamers van Summercove. In de kluis bewaar ik mijn onverkochte stukken en alle metalen die ik heb aangeschaft. Er staat een houten tafeltje met daarop een oude, gehavende radio die onder de verfspatten zit, een ketel en een van oma's oude dienbladen met daarop een paar mokken. De rest van de ruimte wordt in beslag genomen door de werkbank met al mijn gereedschap. Een hamer, buigtangetjes, boortjes, draad en draadknippers, scherpe messen, allemaal bedekt met stofjes van het koper- of gouddraad. Verder mijn werkschort, dat me een superprofessioneel gevoel geeft, en mijn schetsboek waarin ik voortdurend ideetjes krabbelde. Ik heb er al in geen maanden meer iets nieuws in getekend of genoteerd.

Aan de muur achter de werktafel zijn zes grote kurktegels gelijmd waarop ik foto's heb geprikt: van oma toen ze jonger was, van mij en Jay bij Summercove toen we vijf waren, turend in de zon en allebei bruin, dik, klein en ernstig; van Ben en mij toen we vorig jaar verkleed als het komische duo Morecambe en Wise uit de jaren zeventig op de kerstborrel van Petticoat Studios waren. Tania snapte het niet, maar dat mag, want ze groeide op aan de Left Bank. Eigenlijk begreep niemand het. De gemiddelde leeftijd was ongeveer drieëntwintig. Telkens wanneer ik die foto zie moet ik glimlachen. Er straalt zoveel paniek uit onze ogen terwijl we beseffen hoe we hebben misgekleund. Achter ons staan alle van nature al o zo trendy medehuurders in supercoole verkleedoutfits, van Betty Boo (Jamie, uiteraard) tot Johnny Depp als kapitein Sparrow (Matt, van het schrijverscollectief in het souterrain). Dat heb ik dus nooit geweten, dat je op een verkleedfeestje er niet alleen waanzinnig creatief, maar vooral ook kek bij moet lopen. Bij mij ziet het er alleen maar belachelijk uit.

Ten slotte is er nog de foto van Oli en mij op onze bruiloft, twee jaar geleden, in de botanische tuin van Chelsea. Hij in een kakikleurig linnen zomerpak, ik in een witte Collette Dinnigan. We staan er en profil op, in zwart-wit, lachend naar elkaar, alsof we een fotoshoot voor *Hello!* doen. Soms, zo halverwege de middag, kijk ik even op van mijn werk en moet ik mezelf eraan herinneren dat ik dat ben, daar op die foto. Verder nog wat stukjes uit tijdschriften, flink wat punaises voor als ik ideeën heb, een cartoon uit *Private Eye* over kunstenaars en een omslag van de Franse cartoonist Jean-Jacques Sempé voor de *New Yorker*, die Oli als cadeautje had laten inlijsten voor onze eerste trouwdag.

Nu ik terug ben moet ik Oli bellen. We moeten weer eens praten. Het is al bijna drie weken geleden. Terug uit Cornwall, met de situatie daar, en dat gesprek bij de bank vanochtend, is een ding me wel duidelijk geworden: dit halve gezweef in het niets kan zo niet doorgaan.

Voor de ramen hangen bloembakken met afgestorven viooltjes en geraniums. Nu de lente er aankomt moet ik de boel opschonen, een wandelingetje naar Columbia Road ondernemen en daar een paar nieuwe planten kopen. Voor weinig, natuurlijk. Ik hoef niets te vrezen. Ik kan de draad weer oppakken. Ik wil mijn nieuwe doelgerichtheid, mijn dadendrang, in goede banen leiden. Toch is er iets wat me tegenhoudt, maar wat precies weet ik niet. Het is niet alleen Oli. Het is ook oma's begrafenis, wat Arvind en Octavia ieder afzonderlijk zeiden, de geleidelijke afkalving van de muur die, zo dacht ik, altijd om ons heen zou blijven staan, de paar bladzijden van het dagboek die ik heb gelezen, genoeg om door te willen, wanhopig graag verder te willen lezen.

Waar is de rest? Cecily heeft meer geschreven dan dit, dat is wel duidelijk. Wat gebeurde er verder die zomer, toen de jongens er waren? Ik heb de post in mijn hand en ik voel dat ik de enveloppen bijna verfrommel terwijl ik ze stevig dichtknijp om na te denken. Eerst was er alleen haar naam, die nooit viel, en nu kan ik in gedachten haar stem zo duidelijk horen dat het lijkt of ze zich persoonlijk tot mij richt. Zo vreemd. De overgang van de gedachte dat je uit een normale, gelukkige, hoewel wat afstandelijke familie komt, naar het besef dat je eigenlijk helemaal niets over je familie weet. Waar is de rest van het verhaal? Hoe verging het mijn moeder daarna, haar en iedereen? Ik moet erachter zien te komen, maar hoe? Ik moet het dagboek vinden. En een manier bedenken om er met mijn moeder over te praten.

Ik leg de post op het tafeltje. De enveloppen waaieren als vanzelf uit. Ten minste twee zijn afkomstig van de bank. Ik hoef ze niet meer te negeren. Verder nog twee vensterenveloppen, wat altijd neerkomt op een rekening of een betalingsherinnering. Plus nog een uitnodiging voor een nieuwe vakbeurs, in het Olympia, in juni. Ook die negeer ik al een tijdje. Wat heeft het voor zin? Maar nu ik blaak van enthousiasme voelt het alsof alles mogelijk is. Ik realiseer me dat als ik ooit zelfstandig wil slagen, ik weer moet gaan ontwerpen. Een nieuwe collectie presenteren die zo waanzinnig is dat mijn naam op de blogs van alle fashionista's prijkt, mijn collectie binnen een jaar bij Liberty's wordt verkocht en ik het jaar daarop mijn eigen lijn bij Topshop heb. Maar belangrijker nog: laat je niet misleiden. Doe het omdat je het graag doet, niet omdat je het moet. Dus wat... wat voor collectie? Wat gaat het worden?

Daarna, alsof een stem me stuurt, glijdt mijn hand langzaam maar zeker naar mijn hals. Ik voel het dunne kettinkje met daaraan Cecily's ring. Ik loop naar het kleine spiegeltje aan de muur naast de koelkast en ik bekijk mezelf. Ik zie lelijke bruine kringen onder mijn ogen.

De ring nestelt zich tegen mijn huid, het bijna roze goud, zacht tegen mijn huid. De verstrengelde metalen bloemetjes zijn prachtig. Ik denk aan deze ring, aan oma, aan mijn jonge, overleden tante. Ik hoor mijn opa's stem terwijl zijn starre vingers Cecily's dagboek naar me toe schuiven: *Neem het... en pas er goed op... bewaar het veilig. Het staat er allemaal in.*

Ik haal de velletjes uit de zak van mijn rok en bekijk ze terwijl ik me ondertussen afvraag hoe het verder moet.

'Nat!' roept een stem op de gang. 'Ben een beetje vroeg!'

Natuurlijk is ze een beetje vroeg. Het is immers Cathy, die is altijd een beetje vroeg. Terwijl ze haar hoofd om de deur steekt, duw ik de velletjes snel in mijn tas.

Cathy is nogal klein, terwijl ik zelf lang ben. Het is een van de vele verschillen die ons dichter tot elkaar brachten sinds we als twee elfjarigen het benauwde, rancuneuze traject van de middelbare meisjesschool in West-Londen bewandelden. Ze houdt een bruine papieren zak omhoog.

'Ben even bij Verde's binnengewipt,' vertelt ze. 'Ik heb een quiche gekocht want ik heb een rampzalige ochtend achter de rug. Ik vrees dat ik iemand vijftig ruggen door de neus heb geboord.' Cathy werkt als actuaris in Bishopsgate, het financiële district aan de rand van de City dat elke dag dieper Spitalfields binnendringt en waar in de eeuwenoude, vervallen straten van weleer nu glazen kantoorpanden en Pret A Manger-winkels steeds verder oprukken. 'Salade, cakejes en heel duur vruchtensap.' Ze loopt naar me toe en geeft me een kus op de wang. 'Hoe gaat het, schat?'

Ik buig me naar haar toe, druk haar stevig tegen me aan. Ik voel haar koude zijdezachte dikke haar tegen mijn huid en ik snuif de vertrouwde Cathy-geur in me op; ik vermoed een combinatie van Johnson's babylotion en Anaïs Anaïs. Ze is niet het experimentele type, onze Cathy. Als ze tevreden is met iets, dan blijft ze het trouw. Ze ontdekte Anaïs Anaïs toen we zestien waren en sindsdien heeft ze het altijd op. Ze houdt van Florida en gaat er elke winter met haar moeder heen, naar hun vaste hotel in Miami. Als Martin, haar ex-vriendje annex griezel, haar drie jaar geleden niet het huis uit had gegooid en het slot had vervangen, was ze nog steeds bij hem geweest, wat ik zorgelijk vind, aangezien hij voor een overduidelijke psychopaat kon doorgaan. Ze houdt niet van verandering.

Ze zet de tas op mijn werkbank en strijkt even met een hand langs mijn haar. 'Ik heb gisteren de hele dag aan je gedacht. Hoe was het?'

'Ging wel. Verschrikkelijk dus, maar je snapt wel wat ik bedoel.' Ik schop mijn tas nog wat verder onder het tafeltje.

'Wat zit daar op je voorhoofd?' Ze wijst naar de paarse bult en ze fronst. 'Heb je met iemand gevochten? Heeft je moeder zich nog een beetje gedragen? Of probeerde ze de dominee af te lebberen en stond jij in de weg?'

Cathy kent mijn moeder van vroeger tijden. Ze herinnert zich onze ouderavond van 1991. Ze heeft mam zelfs samen met meneer Johnson gezien.

'Niks aan de hand,' zeg ik lachend, hoewel ik bij de gedachte aan mijn moeder een steek in mijn zij voel. Ik denk terug aan hoe prikkelbaar ze gisteren was, zie haar radeloze gezicht weer voor me terwijl ze Guy de les leest en daarna mij en Octavia uitzwaait. En ik hoor de stem van Octavia weer: *Weet je dan echt niet hoe het werkelijk zit met haar?*

'Gewoon een bult.' Ik kan en wil het daar nu niet over hebben, zelfs niet met Cathy. 'Mijn hele familie is nogal vreemd. Dat weet je.'

'Dat zijn ze zeker,' klinkt het kwiek. 'Nog een wonder dat jij niet compleet mesjogge bent, Nat. Dat heb ik vaak gedacht. Of nog meer mesjogge dan je al bent, als je begrijpt wat ik bedoel.'

'Wat ontzettend aardig van je,' zeg ik. 'Maar ik wil weten hoe het met je is. Hoezo sores op het werk? Waarom baal je zo?'

'Volgens mij heeft mijn baas een pesthekel aan me. Echt een pesthekel.' Ze staart nog steeds naar mijn voorhoofd. 'Ach, even niet, nu. Hoe was je gesprek vanochtend?'

Ik hoor geluid op de gang en mijn ogen schieten naar de deur. Vraag me niet waarom; ik wantrouw alles en iedereen, behalve Cathy en Jay dan, die weten hoe stom ik ben geweest. Zelfs Oli kent niet het hele verhaal. Ik heb een aantal dingen voor hem verborgen gehouden, net als hij voor mij. Ik wil bijvoorbeeld niet dat Ben langsloopt en per ongeluk de waarheid achter mijn idiotie te horen krijgt. Ik wil ook niet weten hoe hij en Tania erover zouden denken. Zolang hij maar geen medelijden met me heeft. Ik weet zeker dat dat wel zo is, maar ik heb het liever niet. En ik wil ook niet dat hij weet hoe stom ik ben.

'Uuh...' ik zet de borden en het bestek op het tafeltje en reik naar wat servetjes die ik in de zak van mijn schort bewaar. 'Het was tamelijk vreselijk.'

'Nee, hè.'

'Nee, niks aan de hand,' haast ik me te zeggen. 'Ik moet nu duizend pond zien op te hoesten om de verzuimde aflossingen te betalen. Maar dat kan met mijn andere creditcard.' Cathy fluit even tussen de tanden door. 'En ik moet ook mijn debet afbetalen, tweehonderd pond per maand plus rente. Maar ze gaan dus niet incassobureaus of de politie inschakelen, of de rechter.'

'Ha, ha,' lacht Cathy. Met beide handen trekt ze haar paardenstaart recht, alsof ze haar spieren los wil maken. 'Juist, ja.'

'Nee, echt,' zeg ik. 'Ik meen het. Dat waren ze dus wel van plan.'

'Jezus.' Ze lijkt oprecht geschokt. Cathy heeft nooit schulden gehad, vereffent elke maand netjes haar creditcard. Zelfs het poortje van de metro zal nooit gaan piepen omdat haar chipkaart leeg is. Zo georganiseerd is ze. 'Ik wist niet dat het zo erg was.' Vervolgens vraagt ze onhandig: 'Hoe heeft... eh, het dan zover kunnen komen?'

'Hoe het zover heeft kunnen komen weet ik wel,' zeg ik. Ik gebaar naar de enige stoel en geef haar een bordje en een vork. 'Ik ben stom geweest. Ga zitten. Neem wat van je eten.' Ik schenk wat van haar appelsap in een gebutste donkerblauwe mok met daarop de tekst: *Tower Hamlets Business Seminars.* 'Drink op.'

Cathy snijdt met de rand van haar vork een stukje van haar quiche los. 'Je hebt het ook niet echt makkelijk gehad, Nat.'

'Misschien, maar het is mijn eigen schuld. Ik heb het niet goed aangepakt,' is mijn eenvoudige antwoord. 'Met als gevolg dat ik nu aan de grond zit. Als oma het wist zou ze zich rot schamen, ze was zo trots op me. Lieve hemel.' Ik schud mijn hoofd nu ik weer aan oma denk, aan oma's rol in het dagboek, haar ongeduld met Miranda, haar dochter, alsof ze wist dat ze uit minder goed hout gesneden was. Wist ze het?

Nee. Ik schud mijn hoofd. Ik moet eens ophouden met dit soort gedachten, in elk geval totdat ik meer weet. 'Als ze ooit zou hebben vermoed dat ik eerder weg moest van haar begrafenis om met de bank te gaan praten in de hoop dat ze me niet voor de rechter zouden slepen... als ze eens wist hoe ik de boel in het honderd heb laten lopen...' Ik denk aan haar en aan hoeveel ze van me hield en hoe ik die liefde mijn hele jeugd heb gevoeld. Het is zo moeilijk het onder ogen te zien, maar ik ploeg door. 'Ze zou zó teleurgesteld zijn geweest.'

Cathy heeft haar aandacht bij haar quiche op het bord. Na een korte stilte zegt ze: 'Ik denk van niet.'

Ik lach. 'Aardig van je. Maar, ik denk toch van wel. Ze was er echt trots op dat ik kunst studeerde aan de universiteit. Ze was zo teleurgesteld toen ik geen kunstschilder werd, maar die edelsmidopleiding was wel oké, want ze vond het in elk geval kunstzinnig. Ze ging er niet van uit dat ik failliet zou gaan, toch?'

'Volgens mij ben je gewoon te streng voor jezelf. En afgezien van al het andere, zit ook de economie nog eens in het slop,' zegt Cathy. Ze slikt en schraapt haar keel. 'Ik wil niet onbeleefd overkomen, maar weet je, ik vond altijd dat...' Ze zwijgt. 'Weet je, laat maar zitten ook.'

'Wat?'

'Niets.'

Ik lach. 'Kom op, Cathy! Wat?'

'Ik vond altijd dat ze ook best hard tegen jou was, als ik eerlijk mag zijn.'

'Wie?' Ik kan haar even niet volgen.

'Je oma, Nat.'

Ik lach schamper. Dit is zo'n onzin. 'Dat was ze helemaal niet!'

'Ik weet alleen nog,' vervolgt Cathy voorzichtig, 'dat jij in de zomer in Summercove, na ons eindexamen, van haar moest schilderen in plaats van dat je met Jay en mij naar het strand mocht, en dat ze daarna kritiek ging leveren. Terwijl ze zelf al in geen dertig jaar meer had geschilderd en jij pas achttien was!' Ze trekt even een gezicht, alsof haar woorden haar een beetje een vieze smaak in de mond bezorgen. 'Ik vond het oneerlijk. Alsof jij beter dan je moeder moest worden. Of Archie. Snap je?'

Dit is zo bizar dat ik haar met grote ogen aankijk. 'Cathy, zo was het echt niet!' Mijn stem wordt luider. 'Ik wilde juist van haar leren.'

'Ik weet het, sorry.' Ze bloost licht. 'Ik heb gewoon het idee dat ze je soms gebruikte om de teleurstellingen in haar eigen leven te compenseren. Toe, ik bedoelde er verder niets mee! Laat maar zitten! Ik ben alleen maar blij dat je alles hebt opgelost. Dat is toch zo?'

Ik denk aan mijn inmiddels al giga creditcardschuld. De laatste tijd heb ik die ook voor zakelijke dingen gebruikt, in plaats van die via de boeken te laten lopen. Ik ga armoe lijden. Deze laatste paar weken, zonder Oli om de kosten voor levensmiddelen, taxiritten en toiletpapier mee te delen, hebben inmiddels al hun tol geëist. Ik knik. 'Klopt. Het zal kantje boord zijn, maar volgens mij lukt het me.' Ik raak eventjes de ring om mijn hals aan. Vanavond ga ik schetsen. Ik neem nog een slokje appelsap, buig me een beetje naar haar toe en geef haar een klopje op haar arm. Zittend op mijn kruk toren ik boven haar uit. Zij zit in een lage stoel, dus het is moeilijker dan het lijkt. 'Genoeg over mezelf. Hoe gaat-ie? Vertel. Ik heb je al in geen tijden meer gezien.'

'Och. Oké.' Cathy haalt haar schouders op waardoor de schoudervullingen van haar colbertje bijna haar oren raken. 'Had vrijdag weer een date met Jonathan.' Ik frons mijn wenkbrauwen.

'O. Hoe was het?'

Precies op dat moment gaat de deur open en een dikke bos haar verschijnt om de hoek.

'Ben!' Ik sta op. 'Hé, kom binnen, tast toe.'

De bos haar loopt naar binnen, met daaronder het lijf van mijn buurman. Vragend kijkt hij naar de schrale, halfverorberde quiche op het tafeltje en de salade ernaast. 'Nee, dank je. Ik moet trouwens toch weg,' zegt hij terwijl hij zich op het hoofd krabt. 'Ha, Cathy. Ik wilde alleen maar even weten hoe het met je is, Nat.' Hij slaat zijn armen om zich heen. 'Het is verdomme steenkoud hier.'

Hij is gekleed in zijn dagelijkse 'uniform', een dikke wollen trui. Daar heeft hij een eindeloze voorraad van, meestal gekocht in tweedehandswinkels of op de markt, en allemaal superdik. Zijn lange krullen dansen op en neer als hij enthousiast is over iets. Zoals altijd ben ik blij hem weer te zien. Ik weet zeker dat het hier een Pavlov-reactie betreft, want overdag belichaamt hij een vorm van gezelschap, en dus is het meestal heerlijk om hem te zien. Maar ik weet zeker dat als we samen op vakantie gingen, we de eerste avond al ruzie zouden krijgen. 'Hopelijk wordt het snel een beetje warm hier,' zeg ik. 'Hé, joh, blijf nog even hangen en neem een kop thee.'

'Nee,' zegt hij. 'Ik wilde alleen maar even hallo zeggen.' Hij kijkt me aan. 'Dus, alles goed verder?'

'Ik wip wel even langs,' zeg ik. 'Het was me nogal wat.'

'De begrafenis of dat gesprek?'

'O, allebei.'

Ben knikt. 'Nou, ik heb een shoot, vanmiddag, maar hoe laat precies weet ik niet. Klop maar aan, schat.'

'Oké.'

'Leuk je te zien, Cathy,' zegt hij. 'Nat, ik zie je. Ik wil er alles over horen.'

Ik knik. Als de deur dichtvalt draai ik me weer om naar Cathy. 'Sorry. Hem een beetje blijmoedig binnenhalen terwijl jij me net over Jonathan aan het vertellen bent. Ga verder.'

'Hij is zo leuk.' Cathy staart naar de gesloten deur.

'Wie, Ben? Hij heeft een vriendin, hoor,' zeg ik.

'Zo bedoel ik het niet.'

'Ja, vast.'

'Nee, echt. Hij is gewoon leuk.' Ze zucht. 'Waarom zijn alle mannen niet als hij? Ik snap het gewoon niet.'

Ik denk aan Ben, die ik dankzij Jay al jarenlang vaag ken, en zijn dansende haar en zijn dikke truien. Zo heb ik hem eigenlijk nog nooit bekeken. 'Hij is schattig, maar ook een beetje een groot schaap, zeg maar. Vind je niet?'

'Wat?' vraagt Cathy. 'Je bent gek. Ik vind hem echt heel leuk. Die grote bruine ogen. Die glimlach. Hij heeft een heerlijke glimlach. Als hij eens naar de kapper zou gaan... Wauw, dan zou-ie echt een stuk zijn. Pauww...!' Ze maakt een explosiegebaar met haar handen.

Ik zucht. Ze heeft zo'n rare smaak wat mannen betreft. 'Kom. Vertel. Excuses. Jij en Jonathan.'

'Ja.' Ze zucht. 'Heel vreemd. Ik snap er niks van.'

'Oké, dus wat is er gebeurd?'

'Oké. Nou. We hadden lekker gegeten. Leuk gesprek.'

'Waar?'

'Bij Kettner's. Maar sinds die verbouwing vind ik het er niet meer leuk. Het lijkt wel een hoerenkast. En het was er vroeger zo fantastisch.'

Ik knik en een huivering trekt door mijn lichaam. Kettner's in Soho was onze lievelingsstek. Van Oli en mij, bedoel ik. Toen we ieder nog in een tegenovergestelde uithoek van de stad woonden spraken we daar altijd af. Heerlijke goedkope pizza's en een geweldige champagnebar. Veel bedrukt linnen, hotel-aan-zeeinterieur, ouderwetse bediening en een pianist die jazzstandards speelde. Nu is het 'gerestyled', met een nieuw menu, en ik vind het er niet uitzien.

Oli en ik waren er in november nog en het was een slechte avond. Afgrijselijk, eigenlijk. We waren al een tijdje niet meer samen uit geweest. Om een lang verhaal kort te maken, het ging mis tijdens een gesprekje over de voordelen van onze flat, toen ik zei: 'Want misschien zullen we op een dag naar iets groters op zoek moeten, als we kinderen willen.' Waarna ik ten slotte met een peperdure taxi in mijn eentje op huis aan kon. Oli was namelijk nog niet klaar voor het 'als we kinderen hebben'-gesprekje. Dat je intussen al twee jaar met elkaar getrouwd bent, wil kennelijk nog niet zeggen dat je er klaar voor bent om er zelfs maar over te praten.

'Kettner's was inderdaad te gek, toen. Maar afijn. Is er nog iets gebeurd?' Ah, is er nog iets gebeurd: waarschijnlijk de meest gestelde vraag in Londen.

'Min of meer.'

'Zoals?'

Ze schuift wat in haar lage stoel en ze staart naar de vloer, zodat ik haar gezicht niet kan zien. Ze is slecht in details. 'Nou, dat het onbevredigend was, dus.'

'Hoezo?'

'Nou, we hadden heel wat gedronken, en buiten op straat kusten we elkaar. En hij woont ook in Clapham, dus we namen samen een taxi. Maar, zo raar.' Ze trekt haar neus op. 'We stopten voor zijn deur en hij had me zo mee naar binnen kunnen vragen. We zitten achter in die taxi, je weet wel, te...' tongen, ze vormt het woord geluidloos met haar lippen, 'en een beetje te...' Ze doet het opnieuw, en ik interpreteer het als: foezelen onder de kleren. Maar ik wil er niet naar vragen en daarmee de flow verstoren. 'En opeens werpt hij een briefje van twintig naar me, zegt: "O, nog bedankt voor de leuke avond," en stapt zomaar uit!' Inmiddels gilt ze bijna van verontwaardiging.

'Hij wierp een twintigje naar je?' zeg ik. 'Alsof je een prostituee bent en hij je cash betaalt om je even te kunnen betasten?'

'Precies!' roept ze. 'En ik maar denken dat het voor de taxirit was, maar weet je... jezus, gewoon om mij als een snol weg te zetten!'

'Wie betaalde het etentje?'

'Ieder de helft.' Er valt een stilte. 'Maar volgens mij zegt dat niets.'

'Volgens mij ook niet. Wat doet-ie voor werk?'

'Hij is... tja. Hij is danser.'

'Hij is wát?'

Ze neemt een hapje van haar quiche. 'Hij is danser.'

'Wat voor danser?'

'Hij zit in de *Lion King*.'

'Hij is danser in de Lion King,' herhaal ik. 'Jij hebt getongd met een danser van de Lion King.' Ik knik. 'Wat voor rol speelt hij in de Lion King?'

Cathy kijkt me nog steeds niet aan. Haar stem beeft. 'Ik geloof een giraf.'

We liggen dubbel van het lachen en mijn kruk wiebelt vervaarlijk heen en weer. Met een hand breng ik mezelf weer in evenwicht.

'En jij denkt niet dat-ie…'

'Hij is géén homo!' roept ze verontwaardigd. 'Zeker weten van niet! Hij vindt het juist heel irritant dat iedereen daar meteen maar van uitgaat en dat het voor hem een stuk makkelijker zou zijn als hij het gewoon was!' Ze valt even stil. 'Afgezien van zijn ouders dan. Ze zouden hem niet meer accepteren.'

'Hoezo? Wat is er met die ouders?'

'Streng doopsgezind. Voor hen is homoseksualiteit een zonde.' Ze schudt haar hoofd. 'Het klinkt behoorlijk afschuwelijk allemaal. Heel repressief. Hij groeide op in Rickmansworth,' voegt ze eraan toe, alsof het ene met het andere te maken heeft.

'Oké,' zeg ik, hoewel ik inmiddels ernstige bedenkingen heb bij Jo-nathan-de-dansende-giraf-uit-Rickmansworth-met-de-repressieve-doopsgezinde-ouders. 'Tja, misschien is hij gewoon… verlegen.' Ik val stil. 'Hoe was het tongen?'

Cathy kijkt weer om zich heen. 'Oké wel. Snap je? Soms is het het gewoon niet helemaal. En we waren behoorlijk dronken.'

'Maar je vindt hem wel leuk?'

Ze staart voor zich uit. 'Ja. Hij is echt heel grappig. En we hebben niets gemeen. Daar hou ik van. Hij is anders dan ik.' Ze schuift weer wat op haar stoel. 'Op het werk zijn we allemaal hetzelfde. Altijd in het pak. Serieus. Lezen de Financial Times.' Ze trekt een pruillip. 'Daarom vond ik zijn profiel zo leuk, en de e-mails. Hij klonk gewoon heel grappig.' Ze zwijgt. 'Ik wil alleen maar een leuke vent ontmoeten, be-grijp je?' klinkt het zacht. 'En dat valt niet mee.'

Ik denk terug aan mijn laatste date, voordat ik Oli tegenkwam. Een vent met een zegelring en dikke worstvingers, die het de hele avond alleen maar over zichzelf had, en dat zijn vrienden hem 'absoluut een feestbeest' vonden, 'voor alles te porren, ik!' Dun, gelig blond haar, een rozig hoofd als van een baby, ogen die alle kanten op keken, be-halve in de mijne, en ik zat daar zwijgend en dacht: misschien kan hij er heus wel mee door, misschien ben ik te kieskeurig, dat hoor je overal.

'Ik weet het,' zeg ik. 'Ik weet dat het niet meevalt.'

'Ha. Alsof jij dat weet.'

'Hal-lo,' zeg ik, en ze slaat snel haar hand voor haar mond.

'Shit, Nat, het spijt me echt!' Een rode kleur bevlekt haar witte wangen. 'Tactloos van me!'

Zittend op mijn kruk buig ik me iets naar haar toe en geef een klopje op haar hoofd. Verder kan ik niet reiken. 'Niks aan de hand! Echt, maak je geen zorgen. Ik zou het trouwens toch niet weten. Het is voor mij alweer zo lang geleden.'

'Maar denk je dat je binnenkort weer de boer op moet?'

'Geen idee,' antwoord ik terwijl ik mijn vingers strek. 'We moeten praten. Hij blijft maar bellen, wil me weer eens zien. Ik heb daar gewoon nog geen zin in gehad.'

'Hij wil bij je terug, hè?' vraagt Cathy. Ik knik. 'Natuurlijk wil hij dat!' roept ze opgelucht. 'Jij en Oli – jullie zijn al eeuwen een stel. Ik bedoel, echt, jullie gaan niet uit elkaar!'

'Hij heeft met een ander geslapen,' werp ik tegen. 'Vind je dat niet erg genoeg?'

Ze friemelt haar handen in elkaar. Gewoonlijk is ze zo zelfverzekerd. Ze kijkt om zich heen. 'Ja, natuurlijk. Maar als je mij vraagt, is het een scheiding waard...? Ik vraag het me af. Ik ben niet getrouwd.' Ze glimlacht, wetend dat het een goedkoop antwoord is. 'Ik kan daar geen uitspraak over doen.'

'Nou ik wel, en ik heb mijn uitspraak gedaan. Ik weet gewoon niet of ik met hem weer verder kan.'

'Wauw.' Cathy opent haar mond, en sluit hem weer. 'Echt? Maar jullie leven samen.'

'Ik weet het.' Mijn keel voelt rauw.

'Wilden jullie ook niet aan gezin gaan werken?'

Nu ben ik degene die haar handen wringt. Ik durf haar niet aan te kijken, wil mezelf niet verliezen. Ik dwing het geluid weg dat in me opwelt, dwing het terug, diep mijn keel in. 'Nee.'

'O. Ik dacht het.'

'Nou, nee dus. Hij wil het niet. Hij zei dat hij er nog niet klaar voor was.'

Vanonder haar wimpers werpt ze me een blik toe, maar ze staart me niet aan. In plaats daarvan vraagt ze: 'Denk je dat hij spijt heeft?'

'O, zeker. Volgens mij spijt het hem enorm dat hij uit zijn leuke flat is gezet, met de mega tv en al zijn dvd's en ongein, en iemand die weet hoe hij 's ochtends zijn koffie wil hebben. Volgens mij mist-ie dat enorm.'

'Kom op,' zegt Cathy. 'Het is meer dan dat.'

Ik vraag me af of dat waar is, en ik kan het hem ook niet kwalijk nemen. Je relatie beleef je vooral thuis. Daar ben je het vaakst samen. Daar heb je je spullen en kom je na een rotdag tot rust. Zelfs na alles wat er allemaal is gebeurd, is onze flat nog altijd onze flat. Daar heb ik mijn boeken, heb ik mijn kleren in de kasten hangen, bewaar ik de brieven van oma, Jays ansichtkaarten, de mok die ik samen met Cathy bij Zabar's in New York kocht. Ik hield ervan om veel ruimte te hebben en om onze spullen te mengen. Aan Bryan Court moesten mam en ik bijna alles improviseren. Haar ladekast was ooit haar opbergkist op het internaat en onze kleren hingen aan een droogrek dat ze ergens op een bazaar had gekocht. De planken in de keuken waren te smal voor zaken groter dan kleine kruidenpotjes, wat ironisch was aangezien geen van ons tweeën ooit kookte. We leefden van de afhaal, kant-en-klaarmaaltijden en zo nu en dan pasta. Onze borden, glazen en mokken stonden dus opgestapeld in een hoek, met het bestek in een grote glazen pot met dessin die ze in Italië op de kop had getikt.

'Het gaat om een huwelijk, hoor, niet alleen om een woning,' zegt Cathy streng. 'Voor jullie allebei.'

We hadden een plek samen. Wij tweeën. Totdat Oli het verprutste. Alleen, ik denk dat ik daar nog altijd naar verlang, dat ik weer samen wil zijn. Ik wil niet opnieuw de markt op. Ik denk dat ik nog steeds van hem houd. Dat is het probleem.

23

Als Cathy weg is, ruim ik de boel wat op. Ik berg spullen op, ik orden mijn gereedschappen in mijn la onder de werkbank. Ik werk de map met mijn contacten bij op mijn laptop (een nieuwe, hypermoderne Mac, die ik wel moest hebben voor mijn werk, zo heb ik mezelf wijsgemaakt – geholpen door Oli, ik geef het toe – terwijl elke willekeurige oude pc in wezen zou hebben voldaan). Ik stuur e-mails naar een paar winkels en naar wat vrienden die ook sieradenmakers zijn om te weten te komen of ze naar de volgende vakbeurs in ExCel gaan, in mei. Daarna regel ik een aanvraagformulier van Tower Hamlets voor een toelage. Hoewel zelfs dit verkeerd aanvoelt omdat ik niet vind dat ik dat geld verdien.

Wat ik echt moet doen, zo weet ik, is op deze manier doorgaan. Ik moet bezig blijven, dingen blijven ondernemen. Naar het atelier blijven komen en weer sieraden gaan maken, een plan hebben in plaats van deze ruimte gebruiken als een vlucht uit de eenzame, echoënde flat, vol met Oli's spullen. Ik open de nog ongeopende brieven van de bank en leg ze op een stapel. Ik maak een lijst met dingen die ik nog moet doen. En als ik opsta en me uitrek, mijn tas over mijn schouder werp, leg ik mijn schetsblok midden op tafel zodat het morgenochtend bij binnenkomst het eerste zal zijn wat ik zie. Met een plotseling optimistisch gevoel trek ik de deur achter me dicht.

Als ik langs Bens studio loop wil ik al bijna aankloppen, maar ik hoor hem en Tania met elkaar praten dus ik aarzel en luister even. Aan de toon van hun stemmen, iets harder en hoger dan normaal, hoor ik dat het niet het soort gesprek is dat je wilt verstoren. Normaliter zou ik dan toch aankloppen of 'Doei!' roepen, maar misschien moet ik voortaan niet meer bij hen rondhangen en gewoon naar huis gaan. Ja, ik ga naar huis.

Ik zeg Jamie gedag en als ik mijn hand op de deur heb, open ik snel even mijn tas, gewoon om te checken. Ja, Cecily's dagboek zit er nog in, boven op mijn andere spullen, opgevouwen in mijn schetsblok.

Een van de gekste dingen aan mijn huidige 'situatie' is welk etiket ik erop moet plakken. Zeg ik nog steeds 'we' als ik het heb over waar 'we' wonen of hoe lang geleden 'we' de nieuwe flatscreen-tv kochten? Het voelt zo raar, maar om 'mijn-bijna-ex-echtgenoot en ik' te zeggen is ook gek. 'We' wonen in Princelet Street, om de hoek van Brick Lane, op een paar minuten lopen van mijn atelier.

Toen ik net van de universiteit kwam, heb ik twee jaar in een kraam op Camden Market gewerkt en in West Norwood gewoond, dus ik weet hoe het is om elke dag lang onderweg te zijn. Ik was er ook alleen 's ochtends – 's middags deed ik altijd mijn eigen dingetjes – dus het was bijna drie uur pendelen voor drie uurtjes werk, niet echt efficiënt. Per week hield ik ongeveer vijftig penny over om iets leuks mee te doen, zo niet minder.

Na veel discussies verhuisden we hierheen. Oli weigerde botweg om de Theems over te steken, vooral om zo ver buiten te wonen. Hij wilde in Noord-Londen blijven. Na wat geven en nemen viel onze keus op Oost-Londen, en dat was een van onze betere beslissingen, want ik kan me inmiddels niet voorstellen ergens anders te wonen. Ik heb in West, Oost en Zuid gewoond en in Noord gewerkt, en dit is de plek waar we allebei wilden zijn. Hoe 'we' daar nu over denken weet ik niet, maar ik vind het hier heerlijk, en hoewel Oost-Londen niet ieders lievelingsplek is, zou ik nergens anders willen wonen. Ik weet waar ik wil zijn. Spitalfields, Shoreditch, Whitechapel, alles hier was tot ongeveer tien jaar geleden een echt niemandsland, verlaten sinds de dagen van Jack the Ripper, maar nu is het zelfs overdreven trendy. De vervallen achterbuurten van waaruit het stadsbestuur in de jaren zestig mensen verkaste naar nieuwbouw zijn nu Georgian rijtjeshuizen die voor een half miljoen pond van de hand gaan.

Mijn straat is niet zo chic als de grote wevershuizen in Fournier Street, ooit eigendom van hugenoten en nu bijna allemaal koopwoningen of musea vermomd als koopwoningen, met elke voordeur tegenwoordig in smaakvol olijfgroen, donkergrijs of zwart, de luiken weer onberispelijk teruggebracht in hun oorspronkelijke stijl en in de daarbij passende kleuren geschilderd. Onze straat bevindt zich één

222

blok verder, is iets rustiger en de huizen zijn iets slechter onderhouden. Als je je ogen halfdicht doet, kun je je inbeelden een wever te zien die zich door de modder en regen over de kasseien haast en de donkere, stevige voordeur opent om te worden onthaald door een zee van licht en een warmend haardvuur. Het voelt niet zozeer als iets uit een filmset, eerder als een plek waar echte mensen hebben gewoond en nu nog steeds wonen. Mensen als wij.

Die middag wandel ik naar huis, langs de mannen die de lege kledingrekken van Petticoat Market voor zich uit duwen, langs die schattige victoriaanse basisschool die net uitgaat. Kinderen, gekleed in hun blauwe truien, stromen naar buiten en werpen zich tegen hun ouders terwijl ze opgewonden tegen elkaar kwebbelen. Twee kleine meisjes zitten in een minibus, geven elkaar een zoentje en spelen met elkaars haar terwijl een volwassene nog meer kinderen naar binnen duwt. Glimlachend sla ik alles gade, totdat een van de ouders me aanstaart. In verlegenheid gebracht loop ik door terwijl ik mijn sjaal strakker om me heen trek tegen de kou en ik mijn weekendtas op mijn schouder hijs.

Ik stap in een plas en glijd bijna uit. 'Pas op waar je loopt,' zegt een van de altijd aanwezige obers, die de hele dag buiten voor de Indiase restaurants staan om klanten naar binnen te lokken. 'Het is koud, steenkoud. Wees voorzichtig, hoor.'

Het is inderdaad steenkoud, voel ik nu. Ik ben deze winter helemaal zat. Er komt maar geen eind aan. Het is bijna maart, en nog steeds zó koud. Ik sla mijn ogen op naar de grijs-witte, zwaarbewolkte hemel. Het contrast met Cornwall kan echt niet groter zijn. In Brick Lane staan geen bomen, er zijn alleen felverlichte uithangborden, knipperende ledlampen, misleidende spandoeken ('Winnaar Beste Curryrestaurant' – Hoezo? Sinds wanneer? Volgens wie?), verkwikkende, kruidige geuren die mijn rommelige maag bijna doen omdraaien maar tegelijkertijd doen knorren van de honger.

Het is na vijven en het wordt al donker. Het is een avond om lekker binnen te blijven, om naar de Taj Storessupermarkt aan de overkant te gaan en flink wat papadums en chutney in te slaan, een avond om je in sjaals en dekens te wikkelen en jezelf op te krullen op de bank. Ik denk aan hoe lekker een afhaalmaaltijd van het Lahore Kebab House zou zijn. Als Oli hier was zou hij die misschien onderweg van zijn werk meenemen. Als Oli hier was zouden we nog een paar afleveringen van *Mad Men* kijken op de nieuwe flatscreen-tv, zou ik mijn hoofd in zijn schoot leggen en met één oog een boek lezen terwijl hij naar het voetbal kijkt.

Ik loop Princelet Street in en op de hoek zwaai ik naar weer een andere kelner, die buiten het Eastern Eye Balti House staat. 'Hoe was de begrafenis?' vraagt hij met een lichte buiging van zijn hoofd alsof hij zijn medeleven betoont. Hij draagt een lichtblauw vest en overhemd. Hij moet het wel stervenskoud hebben.

'Het was… mooi,' zeg ik geroerd. Ik zal nooit weten hoe je die vraag op de juiste manier beantwoordt. Het was… als een begrafenis, dank je.

'Zo is het leven,' roept de kelner me na met een filosofisch knikje. 'Leven en dood.'

Net als ik de flat binnenstap, gaat mijn mobiele telefoon. Ik worstel met mijn weekendtas en mijn sjaal, raak helemaal verstrengeld als ik in mijn handtas naar het toestel spit en het onmiddellijk tegen mijn oor duw.

'Hallo?'

'Hallo? Lieverd? Waar zit je?'

Het is mijn moeder. Ik blijf als verstijfd staan.

'Thuis,' antwoord ik na een korte aarzeling. Ik laat mijn weekendtas op de vloer vallen. 'Eh… en jij? Nog steeds in Cornwall?' Ik staar naar de tas.

'Ja,' zegt mam. 'Morgenavond weg.'

'Hm…' Ik weet niet wat ik tegen haar moet zeggen. Er valt een stilte. 'En… hoe gaat 't met het opruimen?'

'Wel goed,' zegt ze. 'Prima. Morgen zien we de notaris, om de stichting en de financiële kant te regelen. Archie en ik.'

'O, ja. Is… is Louisa daar nog?'

Mijn moeder begint te fluisteren. 'God, ja. Natuurlijk. Eerlijk gezegd wou ik dat ze maar gewoon wegging, maar nee hoor…' Ze valt even stil, alsof ze om zich heen kijkt. 'Ze is hier nog steeds. En maar de plichtsgetrouwe dochter uithangen, ook al is ze dat niet.'

In gedachten laat ik alles nog eens de revue passeren: alles wat ik dacht te weten. Ik wist wel dat mijn moeder en Louisa niet zo goed met elkaar konden opschieten, maar ik dacht gewoon dat dit kwam doordat ze zo van elkaar verschillen. Nu ben ik even de weg kwijt. Ik weet immers niet wat er echt is gebeurd die zomer, maar op basis van slechts een paar bladzijden uit het dagboek van haar zus zie ik wel in dat mam zelfs toen al geen makkelijke tante was. Weet mijn moeder wat ze over haar zeggen? Dat mensen achter haar rug om over haar fluisteren, net als die oude vrienden van oma, bij de begrafenis, zo van: Weet je, het is nooit bewezen, maar Miranda... ja, die daar, je weet dat ze altijd problemen met haar hebben gehad. Ze zeggen dat ze haar zus heeft vermoord. Het was dus geen ongeluk...

Nu er een stilte tussen ons valt, daagt het me dat ze het weet, dat ze altijd heeft geweten wat ze over haar zeggen.

Maar hebben ze gelijk? En zo ja, waarom dan? Waarom zou ze het gedaan hebben? Wat is er gebeurd?

'Maar daar bel ik niet voor,' zegt mam. 'Ik wou weten hoe het met je gaat. Eh...' Ze aarzelt. 'Ik kan gewoon niet geloven dat je me niet hebt verteld over jou en Oli.'

'Luister, mam. Het spijt me echt,' zeg ik. 'Ik voel me vreselijk, maar het is nog maar drie weken geleden, en ik wilde het pas vertellen als ik wist wat ik ging doen...'

'O, Natasha, jij wilt dingen altijd maar opkroppen,' zegt ze. 'Je praat nooit eens ergens over! Je had het me moeten vertellen. Het was afschuwelijk om er zo achter te komen. Op hetzelfde moment als Louisa! En Mary Beth. Ik bedoel maar! Wanneer zien we die ooit? Wie is dat mens eigenlijk?'

Ik ben niet in de stemming voor dit soort amateurtoneel, haar gezucht en het driftige hoofdschudden. 'Ik had zo mijn redenen,' zeg ik. 'Dat heb ik je al verteld. Het spijt me als je je buitengesloten voelt.'

Ze denkt na. 'Goed,' reageert ze, maar het klinkt een half toontje lager. 'Hoe dan ook... och, lieverd. Ik weet niet wat ik moet zeggen.'

Er valt een stilte. Ik weet verder ook niets te zeggen. Mijn moeder en ik, we kunnen elkaar niet helpen, dat hebben we nooit gekund. De banden die ons bijeenhouden zitten zo strak dat er geen ruimte is voor vriendschap. We hebben nogal wat moeten slikken samen: de kou, de waardeloze flatjes waar net een bed in paste, de enge huisbazen en geen geld, te kleine winterjassen, altijd maar pasta of witte bonen in tomatensaus, kijken naar een piepklein tv'tje met een kleenhanger als antenne en avond aan avond in elkaars gezelschap vertoeven, terwijl we intussen tegen onze familie en vrienden zeiden dat ons leventje onconventioneel, zorgeloos, eenvoudig en daardoor des te smaakvoller was. Elkaars gezelschap zoeken we inmiddels niet meer zo snel op. Nu we allebei volwassen zijn hebben we eigenlijk niets gemeen. Wie mijn vader ook is, hij en ik lijken vast behoorlijk op elkaar. Vaak denk ik dat we waarschijnlijk prima met elkaar zouden kunnen opschieten. Mijn moeder en ik hebben die luxe niet echt gehad. In plaats daarvan hebben we ons best gedaan elkaar te respecteren, en daar laten we het bij.

Nu is alles anders, en ik weet niet waar we mee bezig zijn. Misschien probeert ze wel een goede moeder te zijn. En ik geloof Octavia niet. Ik geloof niet dat mijn moeder Cecily's dood op haar geweten heeft. Maar ook begint het tot me door te dringen dat ik helemaal niets weet.

'Luister, het spijt me dat ik het je niet heb verteld,' zeg ik.

Ze zucht. 'Het geeft niet, echt, lieverd. Ik weet dat je een zware tijd achter de rug hebt.'

Vreemd toch, om haar stem te horen. 'Nou, jij anders ook, ma,' zeg ik. 'Oma is nog maar net dood.'

'Ik weet het.' Ze zucht weer. 'Een mensenleven en een week, een week en een mensenleven.'

'Wat?'

Mijn moeder lacht even. 'Niets. Ik ben gewoon een beetje boos. Dat krijg je als je weer met je familie samen bent, hè?'

'O, zeker,' beaam ik.

'Het valt alleen wel zwaar, het huis opruimen, wetend dat we het leeg zullen achterlaten, met al die herinneringen.' Ze klinkt moe. 'Al die prachtige spullen, en ik heb geen idee wat we ermee aanmoeten; en of Archie gelijk heeft over alles. Vast wel, maar... nou ja, Louisa is er ook nog...' Haar toon wordt weer hard. 'En zij loopt ons allemaal te commanderen.'

'Je zou moeten praten met... weet ik veel, iemand die verstand heeft van dat soort zaken.' De scène in de keuken schiet me opeens weer te binnen. 'Guy misschien...'

'Guy Leighton?' Mam onderbreekt me. 'Nee. Ik mag Guy niet.'

Ik herinner me hoe kwaad ze op hem was in de keuken, vlak voordat ik wegging gisteravond. Nog maar vierentwintig uur geleden. 'Waarom niet? Hij leek me aardig. Alsof hij wist waar hij het over had.'

'Nou, hij is niet aardig,' is mams oordeel. 'Hij doet alsof-ie vreselijk aardig is, met zijn plakhaar en brilletje, maar hij is erger dan de rest. Nee, ik wil niets met hem te maken hebben.'

'Maar hoe moet dat dan, als oma hem heeft gevraagd om curator te zijn?' vraag ik.

Ze kucht even. 'Natasha, geloof me, Guy Leighton is niet wat hij lijkt te zijn. Blijf bij hem uit de buurt, als je kunt.'

'Hè? Wat bedoel je daarmee?' Ik wind een haarlok om mijn vinger, steeds strakker. 'Wat heeft hij dan gedaan?'

Ze lijkt te aarzelen. 'Nou. Hij was een gecompliceerde vent.'

'Ja?' reageer ik vol verwachting. 'En?'

Ze zwijgt weer, nu zo lang dat ik na ongeveer tien seconden denk dat ze heeft opgehangen. 'Mam? Ben je daar nog? Wat heeft hij gedaan?'

'Och.' En dan zucht ze. 'Misschien ben ik onredelijk. Ik had hem al in geen jaren meer gezien. Het is lang geleden. Laat maar!' Ze dwaalt af. 'Ik zou het gewoon liever in mijn eigen tempo doen, en Archie vindt dat ook. Jezus.' Ze houdt op met praten, maar dan zegt ze plotseling: 'Tussen twee haakjes, heeft Arvind jou toevallig iets gegeven? Gisteren?'

'O,' zeg ik. 'Ja… Sorry. Hij gaf me een ring.'

Op het moment dat ik het zeg weet ik al meteen dat ik dat niet had moeten doen. Ik weet dat ik een fout bega.

'Een ring?' vraagt mam meteen. 'Wat voor ring? Heeft Arvind jou een ring gegeven?'

'Ja, oma's ring, die met de bloemetjes.' Ik hoor haar geschrokken inademen. 'Sorry, mam, ik heb er niet aan gedacht het je te vertellen.'

'Nou, dat had ik liever wel gehad,' Ze klinkt echt uit haar humeur, geagiteerd zelfs. 'Vandaag hebben we door oma's spullen gesnuffeld, en ik kon hem nergens vinden.' Ze aarzelt. 'Verder niets? Hij heeft je verder niks gegeven?'

Ik adem diep in en lieg. 'Nee. Niets.'

Ik ben nu goed op mijn hoede. Ik weet hoe ze kan zijn. En opeens heb ik het gevoel dat we een heel nieuw spelletje spelen.

227

'Het zou wel fijn zijn geweest als je het me had verteld, Natasha.'

'Ik stond er niet bij stil,' reageer ik geïrriteerd. 'Ik dacht niet dat het aan jou was om hem weg te geven. Maar als je hem terug wilt, dan wil ik natuurlijk niet…' Hij hangt nog steeds om mijn hals en als ik hem aanraak, weet ik plotseling dat ik hem absoluut niet aan haar zal geven. Ik weet dat Arvind niet wilde dat mam of Archie hem zou krijgen, maar vraag me niet waarom. 'Hij lag in oma's nachtkastje,' zeg ik. 'Hij zei dat Cecily hem heeft gedragen. Aan een kettinkje.'

De naam van haar zus voelt als een zware steen die midden in de zin ploft.

'Die droeg ze, ja, dat was ik vergeten,' zegt ze. 'Mam zei dat Cecily hem mocht lenen. Ze nam hem mee naar school, maar verloor hem. We konden het niet tegen mammie zeggen, want die zou anders uit haar vel zijn gesprongen. Cecily was bang, ik heb haar nooit zo van streek gezien. We hebben echt overal gezocht. Het was een strenge winter, de koudste ooit, die winter voordat… ze stierf.' Ze schraapt haar keel. 'En weet je waar we hem vonden?'

'Nee, waar?' vraag ik. Door de stoom uit de ketel beslaat het keukenraam. Ik pak een mok van een haak en doe er een theezakje in.

'De waterleidingen in haar slaapzaal bevroren en de wastafel viel van de muur.' Mam lacht zacht. 'Toen ze die wastafel meenamen, gleed de ring eruit. Ze had hem door de afvoer laten vallen en hij zat in water vastgevroren. Als een steentje, met een gouden ring in het midden.'

'Je méént het.' Dezelfde ring die nu om mijn nek hangt. Ik glimlach.

Mam lacht even. 'Echt waar! Maar zo was Cecily. O, wat was ze grappig. Zo'n toneelspeelster ook. Iedereen zei altijd dat ik dat was – ha, maar dat was zij! Zo'n primadonna. Ze zwoer dat ze hem nooit meer af zou doen. En dus droeg ze hem om haar nek, aan een kettinkje. Maar mammie kwam erachter, en ze moest hem teruggeven. Ze was hartstikke boos.' Ze houdt op met praten. Er valt een stilte. Ik hoor een raar geluid en het dringt tot me door dat ze huilt.

'O, mam,' zeg ik en voel me al meteen schuldig dat ik erover begonnen ben, ook al zou ze dat zelf ook hebben gedaan. 'Het spijt me echt, ik wilde je niet aan het huilen maken…'

'Nee, nee,' zegt ze. Haar stem klinkt onvast, alsof hij is vervormd.

'Nee! O jezus... Ik praat nooit over haar, meer is het niet. Het is alleen... Ze was nog zo jong. Het valt me zwaar, nu... als ik terugdenk aan toen... en nu. Ik deed niet erg aardig tegen haar. Ik wou dat ik alles terug kon draaien.'

'O, mam, dat is niet waar,' zeg ik.

'Wat weet jij daar nou van?' zegt ze zachtjes. 'Weet je, ik denk steeds aan haar. Vooral de laatste tijd, nu mam dood is. Ik vraag me af hoe ze nu zou zijn geweest. Ze zou van middelbare leeftijd zijn, geen meisje meer. Ze was echt mooi...' En dan maakt ze een vreemd geluid, half snikkend, half kreunend. 'O god,' zegt ze. 'Cecily. Nee. Laten we over iets anders praten. Het grijpt me te veel aan.'

'Was het echt de koudste winter ooit?' vraag ik na een snelle overweging. Ik schenk water op, sla mijn vingers om de dikke, warme mok en loop de woonkamer in.

'De winter van 1962-'63?' Ze snift luid. 'O ja, lieverd. Het sneeuwde van december tot en met maart. Buiten lag zestig centimeter sneeuw. Nee, een meter! We hadden geen gas, geen verwarming. Op school moesten we oude lessenaars verbranden, omdat het hout opraakte. We zaten ongeveer een week ingesneeuwd.'

'Wauw,' zeg ik terwijl ik me op de glibberige leren bank laat zakken. 'Een hele week?'

'Ik meen het,' zegt mam. 'We hadden het allemaal enorm koud, de hele tijd. En ik weet nog... jeetje, het komt nu allemaal weer terug...' Haar stem sterft weg.

'Hm?' vraag ik geïntrigeerd terwijl ik mijn voeten onder me optrek. Ik hou de telefoon een beetje anders tegen mijn oor en ik kruip lekker tegen een kussen om mezelf warm te houden. De enorme woonkamer is altijd wat aan de kille kant.

'Ons schoolhoofd,' vertelt mam verder. 'Een kreng van een mens. Weet je wat ze zei, tegen Cecily en mij? Ten overstaan van de hele school?'

'Nee, wat dan?'

'"Meisjes als jullie, met een donkerder huid, zullen meer last hebben van de kou dan de Engelse meisjes,"' draagt mam voor op een toon alsof ze lesgeeft.

Ik ben zo geschokt dat ik even niet weet wat ik moet zeggen. 'Echt waar?'

'Ik haatte die school met hart en ziel. Met mij viel geen land te bezeilen. En ze haatten mij ook. Weet je, een van de juffen op school liet me een keer mijn mond spoelen met bleekmiddel. Mijn huid moest ik er ook mee schrobben. Dan zou mijn donkere haar wel lichter worden, zei ze.'

'Nee, mam!'

Mam kan zo overdrijven, maar om een of andere reden geloof ik haar.

'Het is echt waar. Reken maar!'

'Wat gebeurde er?'

'Toen dat gebeurde, was ik het helemaal zat.' Ze klinkt dromerig, alsof ze een sprookje vertelt. 'Die avond belde ik mam, ik was in tranen, om haar te vragen om ons op te halen. Maar de telefoonlijnen lagen plat,' klinkt het mat. 'En ik moest sowieso blijven. Ik kon toch nergens heen. Toen ik mam eindelijk wist te bereiken, was ze niet blij. Ze zei dat ze niet snapte waarom ik me altijd zoveel narigheid op de hals haalde, dat ik het had verdiend. O, dat schooljaar heb ik me echt misdragen. Ik werd bijna weggestuurd. Vreselijk.'

Ja, wil ik zeggen. Ik weet alles over wat je hebt uitgevreten. Over jou en Annabel Taylor, over hoe je haar bijna doodde. De rillingen lopen over mijn rug. Ik weet niet of ik nu trots op haar moet zijn vanwege haar moed of juist bang. Lieve hemel. Ik besef dat ik haar eigenlijk helemaal niet ken.

'En toen kwamen we thuis voor de zomervakantie, en...'

Er valt een stilte.

'En wat?'

'Nou, dat was de zomer dat ze stierf,' zegt ze. 'Augustus 1963.'

'O. Natuurlijk. Sorry,' zeg ik. 'Dus...'

'Natasha?'

Ik word helemaal opgeslokt door dit gesprek en haar stem in mijn oor, maar het geluid − iemand roept mijn naam, ergens dichtbij − doet me opschrikken, en dan weet ik het weer: ik heb de deur niet dichtgedaan.

'Hallo?' roep ik terug. Ik hoor voetstappen op de gang, en dan een geluid dat ik lange tijd niet heb gehoord: het gekletter van sleutels die op het tafeltje in de gang worden gegooid.

'Wie is daar?' vraagt mam.

'Hallo.'

Oli verschijnt in de deuropening. Ik deins terug.

'De deur stond open,' zegt hij.

Ik staar hem aan.

'Mam, hoor eens. Ik moet ophangen.'

'Is dat Oli?' vraagt ze.

'Ja.' Ik staar nog steeds naar hem, naar zijn sportschoenen, zijn spij-kerbroek, zijn mooie shirt, zijn jasje, zijn gezicht, zijn verwarde, jon-gensachtige haar. Dit is mijn man, dit is ons huis. 'Ik moet ophangen,' zeg ik op het moment dat mam nog iets wil zeggen.

'Waarom kom je volgende week niet een keer langs?' vraagt ze. 'Kom een avondje hier eten.'

'Oké,' zeg ik, met mijn hand op mijn wang en niet echt luisterend. 'Luister...'

'Woensdag dan, lieverd. Kom aanstaande woensdag maar.'

'Oké, oké,' reageer ik. 'Tot dan. Ik kom woensdag langs. Ja. Doei.'

Ik leg de telefoon neer en draai me naar hem om, mijn hart bonst zo hard in mijn borst dat het bijna pijn doet.

'Hoi,' zeg ik.

24

Ik heb Oli slechts één keer gezien sinds hij bij me weg is. Twee weken geleden dronken we wat in de Pride of Spitalfields aan Heneage Street, hier in de buurt. We kozen een 'neutrale plek', als twee personages in een tv-soap. Het werd een ramp. Het is een van mijn lievelingsplekken, een vriendelijke ouwe mannen-pub, een oase in de alsmaar toenemende Disneyficatie van Spitalfields, en iedereen maar vragen: 'Hé, jullie twee, tijd niet meer gezien, zeg. Wat hebben jullie uitgespookt intussen?'

O, van alles en nog wat! wilde ik het liefst antwoorden. Oli neukte met een ander en ik werk aan een nieuwe sieradencollectie voor het najaar. Leuk dat je het vraagt!

Oli was geknakt, stil, huilde, wilde weten hoe het met me ging. Ik zei dat ik tijd nodig had. Het vervelende is dat ik die tijd niet benutte. En inmiddels ben ik nog steeds geen steek wijzer over hoe het in hemelsnaam verder moet.

'Hoe kom je aan die gigantische bult op je hoofd?' vraagt hij nu terwijl hij zijn handen diep in zijn colbertzakken steekt en zijn smalle schouders optrekt. Het is zo'n vertrouwd gebaar dat ik wil lachen. 'Wat is er gebeurd?'

'O, dat.' Ik vergeet de hele tijd dat ik dat ding heb. 'Ik viel voorover. Niks aan de hand.'

'Je viel voorover?'

'Yep.' Ik buk een beetje, alsof ik voorover val, en hij knikt, alsof het hiermee duidelijk is.

We staan allebei in de deuropening, alsof geen van ons beiden het voortouw wil nemen, een andere locatie wil voorstellen. Ik moet er niet aan denken iets te opperen wat volkomen verkeerd valt.

God, wat is het toch raar om hem weer te zien. Ik ken hem zo goed, beter dan wie dan ook. Ik ben met hem getrouwd. Ik hou van hem, hield zoveel van hem voordat dit gebeurde. Toen we pas bij elkaar waren, vijf jaar geleden inmiddels, lag ik soms bezorgd wakker. Stel dat hij op weg naar zijn werk van zijn scooter wordt gereden? Stel dat hij een enge slopende ziekte krijgt? Of ik? Waarom zou iemand, deze persoon, mij dit geluk schenken? Om het me weer af te nemen, daarom. 's Nachts luisterde ik naar hem, zijn licht snuffende ademhaling, als van een baby, en dan staarde ik naar het plafond en hoopte dat hem niets zou overkomen, dat we het samen zouden redden, dat ik me zorgen maakte om niets.

'Ik ben blij dat alles oké is met je,' zegt hij.

'Dank je. Niks ergs hoor, echt.'

Met wederzijds goedvinden, zo lijkt het, betreden we de woonkamer. Hij kijkt om zich heen. Het is niet te omschrijven hoe bizar dit is. Normaal zouden we gewoon ontspannen op de bank zitten, in plaats van opgelaten te blijven staan. Dit is onze woonkamer, hij is van ons allebei. Met op de vloer een groot rood kleed uit een tweedehandswinkel vlak bij Broadway Market, een ficus in een rieten mand er vlak naast op de grond, een blauwe ribfluwelen bank, royaal en comfortabel, en de grote abstracte reproductie in rood en blauw van Sandra Blow die we in St. Ives kochten toen ik Oli voor het eerst meenam naar Cornwall. De muur naast de deur staat vol met onze boeken, cd's en dvd's. Dat soort dingen. Dit is ons huis, ons leven samen. Ga dat maar eens uitsorteren.

'Ga lekker zitten,' zeg ik beleefd.

'Dank je.' Hij laat zich zakken in een van de lage, beigegrijze leunstoelen, die eruitzien alsof ze in de lobby van een jaren zeventig-hotel in Los Angeles horen. Hij is dol op die stoelen. Zijn blik glijdt door de woonkamer en zijn handen gaan rusteloos over de stof van de armleuningen. Het is weer gaan regenen. Er valt een stilte.

'Natasha, luister...'

'Ja?' reageer ik te snel.

Hij zwijgt. 'Eh, ik wilde je zien. Wilde weten hoe het met je was en zo.'

Ik hijs me half overeind. 'Iets drinken...?'

Bijna geïrriteerd gebaart hij me weer te gaan zitten. 'Nee, dank je... Hoe gaat het?'

Ik betast de bult op mijn voorhoofd. 'O, wel goed, zoals je ziet.'

Hij klinkt ongeduldig. 'Ik bedoelde gisteren. Jij. Hoe het met je gaat. Of alles oké is.' Hij knikt me toe alsof ik nu ja moet zeggen. Opeens voel ik de woede in me opwellen. 'Nou, niet oké dus, nee.' Hij kijkt wat verrast. 'Nee?'

'Oli, wat wil je dat ik antwoord? Natuurlijk gaat het niet oké. Mijn zaak balanceert op de rand van de afgrond, mijn grootmoeder is net overleden. Mijn hele familie verkeert op voet van oorlog met elkaar…' begin ik, en ik zwijg. Daar wil ik het nu niet over hebben. 'En mijn man heeft me verlaten.'

'Ik verliet je niet, jij gooide me eruit,' reageert hij meteen, alsof het een quizvraag is waarop hij het antwoord weet.

'Word eens volwassen, Oli,' zeg ik. Ik voel dat ik mijn woede de vrije teugels geef, en het bezorgt me een lekker gevoel om eindelijk weer eens iets te voelen, geeft niet wat. 'Is dat alles wat je te melden hebt? Nog steeds? "Jij gooide me eruit",' aap ik hem na. 'God, wat ben je toch een klein kind.'

Hij kijkt me aan en schudt zijn hoofd. 'Leuk.' Hij kijkt alsof hij nog iets wil zeggen, haalt een hand door zijn bruine ragebol, maar bedenkt zich. 'Laat maar. Sorry. Ik had het niet moeten zeggen. Oké?'

'Nee.'

'Nee, niet oké, of nee, ik had het niet moeten zeggen?'

'Allebei. Kies maar.'

Het is de afgelopen maanden voor ons zo gemakkelijk geworden om op elkaar te vitten. Vraag me niet hoe het zo gekomen is. We kennen elkaar maar al te goed en we houden er niet van. Het zijn van die kleine dingetjes die op je zenuwen gaan werken. Ik word comateus van zijn zogenaamde liefde voor Arsenal. En ik geloof er ook niets van. Op de universiteit deed hij nooit aan voetbal, en ook niet toen we als twintigers bevriend waren, en opeens is hij de allergrootste Arsenal-fan, net als al die andere mediawannabees op zijn kantoor. Denk maar niet dat hij bijvoorbeeld Grimsby Town zal supporten, toevallig het team dat het dichtst uit de buurt van zijn geboortedorp komt. Nee, niet sexy genoeg.

Nu we het er toch over hebben, ik vind het vreselijk dat hij pints bestelt als hij met zijn maten is. Hij is helemaal niet zo'n bierdrinker, namelijk. Hij houdt van wijn. Vroeger hield hij trouwens van cocktails, maar hij wil vooral gezien worden als een van de jongens, hij wil horen bij de metroseksuele boys op kantoor, die het prima vinden om naar porno te kijken en in een deuk liggen om Frankie Boyle. Ik vind dat gênant. Wees eens een echte vent. Durf eens wat, kom voor jezelf op en bestel verdomme een Southern Comfort met limonade. Mietje.

Beschaamd over deze gedachten schud ik mijn hoofd en ik kijk hem aan. Hij heeft zijn armen over elkaar geslagen en zijn gezicht staat uitdrukkingsloos, alsof hij de knop uitzet, zoals bijna altijd als we ruzie hebben. Misschien wil hij het niet op de spits drijven, maar ik kan er niets aan doen.

Wijselijk verandert hij van onderwerp. 'Hoe is het met je moeder? Maakt ze het goed?'

Oli is heel goed met mijn familie. Hij snapt het. Toen hij acht was, ging zijn vader ervandoor en daarna bracht zijn moeder hem min of meer in haar eentje groot.

'Met mam is het goed. Zeg maar.' Hoe zal het vanavond in Summercove zijn? Ik hoop maar dat mam zich kan beheersen en ze niet in een vlaag van razernij Louisa met een zilveren kandelaar te lijf is gegaan. À la Murder She Wrote. Ik glimlach, en denk meteen: is niet grappig. Opeens voel ik me een beetje getikt. Ik kijk naar hem, naar zijn gezicht, het gezicht dat ik zo goed ken. Zijn bril staat scheef, zijn haar staat overeind. Ik strijk mijn rok glad. 'Je kent mijn moeder. Beetje een nachtmerrie, wel. Maar volgens mij houdt ze zich goed. Ik hoop het maar.'

Oli kijkt me even wat bevreemd aan. 'Je hoeft het niet mooier voor te doen dan het is, hoor,' zegt hij. 'Iedereen haalt uit naar haar. Ik heb met haar te doen.'

Ik word op de proef gesteld. 'Je weet helemaal niet hoe ze is.'

'Wel waar, want dat heb je me zelf verteld. Heel vaak,' antwoordt hij. Zijn mond klapt meteen dicht. Er valt weer een stilte en ik kan mijn hart horen kloppen.

'Sorry. Ik moet wel slaapverwekkend zijn geweest, dan,' zeg ik bits. Ik haat de toon die ik aansla.

Oli knippert geërgerd met zijn ogen. 'Kom, Natasha,' klinkt het, alsof hij wil zeggen: nu stel je je aan. Ongedurig wiebelt hij met zijn benen. 'Ik klets maar wat, oké? Jouw familie is voor mij een mysterie.' Als een verzoenend gebaar houdt hij zijn handpalmen even omhoog, en ook al weet ik dat hij dit een paar maanden geleden op een cursus onderhandelingstechnieken heeft geleerd, toch knik ik, want hij heeft gelijk, ook al irriteert het me.

'Voor mij ook.'

'Zal best.' Hij glimlacht en schudt zijn hoofd.

Ik wou dat ik hem in vertrouwen kon nemen. Het gevoel is zo hevig dat het me verrast. Ik wou dat we hier konden zitten en dat alles weer normaal was.

Ik zou hem vertellen over het gesprek bij de bank, samen uitvogelen hoe we het gaan aanpakken, met z'n tweetjes. Ik zou hem vertellen over het dagboek en wat Octavia zei. Misschien zouden we het samen aan tafel doorlezen. Ik zou hem om raad kunnen vragen, brainstormen over waar het tweede deel zou kunnen zijn, of mam ervan weet, wat ik moet doen. Ik zou vragen hoe zijn dag geweest is, naar de dingen die hem dwarszitten: of het reclamebureau tevreden was over hun campagne-idee voor een nieuw pindamerk, of de *salespitch* die ze voor een grote sportschoenenfabrikant doen, en hoe die nieuweling van Apple het doet, en wat hij die dag te lunchen had en of hij weet dat over een week zijn moeder jarig is en...

We waren zo dik met elkaar dat we er grapjes over maakten. Ik haatte het wanneer 's ochtends de deur achter hem dichtviel als hij naar zijn werk ging. Dan miste ik hem de hele dag. Hij verjoeg al mijn nare gedachten en hij maakte dat de gelukkige, normale Natasha die ik wilde zijn, veilig in de kamer achterbleef. Ik was zelfs opgelucht als hij buikgriep had en twee dagen uit de running was, is dat niet vreselijk? Dan bleef ik zelf ook thuis, in plaats van mijn atelier op te zoeken, keken we samen naar *Die Hard* en *Hitch*, zijn favoriete films en maakte ik kippensoep voor hem. We keken uit naar de weekenden, achtenveertig uur samen, gewoon met z'n tweeën. Oli en Natasha, hand in hand Brick Lane af slenterend, enthousiast kokkerellend in de keuken, ruziënd over welk douchegordijn er gekocht moest worden, welk gerecht bij Tayyabs het lekkerst was, of *The Godfather Part II* in de herhaling moest, of dat we *The Princess Bride* gingen kijken.

We waren onze eigen twee-eenheid. Met elkaar vergroeid. Allebei afkomstig uit een gebroken gezin, allebei op zoek naar liefde en rust, allebei verlangend naar ons eigen plekje, een nieuw gezin, een frisse start.

Dus hoe kon het zover komen? Dat hij met een ander sliep, dat hij mijn hart heeft gebroken en onze dromen de nek heeft omgedraaid? Dat we niets aardigs meer tegen elkaar kunnen zeggen, we elkaar soms zelfs niet kunnen vélen? Hoe zijn we hier in hemelsnaam in beland?

Mijn blik glijdt door de kamer, alsof ik naar woorden zoek. Ik merk dat ik naar onze trouwfoto staar, bijna dezelfde als die ik in mijn atelier heb hangen. Hij staat fier in een zilveren lijst op het laagste plankje bij de tv. We glimlachen. Ik sta op en bekijk de foto van dichtbij. Er zitten glittertjes op mijn jurk, die zacht in het avondlicht glinstert. Oli volgt mijn blik en samen kijken we ernaar.

'Moet je ons nou zien,' zegt hij. 'Grappig, niet?'

'Ik weet het,' reageer ik terwijl ik mijn ogen sluit en er niet meer naar wil kijken.

'Waar ging het mis?'

Toen jij die ander neukte. Ik hou mijn antwoord in en slik het weg. 'Geen idee.' Ik schud mijn hoofd en kijk naar hem. Zijn haren vallen voor zijn gezicht.

Hij knikt, alsof hij erkent wat ik zo-even niet heb gezegd. 'Ik hou nog steeds van je. Maar… het is alleen… Het valt niet mee.' Zittend in zijn lage stoel veegt hij met zijn knokkels over de houten vloer en hij strekt zijn armen.

'Vertel mij wat,' zeg ik. 'Ik weet niet wanneer het is begonnen. Nog voordat…'

'Ik denk nog ver daarvoor,' zegt hij.

'Vér?' Mijn ogen sperren zich open. Weer houdt hij zijn handpalmen op.

'Niet zó ver, maar toch wel al een paar maanden, hoor. Want toen het begon, en nog lang daarna, waren jij en ik, nou… Ha.' Hij glimlacht. 'Wat mij betreft waren we het perfecte koppel. We veranderden, volgens mij is dat het probleem. Wij allebei. En we hadden het niet in de gaten.'

'Misschien heb je gelijk,' reageer ik behoedzaam. Hij heeft gelijk. Hij is veranderd. En ik waarschijnlijk ook. 'Ik ben niet de gemakkelijkste geweest.'

'Ik ook niet.' Hij glimlacht. 'Maar dat gaf toen niet, hè?'

'Nee,' glimlach ik terug. 'Dat gaf toen niet.'

Vanaf de andere hoek van de zitkamer kijkt Oli me in de ogen en opeens valt de afstand weg. 'Ik hield totaal van je, zelfs van de dingen waar ik het niet mee eens was, die ik niet begreep.'

'Wederzijds.' Ik wring mijn handen en kijk hem aan. 'Ol, denk je dat...'

'Ik weet het niet,' is zijn eenvoudige antwoord. 'Ik weet niet waar het gebleven is, weet niet of we het ooit weer terug kunnen toveren.'

Ik haal diep adem. 'Je ging een nachtje vreemd,' zeg ik. 'Eén nacht. Weet je... misschien... is dat niet erg. Stel dat we besluiten gewoon de draad weer op te pakken... We tegen elkaar zeggen dat het niet het einde van de wereld is.'

Oli laat zijn hoofd in zijn handen rusten en kreunt even zacht.

Buiten op straat roept iemand iets. Met de angst in mijn hoofd en in mijn hart kijk ik naar mijn man.

'Oli?' vraag ik zacht.

'God, Natasha, daarom moeten we juist praten. Zo bedoelde ik het niet.'

Ik slik. 'Hoezo?'

'Kom op...' Vanachter zijn vingers turen zijn ogen me aan, als tralies voor een raam. 'Het was niet één nachtje. Dat besef je vast wel.'

'Wat?' Ik sta te tollen op mijn benen. Het voelt alsof hij me zojuist een vuistslag heeft uitgedeeld.

'Chloe en ik... het was niet zomaar één keer. Het gaat dieper... het is, ach. Het is al een tijdje aan de gang.'

'Maar...' Ik schud mijn hoofd. 'Oli, nee...'

'Daarom ben ik hierheen gekomen, Natasha,' zegt hij terwijl hij zich uit zijn stoel worstelt en voor me gaat staan. 'Ik baal er zo van. Ik weet dat dit niet is wat je wilt horen.'

Ik schraap mijn keel en als ik eindelijk iets uit weet te brengen, ben ik verrast over de kalmte in mijn stem. 'Je vindt... je vindt dat we definitief uit elkaar moeten. Definitief.'

Oli gaat met zijn handen door zijn haar. Ruw. Dan kijkt hij me recht in de ogen. 'Ik weet het niet. Waarschijnlijk wel. Ja.'

25

'Hoi , Nat. Zelfde recept?'

'Ja, graag.'

'Eén cappuccino, komt eraan, schat. Ga lekker zitten, ik ben zo klaar.'

Ik neem plaats achter de bar en kijk naar de georganiseerde chaos erachter terwijl Arthur, de eigenaar, en zijn twee medewerkers jongleren met koffiebonen, grote zilveren apparaten die stoom uitbraken en melk schuimen, en papieren bekers. Intussen staan klanten geduldig in de rij te wachten op hun bestelling. Ik zie de wereld aan me voorbijtrekken en snuif de verlokkende geur op van verse bagels uit de winkel hiernaast terwijl Brick Lane langzaam weer tot leven komt. Ik geniet van de vroege ochtenden hier, nog voordat de toeristen en de hongerige hordes arriveren, als er alleen nog mensen zijn die hier wonen en werken.

Ik zit hier al sinds de zaak openging om zeven uur, op een hoge kruk, naar buiten starend terwijl ik probeer de kranten te lezen, maar het lukt me niet. Ik heb niet geslapen. Het is iets na achten.

'Nat?' zegt iemand achter me. 'Hé, ik dacht al dat jij het was.'

Langzaam draai ik me om en kijk op. 'O, Ben. Hoi.'

Ben staart me aan. Ik zie er vast verrukkelijk uit: haar nog niet geborsteld, niet geslapen, een bult op mijn voorhoofd, in een merkwaardige combi van kleren. Ik moest die flat uit. 'Wat gek.' Hij staart me aan. 'Ik dacht net aan je. We hebben je gisteren na de lunch niet meer gezien, en we vroegen ons af hoe het met je ging. Tania, kijk...'

Hij stoot zijn vriendin aan en Tania kijkt op. Als ze me ziet, glimlacht ze. 'Nat, hoe gaat-ie?'

'Prima,' antwoord ik. Ze nemen me allebei aandachtig op.

'Zo zie je er anders niet uit,' merkt Ben op.

'Natasha...?' Ik kijk door het raam. Buiten staat Oli me aan te staren. Hij duwt de deur open. 'Waar was je nou in godsnaam naartoe?'

vraagt hij boos. 'Ik heb je overal gezocht, je rende er zomaar vandoor...'

'Ik wilde je niet wakker maken,' zeg ik. Ik haal een hand door mijn haar.

Ben en Tania staren ons nog steeds, met groeiend ongemak, aan.

'Sorry,' zeg ik. 'Oli, Ben ken je al. En dit is Tania.' Ik zwaai slapjes naar hen, alsof mijn arm vol zit met een zware vloeistof.

Ben doet een stap naar voren. 'Hoi, Oli,' groet hij, en hij strekt een stevige, in een blauwe trui gehulde arm uit. 'Leuk om je weer eens te zien.'

'Dank je,' zegt Oli terwijl hij hem krachtig de hand schudt. 'Ben... ja, leuk om je te zien. Een paar maanden geleden hebben we elkaar toch gesproken, op die open avond in het atelier? Jij bent toch fotograaf? Ik vond je werk heel mooi.'

Dit gesprek is onwerkelijk. Ik wil mezelf in mijn arm knijpen. 'Hé, dank je. Te gek.' Ben glimlacht naar hem en draait zich dan weer om naar mij.

'Tania is Bens vriendin. Ze werkt bij hem,' vertel ik.

'Niet meer,' voegt Tania er haastig aan toe, alsof ze de leegte wil vullen. 'Maar vroeger wel.'

Oli zwaait even om Arthurs aandacht te trekken. 'O,' zeg ik. 'Dat wist ik niet. Het spijt me.' Hoe kan het me in hemelsnaam niet zijn opgevallen dat ze daar niet meer werkt?

'Nee, is niet erg,' zegt ze met een glimlach. Ben trommelt met zijn vingers op de bar. 'Luister, we moeten er maar weer 's vandoor,' zegt hij. 'Eh, leuk om jullie te zien. Tot ziens dan maar, misschien,' zegt hij tegen Oli.

'Zeker weten,' zegt Oli, die niet echt luistert.

'Nat, zie je in het atelier.'

'Ja,' zeg ik. 'Tot ziens, tot snel.' Ik kijk de twee na, Ben die met grote passen de straat op loopt en Tania naast hem. Ik bedenk dat ze helemaal niets besteld hebben.

'Mafkees,' zegt Oli. 'Hij is smoorverliefd op je.'

'Nietes,' reageer ik, plukkend aan een servet.

'O jawel. Hij is toch degene die van Morecambe en Wise houdt?' Hij lacht. 'Dat haar, en die enorme truien van hem... Mafkees.'

'Hij is geen mafkees,' zeg ik vermoeid. 'Hij is aardig. Ik ken hem al jaren, weet je. Hij is een goeie vent.'

Een goeie vent. Dat is hij. Bij deze gedachte draai ik me om naar Oli en staar hem aan. Is hij ook een goeie vent?

'Ik sterf van de honger,' zegt hij terwijl hij zijn zakken beklopt. 'Ik ga iets te eten bestellen.'

Arthurs stem klinkt enthousiast. 'Oli, wat leuk om je te zien! Dat is alweer een poosje geleden. Waar heb jij uitgehangen?'

Oli glimlacht en trekt zijn portemonnee tevoorschijn. 'Te hard gewerkt, vrees ik.'

'En je mooie vrouw verwaarloosd?' Arthur schudt zijn hoofd. 'Ik zou maar oppassen. Anders pik ik haar in!' Hij lacht en uiteraard lachen we opgewekt terug. 'Zelfde recept?'

Oli knikt. 'Ja, zelfde recept.' Hij komt terug en neemt plaats op de kruk naast me. 'Ik dacht wel dat je hier zou zitten.'

Voor dit alles woonden we hier zo'n beetje, hier bij Arthur in de zaak, aan het begin van Brick Lane. Een beetje pseudo-Brooklyn, in New York, met eenvoudige houten tafels en op krijtborden gekalkte menu's. Een op de drie gasten heeft een MacBook bij zich, maar het eten is heerlijk en de koffie super. Arthur is vriendelijk en oprecht, en er komen hier veel mensen uit de buurt, van alle leeftijden, niet alleen toeristen. We zouden hier echt urenlang tevreden kranten kunnen zitten lezen. Heel erg lifestyle-gericht. Dat was ons leven samen ook, ben ik me gaan realiseren, heel erg lifestyle-gericht.

Ik knik. 'Sorry, ik moest er echt even uit. Jij lag nog te slapen.'

Oli raakt mijn hand aan. 'Luister,' zegt hij. 'Je kunt niet weer zomaar wegrennen. We moeten erover praten.'

'We hebben er gisteravond al over gepraat,' zeg ik, me ervan bewust dat ik me belachelijk gedraag.

'Niet waar!' Oli verheft zijn stem. Er kijken mensen om.

'Ik wilde het er gewoon niet meer over hebben,' zeg ik.

'Nou, de slaapkamerdeur op slot draaien en dan gaan slapen is anders niet bepaald...'

'Ik heb niet geslapen,' onderbreek ik hem. 'Ik... ik wilde er gewoon niet over praten. Niet meer.' Ik kon het niet. Ik ben in ons bed gekropen, heb naar het plafond gestaard totdat hij ophield met aankloppen, en daarna werd het stil in de woonkamer, gevolgd door gesnurk. En ik heb daar de rest van de nacht zo gelegen, starend in het niets, zonder te huilen of iets te voelen. Ik weet zelfs niet eens waarom. Misschien was ik bang voor wat ik zou doen als ik het losliet, al die spanning, de angst, de woede in mij.

'Jij deed de deur op slot, Nat. Jij deed hem op slot.' Omdat onze flat vroeger een kantoorruimte was, zitten er sloten op de deuren. 'Wat moest ik doen, gewoon maar vertrekken? Begrijp je niet wat ik gisteravond heb gezegd?'

'Ja, dat begrijp ik heus wel,' zeg ik met een zacht stemmetje. 'Jij wilt dat we uit elkaar gaan. Wil je een echtscheiding?'

'Ik weet het niet...' Hij strijkt met zijn handen door zijn haar. 'O, shit. Ik weet het gewoon niet.' Intussen kijkt hij op zijn horloge, en ik weet heel zeker dat hij zich zorgen maakt over hoe laat hij op zijn werk zal zijn. Oli is geen workaholic: het gaat dieper. Hij houdt oprecht van zijn werk. Van het kantoor, de omgeving. Voor hem is het als een podium. Hij had acteur moeten worden. Vorig jaar miste hij zijn eigen verjaardagsetentje omdat hij aan het werk was. 'Maar we moeten wel praten...' Hij geeft me een tikje op mijn arm, zodat ik hem aankijk en niet uit het raam staar. 'Dat begrijp je toch zeker ook wel?'

Ik zucht. 'Ik zie eerlijk gezegd niet in wat er te bepraten valt,' zeg ik met een dun stemmetje. Ik ben zo moe. 'Jij bent verliefd op een ander, je wilt van me scheiden en er is weinig wat ik eraan kan doen.'

Oli verkreukelt een van de glanzend bruine servetten in zijn vuist. 'Natasha. Wil je dan niet weten waarom?'

'Niet echt,' antwoord ik terwijl ik mijn best doe kalm te blijven. 'Want bekijk het eens van mijn kant. Ik dacht al die tijd dat alles goed ging en voordat ik het weet, is alles om ons heen opeens ingestort, en ik snap niet waarom.' Ik bijt op mijn lip en voel de tranen al opwellen. Het vocht zwemt voor mijn ogen en stroomt ten slotte over mijn wangen, bijna alsof het niets met mij te maken heeft. 'Ik... ik weet ook wel dat alles niet perfect was, maar ik hou van je, Oli. Dus ik begrijp niet...'

Hij maakt een klakkend geluid met zijn tong en legt zijn hand op de mijne. 'O, god.'

Met de rug van mijn hand veeg ik de tranen van mijn gezicht, maar ze blijven druppelen, op de stapel bruine servetten en in mijn koffie. 'Ik wil alleen... ik bedoel, hoe lang is het al aan de gang?' Ik kijk hem aan en zie dat ook zijn ogen vol tranen zijn.

'Weet ik veel. Niet lang. Sinds die avond dat we samen waren.'

'En je wilt echt… wauw.' Ik schud mijn hoofd. 'Je ruilt mij in voor haar. Voor Chlóé.' Ik overdrijf haar naam.

'Natasha, schat… zo ligt het niet.'

'Hoe ligt het dan?' vraag ik. Het is zo deprimerend, de clichés, de vragen die je al talloze keren op tv en in films hebt gehoord. Nog even en hij gaat zeggen: Ik vind je lief, maar ik ben niet vér-liefd op je, en dan sta ik echt niet meer in voor mezelf.

Precies op dat moment zet Arthur met een glimlach de koffie met toast voor onze neus. 'Alsjeblieft, jongens!'

Ik wend mijn hoofd af totdat hij weer weg is, en wacht tot Oli weer het woord neemt. Zenuwachtig schiet zijn tong over zijn gebarsten lippen. 'Hoe het dan ligt?' zegt hij. 'Nou, ik denk dat ons huwelijk een tijdje geleden al is uitgedoofd. En dat we het zelf niet inzagen.' Ik open mijn mond, maar hij schuift zijn kruk wat dichter naar me toe en zegt: 'Ik gooi het nu allemaal op tafel, nu ik de kans heb en voordat je mij er weer uit schopt. Je bent een gevoelloze vrouw, Natasha. Moeilijk om mee te leven. Ik geloof niet dat je van me houdt, en je hebt geen respect voor me. Ik vraag me af of je dat ooit hebt gehad.' Hij heeft zijn hand op zijn hart en zijn gezicht zweeft op slechts luttele centimeters van dat van mij.

'Vind je mij gevoelloos?' vraag ik fluisterend.

'Ja… Nee.' Hij trekt een gekweld gezicht. 'Misschien komt het door je moeder. Je familie.'

'Die hebben er niets mee te maken!'

'Echt niet? Eerlijk? Jij hebt een obsessie met Cornwall, met dat huis en iedereen, met je grootmoeder en je hele familie die dat prachtige leventje leiden dat jij niet kunt voortzetten.'

Ik scheur het servet doormidden. 'Wat een onzin.'

Hij zucht. 'Misschien komt het inderdaad wel door je moeder. Of omdat je niet weet wie je vader is. Misschien moet je daar eens zien achter te komen. Voor mij voelt het gewoon alsof je een schild hebt opgetrokken, en ik kom daar niet meer doorheen.'

'Denk je dat dit om míj gaat?' Ik kan gewoon niet geloven wat ik allemaal hoor.

Oli's stem klinkt hees. 'Ik weet heus wel dat ik iets verkeerds heb gedaan. Ik ben met iemand naar bed geweest. Ik heb er tegen jou over gelogen, ben haar blijven zien. Chloe en ik, het voelt anders. Het is

nieuw, het is fris, we sjouwen geen beladen verleden met ons mee…'
Met een hand beschrijft hij een cirkel om ons tweeën.

Iemand beweegt zich rakelings langs ons krappe plekje aan het raam, en roept Arthur gedag. Ik buig me naar Oli. 'Hou je van haar?' Ik geloof gewoon niet dat we hier zitten en dat ik deze vraag stel. Opnieuw: het is zo'n cliché. Ik haat het.

Hij knikt. 'Ik denk van wel, ja.'

'Goed,' zeg ik. 'Goed dan.'

'Maar het is anders…' Hij schudt zijn hoofd. Zijn grote blauwe ogen zijn weer betraand. 'We kunnen praten over ons werk, we hebben zoveel gemeen… maar ze is niet jij, Natasha. Ze is leuk en lief, ze kan mij onder de tafel drinken, en ze is mooi. En ze vindt mij geweldig, en dat is top.' Hij zegt het zonder enige ironie, en ik voel een vlaag van schaamte opkomen. 'Maar… ik weet niet… ze is niet jij.'

'Nee, ze klinkt veel beter dan ik ben,' reageer ik. 'Eerlijk gezegd sta ik versteld dat je nog hier zit.'

Hij negeert mijn opmerking, en hij fronst. 'Dat is het dus.' Hij slikt. 'Weet je? Ik heb zelfs niet eens hard mijn best gedaan om het geheim te houden. Ik wilde…' Hij zwijgt. 'Nee.'

'Wat?'

'Nee, dat zeg ik niet.'

'Toe dan.' Ik geef hem een por. 'Wees eerlijk.'

Hij kijkt me aan. 'Bijna wilde ik dat je erachter kwam. Zodat je misschien enige emotie zou tonen. Ik wilde je kwetsen. Dat je je gekwetst zou voelen.'

Hij kijkt me min of meer verwachtingsvol aan. Nu is het genoeg. Ik kom overeind. Een traan biggelt over mijn wang. 'Ik ga hier niet naar luisteren.'

Hij trekt me tegen zich aan. 'Nee, je loopt nu niet weg. Verdomme, Natasha!' Arthur kijkt volkomen verrast onze kant op. 'Jij bent zo verrekte bang voor alles wat triest of deprimerend of echt is, je bent totaal niet in staat het in je leven toe te laten. Je kunt er niet eens over praten.'

'Ik heb om je gehuild, nacht na nacht,' sis ik tegen hem terwijl ik me uit zijn greep losruk. 'Ik viel verdomme flauw op de begrafenis van mijn oma. Ik doe geen oog dicht, al weken niet. Ik kan alleen maar aan jou denken, aan ons, aan waar het fout is gegaan tussen ons.

Alles ís triest en deprimerend en echt, dáárom huil ik! Daarom slaap ik niet! Ben vroeg me gisteren hoe het ging met me, hoe het was.' Mijn stem breekt. 'Net vroeg hij het ook! Wanneer vraag jij eens: "Wat denk je, hoe voel je je?"

'Dat vraag ik je voortdurend,' zegt Oli. 'Je wilt het me alleen niet vertellen.'

'Wie ben jij eigenlijk?' vraag ik hem. Ik duw zijn handen weg en kijk hem aan. 'Ik ken je niet meer.'

'Dat denk ik ook, ja.' Oli slaat zijn ogen naar me op, en zijn verbeten glimlach is akelig om te zien. 'Omdat ik voldeed aan je ideaalbeeld, en daarmee was je tevreden,' bijt hij me toe. 'Je hebt mijn echte ik nooit gezien. Je was op zoek naar iemand anders, ik weet niet, een surrogaatpapa? Iemand die ook bij je moeder in de smaak zou vallen? Iemand met wie je je mondaine, Londense ik-ben-anders-dan-mijnmoederfantasie kon uitleven. Jij bent zo godvergeten gevoelloos, Natasha! Je laat echt niemand binnen!'

'Dat is niet... waar.' Ik praat op fluistertoon.

'Het is wél waar! Jij bent zo a-emotioneel, ik voel me verdomme net een Italiaan! Waarom denk je dat ik je om een echtscheiding heb gevraagd? Om bij jou een reactie uit te lokken, je te laten weten hoe serieus ik het allemaal opvat! Je houdt alles voor jezelf, je doet verdomme de hele tijd alsof alles oké is! Maar dat is het niet! Nee, jij moet alles per se onder controle hebben, als een soort onaantastbare koningin.'

'Hou je kop,' zeg ik. 'Hou je kop, Oli, het is niet waar.' Ik wil mijn handen tegen mijn oren drukken.

'Je behandelt me als een klein jongetje, Nat, als een dom klein jochie met een onnozele baan. Maar dat ben ik niet.' Ik schud mijn hoofd, en met opengesperde neusgaten ademt hij in. 'Dat ben ik niet, niet meer. De meeste mensen kijken heel anders naar me, hoor. Oké?'

'Je bedoelt mensen als Chloe?' vraag ik terwijl ik mijn koffie oppak. Ik loop Brick Lane in. Hij rent achter me aan.

'Zo bedoelde ik het niet. Ik bedoel, je bent mijn vrouw maar je kijkt naar me alsof ik een stuk stront ben.'

'Je bent ook een stuk stront, daarom.' Ik blijf lopen, mijn tas zwaait aan mijn arm. 'Ga lekker naar je vergadering. Ga weg. Ik... ik wil je nooit meer zien.'

'Nat, je moet wel die mok terugbrengen,' zegt hij praktisch. 'Je kunt er niet zomaar mee vandoor gaan.'

Ik realiseer me dat ik Arthurs koffiemok heb meegepikt, maar ik doe alsof mijn neus bloedt. 'Kan mij wat schelen, verdomme.' Hij trekt zijn wenkbrauwen op. Oli weet net zo goed als ik dat ik het meest burgerlijke type ter wereld ben en dat ik er net zomin met een mok tussenuit zou knijpen als dat ik in mijn blootje over straat zou gaan.

'Oké,' zegt hij. 'Oké.'

Als ik met grote passen midden op straat ga lopen komt er een witte bestelwagen met daarin een paar mannen op ons af rijden. 'Natasha, ga eens op de stoep.'

'Nee.' Vol zelfhaat been ik verder.

'Natasha, aan de kant!' roept Oli. De bestuurder toetert. Als een woedende schurk uit een tekenfilmpje heft een van hen zijn vuist. Oli rent op me af en trekt me aan mijn arm het trottoir op. De mok vliegt uit mijn hand, stuitert een keer en spat dan met een knappend geluid op de stoeprand in dikke stukken uiteen.

'In godsnaam,' zegt Oli. 'Nat, waar ben je mee bezig?'

Ik ben dit spuugzat.

Ik ben het spuugzat om hem te haten, om me zo te voelen, om hoe alles om ons heen zo snel is ingestort terwijl we juist samen aan dingen zouden moeten bouwen in plaats van alles af te breken. Hij grijpt me stevig bij mijn ellebogen en kijkt me woedend aan.

'Het spijt me,' zeg ik. En ik meen het. 'Ja, ik kleineer je, ik weet het. Wanneer dat begonnen is weet ik niet.' Ik schud mijn hoofd, en ik voel mijn hele lichaam trillen. 'Ik weet niet hoe jij je daarbij voelt. Het is alsof het me niks kan schelen.'

'Hoe ik me daarbij voel? Wetend dat jij me veracht? Dat je wel denkt dat je van me houdt, maar dat niet echt doet? Wil je dat serieus weten?'

'Ja,' zeg ik, diep inademend. 'Dat wil ik weten.'

'Ik voel helemaal niets,' zegt hij zacht.

Er valt een stilte. Het enige wat hoorbaar is zijn de zachte voetstappen van voetgangers die ons links en rechts passeren en de wind die door de grauwe straat fluit. Ik open mijn mond, maar er komt niets uit. Ik knik.

'Yep,' zegt Oli. 'Ik voel echt helemaal niets.' Met opgetrokken wenkbrauwen en een verdrietige maar tegelijkertijd triomfantelijke blik kijkt hij me aan. 'En dat lijkt me geen goed teken.'

Hij draait zich om en loopt weg; als een hond volg ik hem op de hielen. 'Waar ga je naartoe?'

'Ik denk dat ik maar eens naar mijn werk ga,' zegt hij.

'O... oké.' Ik ben doodsbang. 'Kom je nog terug?'

'Weet ik niet,' antwoordt hij, maar hij kijkt me wezenloos aan. Ik wil naar hem toe rennen, hem omhelzen, maar ik ken hem niet meer. En op dat moment dringt het tot me door.

'Ik denk dat je gewoon niet gelukkig wilt zijn, Natasha,' zegt hij. 'En ik kan je niet helpen.'

Ik laat mijn gedachten teruggaan en denk aan het feit dat ik hem nu al langer dan tien jaar ken, waarvan we er vijf samen waren. Ik denk aan mijn vijfentwintigste verjaardag, in Jays flat, waar we elkaar leerden kennen, aan dat hij op een warme zondagmorgen in mei met me mee naar huis liep, helemaal naar West Norwood. Aan onze huwelijksnacht, toen we zo dronken waren dat we buiten westen raakten en de volgende dag niet meer bijkwamen van het lachen om onze kater. Aan hoe goed ik meende hem te kennen, en hoe ik nu naar hem kijk en ik... ik denk dat we compleet van elkaar verschillen.

'Vroeger klikte het tussen ons,' zegt hij terwijl hij zijn portemonnee wegstopt. 'Maar nu niet meer, vind ik. Vind jij van wel?'

'Ja,' zeg ik, maar ik lieg, en hij knikt verdrietig.

'Ik denk dat ik nu maar beter kan gaan,' zegt hij, en hij loopt weg.

Ik kijk hem na totdat hij om een hoek verdwijnt. Ik weet even niet wat ik nu moet doen. Wat er nu gaat gebeuren. Ik draai me om, loop naar de flat en laat de scherven van de porseleinen mok in de goot achter.

26

Als ik weer thuiskom is er iets niet in de haak. Oli heeft de deur open laten staan, en ook het dakraam staat open. De wind door het huis heeft de kapstok tegen het vestibuletafeltje geblazen en een drinkglas verbrijzeld. Overal liggen kranten, afhaalmenu's en abonnementspasjes voor het taxibusje op de grond. Ik buk om de jassen op te pakken, zet de kapstok weer recht en klop hem af alsof het een persoon is. Daarna kijk ik om me heen naar de achtergelaten rommel.

Ik heb alles verziekt. Ik denk aan oma's kist die onhandig in het graf werd neergelaten. Aan Oli's gezicht, toen hij voor het eerst zei: 'Ik denk dat ik wat meer ruimte voor mezelf nodig heb.' (Wat een cliché, wat een ongelofelijk gênant cliché.) Aan Clare Lomax, gisterochtend, die me vertelde dat ze zich buitengewoon zorgen maakte over mijn 'vermogen om een levensvatbaar bedrijf overeind te houden'. Ik denk aan Cecily's dagboek, Arvinds gezicht, Oli's gezicht, Ben, die zo aardig tegen me doet, mijn slaapkamer van onze flat aan Bryant Court, de beelden tollen door mijn hoofd terwijl ik naar ons royale, lege appartement staar en het me niet lukt de beeldencarrousel in mijn hoofd stil te zetten. Ik ben het echt zat me zo te voelen, me niet zo te willen voelen, mezelf in te peperen dat ik een rund ben... want ik ben een rund.

Ik doe echt mijn best om me beter te voelen, maar ik knal telkens weer tegen dit soort dingen op. Ons instortende huwelijk: waarschijnlijk heeft hij gelijk, lang voor Oli's ontrouw was ik al aan het instorten. Mijn toko die in het slop raakte, oma's overlijden en het begin van een onthulling. Nu voelt het alsof er iets fundamenteels is veranderd, alsof al mijn pogingen om mijn leven leuk op orde te brengen op niets zijn uitgelopen. Mijn huwelijk is een schijnvertoning, finito. Met het enige waar ik goed in ben kan ik mijn brood niet verdienen. En oma is er niet meer. Degene naar wier goedkeuring ik het hevigst verlangde, wier aanwezigheid ik ongelofelijk vaak mis, is er niet meer.

Ik sluit de deur en begin de kranten op te rapen. Ik stop, leun op het tafeltje en begin te huilen. Ik merk dat ik mezelf niet meer in de hand heb. Ik draai me om, plof op de grond en ik staar hulpeloos voor me uit. De tranen rollen over mijn gezicht, stromen als beekjes op de vloer terwijl ik met mijn armen om mijn knieën geslagen al wiegend zacht met mijn rug tegen de muur bonk. Alles ligt open, niets blijft nog langer verborgen en het is angstaanjagend. Ik huil en ik huil, om Oli en mij, om het einde van ons huwelijk, om hoe gelukkig ik wilde dat we zouden zijn, om hoe fout ik zat, om het leven dat nu voor me ligt... ik zie het niet, weet niet waarom ik besta, wat ik moet doen. Verstikt door zelfmedelijden kan ik niets meer bedenken wat nog waard is om voor te werken. Ik huil om oma en Arvind, om hun overleden dochter, hun rare, gestoorde familie, mijn moeilijke en vreemde moeder, de vader die ik niet ken. De houten vloer raakt bedekt met de ronde donkere spatjes van mijn tranen.

Ik huil net zolang totdat er geen tranen meer over zijn en ik enkel nog zacht aan het snuffen ben. Even later wordt het geraas in mijn oren minder en ik kijk wat om me heen. Ik verwacht weer een huilbui, maar die komt niet.

Het is doodstil. Ik sla mijn armen weer om mijn knieën en knipper met mijn prikkende, dikke ogen.

Het voelt vreemd, alsof je uit een narcose ontwaakt. Ik knipper nog eens met mijn ogen en haal een hand langs mijn neus.

Buiten claxonneert een auto. Ik kijk op mijn horloge. Pas tien uur in de ochtend. Het zou net zo goed middernacht kunnen zijn. Ik krabbel wat wiebelig overeind en leun hijgend tegen de muur, alsof ik buiten adem ben. Ik voel me duizelig, maar dan is het alsof iets, in de verstildheid van de kamer, op de juiste plek valt. Alsof dit de bodem is, alsof ik deze nu heb bereikt en ik aan de klim naar boven kan gaan beginnen.

Ik strek mijn armen boven mijn hoofd om de pijn in mijn verkrampte rug wat te verlichten. Ik sta er nu alleen voor. Ik besef dat. Oli komt niet meer terug. Echt niet. Ik kijk om me heen en ik beweeg mijn hoofd naar links en rechts. Oké. Ik zal Jay en Cathy bellen; Ben en Tania vragen of ze zin hebben om vanavond te komen eten. Misschien dat ik ergens wat geld moet regelen en dat ik van de zomer samen met Cathy naar Kreta ga. Een paar weken geleden begon ze daarover. Als ik eenmaal uit de lappenmand ben kan ik mijn toekomst gaan plannen, ja toch? Ik denk aan het schetsboek, midden op het tafeltje in mijn atelier. Mijn handen jeuken, iets wat ze al eeuwen niet meer hebben gedaan.

Kan hieruit dan toch iets moois voortvloeien? Al meteen word ik weer overmand door twijfels en ik kijk hulpeloos om me heen. Eerst zie ik niets, maar dan valt mijn oog op Cecily's dagboek, dat uit mijn nog altijd onaangeroerde tas in de woonkamer steekt. Vreemd. In dat merkwaardig heldere licht van een bewolkte dag steekt het felwit af tegen het bruin van mijn tas. Het zit opgevouwen en lijkt zich elk moment als door een veer te willen uitklappen. Vermoeid wrijf ik in mijn ogen, pak het uit mijn tas en staar opnieuw naar de velletjes.

'Wat is er toch met je gebeurd, Cecily?' vraag ik hardop. 'Wat is er toch met jullie allemaal gebeurd?'

De vraag blijft onbeantwoord. Toch geeft het stellen ervan me al een wat beter gevoel. Mijn blik glijdt door het grote, lege apparte- ment, dat nu vreemd op me overkomt. Dit is niet langer mijn thuis. Misschien is het dat ook nooit geweest, niet zoals Summercove dat was.

Terwijl ik dit denk, schrik ik als het ware even wakker, kijk weer omlaag naar die eerste paar bladzijden en verroer me niet.

Ik herinner me de eerste keer dat ik Oli meenam naar Summercove. Hij was zo blij dat hij het er leuk had gevonden, dat oma hem leuk vond. Toen hij me op de terugweg naar Londen vertelde dat hij had genoten, wendde ik met tranen in mijn ogen mijn gezicht af. Tja, na- tuurlijk had hij genoten. Zo moeilijk is dat niet: een prachtig huis aan zee, wie geniet daar nu niet van?

Dat begreep ik dus verkeerd. En Oli heb ik verkeerd begrepen. Zoals nog heel wat andere dingen, lijkt het wel. Terwijl ik hier zo sta voel ik dat er een mist in mijn hoofd begint op te trekken. Ik heb Summercove altijd als mijn echte, spirituele thuis beschouwd, de plek waar ik het grootste deel van het jaar naar verlangde en waar ik ge- lukkig was. De idee dat oma feitelijk aan het hoofd stond van een uit- gebreide familie die het niet altijd voor de volle honderd procent met elkaar kon vinden maar die, net als ik, het heerlijk vond om daar te vertoeven, op een plek waar je al je problemen van je af kon laten glijden, heeft me altijd bekoord. Voor mij was het hart van onze familie daar nog altijd te vinden.

Maar ik had het dus verkeerd, zo blijkt. Ik heb het nooit eerder betwijfeld, maar dat geldt bij mij voor zoveel dingen waar ik kennelijk al veel eerder vraagtekens bij had moeten zetten. Lang blijf ik zo staan, in gedachten verzonken.

27

De rest van de dag breng ik door in de flat. Ik spreek niemand. Ik weet niet hoe ik Jay of Cathy moet bellen en de woorden hardop moet uitspreken. 'We gaan uit elkaar.' Wat gebeurt er daarna? Vragen we een echtscheiding aan? Nemen we een notaris in de arm? Wat gebeurt er met de flat, moeten we die verkopen, verhuren, of moet ik eruit? De zon heeft zich vandaag nog nauwelijks laten zien, en rond zessen is het donker. Ik neem een glas wijn en daarna nog een, en het stijgt direct naar mijn hoofd. En hoe meer ik nadenk over dingen, hoe meer ik me dingen begin af te vragen en ik mezelf erop betrap dat ik denk: hoe blind ben ik wel niet geweest? Ik denk weer terug aan Oli's verjaardag, afgelopen september, toen ik een tafeltje had gereserveerd in restaurant Hawksmoor en hij pas om tien uur kwam opdagen. De jongens van het werk hadden hem mee uit lunchen genomen, en 's avonds had hij op pad gemoeten met een cliënt. Hij was dronken, merkte ik, hoewel hij zijn best deed het te verbergen. Ik had bijna de hele dag in het atelier vertoefd en daarna thuis, wachtend tot het avond werd, wachtend op hem. Terwijl ik nog een glas wijn inschenk en op de vloer ga zitten herinner ik het me. Ik weet niet of hij toen al met Chloe naar bed ging, maar in zekere zin doet dat er ook niet echt toe. Feit is dat hij niet bij mij wilde zijn. Want het was geen incident, het gebeurde minstens één keer per week, maar eerder twee of drie keer voordat hij de flat verliet. Ik accepteerde het gewoon, ik deed niet net alsof ik zijn werk begreep.

Was ik dan zo kil, zo onverschillig, zo ongevoelig tegen hem? Ben ik dan echt een gevoelloos, hard mens, dat een schild om zich heen heeft opgetrokken zodat ze niet gekwetst kan worden? Heeft hij gelijk, en is mijn familie echt zo verknipt als hij beweert? Moet ik op zoek gaan naar mijn vader? Moet ik de confrontatie met mijn moeder aangaan? Heeft Cathy gelijk, en hunkerde ik te veel naar oma's goedkeuring, en gold dat niet voor ons allemaal? Het is zo vreemd, deze gebeurtenissen die samenvallen: oma's overlijden, het einde van mijn huwelijk. Het voelt als het einde van alles, en toch, naarmate deze lange, vreemde avond verstrijkt en ik hier maar zit te piekeren, terwijl mijn kont pijn doet van de harde vloer, valt mijn blik steeds weer op het dagboek, en moet ik min of meer erkennen wat ik na mijn thuiskomst eigenlijk niet heb gewild.

Misschien heeft Arvind wel gelijk. Wat zich die zomer van 1963 ook heeft voorgedaan, onze familie is vergiftigd, en een van hen moet weten wat er is gebeurd; ze waren er toen allemaal bij. Maar het enige wat ik heb zijn tien bladzijden uit een dagboek, en die vertellen me bar weinig. Dus de vraag is: wat is er met de rest van het dagboek gebeurd?

Iets voor negenen kom ik overeind. Ik smeer een boterham en drink wat water, en daarna pak ik de telefoon en draai een nummer.

'Hallo?'

Ik aarzel. Natuurlijk is ze daar nog. 'Louisa?'

'Ja. Met wie spreek ik?'

'Louisa, met... met Natasha. Hallo.'

Haar toon verzacht iets. 'Natasha! Hoe gaat het, lieverd?'

Haar stem is vertroostend, geeft je een veilig gevoel. Even vraag ik me af of ik niet gewoon stom bezig ben. Ik adem diep in, voel me wat licht in het hoofd van de wijn.

'Goed, ik maak het goed. Ik bel alleen even om te horen hoe het met Arvind gaat. Is hij daar?'

'Hij is hier, ja, maar hij is behoorlijk moe; we stonden net op het punt om naar bed te gaan.' Kennelijk heeft ze niet in de gaten hoe raar dit klinkt. 'Ja toch?' vraagt ze op luide toon.

Ik glimlach. 'Oké, sorry. Ik weet dat het een beetje laat is om nog te bellen. Ik wilde alleen even gedag zeggen. Hoe... hoe gaat het daar?'

'Oké, je weet wel,' antwoordt Louisa. 'O, ja. We hebben gisteren een hoop werk verricht, en vandaag ook, we zijn echt flink aan het uitruimen, en het notariskantoor is ook heel erg efficiënt geweest, alles loopt op rolletjes.' Ze kucht even; ze klinkt moe. 'Maar het is zo verdrietig.'

Mijn schuldgevoel bezorgt me een steek. 'Zal ik komen om je te helpen? Het geeft me een rotgevoel bij dat ik woensdag meteen weg moest.'

'O nee, het is absoluut goed zo, lieverd,' stelt ze me gerust. 'Eerlijk gezegd, Natasha, is het makkelijker om er gewoon in mijn uppie mee door te gaan.' Ze aarzelt. 'Ik bedoel, je moeder heeft natuurlijk ook veel gedaan, net als Archie, maar het echte werk... je weet, ik ben een ouwe bemoeial! Ik vind het wel leuk om van alles uit te zoeken.' Ze doet haar best vrolijk te klinken, maar ik hoor die toon in haar stem weer, en ik weet niet zeker of ik haar wel geloof.

Kon ik maar teruggaan om in het huis te zoeken naar de rest van het dagboek. Maar zelfs mijn benevelde, vermoeide brein weet dat het uitermate verdacht zou overkomen als ik zo kort na mijn abrupte vertrek weer voor de deur zou staan om door oma's spullen te snuffelen. En op die manier wil ik Arvind sowieso niet terugzien, noch het huis. Ik voel me net een crimineel, en dus vraag ik: 'Hebben jullie nog iets interessants aangetroffen?' Ik probeer het zo terloops mogelijk te laten klinken.

'Zoals?' vraagt ze. 'Alles wordt op de juiste manier gecatalogiseerd, Natasha. Er zijn veel voorwerpen waarvan de waarde moet worden geschat, en Guy komt dat binnenkort doen...'

'Nee, zo bedoel ik het niet...' Met een moedeloos gevoel vraag ik me af wat mam tegen haar heeft gezegd. 'Je weet wel, gewoon interessante dingen over de familie. Foto's en dat soort dingen.'

'O.' Ze ontspant wat. 'Nou, er zijn wel een paar dingen. Eens even nadenken, hoor. O, ja! Ik heb wat oude kleren gevonden van Miranda. Alles op een hoop in een kast.'

Ik neem plaats op de bank en klem een kussen tegen mijn lichaam. 'Hoe weet je dat ze van Miranda zijn? Ik bedoel, van mam?'

'Nou, ik herinner me dat ze die toen kocht van het geld dat haar peettante haar had gestuurd. Vóór die tijd was ze nooit zo van de kleding, maar opeens verscheen ze voor het avondeten in de prachtigste jurken en zo. Alles ligt er nog, in een tas gepropt en achter in een kast verborgen. Ik was ze helemaal vergeten! En in een keukenla heb ik een hilarische foto gevonden van Julius en Octavia, op het strand toen ze nog kinderen waren, helemaal onder het zand en met emmertjes op hun hoofd. Heel grappig.' Louisa lacht oprecht en laat een pauze invallen zodat ik oprecht mee kan lachen, wat ik dan ook doe, ook al gaat mijn hart dusdanig tekeer dat het gewoon pijnlijk is.

'Jee, grappig zeg,' zeg ik niet overtuigend. 'Verder nog iets?'

'Nee,' zegt ze. 'Franty, je grootmoeder, was heel geordend. Er is eigenlijk nauwelijks iets over. Volgens mij heeft ze een hoop… een hoop weggedaan.'

Ik denk terug aan mijn kamer in Summercove, die vroeger van mijn moeder en van Cecily was, en ik weet dat Louisa gelijk heeft. Als ik erover nadenk is het best wel vreemd. In de kledingkast hangt nu niets meer – ik ken hem blind – op een oud backgammonspel na, wat oude boeken en een door motten aangevreten bontje dat oma nooit droeg. Er ligt zeker geen dagboek in. En op een of andere manier ben ik er hierdoor juist des te meer van overtuigd dat zij de rest ergens moet hebben bewaard. Buiten het zicht. Ik adem diep in.

'En het atelier? Vlak voor mijn vertrek ben ik nog even binnen geweest.'

'Ja, het is vreemd, hoor, om het weer open te zien,' vertelt Louisa. 'Ik mocht er nooit komen. Maar nee, ook daar heb ik niet echt iets gevonden. Dus jij maakt het goed verder?' verandert ze van onderwerp. 'Echt? Ik maakte me ongerust over je, lieve Natasha.'

Toen ik dertien was, rende ik een keertje van het strand terug naar het huis, en, nog niet gewend aan mijn lange benen, struikelde ik, viel en ontwrichtte mijn schouder. Ik stierf van de pijn, maar Louisa bracht me naar het ziekenhuis terwijl ik luidkeels jammerde en het uitgilde, waarmee ik al meteen mijn zogenaamde volwassenheid liet varen. Gedurende wat wel een eeuwigheid leek wachtte ze met mij op een arts, voerde me snoepjes en las stukjes voor uit haar nieuwe roman van Jilly Cooper om me af te leiden. Ik weet zeker dat ze dat is vergeten, maar ik niet. Ik wil niet dat ze zich zorgen om me maakt, maar het is een troost te weten dat ze om me geeft. Zoals ik al zei, ze heeft iets vertroostends, en ik voel me echt schuldig dat ik de afgelopen paar dagen zo gemeen over haar ben geweest.

'Eigenlijk… zijn Oli en ik uit elkaar. Voorgoed,' zeg ik.

'Jij en Oli? Wat?' Ze maakt een ongelovig geluid, ergens achter in haar keel, alsof ze het niet begrijpt. 'Sinds wanneer?'

'Sinds vandaag.' Vanmorgen, maar het lijkt langer geleden. Als een ochtend van een week geleden, een jaar.

'O, Natasha,' reageert ze met een droevige stem. 'Ach, wat vreselijk.'

'Het gaat wel, echt. Ik bedoel, eigenlijk niet, maar… je weet wel.'

'Schatje toch. Waar ben je, thuis?'

'Ja.'

'In je eentje?'

'Ja,' zeg ik opnieuw.

'Dat is helemaal niet goed. Wil je… zal ik Octavia vragen om langs te komen? Om je gezelschap te houden? Ze woont dichtbij, weet je, in Marylebone.'

Ja, wil ik antwoorden. Stuur vooral Octavia maar langs. Haar vrolijke gezicht en dito afleiding die ze biedt zijn precies waar ik behoefte aan heb. 'O, dat is heel aardig, maar het hoeft niet, hoor. Ik kan beter even alleen zijn.' Wat vermoedelijk nog waar is ook. Ik ben alleen, voor het eerst in jaren. 'Ik heb wat tijd voor mezelf nodig.'

'Heb je het al tegen je moeder verteld, of Jay, of iemand anders?'

'Nee, eigenlijk niet,' zeg ik. 'Eh… jij bent de eerste. Sorry, zo had ik het niet bedoeld. Ik belde eigenlijk om te vragen hoe het met Arvind is en… ik wil je er niet mee lastigvallen.'

'Het is geen last, hoor,' zegt ze. 'Helemaal niet, lieverd. Arme meid.' Ik moet mezelf eraan herinneren dat Louisa geen bemoeial is, hoewel ze zich wel vaak zo gedraagt. Opnieuw wens ik dat ik haar had gekend toen ze nog achttien was, voordat ze iemand werd die zich continu voor anderen wegcijfert, toen ze nog het knappe meisje uit Cecily's dagboek was, met een nieuwe lippenstift en een beurs voor Cambridge, vreselijk ambitieus en slim. En ik bedenk nu dat ze het nooit heeft gehad over Cambridge of de universiteit of iets in die trant. Is ze uiteindelijk toch niet gegaan? Waar is ze heen gegaan, dat meisje? Ze heeft altijd de indruk gewekt dat ze dol was op haar leventje in Tunbridge Wells. Maar stel dat dit niet zo was, wat dan? Had ze zich misschien een ander leven voor zichzelf voorgesteld?

'Luister,' zegt ze, mijn gedachten onderbrekend. 'Je grootvader gaat zo direct naar bed, en maandag gaat hij naar het tehuis. Voor die tijd wil ik dat hij zoveel mogelijk uitrust, want het zal echt vreemd zijn in het begin.'

'Zeker,' zeg ik.

'Ik bedoel, ik zou hier best nog langer willen blijven, maar weet je, dat kan niet. Ik zit hier nu al twee weken, en hij kan niet in z'n eentje hier blijven wonen, dus het is maar beter zo,' zegt ze opeens gehaast. 'Thuis heeft Frank me ook nodig, dus ik wil ook niet al te lang meer van huis zijn.'

Ik kan gewoon niet geloven dat ze zich daarover schuldig voelt. 'Louisa, je bent geweldig geweest,' zeg ik, en dat is zo. 'Toe nou! Waar heb je het over?'

'Niet iedereen denkt er zo over,' zegt ze. 'Ik ben beschuldigd van... ach, het doet er niet toe.'

'Bedoel je mam?' vraag ik met tegenzin, hoewel dit gemakkelijk ook op mij zou kunnen slaan.

'Ik vrees van wel.' Haar toon verhardt opeens. Ik wou dat ik er niet naar had gevraagd. 'Ik denk niet dat het nog nodig is om beleefd de schijn op te houden nu je grootmoeder dood is. Dat heeft ze in elk geval vrij duidelijk gemaakt.'

'O, maar ik weet zeker dat ze dat niet meent, hoor,' reageer ik wanhopig. 'Ze is vast en zeker heel dankbaar.'

'Natasha...' begint ze. 'Je moeder...'

'Ja?'

'Nou... ze is een gecompliceerd mens. Oké?'

'Dat weet ik,' beaam ik voorzichtig. 'Is ze altijd al geweest.'

'Ja, maar...' Ze stopt. 'Laat maar zitten. Het heeft geen zin.'

Zeg dat maar tegen Octavia, wil ik zeggen. Ik weet waar je op doelt. Het is nu te laat.

'Nou, ík ben je in elk geval heel dankbaar,' zeg ik. 'Ik weet niet wat we zonder jou zouden moeten beginnen.'

'Graag gedaan,' klinkt het eenvoudig. 'Voor Franty zou ik alles gedaan hebben. Dat wist ze. Ik hield erg veel van haar.'

Nadat ik Louisa gedag heb gezegd, voel ik me op een bepaalde manier gerustgesteld. Arvind maakt het in elk geval goed. Mijn moeder is onvoorspelbaar, en dus weet ik nooit hoe ze op bepaalde situaties zal reageren. Het is waar, vaak hielden die situaties verband met Summercove of de mensen daar: wanneer we erheen gingen, wanneer we weer vertrokken, wie er zouden zijn, hoe lang zij zou blijven. Pas nu schiet me weer te binnen dat ik heb toegezegd dat ik volgende week een avondje bij haar zou komen eten. Ik weet niet precies wat ik dan tegen haar zal zeggen. Over wat dan ook, eigenlijk.

Ik zet thee en kruip in bed. Het is koud. Ik schurk me weer tegen hetzelfde kussen aan voor wat warmte en troost, en ik pak een pen om een lijstje te maken.

1. Een advocaat regelen? — aan Cathy vragen. Echtscheiding aanvragen?
2. Flat. Hypotheek? Verhuizen?
3. Vakbeurs. x3 verzoekschriften aan versch. voor eind van de week.
4. Telefoontje/op bezoek x10 winkel voor eind van de week.
5. Jay: update website?

Door alle vermoeidheid weet ik me toch op een merkwaardige manier te concentreren en moeiteloos noteer ik deze punten. Heel even sluit ik mijn ogen om na te denken over wat ik nog meer moet regelen. Ik schrijf:

6. Mam.
7. Dagboek zoeken.

Maar wat ik met die laatste twee punten aanmoet weet ik niet echt. Ik leg het lijstje op mijn nachtkastje, zodat dit het eerste is wat ik morgenochtend zie, en knip het licht uit. Ik slaap. Ik slaap tien lange uren, een diepe, fluweelzachte slaap, waarbij niets en niemand me stoort; dromen doe ik niet, en wanneer ik de volgende dag wakker word in de donkere kamer en slaperig met mijn ogen knipper, realiseer ik me hoe moe ik gisteren was. Ik voel me herboren, een ander mens. Ik trek de gordijnen open: alweer een grijze dag in Londen. Maar misschien valt het best mee.

28

Het is zo'n lange winter geweest dat het soms leek dat hij nooit voorbij zou gaan, maar eindelijk lijkt de lente in aantocht. Die bijtende kou in de lucht, die je gevoelloze rode handen bezorgt en in je gezicht snijdt, is weg. En hoewel het nog steeds koud is, hangt er toch iets in de lucht, iets nieuws, zo voelt het.

Het is dan ook een cliché om het over een nieuw begin te hebben, vooral als dat helemaal niet zo nieuw aanvoelt, maar als je een paar weken verder bent en maart is al goed op streek, dan zijn er al veel dingen anders. Uiterlijk lijkt nog veel hetzelfde: ik woon nog steeds in mijn eentje in de flat en ik weet nog steeds niet helemaal wat ik kan verwachten. Toch is er ditmaal een verschil. Ik maak voortdurend lijstjes, en dat helpt. Het is me duidelijk geworden dat ik mezelf bezig moet houden, niet alleen om geestelijk gezond te blijven, maar ook omwille van mijn eenmanszaak. Ook houd ik nu met argusogen de post bij; brieven van de bank worden niet langer genegeerd. In mijn atelier heb ik een opbergsysteem waarin ik nauwkeurig elke uitgegeven cent noteer, en het geeft me een goed gevoel. Ik voel me ijverig, blij om op z'n minst greep op mijn zaken te hebben.

Ik ben nog niet veel in mijn atelier, maar ben vooral op pad geweest, heb koffie gedronken met pr-mensen voor gratis adviezen, ben bij oude vrienden langsgegaan; collega-edelsmeden, ontwerpers en mensen uit de buurt die me kunnen adviseren, ik heb mijn oren goed opengehouden voor mogelijk nieuwe winkels en nieuwe beurzen die me verder kunnen helpen. Ook weer nieuwe lentescheuten. Een bedrijf uit China heeft bij mijn vrienden wat bestellingen geplaatst voor telkens vijfhonderd T-shirts en haarbanden. Wie weet bestellen ze op een dag bij mij ook wel iets, één ketting of armband en ik ben weer in de running en het is alle hens aan dek. Ik heb gehoord dat Liberty aan het rondneuzen is, op zoek naar nieuwe, vooruitstrevende ontwerpers. Een paar winkels willen hun collectie uitbreiden. Ik ben langsgegaan, heb er mijn visitekaartje achtergelaten, ben de volgende dag teruggekomen met een lijst van werkstukken en wat foto's. Hoewel ik liever lekker onder de dekens lig, of in mijn trainingsbroek en vier truien op de bank hang, kleed ik me altijd heel zorgvuldig, draag hoge hakken, föhn mijn haar, pers mijn jasje en rok, zodat ik er keurig fris uitzie. Ik vraag deze mensen om zich zowel aan mij als aan mijn sieraden te committeren. Soms valt het niet mee om te blijven glimlachen en enthousiast te lijken, maar als ik nu gewoon doe alsof het een nieuwe start is, wie weet ga ik het na een tijdje dan ook echt zo voelen.

Een week na die noodlottige ochtend bij Arthur's loop ik op de terugweg van een afspraak bij een dame van Clerkenwell, die antieke en nieuwe sieraden verkoopt, even mijn atelier binnen. De laatste tijd doe ik alles lopend, met mijn nette schoenen in een linnen tas in mijn schoudertas. Ik schop mijn vieze natte sportschoenen uit en leunend tegen de werktafel bekijk ik mijn e-mails. Tussen de spam en speciale groothandelaanbiedingen zie ik een e-mail van Nigel Whethers, de jurist die me door Cathy is aangeraden.

Verwijzend naar ons telefonisch onderhoud zou ik graag met u een afspraak willen maken ter bespreking van uw echtscheidingsaanvraag. Bijgaand treft u een kostenanalyse. Graag hoor ik van u.

Om het zo zwart op wit te zien doet me beseffen dat ik er even nog niet aan toe ben om nu al te antwoorden. Nog niet. Ik slaak een zucht, die klinkt als een langgerekte pffff. 'Pfff' hoor ik opeens vanaf de gang.
'Ben?' roep ik. Ik haal een hand langs mijn voorhoofd, dat klammig aanvoelt. 'Ben jij dat?'
'Nee, het is Bob de Bouwer,' antwoordt de stem. 'Wie is dat daar? Bennie de Graafmachine? Wat snort je motortje toch lekker. Mag ik je iets aanbieden, schoonheid?'
'Ha, ha,' reageer ik als Ben binnenkomt. Hij werpt me een behoedzame blik toe en glimlacht vervolgens, nu het duidelijk is dat ik niet in tranen ben of op de vloer lig te schokken. 'Alles goed, schat? Nog iets te melden?'

'Weinig,' zeg ik, terwijl ik mijn laarzen van schaapsbont aantrek. 'Een e-mailtje van mijn echtscheidingsadvocaat, meer niet. Beetje gek toch om het opeens zwart op wit op je scherm te zien.'

Hij zet twee filmrolletjes op het aanrecht en komt naast me leunen. 'Vervelend dat te moeten horen, Eric,' zegt hij. 'Echt heel vervelend.'

'Ik ben Ernie,' verbeter ik hem. 'Jij was Eric.' Ik wijs naar de foto van ons als de komieken Morecambe and Wise aan het prikbord. 'Weet je nog? Jij leende toen Tania's bril, maar je zag geen donder.'

'Ja, ja.' Hij wrijft over de brug van zijn neus. Zoals de meeste Oost-Londenaren heeft Tania een bril met zwart montuur, perfect voor een 'Eric Morecambetje' en andere komieken van de oude stempel. Hij geeft me een klopje op mijn rug. 'Hoe gaat het?'

'Gaat wel, hoor,' antwoord ik. 'Ik hou mezelf bezig. Ik denk toch dat dat het belangrijkste is.'

'Zeker weten.' Hij trommelt met zijn vingers op het blad. 'Zeg, heb je zin om vanavond ergens wat te gaan drinken?' Hij zwijgt even, en corrigeert zich. 'Niet alleen met mij, eh, met mij, Jamie, Les en Lily. We gaan naar de Pride of Spitalfields. Wat zeg je ervan?'

'O.' Ik weet even niet wat ik moet zeggen. 'En Tania dan?'

'Die heeft het druk. En... ach, je weet wel.'

Ik was het vergeten: op die verschrikkelijke dag bij Arthur's vertelde ze me dat ze niet meer met hem samenwerkte. Ik had het moeten onthouden. Ik heb ze alleen al een tijdje niet meer gezien, samen. Ik bloos. 'Natuurlijk. Sorry.' Maar ik voel me opgelaten, want ik denk niet dat ik zin heb. Gezellig uitgaan is nu nog een stapje te ver voor mij. Overdag is het al moeilijk genoeg om een glimlach op mijn gezicht te toveren en professioneel te zijn. 's Avonds wil ik alleen maar eten en slapen. 'Eh, nee, dank je,' zeg ik. En, om een tweede pijnlijke stilte te vermijden, voeg ik eraan toe: 'Als Jamie meegaat, zul je mij heus niet missen. Of Tania. Kun je lekker naar hartenlust met haar flirten.'

Ben knijpt zijn ogen iets toe en hij lijkt nog iets te willen zeggen, maar dat gebeurt niet. In plaats daarvan schraapt hij zijn keel. 'Voor de vijftigste keer: ik val niet op Jamie.'

'Wel waar,' zeg ik. 'Je staat telkens weer te grijnzen als ze je de post overhandigt. En dan: "O, dank je, Jamie!" Alsof ze net de atoomsplitsing heeft volbracht.'

Hij geeft me een speels duwtje. 'Je bent gewoon jaloers omdat ik vanavond met Les ben. Hij heeft me beloofd me alles over zijn rijmloze gedicht te vertellen, over de buitenwijken van Wolverhampton.'

'Nee, echt?'

'Ja,' is zijn antwoord. 'Het doet me denken aan dat stukje in Adrian Mole, waarin hij aan een roman begint, getiteld...'

'*Verlangend naar Wolverhampton*,' maak ik de zin af. 'Helemaal.' Op de gang klinken geluiden, en we lachen stilletjes.

Ben staat op. 'Geen zorgen dus. Ik denk trouwens dat ik maar weer eens ga. Wilde alleen maar even checken of alles goed was. Laat het me weten als ik iets voor je kan doen: als er in de flat iets op een te hoge plek staat, of zoiets. Ik weet dat je een rottijd doormaakt. Dat je maar weet dat ik voor je klaarsta. Oké?'

Ik knik en tot mijn verbazing prikken de tranen in mijn ogen. 'Yep. Bedankt. Onwijs bedankt.'

'Geen zorgen. Doei, Eric.'

'Ernie,' verbeter ik hem, maar hij is al weg. Ik staar weer naar mijn computerscherm en raadpleeg mijn agenda voor een afspraak met Nigel Whethers.

Heel gek, maar intussen ben ik ook nog eens voortdurend aan het schetsen. Terwijl ik door Spitalfields loop kijk ik naar hoe de kale takken zich krommen in het licht van London Fields, hoe de sneeuwklokjes zich uit de grond omhoog worstelen, naar de knoppen op de takken, de viooltjes, die de hele winter in bloei hebben gestaan, in de bloembak voor het raam van de overburen, de kleine mussen die de hele straat door voor mijn voeten weg hippen. Het voelt allemaal nieuw en opwindend. Alles. Zoals altijd in deze weken. Toch weet ik dat alles deprimerend en problematisch zal worden zodra ik aan de slag ga om er iets tastbaars van te maken. De ontwerpen zullen saai en vlak zijn, en veel zullen er in de prullenbak verdwijnen. Maar daar moet ik me nu niet door laten weerhouden. Ik moet gewoon doorgaan.

Vandaar dus dat ik nu, een paar weken later, al terugkijkend, tot mijn verrassing vaststel dat ik de draad weer aan het oppakken ben. Ik vind het lekker om op mezelf te zijn en ik heb dingen te doen. Ik hou van de uitdaging die het me biedt. Ik heb altijd al getwijfeld aan het inhuren van dat pr-bureau en het vaarwel zeggen van mijn markt-kraampje. Ik weet dat ik beter naar mezelf had moeten luisteren. Bij de bank denken ze dat ik nog altijd financieel kan terugvallen op mijn man, dus van hen heb ik voorlopig even geen last. Het zal erom gaan spannen, maar ik weet waar ik elke dag mee bezig ben, en waarom. En dat geeft een goed gevoel.

Ik heb Oli niet meer gezien sinds vorige week, toen ik hem nakeek. We hebben elkaar nog wel even kort gesproken. 'Hoe gaat het?' 'Oké, wel. En met jou?' 'Goed. Oké, wel.' Binnenkort komt hij een keertje langs om nog wat van zijn spullen op te halen, en dan praten we ver-der. Voor nu is de afstand tussen ons wel goed. Als ik aan zijn gezicht denk: lachend, toen ik in de keuken roereieren probeerde te bakken, of toen op die hete, klamme dag, toen we naar Princelet Street ver-huisden, en we het in de keuken deden, we haastig elkaars kleren van het lijf trokken, volkomen verbijsterd over dat we het hadden geflikt, dat we nu samenwoonden. Voor altijd, dachten we, of zelfs alleen maar voor een karaokenummertje, samen, met 'Alone' van Heart – zijn lievelingsnummer. Oli neigt naar ballads – soms denk ik dat ik ga janken, over hoe verdrietig ik ben, hoe erg ik hem zou missen als ik het mezelf toestond. Maar zo is het niet gegaan. Híj stapte op, hij heeft me deze maand huur geschonken, en bovenal, hij heeft me vijf-duizend pond geleend om mijn bankschuld in te lossen, en daarvoor ben ik hem echt, oprecht dankbaar, net als voor onze gezamenlijke herinneringen. Ik ben er... ik ben er alleen nog niet helemaal klaar voor om die nu al de rug toe te keren.

Er staan nog twee dingen op mijn lijstje waaraan ik nog niet ben toegekomen: het dagboek en mam. Er is iets met haar, en ik heb er nog geen werk van gemaakt. De week nadat Oli me definitief verliet zou ik bij haar zijn gaan eten, maar op het allerlaatste moment belde ze af. Sindsdien heeft ze geen contact meer opgenomen, hoewel ik haar elke dag heb geprobeerd te bellen. Onbereikbaar zijn, daar is ze een kei in. Ook nu weer, maar vraag me niet waarom. Weet ze dat ik het dagboek in mijn bezit heb? Of wat Octavia heeft gezegd? Kan het haar werkelijk niet zoveel schelen? Ik heb haar vanochtend weer ge-beld, maar het antwoordapparaat stond aan. 'Hoi, mam,' sprak ik op-gewekt. 'Ben in mijn atelier, en ik bel alleen even om hallo te zeggen! Ik hoop dat alles goed is met je... Uuh, nou, oké! Dag.'

Feitelijk ben ik kwaad op mezelf omdat ik opgelucht ben. Ik ga niet graag naar Bryant Court. Ik heb er zelfs veel voor over om het te kunnen vermijden. Sinds ik uit huis ging om te gaan studeren, inmiddels twaalf jaar geleden, ben ik niet vaak meer terug geweest. De vakanties bracht ik door met vrienden en vriendinnen of met mijn studievriendje, of bij Archie en Sameena in Ealing, en meestal in Summercove. Bryant Court is mijn verleden maar ik heb er niets mee.

Het heeft niets te maken met hoe klein het er is, of hoe armoedig, of dat dit jaren dertig-buurtje er aan de buitenkant nog best stijlvol uitziet, maar dat het binnen muffig is, met een zweem van verrotting, en dat het er altijd te heet of te koud is. Of dat zodra je er bent, je het gevoel krijgt dat mam eigenlijk niet op je zit te wachten. Het is al deze dingen bij elkaar, en meer nog. Het is de afstand die ik voel; ik heb daar bijna twaalf jaar van mijn leven gewoond.

Terugblikkend op deze jaren probeer ik me een beeld te vormen. Was ik gewoon een kribbig kind? Waarschijnlijk wel. Maar als ik de laatste weken naar mijn lijstje keek, dat ik nog altijd naast mijn bed heb liggen, dan lees ik: 6. *mam* 7. *Dagboek zoeken.* En dan realiseer ik me dat het nog heel lang op zich zal laten wachten. Terwijl de dagen voorbijglijden merk ik dat ik steeds vaker moet denken aan mam, de flat en ons leven daar, samen, en hoe vreemd het allemaal was. Niet als je het meemaakt. Maar nu wel, zo langzamerhand.

29

Twee weken na de begrafenis zit ik op een woensdagavond in het atelier. Ik heb een paar dingen van mijn lijstje voor die dag afgevinkt, en ik voel me een braaf meisje. Ik heb mam gebeld: ze nam niet op. Aan Arvind, in zijn nieuwe tehuis, heb ik een kaart gestuurd van een cartoon uit de *New Yorker*. Er staan twee slakken op en een wel heel erg op een slak lijkende plakbandhouder. Zegt de ene slak tegen de andere: 'Kan me niks schelen dat ze een plakbandhouder is. Ik hou van haar.' Vandaag heb ik Clare Lomax gesproken en haar laten weten dat ik mijn eerste maandelijkse terugbetaling heb gedaan. Ik heb nog een paar winkels gebeld met de vraag of ze mijn sieraden willen gaan voeren en morgen ga ik bij ze langs. Vandaag kreeg ik nog weer twee bestellingen binnen, en ik ben er hartstikke blij mee. Maar ik heb meer nodig om te laten zien. En het moet goed zijn, echt goed.

Als onderdeel van de nieuwe collectie heb ik gestoeid met een nieuwe versie van de met edelstenen versierde hoofdbanden waar ik een paar jaar geleden goed mee scoorde. Ze waren gebaseerd op een foto die ik had gezien van een hoofdband, gedragen door een maharadja van Jaipur. Ze zijn van zwarte zijde, en aan de zijkant van het hoofd zijn voorzichtig aangebrachte grijze en lichtroze fluwelen bloemenvormen bevestigd, bezet met glitter. Je kunt ze dragen naar een bruiloft of op een verjaarsfeest. Ze zijn echt prachtig, althans dat worden ze als het me goed lukt, maar iedere keer dat ik de glitter erop wil aanbrengen ziet het er domweg prullerig en amateuristisch uit. Mijn vingers komen helemaal onder de lijm te zitten, met de naald prik ik mezelf twee keer in mijn duim als ik ze erop probeer te naaien, en uiteindelijk zucht ik van frustratie. Ik weet niet wat ik fout doe.

Ik begin alternatieven te tekenen en blader door het V&A-sieradenboek dat Ben en Tania me vorig jaar voor mijn verjaardag hebben gegeven en dat ik naast me heb liggen. Ik pak mijn kaartenbak met ansichtkaarten, foto's van verschillende objecten, een scala aan schilderijen en beelden die mij inspireren, alles van Rita Hayworth tot en met een portret van een zeer chagrijnig kijkende hertogin van Medici, behangen met de prachtigste robijnen. Ik druk mijn potlood in het zachte papier en stop. Ik kijk om me heen en knipper vermoeid met mijn ogen.

Het is stil hier deze middag. Vanavond is er in het souterrain een bijeenkomst van het schrijverscollectief, en die mensen zijn altijd buitengewoon luidruchtig. Kennelijk hebben ze veel om zich kwaad over te maken, en het gaat altijd gepaard met een hoop bier. Beneden op straat hoor ik mensen met kledingrekken lopen, maar verder is het dus stil. Mijn oogleden voelen zwaar, een kalm gevoel, maar zo moe ben ik ook weer niet. Terwijl ik in het niets staar, glijdt mijn hand ongemerkt naar mijn hals en ik realiseer me dat ik Cecily's ring krampachtig vastgrijp.

Sinds ik terug ben heb ik de gewoonte om hem elke dag te dragen, waarom weet ik niet. Ik draag hem graag. Het is opvallend. Bovendien doet het me goed te weten dat hij van haar is geweest, en dat oma hem al die jaren om heeft gehad. Ik weet niets over Cecily, op die bladzijden uit het dagboek na dan, maar ik heb deze ring en die draag ik graag.

Ik pak mijn potlood op en begin de ring uit het hoofd te tekenen, aangezien ik hem, genesteld in de holte van mijn hals, niet kan zien. De bloemetjes zijn zo mooi, zo eenvoudig en sierlijk. Ik voeg de met piepkleine diamantjes bezette gouden knopjes samen tot een rij, geschakeld als een ketting van madeliefjes. Het is een van de prettigste dingen die ik sinds een poosje heb gedaan, maar ik betwijfel of ik het ontwerp zelf kan realiseren; het is te fijntjes, en misschien moet ik wel iemand inhuren om het uit te voeren. Een deel ervan zou ook kunnen werken als een hangertje. Een bedeltje aan een armband? Een ketting? Driftig glijdt mijn potlood over het witte papier, en het gekras weerklinkt in de stilte, slechts gebroken door zo nu en dan een geluid van beneden op straat. Het heeft wel iets, wat weet ik niet precies. De schakels... de bloemen... Cecily's ring. Misschien moet ik die gebruiken als het middenstuk? Ik druk nogal zwaar op het schetsblok en teken, gum uit en teken opnieuw, en mijn potlood wordt steeds stomper... Mijn hoofd is leeg, leeg van alles wat me heeft dwarsgezeten. Hier ben ik dol op, het feit dat je in je fantasie kunt wegvluchten, een deel van je hersenen kunt gebruiken dat niet in beslag wordt genomen door wat er verder in je leven speelt. Ik ben het een tijdje kwijt geweest. Het is zo fijn om het weer terug te hebben, ook al levert het weinig interessants op. De wetenschap dat ik dit nog steeds graag doe is eigenlijk het allerbelangrijkst. En het stemmetje in mijn hoofd, dat opvallend veel lijkt op dat van Clare Lomax, dat me heeft ingefluisterd om het atelier op te geven en op de huur te besparen, is tot zwijgen gebracht. Ik heb een plek nodig om naartoe te kunnen, om te werken. Dit is mijn werk, en als ik het serieus wil aanpakken, moet ik een werkruimte hebben. Als Oli niet bij me terugkomt, hebben we de flat niet langer nodig, of wel soms? Die zou ik eerder opgeven dan dit atelier. Op een of andere manier zie ik het nu allemaal helder voor me.

En dan, terwijl ik als een bezetene zit te schetsen, wordt er zacht op de deur geklopt.

'Natasha, ben je daar?' roept iemand.

Ik strek mijn benen onder de tafel, stijf en pijnlijk van de kou en van de hele tijd in dezelfde houding zitten. Langzaam draai ik mijn hoofd opzij, en het kraakt aangenaam.

'Wie is daar?'

'Ik,' antwoordt de stem. 'Mam.'

Wat doet zij hier? Mijn nekharen staan meteen overeind; mijn hand vliegt naar mijn keel. 'Kom binnen,' zeg ik na een paar seconden.

Ze steekt haar hoofd om de deur. Eerst zie ik haar donkere pony en lange wimpers, als van een ondeugend kind. Haar groene ogen fonkelen. 'Hallo, lieverd. Mijn kleine meid.'

'Mam?' vraag ik, overeind komend. 'Wauw. Ik bel je al dagenlang. Hallo! Wat doe jij hier?'

'Ik was in de buurt,' antwoordt ze. 'En ik wilde je even zien. Ik ben de afgelopen tijd behoorlijk *on-loco parentis* geweest.' Ze slaakt een helder lachje. 'Vreselijk flauw. Sorry hoor, had ik eerst even moeten bellen?'

'Nee, natuurlijk niet.' Ik klink belachelijk formeel. Mijn hart gaat tekeer, en mijn handen zijn zweterig. 'Geen probleem. Ik vroeg me al af waar je was. Sinds de begrafenis heb ik je niet meer gezien en…'

Ze fronst haar voorhoofd. 'Nou, ik ben er nu toch, of niet?'

Met uitgestrekte armen stapt ze verder de kamer in. Zoals altijd ziet ze er weer fantastisch uit: strakke spijkerbroek, gestoken in bruine suèdeleren laarsjes, een dik, grijs gebreid jasje en een lange bloemetjessjaal, die vele malen om haar hals is geslagen en daarna tot een knoop gebonden. Haar huid glanst, haar nagels zien er prachtig uit, haar haren glanzen zacht. Ze slaat haar armen om me heen.

'Arme meid.'

Ze knijpt me haast fijn. Haar parfum is zo zwaar dat ik er bijna misselijk van word. Plotseling wil ik haar van me af duwen. Ze doet me walgen.

Ik doe een stap naar achteren. Ze pakt mijn handen vast en reikt dan in haar grote linnen tas. 'Ik heb wat kleins voor je gekocht,' zegt ze en geeft me een prachtig bedrukt doosje met overdreven duur ogende minicrackers met kaassmaak.

'Dank je,' zeg ik, in de war gebracht door dit cadeautje, maar ook weer zo typisch mam. In Bryant Court waren er maanden dat we dachten de huur niet te kunnen betalen, maar zij kon dan niets beters bedenken dan bij Fortnum & Mason voor vijftien pond een scharrelkip te kopen om vervolgens niet te weten hoe deze te bereiden. Ik leg de crackers op het kleine aanrecht. 'Heb je al gegeten? Wil je koffie, of liever thee?'

'Thee zou wel lekker zijn,' zegt ze, en opeens realiseer ik me wat me heeft dwarsgezeten. Ook zij is nerveus. Ik geloof niet dat ik haar ooit nerveus heb gezien.

'Prima.' We zwijgen. We weten ons geen raad. Ik kijk om me heen voor wat afleiding. Gelukkig schiet me te binnen dat Ben mijn theepot heeft geleend.

'Ik ga de theepot halen.' Ik sta op. 'Ben zo terug.' Ze kijkt de kamer rond en monter neuriet ze instemmend als ik dit zeg. 'Mam,' zeg ik met mijn hand op de deurknop, 'we moeten even praten.'

Mams gezicht verandert niet, maar ik zie iets in haar ogen wat ik niet kan thuisbrengen. 'O, schat, echt?'

Dit is een stomme manier om te beginnen, besef ik. 'Ja, echt. Luister, wacht even.'

Ik vlieg de gang door en klop aan. Ben rukt de deur open.

'Aha,' zegt hij. 'Hallo daar.'

'Hoi. Sorry dat ik stoor. Heb jij mijn theepot?'

'O, wacht. Ja, natuurlijk,' zegt hij. 'Sorry, vergeten terug te zetten.

Even geduld.' Hij keert terug met de theepot en een theebroodje, in blauwe folie gewikkeld. 'We hebben er eentje over,' zegt hij. 'Alsjeblieft.'

Ik pak het aan. 'Bedankt.'

'Wilde later nog binnenwippen. We gaan wat drinken.'

'Ik kan niet mee,' zeg ik. 'Mijn moeder is net komen binnenvallen. Maar wel snel een keer. Ik heb je al ik weet niet hoe lang niet gezien.'

'Weet ik, je hebt het druk. Maar geen probleem.' Hij glimlacht, en ik weet dat hij het weet. 'Ik wou alleen even weten of je niet thuis met opgetrokken benen tegen de radiator zit te treuren,' Hij krabt zich op zijn krullenbos. Ik glimlach.

'Nou, nogmaals bedankt,' zeg ik. 'Het gaat oké met me, ik ga niet tegen je bazelen en tegen je aan janken.'

'Mag best, hoor,' zegt hij.

'Je bent zo'n gevoeligerd, Benjamin,' zeg ik. 'En ik ben een ongevoelige bitch. Dus sodemieter op.'

Hij glimlacht, en dan hoor ik opeens Tania's stem op de achtergrond. 'Hoi, Nat. Hoe gaat-ie?'

Ergens diep in mijn gonzende hersenpan verwart dit me. Ik dacht dat ze niet meer met hem samenwerkte. Misschien is ze even binnengewipt om hem te zien, hij is immers haar vriendje. 'Goed!' roep ik terug.

'Ik zie jullie later wel weer,' zeg ik. 'Coolio. Sorry van vanavond.'

'No problemo,' klinkt het al even popi, en hij steekt een stuk toast in zijn mond en geeft me een tikje op mijn schouder. 'Hé, je bent niet ongevoelig, hoor. Je bent een schat. Vergeet dat niet. Kin omhoog, Nat.' Zijn stem klinkt gedempt als hij, bijna abrupt, de deur alweer sluit, en ik blijf alleen achter op de gang. Op de voorkant van de deur staat in zwarte stift geschreven:

Ben Cohen
fotograaf & mannelijke escort

Het is me nog nooit opgevallen en het tovert een glimlach op mijn gezicht. Als ik het atelier weer binnenloop glimlach ik nog steeds. Mam kijkt naar mijn schets van de ring en de ketting. Betrapt schrikt ze op.

'O,' zegt ze. 'Je maakt me aan het schrikken.'

'Sorry,' zeg ik. Ik vul de ketel met water, haal diep adem en draai me om naar haar. Het onverwachte karakter van dit bezoek maakt me stoutmoedig. Ik heb geen tijd gehad om me er druk over te maken. 'Dus waar heb je uitgehangen? Ik heb al eerder met je willen praten.'

'Ja, weet ik.' Voorzichtig strijkt ze met een hand door haar haar. 'Luister, het spijt me. Het is moeilijk voor me geweest.'

'Je had me moeten bellen.'

Ze glimlacht bijna lief. 'Lieverd, je begrijpt het niet.'

'Niet?' Verbaasd kijk ik haar aan.

'Nee, je begrijpt het niet. Sorry, Natasha.'

'Doe een poging,' zeg ik terwijl ik mijn armen spreid. 'Jij hebt je moeder verloren, ik mijn grootmoeder. Mijn huwelijk is finito. Je bent mijn moeder. Waarom kun je niet gewoon met me praten? En waarom ik niet met jou? Ik zeg niet dat ik zo'n geweldige dochter ben, maar... waar wás je?'

'Omdat...' Ze schudt haar hoofd. Haar gezicht vertrekt. 'Ach, je begrijpt het toch niet. Echt! Ik weet best dat je me een verschrikkelijke moeder vindt, maar...' Haar stem zwelt aan tot jammertoon. 'Je begrijpt het niet!'

Een zekere wanhoop wil met me aan de haal; dit is mijn moeder, mijn móéder. 'Octavia zei dat jij de laatste was bij wie iemand om hulp zou vragen,' zeg ik ijzig. 'Ze had gelijk, hè?'

'Octavia? Gaan we nu luisteren naar wat Octavia zegt, hm? Juist.' Haar blik schiet door de kamer en ondermijnt de onbehouwen toon waarop ze dit zegt. 'Grappig, lieverd, ik dacht dat jij en ik het eindelijk een keertje eens waren over Octavia. Zij is wel de laatste die ik om hulp zou vragen.'

Dit gaat dus fout, helemaal fout. 'Ze zei het gewoon, ja? Ik zeg niet dat ik haar mag, het is...'

Ze onderbreekt me. 'Luister, Natasha. Ze is de dochter van haar moeder. En van haar vader. Ha! Hun mening kan me niks schelen, als ik eerlijk ben. En het zou jou ook niks moeten kunnen schelen.'

Ik sta achter mijn werktafel. Ze staat tegenover me.

'Octavia zei nog iets,' zeg ik. Ik knik even alsof ik mezelf moed wil inspreken, en ze kijkt me aan. 'Octavia zei...' Mijn stem breekt. 'Mam, ze zei dat jij Cecily die dag duwde. Jij duwde haar de trap af.'

Mijn moeders ogen worden groter. 'Oké, oké,' zegt ze met een stokkende stem.

Ze begint te ijsberen, twee stappen naar voren, een draai, twee stappen terug.

Ik sla haar gade.

'Jij denkt dat ik haar heb vermoord,' zegt ze. 'Wil je dat soms zeggen?'

'Ze denken allemaal…' begin ik, maar ze onderbreekt me weer.

'Niet zij.' Ze houdt haar hand omhoog. 'Niet zij, Natasha. Jij. Geef antwoord. Bedoel je dat?'

Ik veeg mijn handen af aan mijn spijkerbroek. Het is doodstil. Beneden klapt een deur dicht. Ze kijkt me recht in de ogen.

Wanneer het woord over mijn lippen rolt, is het bijna niet te horen. 'Ja,' zeg ik, maar ik kijk haar niet aan. 'Dat bedoel ik.'

Mijn moeder reageert niet onmiddellijk. In de koude, steeds donker wordende ruimte kijken we elkaar aan. 'Nou, dat is heel interessant,' reageert ze. 'Heel interessant. Ik heb het altijd wel geweten dat dit moment een keer zou komen..'

Ze zegt het op een luchtige toon, alsof het niet echt van belang is. Ze houdt haar hoofd iets schuin en heeft haar armen stevig over elkaar geslagen. Ze ziet er zo mooi uit, maar opeens moet ik bijna kotsen van haar koele, betoverende schoonheid, haar sluwe, half toegeknepen ogen, haar totale onbetrouwbaarheid, en het schiet me weer te binnen dat ze zo'n goede actrice is, en altijd is geweest.

'Je wist dat dit moment een keer zou komen?' vraag ik. Ik doe een stap naar achteren en beland met mijn rug tegen de muur en met mijn handen tegen het koele, witte pleisterwerk.

'Ja,' zegt ze. 'Toen je eindelijk voor hun kant koos.' Ze werpt een blik op haar horloge. 'Bijna een maand geleden dat mam overleed, en je hebt het gedaan. Ik wist het wel.'

'Ik sta helemaal niet aan iemands "kant".' Ik slik. 'Ze zeggen alleen maar…'

'"Ze"?' reageert ze met een glimlach. 'Wie zijn "ze", toe?'

'Tja…' stamel ik. 'Octavia en… Louisa, en… de rest.'

Ze knikt. 'Precies.' Haar ogen vlammen licht op als ze mijn gezicht ziet. 'Mooie boel is dat. En mijn eigen dochter gelooft ze.' Ze leunt tegen de werktafel. 'Weet je, Louisa heeft geen enkel bewijs. Dit is een

271

soort landjepik, zie je dat niet?' Ze trekt haar wenkbrauwen op, die daardoor achter haar ponyhaar verdwijnen. 'Ze proberen me kapot te maken. Allemaal. Om zichzelf beter te voelen nu mam overleden is.'

Ik schud mijn hoofd. 'Ik geloof niet dat Louisa probeert... om wat dan ook te bereiken, mam. Ze heeft gewoon gezegd...'

Haar gezicht is rood aangelopen. 'O, als jij toch wist wat ik weet...' Ze zwijgt. Ze lacht bijna; haar mond gaat open, maar er komt geen geluid. Dan: 'Wat ik allemaal heb moeten slikken sinds ik een klein meisje was. Van hen allemaal. Je hebt geen idee.'

Ik merk dat mijn angst om me niet langer in te houden helemaal verdwenen is: alle gedachten die ik de afgelopen weken, de afgelopen dertig jaar heb opgekropt. 'Dat is onzin!' roep ik hardvochtig. 'Je probeert altijd akelig te doen over oma. Ze heeft altijd alleen maar haar best gedaan om voor je te zorgen.'

Mam slaakt een vreemd gilletje, iets tussen lachen en hysterie in. 'Zij? Voor míj zorgen? O, dat is lachen, zeg!' Ze schudt haar hoofd. 'Ja, heel grappig.' Ze zwijgt weer, kijkt naar een nagel en bijt voorzichtig het randje eraf. Dan mompelt ze iets in zichzelf, iets wat ik niet kan verstaan.

'Octavia zei dat ik het aan Guy moest vragen,' zeg ik kalm. 'Ze zegt dat hij weet wat er is gebeurd.'

Mijn moeder laat een gladde haarlok door haar lange vingers glijden. Dan stopt ze en ze lacht. 'O, Guy weer?' Ze bijt op haar lip. 'Die is nu dus alom aanwezig, hè? Hij is echt vanuit het niets opgedoken! Toe dan, vraag er maar op los! Het lijkt me interessant wat híj voor verhaal heeft.'

'Wat bedoel je daarmee?'

Ze spreekt zo snel dat ze bijna over haar woorden struikelt. 'Luister eens, Nat, mijn lieverd. Wat dit betreft haat ik niemand zo erg als Guy Leighton.'

'Ach, kom op, ma...'

Haar ogen spuwen vuur. 'Hij is gewoon een zakkenwasser, dat is-ie altijd al geweest, en hij profileert zich als een aimabele man: ik verkoop antiek, ik woon in Islington, ik hou meer van Umbrië dan van fokking Toscane.' Ze spuugt bijna, en de rode vlekken op haar wangen worden groter. 'Hij is *fake*, hij is nog erger dan de Bolhoed. Van de Bolhoed weet je in elk geval dat-ie een luie, rechtse, geile bok is. Guy is erger. Hij is de grootste hypocriet van het hele stel.' Ze trekt een ver-wrongen, lelijk gezicht. 'Ik ben degene in deze familie aan wie ieder-een een bloedhekel heeft, en weet je waarom? Omdat het makkelijker is om mij te haten dan hen eens onder de loep te nemen. Ze gleed uit, het pad was glibberig, jammer, het was niet mijn schuld. Maar ik zág het wel. Ik zag haar doodgaan, en ze was mijn zus, en dat heeft mijn leven beschadigd. Dat begrijpt niemand.'

Ik weet niet wat ik moet zeggen, ze zit zo vol rancune. Ze heeft die eigenschap die veel mensen hebben: ik moet en zal gelijk hebben. Plotseling vind ik de moed om te zeggen: 'Kap eens met je zelfmede-lijden, mam. Neem nou eens de verantwoordelijkheid voor dingen.'

Ze laat haar tanden zien en tilt haar hoofd iets op. Vervolgens kijkt ze me met zo'n onverholen minachting aan dat ik bijna achteruit-deins. Deze vrouw is als een vreemde voor me, ik ken haar niet. 'O, jij bent altijd al een zelfingenomen, pedante meid geweest, Natasha. Zelfs toen je nog klein was,' articuleert ze met een kil, vilein randje in haar stem. 'God, dat verafschuw ik zo aan jou. Dit hele gedoe... al-leen maar omdat je me dan lekker kunt aanvallen, me ervan kunt be-schuldigen dat ik een slechte moeder ben en mij de schuld kunt geven van het instorten van je eigen leventje. Of niet soms?' En plot-seling vullen haar ogen zich met tranen. 'Het is moeilijk voor me ge-weest,' zegt ze. 'Je weet niet hoe het is. Iedereen haatte me.'

'Ach mam, echt niet.' Ik ben haar geacteer helemaal zat. 'Niemand haatte jou. Je bent gewoon...' Ik val stil en weet niet wat ik moet zeg-gen. Je bent gewoon niet zo aardig? Je bent slecht?

'Mama haatte me, Cecily haatte me.' Haar stem gaat weer omhoog, als van een jankende hond. Het klinkt afschuwelijk. Ze beweegt zich naar me toe, en ik doe nog een stap naar achteren. 'Ik was helemaal alleen, met een klein kind, jarenlang.' Ze veegt een traan weg. 'Je moet me nemen zoals ik ben, lieverd. Ik ben geen uitgedijd huisvrouwtje van vijftigplus met een winkelpas van Marks and Spencer.' Een beetje quasimoedig schudt ze wat met haar haar. 'Zo'n soort moeder ben ik niet. Ik ben anders.'

Pas dan voel ik dat ik mezelf ga verliezen. Het komt door dat ge-schud met die haren van haar, haar gekunstelde manier van praten, het personage dat ze zichzelf heeft aangemeten; ze beweert dat het uit zelfbehoud is, maar ik weet zeker dat ze iets te verbergen heeft. 'Je bent sowieso nooit een moeder geweest!' ga ik tegen haar tekeer. 'Dus waar heb je het over?'

'Ik heb altijd mijn best gedaan voor je…' Het klinkt nu huilerig. 'En toen je ging trouwen heb je me compleet links laten liggen…'

Ik hoor dat ik tegen haar begin te tieren, alsof het iemand anders is: 'Waarom denk je dat ik trouwde?! Ik wilde van jou verlost zijn!' Ik tril helemaal, de adrenaline pompt door mijn aderen en het kan me allemaal niets meer schelen.

'Oli mocht mij!' sist ze terwijl ze dichter naar me toekomt. Ik lach, alsof het hier allemaal om draait.

'Natuurlijk,' zeg ik, en ik glimlach akelig en knipper langzaam met mijn ogen. 'Je lijkt precies op hem, daarom. Ik kan gewoon niet geloven dat ik zo dom ben geweest. Ik trouwde om bij jou weg te zijn en uitgerekend met iemand die precies op jou leek.' Ik breng mijn handen naar mijn gloeiende wangen en schuif ze voor mijn ogen. 'Dat ik dit allemaal zeg, ongelofelijk gewoon. Dit is helemaal niet aan de orde. We hebben het hier niet over mij, maar over jou.'

'Over mij!' ze lacht met vlammende ogen. 'Hoezo, jij met je vent die naast de pot pist en dit stomme, steenkoude atelier met je kettinkjes waar niemand op zit te wachten, alleen maar om je oma's goedkeuring te krijgen?' Ze wrijft over haar armen en haar ogen puilen bijna uit haar hoofd. Het is zo'n vreemde aanblik dat ik haar echt niet meer herken. Ze is oud, zie ik – nu pas voor het eerst? Ik zie rimpels rondom haar ogen, haar hals is kwabbig. Het was me nog nooit echt opgevallen. 'Ik wilde alleen dat jij de goede keuzes voor jezelf zou maken. Meer niet, zodat je niet net als ik zou eindigen: blut, zwanger, door iedereen in de steek gelaten, niemand die van je houdt.'

'Dat zal echt niet gebeuren!' brul ik tegen haar. 'Ik ben jou niet!'

'O ja, ja natuurlijk.' Ze knikt sarcastisch. 'Wat een opluchting, je bent mij niet.'

'Ik heb een normaal leven, een volwassen leven, ja? Het is misschien niet volmaakt, maar wel oké. En het liefst zonder jou!' Mijn wangen gloeien inmiddels. Ik ga niet huilen. 'Blijf uit mijn buurt! Ik wil je niet langer in mijn leven!'

We staan tegenover elkaar, zij met haar armen over elkaar. Van haar gezicht valt geen enkele emotie af te lezen: dit kortstondige verlies van mijn zelfbeheersing is voor haar voldoende om zich opnieuw te doen gelden, en het masker is weer opgezet.

'Ik weet dat je liegt, mam,' zeg ik zacht. 'Ik weet heus wel dat het verschrikkelijk moet zijn, maar ik weet ook dat je die zomer iets slechts hebt gedaan. Dat weet ik gewoon.'

'Nou, jammer dat je dat denkt,' zegt ze, opnieuw met die katachtige glimlach. 'Ik wou dat ik je van het tegendeel kon overtuigen.'

'Wist je dat Cecily een dagboek heeft nagelaten?' vraag ik onverwacht. 'Heb je het gezien?'

'Zo, is me dat even interessant,' zegt ze. 'Of ik het heb gezien? Heb ik het gezien? Ik zou jou hetzelfde kunnen vragen. Maar ik weet wat ik weet, snap je, en ik weet niet of ik zin heb om het aan jou te vertellen.'

'Je hebt het gezien?' vraag ik. 'Jij... mam, zeg op.' Met mijn vingers trommel ik bijna in woeste wanhoop op de werktafel. Mijn handen zijn uitgestoken. 'Toe, mam. Ik moet het weten. Nou?'

Schaamteloos kijkt ze me aan, als het ondeugende meisje op school, dat net weer de dans is ontsprongen. Ze negeert mijn vraag en zwaait haar tas over haar schouder. 'Ik moet maar eens opstappen,' zegt ze, en ik knipper verbaasd met mijn ogen. 'Ik heb een afspraak met een oude vriendin om wat te gaan drinken. Ik wil niet te laat komen.' Ze schudt met haar hoofd, haar haar ruist zacht, terwijl het weer over haar schouders glijdt. Ze loopt naar de deur. 'Mag ik nog iets zeggen?'

'Natuurlijk.'

'Natasha, er komt een dag dat je het zult begrijpen,' zegt ze. 'Ik weet wel dat je nu denkt dat het nergens op slaat. Maar het zal je duidelijk worden, alles. Ooit.'

En dan is ze verdwenen. Ik blijf achter in de lege ruimte en staar voor me uit. Dan kijk ik omhoog en uit het raam naar de straat. Ik zie mijn moeder naar buiten komen en in haar tas naar iets zoeken. Ze haalt een lipgloss tevoorschijn en brengt wat op. Terwijl ik haar door het vuile raam nakijk, werpt ze haar hoofd in haar nek en loopt weg.

30

Ik tref Jay op het metrostation Ealing Broadway. We pakken de metro en rijden één halte terug, naar Ealing Common. Het is zondag, rond het middaguur, en als we het station uit lopen staat Uxbridge Road helemaal vol. Zwijgend lopen we in gelijke tred verder. Ik kijk de hele tijd naar de lucht, in de verwachting dat het elk moment kan gaan regenen.

'Ga mee lunchen bij pa en ma,' had Jay die ochtend aangeboden nadat ik na de derde toon had opgenomen. 'Pa vroeg me of je ook zin had. Mam heeft giga veel eten bereid.' Jay is een tijdje weg geweest voor zijn werk; hij heeft een grote opdracht in Zürich en moest er bijna linea recta heen, pal na de begrafenis. Ik heb hem dus al een tijdje niet meer gezien.

De confrontatie met mijn moeder ligt nu vijf dagen achter me en nog steeds hebben we elkaar niet gesproken, maar ik durf te wedden dat ze zoals gewoonlijk Archie alles heeft verteld. Ik heb het gevoel dat ik naar Ealing ben ontboden zodat hij met een vermanend vingertje naar me kan zwaaien en me als 'hoofd van de familie' de les kan lezen. Nou, hij doet zijn best maar, dacht ik bij mezelf in de metro. Ik weet alles van je, oompje. Hang maar lekker de brave meneer uit, maar mij pak je niet, vooral niet nu ik weet dat jij je nicht stond te begluren terwijl ze zich aan het uitkleden was, en dat je oudste zus jou een nogal vreemde snoeshaan vond.

Onderweg zeggen we weinig. Buiten miezert het een beetje en het is mistig en koud. Jay is stilletjes, een beetje humeurig. Volgens mij is het laat geworden, gisteravond. Als we Creffield Road in slaan, zet Jay er de pas in en moet ik even huppelen om hem bij te houden. 'Dus, hoe was het in Zürich?' vraag ik hem. 'Ik heb je gemist.'

'Ja, goed.' Hij loopt nu sneller en zijn gezicht staat vastberaden, als van een bergbeklimmer die bijna bij de top is. 'Prima. Hard gewerkt. Sorry dat ik je niet eerder heb gebeld.'

'Geeft niks,' zeg ik. 'Hé. Jay…' Ik pak hem bij een arm. 'Stop even. Stop!'

'Wat?'

'Voordat we zo meteen bij je ouders zijn, moet ik je eerst iets vertellen.'

'O?' Schichtig en bijna nerveus kijkt hij me aan.

'Oli en ik zijn uit elkaar. Definitief.' In de rustige straat van de buitenwijk kijken we elkaar aan. Ik sta op een kapotte stoeptegel die wiebelt onder mijn gewicht. 'Geen groot nieuws. Dat je het maar weet.'

'Weet ik,' zegt hij.

'Je weet dat we uit elkaar zijn?'

'Ja,' zegt hij, en hij loopt verder.

'O, oké. Heeft… je vader het je dan verteld?'

'Uiteraard. Hij heeft met je moeder gesproken.' Er valt een korte stilte. 'We zijn er bijna. Man, wat heb ik een honger.'

We lopen het smalle garagepad van Archies en Sameena's woning op. Zoals gewoonlijk is het bijna stil in hun straat. Zo nu en dan rijdt er een auto langs, maar verder hoor je alleen vogelgekwetter. Jay klopt aan op de voordeur.

'Aah.' Met een zwierige zwaai doet mijn oom open. 'Jullie zijn er.' Hij geeft zijn zoon een kus, daarna mij. 'Natasha. Fijn dat je kon komen. Goed je weer te zien.'

Hij heeft zijn nette vrijetijdskleren aan, bijna niet te onderscheiden van zijn dagelijkse pak: een roze streepjesoverhemd met een pantalon; donkerblauw, maar 's zomers is die kaki. Zijn haar zit perfect, zijn glimlach is gastvrij, maar toch doet hij me zo aan mijn moeder denken: er schuilt iets achter zijn ogen waar ik nauwelijks hoogte van krijg.

We betreden de royale vestibule, met de spiegel met bladgoud en het gelakte tafeltje met daarop prachtige oude prenten van taferelen uit de Ramajana. Het zachte, crèmekleurige tapijt veert onder mijn voeten. Archie neemt onze jassen aan, daarna draait hij zich handenwrijvend naar ons toe.

'Je moeder is vandaag een godenmaal aan het bereiden, Sanjay,' zegt hij. 'Een godenmaal. Ze komt zo, ze is even aan de telefoon.'

Vrolijk leidt hij ons de keuken in. Hoewel ik hier vroeger de deur platliep, ben ik hier nu al dik een paar maanden niet meer geweest.

Overweldigd kijk ik om me heen. 'Hebben jullie een nieuwe keuken?'
Archie knikt. 'Eh, ja. Moet je de serre eens zien.' We lopen door de
glimmende, okergele gemarmerde keuken en belanden via de openslaande deuren in een reusachtige serre met rieten stoelen en Chinese
potten gevuld met planten. 'Natasha, kijk dan.' Archie drukt op een
knop. Jaloezieën glijden omhoog naar het glazen dak, en omlaag. 'Kijk
dan,' herhaalt hij, en wijst opnieuw, ditmaal naar de terracotta tegels.
'Vloerverwarming.' Hij glimlacht. 'Fantastisch, niet?'

'Nou en of,' glimlach ik terug. Zijn enthousiasme is aanstekelijk. Jay
glimlacht ook.

'Pa, wat ben je toch een uitslover. Wat kan Nat die vloerverwarming
nou schelen?'

Archies gezicht betrekt. 'Niet zo brutaal, Sanjay,' klinkt het vermanend. 'Daar is je moeder. Ga haar eens begroeten.'

Sameena is de reddende engel, dat is ze altijd al geweest. Ze drib-
belt de keuken in en legt de telefoon weg. 'Sorry. Ik had net mijn broer
aan de lijn,' verontschuldigt ze zich. 'Dag, mijn lieve kinderen!' Ze
geeft ons allebei een dikke knuffel. 'Hoe gaat het met je, Natasha? We
zijn zo blij dat je vandaag kon komen, ook al was het kort dag. We
hebben zoveel eten!'

We nemen plaats in de serre. Archie neemt een gin-tonic en Jay en
ik houden het bij een cola. Vanuit de keuken vraagt Sameena luidkeels
hoe de reis van haar zoon is geweest, wat at je, hoe was het hotel, leverde het werk nog wat op? Archie vertelt hem over de keer dat hij
zelf naar Zürich moest om namens een 'internationaal vermaard hotel
in het centrum van de stad' te gaan onderhandelen over een nieuw
wagenpark. Jay knikt beleefd en ik sla het drietal gefascineerd gade.

Omdat ik hen al een tijdje niet meer samen heb gezien, en vooral
nu, met mijn eigen huwelijk op de klippen en mijn verschrikkelijke
megaruzie met mam, afgelopen donderdag, vormen ze zelfs een nog
boeiender aanblik dan normaal. Waarschijnlijk heb ik hier als kind
meer tijd doorgebracht dan elders, met uitzondering van Bryant
Court. Ik was hier op z'n minst één dag per week na schooltijd, en
vaak bleef ik dan slapen. Het was voor mij zo gemakkelijk om op de
Piccadilly Line te stappen en langs te komen, dat toen ik eenmaal een
jaar of tien was ik gewoon de metro pakte als ik wist dat mam het laat
ging maken en ik geen zin had om weer een hele avond in mijn een-

tje thuis te moeten zitten,. Door de jaren heen is het huis ontelbare keren veranderd. Er gaat bijna geen seizoen voorbij of Archie regelt weer een peperdure opknapbeurt voor dit of dat. Maar Sameena en Jay waren er altijd.

Tijdens de schoolvakanties nam Sameena mij en Jay vaak mee naar Southall om bij haar vriendinnen langs te gaan of voor de hele week inkopen te doen. Met de trein of metro ben je zo bij Ealing Common. Zittend in de serre bekijk ik haar terwijl ze in de keuken een over-heerlijke maaltijd voor ons bereidt. Zelfgemaakte aardappelkoekjes, krokante, zoete uienbhajees, een geurige viscurry, met dhal en rijst in diepe borden. Terwijl ze in zichzelf neuriënd de rijst opschudt en ze door het raam naar buiten kijkt, tinkelen haar armbanden tegen elkaar aan. Op het glanzende marmeren aanrecht van de prachtige nieuwe keuken liggen dikke bossen verse peterselie en koriander. Heerlijke kruidengeuren vullen de ruimte. Ik ken ze van Brick Lane, maar hier ruiken ze lekkerder. Jay grapte altijd dat ik speciaal naar Brick Lane verhuisde om onbewust in contact te blijven met Sameena's keuken, en misschien had hij wel gelijk.

Waarom vind ik het hier zo gezellig? Omdat Archie vaak weg was voor zijn werk en we dan gewoon met ons drieën waren. Het is vreselijk om het toe te geven, maar het is de waarheid. Sameena is heel anders dan mijn moeder. Ze is huisarts, zo iemand op wie je in een noodsituatie kunt vertrouwen. Met Arvind kan ze kletsen over thuis, over Mumbai, een stad waar hij dol op is. Ze kan koken als de beste, ze is een trotse Indiase vrouw, en als ik bij haar en Jay ben, voel ik mezelf ook Indiase. Zo voel ik me niet vaak. Ik ben voor vijfentwintig procent Punjabi, en omdat ik mijn vader nooit heb gekend heb ik me eigenlijk nooit afgevraagd wat mijn wortels zijn. Summercove, daar klampte ik me aan vast, daar wilde ik vandaan komen. Als ik nu naar Sameena kijk, terwijl ze een stukje lenteui in haar mond laat verdwijnen en even van de saus proeft, besef ik opeens dat ik hier altijd welkom ben geweest.

'Hoe gaat het met je werk, Natasha?' Archie reikt me een schaaltje met chips aan. 'Ik heb begrepen dat je wat problemen hebt. Is dat zo?'

Ik vraag hem niet hoe hij aan die kennis komt. 'Yep,' antwoord ik met een knik. 'Het zag er behoorlijk slecht uit. Maar ik hoop dat ik nu weer op het goede spoor zit.'

'De bank heeft zich ermee bemoeid, nietwaar?'

'Ja,' antwoord ik.

Hij fronst. 'Het is belangrijk om je relatie met de bank goed te houden. Wees voorzichtig.'

'Ben ik ook,' zeg ik. 'De boel is nu opgelost. Hoop ik.'

Wie ben ik om hier geërgerd over te raken, maar toch wil ik het er niet over hebben. Voor het eerst sinds lange tijd wil ik in het weekend helemaal niet aan mijn werk denken, iets wat ik als een goed teken beschouw. Het betekent namelijk dat ik doordeweeks dus gewoon aan het werk ben, net als iemand op kantoor, als iemand met een echte, gestructureerde baan.

'Heb je al eens overwogen om Jay nog een keer naar je website te laten kijken?' vraagt Archie. 'Wie weet is er ruimte voor verbetering.' Hij trekt zijn manchetknopen los, rolt zijn overhemdsmouwen op en snuift eens nieuwsgierig. In de keuken staat iets heerlijks te pruttelen.

'Ik doe het graag hoor,' zegt Jay. 'De manieren om de klant te bereiken veranderen voortdurend.'

'Ja, dat is waar.' Archie kijkt me aan. 'Natasha?'

'Lijkt me geweldig,' reageer ik. 'Dank je, Jay.'

'En heb je er misschien al aan gedacht om te gaan adverteren in een van die gratis blaadjes? Ze hebben er ook een in Spitalfields.'

'Klopt, ja,' reageer ik verrast. Ze liggen in alle winkels en restaurants in de buurt. Met nieuws over de wijk, over wie er bijen houdt, wie binnenkort een expositie heeft, wie er een nostalgische thee-avond organiseert, echt helemaal Shoreditch/Spitalfields. 'Goed idee. Dank je, Archie.'

Hij is een goede zakenman en heeft zichzelf het vak geleerd. Van zijn ouders heeft hij het in elk geval niet meegekregen. Hij knikt, alsof hij mijn, waarschijnlijk terechte, loftuitingen aan zijn adres geheel onderschrijft. 'De laatste keer dat ik in de City was, heb ik in een restaurant ook zo'n krantje zitten lezen. Ik had een lunchafspraak met een, eh, met wie mag ik niet zeggen. Een belangrijke cliënt, laten we het daar maar op houden.'

Sameena staat in de deuropening en rolt met haar ogen. 'Hallo, jij en je belangrijke cliënt,' zegt ze. 'Tijd voor onze lunch.'

We zitten in de overdadige eetkamer, met groen moirébehang, een glazen eettafel en prachtig bewerkte kristallen drinkglazen. Toen ik klein was dacht ik altijd dat de tafel in Buckingham Palace er vast ook zo uitzag. Archie kauwt langzaam en gestaag, als een grazende koe, en zegt niet veel. Sameena vraagt hoe het met ons is. We kletsen over mijn sieraden, de nieuwe winkels aan Columbia Road. We spreken af dat ze snel een keertje naar Oost-Londen komt. Ik vraag naar haar familie, die ze onlangs in Mumbai heeft bezocht, naar haar zus, Priyanka, die gedialyseerd moet worden, haar jonge nichtjes en neefjes. Ze ziet ze maar één keer per jaar.

'Was je eenzaam toen je hier kwam wonen, Sameena?' vraag ik, denkend aan mijn eigen grootvader. 'Zo ver weg.'

Archie kijkt niet op, maar hij luistert wel mee.

'Een beetje,' antwoordt ze. 'Vooral dat weer, weet je wel?'

'Hoe oud was je?'

'Jong,' zegt ze. 'Och, vijfentwintig. We hadden geen cent, hè, Archie?' Hij kijkt haar niet aan, maar knikt kordaat. 'We woonden in Acton. In een piepklein flatje. Ik was al eens in Engeland geweest, maar dan als kind, dus zo goed herinnerde ik het me niet meer. Ik fantaseerde over hoe het zou zijn. In mijn hoofd, snap je? Met paleizen en heel chique mensen in cocktailjurken. Maar het regende de hele tijd, zoals nu...' Ze gebaart naar buiten, naar het zachte gekletter op het dak van de serre. 'Overal hondenpoep, kapotte trottoirs, iedereen onvriendelijk. Mijn oude buurvrouw, die kwam uit Delhi. Dan ging ze in haar sjofele oude duffeljas over haar prachtige sari boodschappen doen. Thuis had ze die prachtige kleuren nooit hoeven te bedekken, had ze nooit grauw hoeven zijn. Dat herinner ik me vooral.'

Jay kijkt haar aan. 'Nooit geweten, mam.'

'O, ja hoor,' zegt Sameena terwijl ze een kom dhal naar me toe schuift. 'Maar weet je, zulke dingen gaan voorbij. En toen werd ik heel gelukkig. Ik woon nu hier. Ik hoor nu bij jullie. Bij jullie allemaal,' voegt ze er snel aan toe terwijl ze even naar me kijkt. 'Ook bij jou en je moeder, Natasha.'

Er valt een stilte. We eten verder. Sameena werpt een blik naar haar man.

'Verheug je je al op de lancering van Franty's stichting, Natasha?' vraagt ze vervolgens. 'Het wordt vast een geweldige dag. Nu al bellen ze mensen, en iedereen zegt ja.'

'Ik ben eigenlijk niet zo goed op de hoogte,' antwoord ik. 'Mam heeft me er niet veel over verteld en... tja, Guy is de andere trustee. Hem ken ik ook niet echt goed.' Ik kijk naar mijn bord.

'We hebben de hele week al mensen geronseld,' zegt Archie. 'Heel voorname lui.' Hij zucht. 'Ik denk dat het indrukwekkend gaat worden. Nog maar twee weekjes en dan is het zo ver.'

'Moet ik nog iets doen?' vraag ik.

'O, nee hoor. Louisa heeft alles onder controle.'

Ik neem nog een lepeltje viscurrysaus. Het is heerlijk. De chilipeper prikt op mijn tong. 'Ik vraag me alleen af waarom het allemaal zo snel moest.'

'Zo wilde onze moeder het,' zegt hij. 'Meteen na haar dood.' Hij haalt zijn schouders op. 'Ze heeft het met zorg voorbereid. En weet je dat de Tate Gallery voor 2011 al een grote expositie van haar werk had gepland? Nog voordat ze overleed. Ik geloof niet dat ze het zelf had willen laten doorgaan. Vreemd.'

'Waarom al die voorbereidingen?' vraag ik. Ik weet nog hoe blij ze was over de stichting, maar ook een beetje nerveus. Ze kan er nu helaas niet meer bij zijn.

Hij zucht opnieuw. 'Volgens mij ging het haar om de idee dat als ze er niet meer zou zijn, haar schilderijen weer echt waardering kregen. En weet je, de stichting gaat ook jonge kunstenaars helpen, net zoals zij en Arvind werden geholpen. Hij kreeg een beurs om naar Cambridge te komen, zij had mecenassen toen ze jonger was. Mensen ontfermden zich over ze. Ik denk dat ze op haar beurt, nu ze er niet meer is, anderen wil helpen.'

Sameena knikt. 'Heel nobel. Prachtig.'

'En daar zal het meeste geld natuurlijk naartoe gaan,' vervolgt Archie. 'We zien wel.' Hij kijkt Jay en mij aan. 'Wij, haar kinderen, krijgen maar weinig. Dat doet me verdriet, sprekend namens je moeder. Volgens de notarissen...' Hij zwijgt, alsof hij al te veel heeft gezegd. 'Het spijt me,' klinkt het formeel. 'Ongepast.'

'Nee, ga door,' dring ik aan. Hij fronst.

'Natasha, het is niet jouw probleem.' Het voelt alsof ik een draai om mijn oren heb gekregen omdat ik ondeugend ben geweest. 'Ze wilde dat jij erbij betrokken werd. Daarvoor had ze vast haar redenen. Maar voorlopig hoef je niets te doen. Zodra de stichting op poten staat en we weten hoeveel geld er in kas is, kunnen we ons over de aanvragen buigen, en daar kom jij om de hoek kijken: aanvragers doorlichten en beoordelen. Misschien met ze praten, hun ateliers bezoeken... Zoiets.'

'Hoe ironisch. Kan ik ook een beursje voor mezelf aanvragen?' Ik bedoel het als een grapje.

Archie glimlacht niet.

'Jij gaat erheen? Volgende maand? Terug naar Cornwall?' vraag ik.

'Ja, natuurlijk,' is zijn antwoord.

'Heb je Arvind nog gesproken?'

Jay werpt me een blik toe: kap toch eens op met deze vragen. Het daagt me opeens dat dit de reden is waarom hij vandaag in zo'n vreemde bui is: hij weet dat mijn oom boos is op me, en Jay, hoe dik we ook met elkaar zijn, acht zijn ouders een stuk hoger dan ik mijn moeder.

'Nee, niet gesproken,' antwoordt Archie. 'We gaan volgende week langs.'

'Louisa is langsgeweest,' zegt Sameena, en hoewel ik zeker weet dat het onschuldig bedoeld is, wil Archie het kennelijk niet horen.

'Ja,' zeg ik, 'ze is echt geweldig.'

'Zeker,' valt Archie me bij. 'We boffen met haar.'

Opeens kan ik de verleiding niet meer weerstaan. 'Archie, mag ik je iets vragen?'

'Zeker, Natasha?' Hij breekt nog een pappadum tussen zijn vingers.

'Nou... eh, waarom kan mam niet met haar opschieten? Louisa is zo goed bezig geweest. Ze heeft de begrafenis geregeld, ze heeft zich over Arvind ontfermd, de stichting ...' Mijn stem klinkt luid in de stille eetkamer. 'Ik zou niet weten wat we zonder haar hadden moeten beginnen. Maar mam... denkt dat Louisa het op een of andere manier op haar heeft gemunt.'

Ik weet dat het gevaarlijk spel is, maar meer kan ik niet verzinnen om Archie over het dagboek uit te horen, over wat er met Cecily is gebeurd. En verder wil ik, hier, tegenover Sameena en Jay, deze twee dierbaren, ook niet gaan. Ik wil niet met een vinger gaan wijzen terwijl ik zelf niet echt iets kan aantonen.

Archie breekt zijn pappadumhelft nog een keer doormidden. 'Je zegt het al, Louisa en je moeder mogen elkaar niet. Altijd al zo geweest. Meer is het niet.'

Ik wil in de lach schieten, hoe ongepast het ook lijkt. Dat is nog maar het begin, wil ik zeggen.

283

Maar hij gaat verder. 'Luister, toen we nog jong waren... het is zo lang geleden. Vanwege de tragedie met mijn zus praten we er nog maar weinig over.' Hij kijkt op en een lok zorgvuldig gekamd haar valt voor zijn gezicht, wat hem opeens een heel stuk jonger maakt. 'De waarheid is... dat ze heel verschillend waren. Begrijp je? Louisa was... tja, ik vond haar soms nogal onuitstaanbaar. Die behulpzaamheid altijd, en veel gehoorzamer dan wij. Onze ouders waren dol op haar. Altijd goeie examens, goed in sport.' Hij zwijgt en wrijft over zijn arm. Hij lijkt verrast door zijn eigen woorden, maar gaat door. 'Ik was geboeid door haar. Net als je moeder. Louisa was alles wat wij niet waren. Wij blonken nergens echt in uit. Geen artistieke aanleg, niet intellectueel. Niet goed in sport. We waren niet blond, niet hartelijk. Mijn moeder was... teleurgesteld in ons. Volgens mij beschouwde ze Louisa en Jeremy eigenlijk meer als haar kinderen, in plaats van ons. En Cecily natuurlijk. Ze was dol op Cecily.'

Hij valt stil. Ik weet dat hij de waarheid spreekt, op een zachte, heldere toon, niet dik aangezet, maar juist feitelijk, meer niet. Gevieren zwijgen we. Wat hij zegt, en hoe, maakt me zo verdrietig, maar ik kan hem niet tot steun zijn.

'Daarom...' vervolgt hij, en hij zwijgt. Hij schraapt zijn keel, kijkt Jay aan, en daarna mij. 'Tja. Kijk, dat is dus waarom het me zo verheugt dat jullie, neef en nicht, het zo goed met elkaar konden vinden. Dat zulke dingen tegenwoordig onbelangrijk zijn. Net als je moeder.'

'Heb je met mam gesproken?' vraag ik opeens. Na onze ruzie heb ik haar meerdere malen gebeld, maar ook nu weer is ze van de radar verdwenen.

'O, ja,' is zijn antwoord.

'Waar is ze?' vraag ik. 'Is ze in de buurt?'

'Ze zal op tijd terug zijn voor de lancering van de stichting,' antwoordt hij. 'Haar werk is belangrijk voor haar.'

Hij tilt zijn kin op en knikt afwachtend naar me.

'We hadden ruzie...' hoor ik mezelf zeggen.

'Weet ik.' Hij legt zijn servet neer. 'Natasha, je hebt je moeder behoorlijk overstuur gemaakt. Ik geloof niet dat je beseft hoe erg.'

'Ze...' begin ik, en ik zwijg. Ik kijk naar Sameena en Jay, die stilletjes van hun curry eten.

'Ze is je moeder,' gaat Archie verder. 'Je hoort haar hoe dan ook te respecteren.'

'Hoe dan ook?' herhaal ik.

Hij kijkt me aan, daarna naar zijn vrouw en zijn zoon. 'Ja.'

Dit is hun huis; verder kan ik niet gaan.

Het contrast tussen broer en zus valt me opnieuw op. Archie mag dan wat dikdoenerig overkomen, hij heeft zichzelf, Sameena en Jay een eigen plek gegeven, iets heel anders dan Summercove. Ik snap het, want dat wilde ik zelf ook, samen met Oli. Mijn eigen wereldje creëren, eentje die anders is dan de sfeer waarin ik opgroeide. Ik denk aan Archie en zijn ouders, de manier waarop hij nooit echt aanwezig is, net als zijn zus. Hij komt binnen, speelt de baas, showt iedereen zijn flitsende nieuwe auto of zijn mooie nieuwe horloge, en is weer verdwenen. Het is leuk om in die stukjes uit Cecily's dagboek over hem te lezen: over dat hij naar Oxford of Cambridge zou gaan, maar dat het helemaal niet bij hem past. Ik weet niet of hij die toelatingsexamens nog heeft gedaan, maar wel dat hij lange tijd weg is geweest, op reis. Net als mam. Halverwege de jaren zestig kreeg hij een baan bij een autobedrijf, toen zoiets nog iets dynamisch had, waarschijnlijk. Hij werkte zich op en zijn zaak loopt nu behoorlijk goed. Zelfs al hield hij zijn mond, dan nog zou het je niets verbazen. Hij had over de hele wereld gereisd. Singapore, Tokio. In Mumbai ontmoette hij Sameena.

Ik stel nog één vraag. 'Je weet zeker niet waar ze nu uithangt?'

'Nee. Zoals ik al zei, ze komt terug.'

Ze verdween altijd zomaar, zonder een woord en meestal zonder uitleg. Rond mijn tiende verdween ze een week naar Lissabon. Ik ontdekte het pas toen ze op weg naar de luchthaven naar school belde om door te geven dat mijn tante me zou opvangen… Ik herinner het me in het licht van wat ik inmiddels weet, zittend aan de eettafel bij de Kapoors terwijl Sameena en Jay elkaar aanstoten, waarna Sameena even in de lach schiet, Archie voor zichzelf nog wat mango chutney opschept en ik het stel gadesla. Ik voel me opeens heel eenzaam. Archie ontsnapte, ontglipte de dans, wat die ook behelsde. En mijn arme moeder. Op zoek naar een beetje vrijheid, een beetje ruimte, op de vlucht voor haar eigen gedachten, haar eigen leven.

Zoals ik al zei, het maakt me verdrietig.

31

Op donderdag, een week na de lunch bij Archie, gaat mijn wekker niet af en word ik dus laat wakker. Geïrriteerd omdat de dag al verkeerd is begonnen blijf ik nog tien minuutjes liggen. Ik ben inmiddels heel goed geworden in mezelf bezighouden met mijn lijstjes en mijn activiteiten en ik weet dat geïrriteerd in bed blijven liggen niet de manier is om te voorkomen dat ik gek word. Doe iets, wat dan ook. Ik sta op, spring onder de douche, kleed me aan en maak de flat van onder tot boven schoon, ruim spullen op, stop nog wat dingen van Oli weg, stof, poets, schrob en zing met de radio mee.

In de middag ga ik naar het atelier, blij om mijn benen even te kunnen strekken en buiten te zijn. In de hal zie ik dat de post er al ligt, en dat is, hoewel het bijna drie uur is toch min of meer een wonder. Ik pak het stapeltje en sorteer het, waarbij ik de post voor de andere twee flats in ons gebouw in hun eigen vakje doe.

Ik weet dat hij nu niet terugkomt, maar op sommige dagen spannen gebeurtenissen heimelijk samen om het moeilijker te maken dan op andere. Deze ochtend bestaat de post uit een gemeentebelastingaanslag, het Arsenal-fanblad voor Oli, een van zijn vele tijdschriften en een herinnering voor meneer en mevrouw Jones dat we onze inboedelverzekering dienen te herzien, wat vooral nu bijzonder cru lijkt. Ook zit er een kleine, dikke, stijve envelop tussen, met daarop mijn naam in een handschrift dat ik niet herken. De rest van de post leg ik apart voor Oli. Hij logeert bij zijn beste vriend Jason en diens vrouw Lucy, vlakbij in Hackney, waar hij al eerder heen ging. Hij komt hier alleen langs voor zijn post, laat zichzelf binnen in de hal en verdwijnt weer, we zien elkaar niet. Ik open de aan mij geadresseerde envelop.

U bent uitgenodigd voor de lancering van de

Frances Seymour Stichting

een stichting ter nagedachtenis aan Frances Seymour om
jonge kunstenaars te steunen

donderdag 9 april
14.30 uur ontvangst met champagne & lunchbuffet
15.30 uur toespraak door Miranda Kapoor, dochter van Frances
15.45 uur opening tentoonstelling

Summercove,
Vlak bij Treen,
Cornwall

RSVP
rsvp@seymourfoundation.org
Foto: 'Summercove bij zonsondergang, 1963'

Op de achterkant een afbeelding van een schilderij dat ik nog nooit
heb gezien. 'Summercove bij zonsondergang, 1963' moet van achter
het witte huis zijn geschilderd, dat dicht tegen de zwarte bomen in
de laan erachter ligt met het gazon en het terras dat licht glooiend afloopt naar de kliffen. Het landschap is weelderig en groen, het grijs
van het terras vindt zich terug in het grijsgroen van de lavendel erlangs. Op het gazon bevindt zich een eenzame gestalte, een lange
man met een handdoek om zijn nek, die richting zee loopt. Het oogt
heel verstild allemaal, bijna als in een droom, geen gevoel van beweging in de takken, de lavendel of het gras. Het licht is bleekgoud en
werpt lange schaduwen. De man neemt grote stappen, maar je krijgt
de indruk dat hij door de schilder bevroren is in zijn beweging, dat
het erom ging het moment te vangen.

In het afnemende middaglicht staar ik ernaar. Ik heb oma's schilderijen gezien, in Summercove, in galerieën, catalogi en boeken. Maar

zoiets als dit nog nooit. Het wekt de indruk van een nieuwe benadering, hoewel het een van de laatste dingen was die ze heeft geschilderd. Ik draai de uitnodiging nog eens om en laat de hoekjes van de harde kartonnen kaart in mijn handpalmen prikken. Wie heeft me dit toegestuurd? Louisa natuurlijk. Mam is het niet geweest, dat staat wel vast.

Het is nu meer dan een week geleden sinds onze confrontatie en nog steeds heb ik niets van haar vernomen. Ik heb geen idee wat de volgende stap zal zijn. Dit geeft me denk ik nog weer een reden om contact te houden. Terwijl ik de uitnodiging bedachtzaam tegen mijn hand tik loop ik naar het atelier.

De zon staat aan de hemel en gaat schuil achter een zilverachtig wolkgordijntje, maar toch zie ik schaduwen op de grond en het is best warm, voor het eerst dit jaar en het is net half maart geweest. In gedachten verzonken sla ik de hoek om naar Fournier Street en loop langs de Hawksmoor Christ Church, die met haar dreigende gestalte een schaduw over de straten werpt. Ik heb meer tijd nodig om na te denken.

Cathy zegt altijd heel wijs dat je leven uit drie zijden van een driehoek bestaat: thuis (waar je woont), relaties (vrienden, familie en natuurlijk liefdesrelaties) en werk (een baan hebben, een voldoening schenkende baan, eentje waarbij je niet elke avond jankend thuiskomt of die betekent dat je in de seksindustrie werkt). Cathy's driehoek schrijft voor dat het niet met alle drie de zijden goed hoeft te zitten om je gelukkig te voelen, maar dat je er wel minstens twee nodig hebt om goed te functioneren. Dit bespraken we altijd op de lange avonden rond de tijd van ex-vriendje annex griezel Martin, drie jaar geleden; een gestoorde arts die haar een week nadat ze bij haar vorige bedrijf de laan uit was gestuurd de flat uit gooide en nieuwe sloten installeerde. Geen woning, geen vriendje, geen werk. Een driehoek zonder zijden: slecht dus. Maar vreemd genoeg was het toch oké, want het bleek betrekkelijk gemakkelijk om twee zijden van de driehoek te herstellen. Ze kreeg vrij snel een nieuwe baan, in tegenstelling tot andere vrienden bij uitgeverijtjes, advocatenkantoren of kleine startende bedrijven die plotseling hun baan verloren. Kennelijk was dit min of meer een slappe tijd. Ze logeerde bij Jay, die in zijn flat een kamer over heeft en die ze al bijna net zolang kent als ik, en het gekke is dat we ons die periode herinneren als een heel gelukkige. We gingen veel uit, met een heel stel mensen, lekker iets drinken in Spitalfields en Shoreditch. Elke week ging er wel ergens een leuke nieuwe bar open en het was nog geen verplichte stop op een toeristische route, zoals nu. Oli en ik maakten ons op voor onze bruiloft, wat we allemaal maar surrealistisch en raar vonden. Cathy, Oli en ik bezochten een huwelijksbeurs bij ExCel, waar we al meteen bij de eerste stand op een productiebedrijf stuitten dat een dvd van je huwelijksdag maakt met als begeleiding een liedje dat speciaal voor en over jou wordt gecomponeerd. Dit was naast een stand waar ze knuffels verkochten met daarop geborduurd de koosnaampjes die jij en je partner voor elkaar gebruiken, om weg te geven aan de bruiloftsgasten... Na vijf minuten hielden we het voor gezien. We gingen twee weken naar Summercove, met ons viertjes, en ik herinner me dat we bijna dagelijks verse krab aten, met bakken vol knoflookboter en vers brood. We hielpen oma met het opruimen van Arvinds werkkamer terwijl hij naar Bologna was om een lezing te geven, een van zijn laatste reisjes naar het buitenland, en we gooiden een enorme berg papieren weg. Sindsdien heb ik me altijd afgevraagd wat we precies allemaal weggooiden. Vermoedelijk de sleutel tot geluk op het westelijk halfrond, of een middel tegen kanker, maar dat is lastig te bepalen als je stuit op een doos met daarin een nummer van *Woman's Own* uit 1979, twee zakjes chips met een houdbaarheidsdatum van ergens in 1992 en allerlei stukjes verscheurd papier. Want dat was wat we voornamelijk aantroffen. Ik kan me oma zo goed herinneren die zomer, lachend boven dozen, met een sjaal à la Grace Kelly om haar hoofd gebonden. Ze moet toen al halverwege de tachtig zijn geweest, maar oogde nog steeds als een ster.

Het lijkt alweer zo lang geleden, die periode in ons leven. Ik kijk er misschien door een roze bril op terug, maar het tovert nu wel een glimlach op mijn gezicht. Ik hou de uitnodiging stevig vast en buig de harde kaart om tot hij de vorm van een traan heeft.

In het atelier zet ik hem op de kleine plank naast de kluis. Peinzend staar ik naar het schilderij op de achterkant. Het is muisstil, buiten begint het te schemeren en het verkeer lijkt ver weg. Ik schud mijn hoofd. Waar is dat verdomde dagboek toch? Waar is het? Ik ben geen stap dichterbij gekomen, zo voelt het. Ik had terug moeten gaan om het te gaan zoeken en nu heb ik het alleen maar erger gemaakt in plaats van beter. Ik voel me een mislukkeling. Ik heb Cecily teleurgesteld.

Er wordt op de deur geklopt. 'Nat, hoi,' klinkt een diepe stem.

'Hé Ben!' zeg ik, en hoewel het nauwelijks een schok is om hem te zien, ben ik vooral dankbaar voor de afleiding. 'Ik wilde je net komen vragen om…' Ik draai me om en mijn mond valt open van verbazing. 'Wauw. Je haar! Wat is er met jou gebeurd?'

'Ik heb het helemaal laten afknippen.'

'Wanneer?'

'Afgelopen donderdag. Je bent daarna niet meer hier geweest.'

'Ik ben langs geweest bij winkeltjes en zo. Lieve hemel. Waarom?'

Quasizielig wrijft hij over zijn hoofd. 'Eh… ik vond het tijd voor een verandering.'

'Al je prachtige krullen!' zeg ik. 'En je stoppelbaard! Alles weg!'

Hij kijkt mistroostig. 'Ik weet 't. Mijn hoofd voelt kaal.' Zijn vingertoppen glijden lichtjes over zijn schedel. Als aan de grond genageld kijk ik toe hoe zijn lange vingers door de dikke, korte stoppels van zijn haar gaan en vervolgens afglijden naar zijn gladde kin.

'Je ziet er volkomen anders uit,' zeg ik. 'Vreemd.'

'O, dank je.'

'Nee, ik bedoel niet dat jij er vreemd uitziet,' haast ik mezelf te corrigeren. 'Ik bedoel, het is vreemd. Je lijkt… het is net als Samson.'

'Die verloor al zijn kracht en werd vermoord,' zegt Ben. 'Je wekt de indruk dat ik maar beter een zak over mijn hoofd kan trekken. Is het echt zo erg?'

'Nee, helemaal niet. Integendeel zelfs.' Ik hoor Cathy's stem weer, het lijkt een eeuwigheid geleden, die lunch – *als hij zijn haar zou laten knippen… Wauw, dan zou-ie echt een stuk zijn* – en ik voel dat ik begin te blozen. 'Je ziet er fantastisch uit. Echt, het staat je goed. Je ziet er veel beter uit – niet dat je er eerst slecht uitzag. Je ziet er altijd goed uit…' Ik val stil. Gênant gewoon.

Hij trekt zijn wenkbrauwen samen en fronst. 'Ik weet niet of je nu uit een kuil probeert te kruipen of er eentje voor jezelf graaft,' zegt hij. 'Maar ik troost mezelf met de gedachte dat het wel zal aangroeien en ik snel weer mijn ruige zwerfhondencoupe terug heb.'

'Ja,' zeg ik, 'maar geef dit een kans. Eerlijk, het staat je goed.' Hij knikt en glimlacht.

'Oké, doe ik.'

'Waar is de trui gebleven?' vraag ik.

'Morgen is het officieel de eerste lentedag,' antwoordt hij. 'Dus weg met de trui.'

'Nou, de nieuwe jij is zo knap dat ik niet met jou in het openbaar durf te verschijnen, hoor. Jonge meiden werpen zich straks aan je voeten. Je lijkt nu net Jake Gyll-hoe-heet-ie-ook-alweer.'

'Wie?' Hij krabt zich weer op zijn hoofd.

'Ach... laat maar.'

Na dit plagerige gesprek valt er een gênante stilte.

'Ik wilde nog bij je langskomen,' zeg ik ten slotte. Normaliter zouden we halverwege de ochtend bij elkaar binnenwippen voor een kop koffie of om even wat te kletsen. We laten ons makkelijk afleiden, vreselijk gewoon. 'Waar ben jij mee bezig?'

'Administratie.' Hij klinkt moe. 'Echt saai.' Hij komt verder het atelier binnen, blijft dan staan en slaat zijn ogen neer. 'Nat, dit is prachtig.'

Hij houdt een vel papier omhoog. Het is het ontwerp dat ik vorige week tekende, vlak voordat mam langskwam, de ketting met madeliefjes. Ik heb het daar laten liggen, niet helemaal wetend wat ik er verder nog aan moet doen, want ik kan er niet over nadenken zonder daarbij weer aan mijn moeder te denken. 'O, dank je,' zeg ik blozend. 'Het stelt niks voor, hoor, gewoon een grof idee.'

'Ik vind het echt mooi.' Hij glimlacht, en ik kijk naar hem, naar de botstructuur onder zijn huid. Een adertje bij zijn slaap beweegt omhoog en klopt als hij praat. 'Heel eenvoudig, mooi en complex tegelijk.'

'Och, welnee.' Het is zo lang geleden dat iemand mijn werk prees dat ik niet weet wat ik moet zeggen. Ik klink als een schurk in een toneelstuk. 'Maar... heel aardig van je.' Lichtelijk in de war kijk ik het atelier rond. 'Oké. Ik moet maar eens door.' Ik strijk met een hand langs mijn voorhoofd. 'Sorry. Vandaag ben ik niet vooruit te branden.'

'Wat is er dan?'

'Weet ik niet,' zeg ik. 'Gewoon... dingen.'

'Oli?'

'Nou, ja. Alles eigenlijk.'

Ben legt de tekening neer en leunt tegen de werkbank. 'Het is vast moeilijk.'

'Weet ik. Ik weet gewoon niet wat ik verder kan verwachten. Snap je... wanneer klinkt de bel, ten teken dat alles officieel afgelopen is?'

'Ik denk als je de echtscheidingspapieren tekent,' zegt hij, maar dan brengt hij een hand omhoog. 'Ik bedoel, als je dat wilt.'

'Ja...' Ik schud mijn hoofd. 'Ik weet het niet. Waarschijnlijk wel. Maar het is zo... bizar.' Ik zwijg. 'Er gebeurt van alles op het moment. Andere dingen.'

'Zoals?' vraagt hij. 'Voel je je... goed?'

'Ja, prima. Het zijn familiebesognes.'

'Heftig?'

'Ja, vrij heftig. Ik heb een... een dagboek gevonden,' zeg ik zomaar in het wilde weg.

'Aha.' Ben wrijft weer met zijn handen over zijn haar. 'Een dagboek uit je jeugd, dat niemand mag zien? Of het dagboek van je atelier en over hoe verliefd je bent op Les?'

Les is de leider van het schrijverscollectief, beneden. Hij is een grote, mollige vent die graag praat over zijn tijd in de Socialistische Arbeiderspartij en die graag zinnen bezigt zonder voornaamwoorden of lidwoorden, zoals: 'Overheid moet dit echt doen' en 'Raad draagt geen steentje bij', net als die zogenaamd trendy lui van het Carnaval in Notting Hill zeggen. 'Ik ga dit weekend naar Carnaval.' Ik weet gewoon zeker dat hij uit Lytham St. Annes komt.

Ik knik naar hem. 'Ja, klopt helemaal,' zeg ik. 'Ik ben verliefd op Les en dit is mijn dagboek daarover.'

'*Les is definitely More*,' grapt Ben, en we lachen iets te hilarisch, als om de sfeer te breken.

'Nee,' zeg ik, weer om me heen kijkend. Vraag me niet waarom ik het gevoel heb dat iemand ons zou kunnen gadeslaan. 'Het is veel maffer. Het is het dagboek dat de zus van mijn moeder heeft geschreven in de zomer dat ze overleed. In 1963. Ze was pas vijftien.'

'Wauw,' reageert Ben. 'Dat is inderdaad heavy.'

'Yep,' beaam ik. 'Bij de begrafenis heeft mijn grootvader me het eerste deel gegeven. Gewoon een paar aan elkaar geniete velletjes. Maar er is meer, ik weet alleen niet waar. Volgens mij weet mijn moeder er meer van, maar toen ik het haar vroeg...'

'Ik hoorde jullie tekeergaan, vorige week,' zegt Ben. Hij duwt zichzelf van de tafel en gaat staan. 'Was het niet Sherlock Holmes die zei dat wanneer je het onmogelijke hebt geëlimineerd, dat wat er overblijft, hoe onwaarschijnlijk ook, de waarheid moet zijn?'

Ik glimlach naar hem. 'Dat klopt. Ik weet alleen niet wat de waarheid is... Ik heb het gevoel dat ik daar pas achter kom als ik de rest kan lezen. Het is alsof ik op een bakstenen muur gestuit ben.'

'Sherlock Holmes heeft meestal gelijk,' zegt Ben terwijl hij zijn handen langs elkaar strijkt. 'Dus wat overblijft, is dat iemand anders de rest van dat dagboek heeft, en om wat voor reden dan ook niet wil dat anderen het zien.'

Het is waar, maar wel vreemd om dit hardop te horen. 'Je hebt waarschijnlijk gelijk.'

'Het is een raadsel dat moet worden opgelost, en jij zou hier niet over moeten zitten tobben.' Hij steekt zijn handen in zijn zakken en trekt een briefje van tien pond tevoorschijn. Glimlachend sla ik hem gade. 'Ik trakteer je op een afzakkertje,' zegt hij. 'Een lekkere limoenlimonade.'

Ik kijk op mijn horloge. 'Maar Ben, het is nog geen vijf uur.'

'Precies,' zegt hij vrolijk. 'Kunnen we een tafeltje scoren in de pub.' Hij ziet mijn gezicht. 'Kom op. Gun jezelf nou eens een verzetje en hou op met je overal zorgen over te maken. Kom, we gaan wat drinken.'

32

We verkassen naar de Ten Bells in Commercial Street, een van mijn lie-velingspubs, onder de toren van de prachtige Christ Church die ooit werd ontworpen door architect Nicholas Hawksmoor. De pub vormt onderdeel van de Jack the Ripper-rondleiding, en dat terwijl van slechts twee van zijn slachtoffers bekend is dat ze hier ooit kwamen. De pub bestaat al sinds begin achttiende eeuw en het zit er altijd flink vol. Maar in tegenstelling tot de andere cafés in de buurt is het niet te toeristig of vol met bobo's uit de City, en de sfeer is lekker ontspan-nen. Misschien komt het doordat de toiletten echt goor zijn. Volgens mij is dat opzettelijk. Denk maar niet dat toeristen- of lifestylegidsen een pub met een dergelijke toiletvoorziening zullen aanbevelen. Het lukt ons een plekje te veroveren op een bank pal naast de bar. Terwijl Ben wat drankjes gaat regelen, bekijk ik de berichten op mijn telefoon.

Ik heb een boodschap van Oli.

Ha. Kan ik vanavond nog wat spullen komen ophalen. Rond 9-enen. Zou leuk zijn je weer te zien. Ox

Ik weet al meteen dat als ik nu niet reageer ik aan weinig anders zal kunnen denken. Niet dat ik geobsedeerd ben, maar gewoon om de rust in mijn hoofd te bewaren. Ik sms terug:

Ben even wat drinken met Ben, dus sms maar als je in de buurt bent. In Ten Bells.

Ik leg mijn telefoon weer op de tafel terwijl Ben weer verschijnt. 'Hmm, dank je,' reageer ik net iets te enthousiast terwijl ik mijn wodka met bitter lemon aanneem. 'Lekker.'

Hij kijkt even naar mijn telefoon. 'Graag gedaan. Je hebt wel een verzetje verdiend. Je hebt zware maanden achter de rug.'

'Misschien heb je wel gelijk,' zeg ik. Ik verander van onderwerp. 'Je drinkt gin-tonic.'

Hij lacht. 'Dat heb je goed gezien.'

'Je ziet tegenwoordig veel te weinig mannen met een gin-tonic, vind ik. Vroeger was het juist stijlvol, Cary Grant-achtig, maar nu wordt het bijna niet meer gedronken. Het is alleen nog maar pinten bier wat de klok slaat.'

Ben kijkt geamuseerd. 'Ben blij dat het je bevalt.'

'Nou, ik hou van een man die een gin-tonic kan waarderen,' zeg ik.

'Je meent het,' zegt Ben en hij gebaart naar een denkbeeldige figuur naast hem. 'Ober! Nog vier gin en tonic, graag!' De vrouw aan de overzijde van de tafel kijkt hem aan alsof hij gestoord is.

Ik lach. Ben is echt grappig. Dan, te midden van de drukte en het geroezemoes, valt er een stilte tussen ons. Ik pluk wat aan een bierviltje.

Ben kijkt naar me. 'Dus, vertel eens. Over die familietoestanden, bedoel ik. Waar gaat het allemaal over?'

'Het is een lang verhaal.' Door de hoge ramen van de pub staar ik naar de kerk en het voorbijrazende verkeer van Commercial Street. Het is gaan miezeren en het begint al te schemeren. 'Het is nogal saai.'

'Zo lijkt het anders niet,' zegt hij. 'Klinkt best interessant, als je het mij vraagt. Brand vooral los. Ik kan een paar dingen doen: of dit, of mijn belastingaangifte doen, of de grote wedstrijd gaan bekijken.'

'O, wat voor grote wedstrijd?' vraag ik.

'Echt, al sla je me dood. Een beetje mannentaal, zeg maar. Maar ik heb gisteravond op UK Gold anders wel een *Hi-de-hi*-marathon opgenomen.'

'*Hi-de-hi!*?' Ik lig in een deuk. 'Je maakt een grapje.'

'Niks hoor,' zegt Ben. Hij bloost een beetje. 'Ik ben dol op *Hi-de-Hi!* Het is mijn geheime zonde.'

'O, ik kijk er ook graag naar, hoor,' zeg ik. 'Ik vind het echt leuk.' Voorzover ik weet is Ben de enige die een oprechte voorliefde heeft voor oubollige Engelse sitcoms. 'Ik ben eigenlijk ook best gesteld op "*Allo 'Allo!*". Is dat verkeerd?'

'Het is een beetje verkeerd, maar ik kan helemaal met je meegaan. Weet je, ik heb ooit zowaar afleveringen van *As Time Goes By* opgenomen omdat ik in een fase zat waarin ik naar iets opbeurends verlangde.'

'Je meent het.' Ik kijk hem aan. 'Ik ook.'

Hij schudt me de hand. 'Een prima programma. Wat mij betreft helemaal niks mis mee. Geoffrey Palmer is een comedygenie.'

Ik glimlach. 'Nou, genieën begrijpen elkaar.' Vervolgens vraag ik aarzelend: 'Vind je *Just Good Friends*, met Paul Nicholas, dan ook goed?'

Hij kijkt me aan. 'O, Nat, nee. Vreselijk.'

'O, oké.' Het maakt me somber, want in een van de kasten, thuis, heb ik er zowaar een paar videobanden van, maar dat ga ik nu niet verklappen.

Ben schudt zijn hoofd, meer uit medelijden dan uit afkeuring. 'Er zijn grenzen, weet je.'

'Sorry,' zeg ik. 'Sorry.'

'*Just Good Friends* dus? Ik dacht dat jij een vrouw met smaak was?' Hij zucht weemoedig. 'Goed, ander onderwerp. Waar hadden we het ook alweer over? O ja, over wat ik zou doen als ik hier niet met jou zou zitten. Dus maak het vooral sappig. Vertel me de geheimen van jouw familie. Hopelijk gaat het over dat jullie allemaal half mens, half wolf zijn, of dat jij ergens in de catacomben van jouw voorouderlijk huis het hart van Jezus in een kluis bewaart.' Hij spert zijn ogen even open. 'Dan hier een Latijns citaat. Maar ik ken er geen.'

'Helaas,' zeg ik. 'Hoewel er een Orde van de Tempeliers bestaat die onder leiding van Lord Lucan regelmatig in het torentje bijeenkomt.' Hij lacht beleefd en er valt een korte stilte, waarin ik weer een blik op het schermpje van mijn telefoon werp. 'Dus,' ga ik verder, 'is er voetbal vanavond, of niet?'

Hij kijkt me aan alsof ik gek ben en hij heeft gelijk, maar antwoordt toch: 'Eh, zoals ik net zei. Geen idee. Ja? Nee? Waarschijnlijk?'

Ik voel dat ik bloos en ik geneer me. Ik krab aan mijn wang. 'Sorry. Ik zat alleen net hardop te denken dat Oli vanavond geheid voetbal zit te kijken als er een belangrijke wedstrijd is.' Mijn stem klinkt te hoog. 'En hij zei dat-ie vanavond misschien nog even zou langskomen om wat spullen op te halen.'

'O, oké,' zegt Ben, en hij tuurt door het raam naar buiten alsof hij hem mogelijk al ziet aankomen. 'Heb je hem de laatste tijd nog gezien?'

'Nee,' antwoord ik te snel. 'Maar dat geeft niet. Zijn spullen staan nog in de flat. Prima als hij ze komt halen. Ik... ik vroeg me alleen af...' Ik zwijg. 'Sorry,' verontschuldig ik me op een normalere toon. 'Niks aan de hand, alleen voelt alles nog zo raar nu, en als hij dan contact opneemt...'

'Ja. Natuurlijk, Nat. Het spijt me.' Hij geeft een klopje op mijn arm.

Ik voel een overweldigende drang om mijn hand op de zijne te leggen, om wat menselijk contact te voelen, maar ik doe het niet en ik strijk met mijn handen door mijn haar.

'Dus vertel, Kapoor,' maant Ben me, van onderwerp veranderend. 'Terug naar dat dagboek. Vertel mij alles, mijn creatieve collega.'

En dus vertel ik hem het hele verhaal, over dat ik terugging naar Summercove voor mijn oma's begrafenis, dat Arvind me het dagboek gaf en over Cecily, althans, wat ik over haar weet en wat Octavia me over mam vertelde. Ik vertel ook over dat ik het bij mam probeerde aan te kaarten en op wat voor ramp dat uitliep. Als ik hier ben aangekomen fluit Ben even zacht. 'Wauw, zeg. Dat is nogal wat.'

'Ik weet het,' reageer ik. 'Plus de problemen tussen Oli en mij. Ik was er eigenlijk maar half bij tijdens de begrafenis. Ik maakte me zo'n zorgen, over Oli en mijn werk.' Ik zwijg even. 'Pas nu ben ik me er echt mee bezig gaan houden, met het hele verhaal, zeg maar, en het maakt me gek.'

'In wat voor zin?'

'In de zin dat...' Ik zoek naar de juiste manier om het te beschrijven. 'Ik heb elke zomer van mijn leven in het huis in Cornwall doorgebracht. De schoolvakantie was nog niet begonnen of mam bracht me er al naartoe om daarna zelf de hort op te gaan. Ik vond het heerlijk. Daar was ik thuis. Maar het is ook de plek waar Cecily stierf. Ze waren er allemaal, die zomer.'

'De dood van je oma moet het allemaal hebben opgerakeld,' merkt Ben op.

'Eh, ja,' reageer ik terwijl ik weer aan het bierviltje pluk. 'Arvind vertelde me iets, tijdens de begrafenis. Hij zei dat ik precies op Cecily leek. En dat verklaarde een hoop. Waarom ze soms zo kil was, zo zuur tegen me deed.' Ik veeg de stukjes viltkarton bij elkaar tot een piramide. 'Soms had ik het idee dat ze daar helemaal niet wilde zijn, alsof ze ons allemaal haatte, ze het verkeerde leven had gekozen.'

Ben luistert belangstellend en het lucht me op. Ik wil hem niet vervelen. Ik heb sterk het gevoel dat ik het allemaal gewoon verzin. 'Het verkeerde leven?' vraagt hij. 'Waarom denk je dat?'

'Geen idee.' Ik haal mijn schouders op. 'Volgens mij ontstond het nadat Cecily overleed, wie zal het zeggen?' Zoekend naar een verklaring bijt ik op mijn lip. 'Ik kan het niet uitleggen, maar het was alsof ze heel vaak haar eigen leven veinsde.'

'Hoe dan?'

'Alsof ze het zich maar liet aanleunen,' antwoord ik. 'Alsof ze na Cecily's dood ophield zichzelf te zijn en het schilderen eraan gaf. Ze hield op met de persoon te zijn die ze was, om wat voor reden dan ook.'

'Dat moet voor jouw moeder niet eenvoudig zijn geweest, wat de waarheid verder ook mag zijn,' merkt Ben op.

'Dat kun je wel zeggen, ja. En Archie heeft zijn leven aardig op de rails gekregen. Moeder niet. Ze heeft nooit echt kunnen uitvogelen wat ze nu met haar leven wilde. Als ze destijds geen toelage van mijn grootouders had gekregen, zou ze het nooit hebben gered.' Ik slaak een lachje. 'En ik ook niet, trouwens.'

'Hoe bedoel je?'

'Van oma en Arvind kregen ze allebei een toelage toen het nog goed ging. Niet veel, net genoeg om de huur te kunnen betalen. Archie gebruikte het om zijn autobedrijf op te zetten. Hij beheert wagenparken voor hotels en zo en handelt ook in oldtimers.'

'Echt? Wauw.'

'Zeg dat.' Ik denk terug aan de lunch van zondag, de spiksplinternieuwe keuken, de gerieflijke vloerverwarming, het comfort, de geborgenheid.

'Hij heeft echt veel bereikt voor zichzelf. Hij heeft iedereen min of meer achter zich gelaten.'

'En je moeder?'

'Mam… tja, ik weet niet. Ze heeft niet echt een carrière of zo. Vraag me niet waarom.'

'Ze werkte toch bij een paar meubelzaken?'

'Nou, ja, maar dat betaalt niet veel. Ze zitten in Chelsea en ze kende de eigenaar nog uit de goeie ouwe tijd. Ze trekt de hele dag op met allerlei chic volk en dan gaan ze shoppen. Geloof me, ze verdiende nooit genoeg.' Ik verzwijg wat ik eigenlijk wil zeggen, namelijk dat toen ik nog op school zat ze geen nieuwe schoenen voor me wilde kopen omdat mijn voeten zo snel groeiden dat ik over een paar maanden alweer een nieuw paar nodig zou hebben. Als je het nu hardop zegt klinkt het belachelijk, maar toen was zoiets min of meer normaal. 'Ik neem aan dat ze nu wat geld uit de verkoop van het huis opstrijkt,' zeg ik. 'En dan heeft ze nog het bestuur.'

'Wat voor bestuur?'

Ik haal de uitnodiging voor het startschot van de stichting uit mijn tas en toon het hem. 'Zo, zeg, dat is snel geregeld,' zegt hij.

'Zo wilde oma het ook. Alsof iedereen, zodra ze dood was, haar niet mocht vergeten. Heel vreemd. Toen ze nog leefde leek haar reputatie als schilder haar geen bal te kunnen schelen. Alsof ze nu zegt: ik ben dood, dus nu bepaal ik hoe jullie je mij moeten herinneren.' Ik schud mijn hoofd. 'Net zoals mijn oom al zei.'

'Wie zit er verder in dat bestuur?'

'Louisa, de moeder van Octavia. Zij en mijn moeder zijn niet bepaald hartsvriendinnen...' Ik werp een blik op mijn telefoon. Ben kijkt mee. 'Ik. En Guy.'

'Guy?'

'De broer van de Bolhoed.' Hij kijkt me vragend aan. 'Louisa's zwager. Nice Guy.' Ik grinnik wat om deze woordgrap. Ben schudt zijn hoofd. 'Verder niemand.' Twee meisjes aan de bar, achter ons, gillen van het lachen. Ik kijk naar hen. Ze dragen allebei een klassiek bloesje met verticale stiksels, een spijkerbroek en laarzen. De een heeft haar haar losjes opgestoken, draagt een appelgroen vest en heeft een prachtige ketting om met een stuk of vijf antieke bedeltjes: een vogeltje, een hartje, een appeltje. Ik kijk er goed naar, ter inspiratie.

Ben zet zijn glas neer. 'Goed, je moeder. Wat ga je haar vertellen?'

Ik schuif de stukjes vilt opzij, draai me weer naar hem toe en bewonder nogmaals, zoals ik de hele tijd al doe, de nieuwe, gladde, kortgeknipte Ben. 'Tja, misschien is het de begrafenis, de situatie met Oli, mijn pogingen om mijn eenmanszaak draaiende te houden, maar ik ben min of meer tot het besef gekomen dat ik niet langer diezelfde persoon in haar leven kan blijven. Ik kan het gewoon niet.' Ik trek mijn schouders op en laat ze weer hangen. 'Ze bezorgt me... Ach, laat maar.'

'Bezorgt je wat?' Bens stem klinkt zacht en vriendelijk. Ik merk dat ik moeite moet doen om niet te gaan huilen.

'Ze bezorgt me soms een minderwaardigheidsgevoel,' fluister ik zacht. 'Maar dat... dat komt bij alle families voor, denk ik.'

'Nee, Nat,' reageert Ben voorzichtig. 'Dat is niet zo. Niet op die manier.'

Terwijl ik praat gaat mijn iPhone en er verschijnt een berichtje op mijn display. Automatisch kijken we allebei.

De baardige Ben heeft oogje op jou?! Bel je later. Ox

Ik gris mijn telefoon van tafel en stop hem snel in mijn tas, maar ik weet dat het te laat is, dat Ben het al heeft gelezen. Ondertussen kwek ik door om maar iets te zeggen, maakt niet uit wat.

'Afijn, van die dingen, weet je wel? Dat je beseft dat je het soms van een afstandje moet bekijken. Zo is dat nu eenmaal, denk ik.'

'Ja,' reageert Ben. 'Volgens mij ook.'

Ik til mijn hoofd op en kijk naar hem. In één lange teug drinkt hij zijn glas leeg. 'Ah, ik ga nog even iets bestellen,' zegt hij terwijl hij opstaat. Opeens voel ik me ongelofelijk opgelaten. Het is hier binnen behoorlijk heet, met zo'n warme, weeïge ouwe mannenlucht. Waren we maar niet iets gaan drinken, was ik op deze koude avond maar thuis, met mijn bedsokken aan, hoefde ik maar niet te wachten tot Oli komt, hoe laat dat ook mag worden.

Maar als Ben weer verschijnt, ditmaal met een pint, lijkt hij in gedachten verzonken. Hij zet zijn pint op de tafel en legt er een zakje chips naast. 'Ik hoop dat je van baconsmaak houdt? Tania walgde van baconchips. Ik heb ze al eeuwen niet meer gegeten.'

'Die vind ik juist het lekkerst,' zeg ik en ik trek de zak open. 'Dank je. Dus...' Ik werk wat chipjes naar binnen, probeer een ontspannen indruk te wekken en ik verander van onderwerp. 'Toen we elkaar een paar weken geleden in die koffietent zagen, toen Oli en ik... Ik wist helemaal niet dat Tania niet meer met je samenwerkte. Hoe zit dat?'

Ben kijkt wat voor zich uit. 'We werken nog steeds samen.'

'Nou, zij zei van niet. Ik stelde haar voor aan Oli, vertelde dat jij haar vriend was en dat jullie samenwerkten, waarop zij reageerde met: niet meer.'

'O. Beetje een misverstand, dan. Ze bedoelde dat we niet meer daten. Maar we werken nog steeds samen, ja.'

Hij zegt het op een toon alsof het niets voorstelt. Ik gaap hem aan. 'Jullie twee... jullie zijn uit elkaar? Dat wist ik helemaal niet.'

'Eh, ja.' Hij reikt naar zijn rug en krabt zich aandachtig op een schouder, alsof dat vooral goed moet gebeuren.

'Maar... daar heb je nooit iets over gezegd. Hoezo... sinds wanneer? Sinds wanneer dan?'

'Een maand geleden,' antwoordt hij. 'Ja.' Hij staart naar zijn glas. 'Nogal dramatisch.'

'Was het... was het heftig?'

Hij kijkt op en laat zijn blik door de overvolle pub glijden, maar mijdt mijn blik. 'Het was geen pretje.'

Hij wil me niet aankijken. Ook al is Ben tamelijk relaxed, hij blijft een vent: een hoop dingen krijg je gewoon niet boven tafel.

'Hoe lang...' begin ik, maar hij is me al voor: 'Hm, twee jaar. Het kwam hard aan. Maar we kunnen goed opschieten met elkaar, daarom werken we nog steeds samen. Soms is het gek, maar... het is voor ons allebei het beste, denk ik.'

'Mag ik weten wat er is gebeurd?' Gegeneerd schuif ik het slagveld opzij dat ik inmiddels ook van het nieuwe viltje heb gemaakt.

'Nou, niets eigenlijk.' Hij kijkt me nu aan. 'Behalve dan dat...' Hij zwijgt. 'We waren twee jaar bij elkaar en... Yep.'

'Yep?'

Hij glimlacht. 'Ach... ik ben tot het besef gekomen... wij allebei... dat het beter is om alleen te zijn dan in een relatie te zitten die niet goed voelt.'

Ik knik nadrukkelijk. 'Zeker weten.'

'En als je weet dat je niet langer met die persoon wilt zijn, dat je niet meer van hem of haar houdt, kun je er beter meteen iets aan doen dan dat je het op z'n beloop laat.'

'Je klinkt anders dan de meeste jongens die ik ken,' zeg ik. 'De meesten houden vol, maar gedragen zich zo lullig dat die meiden ze uiteindelijk wel móéten dumpen.'

Ben kijkt geërgerd. 'Ik heb er zo de pest aan dat mensen meteen denken dat alle mannen zo zijn.' En dan, op een overdreven toontje: '"O, wat héb je aan zo'n vent!" Schijtziek word ik ervan. Meiden, hoofdzakelijk meiden doen het. Dat moeten ze juist niet doen. Ze moeten helemaal geen rolpatronen opleggen. Ze weten zelf toch hoe dat is?' Hij fronst zo diep dat ik moet lachen.

'O-ké, feminist van de tweede golf!' Ik maak een high five. 'Goed zo, meid!'

'Iedereen moet feminist zijn,' meent Ben. 'Mensen die zeggen: "Ik twijfel of ik wel feminist ben" begrijp ik niet. Net alsof je zegt: "Misschien ben ik wel racist." Moet je eens met mijn moeder over beginnen. Man, hou op.'

Bens moeder is hoogleraar geschiedenis aan het Queen Mary and Westfield College. Ze is ongelofelijk; helemaal wat mijn vriendin Maura, die bij mij om de hoek woont, omschrijft als een Halssnoer Dame. Zo'n coole vijftig-plustante met wild kroeshaar, in een jersey soepjurk met van die enorme, hippe kettingen.

'Mijn moeder gelooft daar helemaal niet in,' zeg ik. 'Zo gek, eigenlijk, als je erover nadenkt. Een vent hoeft maar iets tegen haar te zeggen of ze gedraagt zich als een jonge ingénue in een Jane Austenroman, een en al fladderende wimpers en een trillend stemmetje. Terwijl ze eigenlijk onverwoestbaar is. Ze voedde me helemaal zelfstandig op, bijna zonder een cent en zonder een vader.'

'Heb je je ooit afgevraagd wat voor iemand hij was, je vader?' vraagt Ben. 'Je praat er nooit over.'

'Nou, de laatste tijd wat vaker, gezien de hele situatie,' moet ik bekennen. 'Daardoor denk ik er nu meer aan. Waar je vandaan komt, wie je familie is, etcetera.'

'"Etcetera", meer niet?' Hij glimlacht. Ik besef hoe aangenaam ik het vind om het hier met iemand over te hebben, want dat doe ik nooit.

'Heb je er al eens aan gedacht dat het misschien een bekende kan zijn?'

'Niet echt, nee,' antwoord ik. 'Volgens mij is het echt iemand geweest die ze daarna nooit meer heeft gezien.'

'Oké. Maar…' Hij zet zijn glas neer en haalt een hand langs zijn voorhoofd. Het lawaai in de pub lijkt opeens een streepje harder te worden. 'Jouw moeder… Weet je, je neemt toch niet klakkeloos aan wat ze je allemaal vertelt?'

'Helaas niet, nee. Hoezo?'

'Nou, het moet je toch stof tot nadenken geven, zoiets. De helft van je stamboom ontbreekt. Waar kom je vandaan? Dat is toch interessant om te weten?'

'Misschien,' zeg ik.

'Neem nou je grootvader... Je bent altijd al geïnteresseerd geweest in zijn familie, de moslimkant.'

'Hij is geen moslim. Hij is een hindoe.'

'Maar hij komt toch uit Lahore, in Pakistan?'

'Ja, maar hij is geen moslim. Vóór de opdeling zaten er al duizenden hindoes,' leg ik uit. Iedereen gaat er automatisch maar van uit dat Arvind een moslim is. Niet dat ik het iemand kwalijk neem, maar alleen al aan zijn naam moet je kunnen afleiden dat hij dat niet is. Je hebt wel gelijk. Ik zou er graag eens naartoe willen. Heel interessant, lijkt me. Maar dat is maar een kwart van me. Er is nog een andere helft. Neem Jay, bijvoorbeeld. Zijn moeder komt uit Mumbai, zijn vader is half Indiaas, dat is al driekwart. Ik zit nog maar op een kwart. Ik heb heel vaak zitten mijmeren over die andere helft.'

'Zou ik in jouw situatie ook hebben gedaan.'

'Ik weet niet.'

'Ik wil je er graag bij helpen, hoor,' biedt Ben aan.

'Hoezo, heb jij soms een DNA-databank in je studio?' vraag ik.

Hij grijnst. 'Ik meen het. Gewoon... als ik iets kan doen. Iemand om mee te praten.'

'Dank je,' zeg ik. 'Dank je, Ben.'

We glimlachen wat onzeker naar elkaar in de overvolle pub en er valt een stilte, ook al wordt er om ons heen druk gelachen en heeft iedereen het naar zijn zin. Misschien dat ik eens moet opstappen. Niet dat ik dat wil, overigens. Ik kijk even op mijn horloge, precies op het moment dat hij vraagt: 'Nog eentje?'

En ik reageer niet met: nee, ik ga eens op huis aan. Ik kijk hem aan, denk aan dat ik nu thuis zou kunnen zitten, wachtend of Oli al dan niet komt opdagen. Terwijl ik ook hier kan blijven. Ik schuif mijn glas naar hem toe, en zeg: 'Ja, lekker. Hetzelfde graag.'

'Komt eraan,' zegt hij, en allebei weten we min of meer dat het niet bij dit tweede drankje zal blijven.

33

Dus we drinken er nog een, en daarna nog een, en het wordt zeven uur en halfnegen. We kletsen over een nieuwe opdracht die Ben net heeft gekregen, een foto-essay over een mars van de Countryside Alliance, die volgende week wordt gehouden. We hebben het over mijn nieuwe collectie, en over Les en het schrijverscollectief waar we allebei door geobsedeerd zijn. En we praten over het liefdesleven van Jamie – Jamie de iets meer plooibare van de twee receptionistes, van wie ik denk dat Ben smoorverliefd op haar is, vooral omdat ze mooi is à la Sophie Dahl, maar ook fascinerend omdat haar vriendje een buitengewoon gedrongen, pokdalige vent is, niet zichtbaar rijk, maar we denken dat hij dat wel moet zijn.

Daarna drinken we nog iets en kletsen we nog wat over waar we aan werken, en ik wijs hem op de twee meisjes aan de bar en dat een van hen een prachtige ketting draagt met verschillende bedeltjes, en dat ik het idee wil kopiëren. Ben stapt heel beleefd op de twee af en vraagt of we een foto mogen maken van haar ketting. Het lukt hem gewoon, zonder als een engerd over te komen, en de meisjes zijn echt lief. Hij schiet een paar plaatjes omdat hij altijd een camera op zak heeft. Daarna nemen we nog iets te drinken, maar ergens zijn we helemaal vergeten dat we al vroeg naar de pub gingen. Halftien lijkt nog bedrieglijk vroeg, en dat stemt ons zo goed dat we nog maar iets te drinken bestellen. En de hele tijd belt Oli me niet, dus na een poosje stop ik mijn telefoon in mijn tas want ik ben het beu om er elke vijf minuten op te kijken.

Om halfelf zijn we allebei uitgehongerd, en we beseffen dat we moeten opstappen. We zwaaien naar de meisjes, die Claire en Leah heten, en strompelen de Ten Bells uit en de straat op.

De weg is glibberig van de regen en het is nog steeds steenkoud. Het is half maart, en er lijkt maar geen einde te komen aan deze winter. We lopen door Fournier Street. Ik woon net om de hoek. Ben loopt in zichzelf te neuriën. Dat doet hij altijd, realiseer ik me. Soms hoor ik hem in zijn studio, als het raam openstaat. Volgens mij heeft hij zelf niet door dat hij neuriet.

'Wat neurie je?'

Hij maakt een geluid dat gewoon eng goed op een trompet lijkt. '"When the Saints Go Marching In",' zegt hij. 'Ideaal om jezelf warm te houden. Ik heb het koud.'

'Ik ook,' zeg ik. Hij slaat zijn arm om me heen en trekt me stevig tegen zich aan. Hij heeft zo'n grote, functionele donzen jas, net als bewakers dragen, en deze voelt lekker en warm aan. Ik vlij mijn hoofd ertegenaan terwijl we verder lopen, en ik bedenk weer hoe geruststellend hij is, hoewel we wel een wat ongelijke tred hebben zo.

We zijn op de hoek van Wilkes Street, en ik ben bijna thuis. Ben stopt. 'Natasha,' zegt hij in mijn oor, 'ik ben blij dat het de goeie kant opgaat met je. Dat meen ik.'

'Bedankt,' zeg ik. 'Ik weet 't niet zeker, maar in elk geval bedankt. Ik ben blij dat jij dat vindt.'

'Ik maakte me een tijdje ongerust over je.' Ik voel zijn adem tegen mijn oor; droog en warm.

Ik blijf staan, en hij struikelt bijna over me. 'Ah, dat is lief. Waarom?'

'Nou... ik bedoelde alleen... O, shit.'

'Wat?'

'Ik sta op het punt om te ver te gaan. Ik heb nogal veel gedronken. Daardoor ben ik wat ongeremd.'

Ik sluit mijn ogen. 'Ik heb zes gin-tonics op. Misschien wel zeven. Acht. Negen. Ga verder.'

'Ik bedoelde jij en Oli,' zegt hij. Hij ademt diep in. 'Ik zag jullie gewoon niet... niet voor eeuwig samenblijven. Ik weet dat we elkaar maar een paar keer hebben gezien, maar als ik jullie zo samen zag, zoals je over hem praat... ik heb altijd gevonden dat hij niet goed genoeg was voor jou.' Hij knikt beleefd. 'Oké, ik ga ervandoor. Om eens flink met mijn kop tegen een muur te gaan beuken.' Hij loopt weg en ik volg hem.

'Dat weet ik!' roep ik hem na. Hij blijft staan.

'Wat?'

'Ik weet dat je dat vindt,' zeg ik.

'Echt?'

'Ja. Ik weet wel dat je Oli niet mocht, Ben.' Hij wil ertegenin gaan, maar ik ga door. 'Ik ben niet dom. Maar hij was wel mijn man.'

'Oké.' Hij knikt, haalt allebei zijn handen over zijn kortgeschoren haar en glimlacht vriendelijk. 'Je hebt gelijk. Ik gedraag me als een lul, Nat, het spijt me. Ik wil alleen maar dat je gelukkig bent.'

'Maar dat was ik,' zeg ik. 'We waren gelukkig, een tijdje.'

'Juist,' zegt hij, maar er klinkt iets van ongeloof in door, en voor het eerst voel ik woede opkomen.

'Echt,' benadruk ik. 'Ik hield van hem... ik... ik weet niet, misschien hou ik wel nog steeds van hem.'

Als ik dit hardop zeg realiseer ik me hoe lang ik dit al heb willen doen.

'Jij verdient beter,' zegt Ben. Hij kijkt me recht in de ogen. 'Jij moet iemand hebben die wil dat jij gelukkig bent, Nat. Met wie het makkelijk is om samen te zijn. Makkelijk. Zoals... zoals het is met jou en mij.'

Hij buigt zich voorover. Ik zeg geen woord. Ik stap naar hem toe en laat mijn hoofd op zijn schouder rusten. Na zoveel tijd voelt het zo fijn om weer eens door iemand te worden vastgehouden. Hij slaat zijn armen om me heen, en ik geef eraan toe, zink weg in zijn behaaglijke jas en de behaaglijkheid van zijn lichaam, hoe zalig hij is, hoe aardig, hoe knap... hoe mijn hoofd in de holte van zijn hals past, alsof het zo bedoeld is. Alsof het zo bedoeld is.

Ik sla mijn ogen naar hem op en hij buigt zijn hoofd net genoeg naar me zodat zijn lippen de mijne raken. En hij fluistert, zodat zijn lippen langs die van mij strijken: 'Jij en ik.'

Hij drukt zijn mond tegen de mijne. Ik sluit mijn ogen en voel zijn tong in mijn mond glijden. Hij duwt zijn lichaam tegen me aan, zucht en trekt me naar zich toe. Zijn lippen drukken stevig op de mijne, zijn vingers strelen mijn hals en het is alsof ik weer tot leven kom. Mijn hele lijf tintelt.

Zijn huid ruikt zo lekker, zijn kus is zo verontrustend opwindend. Een paar gelukzalige tellen lang druk ik mezelf tegen hem aan. Ik wil dat hij me steviger tegen zich aan trekt, om me helemaal mee te voeren, me te blijven kussen, me dicht tegen zich aan te houden, het is ongelofelijk...

En op dat moment gaat mijn telefoon. Ik zou hem moeten negeren, dat zou ik moeten doen. Maar het klinkt zo luid in de verder zo stille straat. Alsof ik uit een droom ontwaak maak ik me los van Ben en doe een stap naar achteren. Met mijn handpalm plat op zijn borstkas duw ik hem weg en ik gris de telefoon uit mijn tas.

'Ol?' zeg ik. 'Waar zit je? Je bent... nu? Je komt er nu aan? Oké... eh, ja, dat is... dat is goed. Ik zie je zo.' Terwijl ik Ben nog steeds recht in de ogen kijk, stop ik de telefoon weer weg. Met de rug van mijn hand veeg ik mijn mond af en ik kijk naar mijn vingers, alsof hij me heeft vergiftigd. In de schaduw van de kolossale kerk, met de straatkeien glanzend in het maanlicht en de regen, gaapt hij me stokstijf aan.

'Dus Oli komt zo direct naar je toe, hm?' klinkt het afstandelijk. 'Je gaat er dus vandoor. Hij zegt: "Spring", en jij zegt: "Hoe hoog, Oli?"'

Ik voel een steen op mijn maag, ik denk dat ik misselijk word.

'Het spijt me,' zeg ik hijgend terwijl mijn hart in mijn borstkas hamert, zo hevig dat het bijna pijn doet. Mijn haar valt over mijn schouders, langs mijn gezicht, en ik doe een stap naar achteren en staar in zijn gezicht. 'Ik moet gaan, we hadden nooit... het spijt me echt... we hadden dit nooit moeten doen.'

'Waarom niet?' vraagt hij. Op zijn gezicht valt bijna een glimlach te bespeuren. Hij strekt zijn arm uit om me aan te raken, maar komt niet verder dan een beschermende handpalm om mijn elleboog. Zijn handen zijn groot en sterk. 'Natasha, dit heb je toch zeker kunnen zien aankomen?'

'Nee!' reageer ik, terwijl ik door zijn hand en door een enorm verlangen om hem opnieuw te kussen naar hem toe word getrokken. Ik schud mijn hoofd. 'Absoluut niet, Ben, nee!'

En dan zie ik bij hem de vertwijfeling zoals die soms bijna onmiddellijk volgt op een gedurfde actie als deze. 'Maar...'

Ik leg mijn hand onder de zijne en trek mijn arm terug uit zijn greep. 'Ik kan dit niet,' zeg ik. 'Het is te snel. Te snel. Oli en ik, we zijn nog maar net uit elkaar, en ik weet niet wat er gaat gebeuren en...'

'Dat weet je best!' roept hij bijna ongeduldig, en hij stapt weer naar voren, alsof hij me wil aanraken, maar dan balt hij zijn handen tot vuisten en plant ze met witte knokkels van frustratie stevig in zijn zij. Een passant rept zich langs de muur van de kerk, en we draaien ons allebei om. 'Natasha,' fluistert Ben nu, 'zie je het dan niet in? Hij zal nooit veranderen, waar wacht je toch op?' Zijn stem sterft even weg. 'Het is toch duidelijk?'

Ik staar hem weer aan. 'Het is afschuwelijk.'

'Niet afschuwelijk.' Hij praat zacht. 'Het is omdat ik wil dat je gelukkig bent. Omdat... jezus, snap je het dan niet? Ik ben verliefd op je, Natasha, al een tijdje.' En hij reikt met zijn hand naar zijn borst en zijn vingers rusten op zijn hart. Ik geloof niet dat hij zich realiseert wat hij doet.

'Je bent wat?'

'Ik ben als een blok voor je gevallen. Kan mij het verdommen, ik zeg het gewoon. Ik ben voor je gevallen. Je glimlach, zoals je je hoofd buigt als je je schaamt, je lange benen...' Hij opent zijn handen, zijn blik is doordringend. 'Hoe getalenteerd je bent, terwijl je het zelf niet eens ziet, hoe taai je wilt zijn, hoe verdrietig je bent en hoe gelukkig je verdient te zijn. Je bent altijd zo sterk, maar dat hoef je echt niet altijd te zijn. Je hebt iemand nodig die voor je zorgt.'

'Hou op, Ben,' zeg ik en ik doe mijn best mijn stem niet te laten beven. 'Hou op.'

'Je verdient de hoofdprijs, Nat.' Hij knikt. 'En je verdient beter dan hem. Jij verdient een veel beter iemand.'

'Wat? Iemand als jij?' Ik spuug de woorden bijna uit, een plotselinge woede welt in me op. 'Hoe durf je,' zeg ik. 'Alleen maar omdat je weer single bent en je Oli niet mag, en omdat je denkt dat je mij kent – je kent mij niet, Ben! We zijn collega's en geen...' Zoekend naar de juiste woorden schud ik mijn hoofd. Zijn ogen zoeken mijn gezicht af. Opnieuw denk ik hoe naakt hij eruitziet zonder baard en lang haar. Weerloos. Ik wil hem niet kwetsen. 'Luister, het spijt me. Het is denk ik beter als... ik nu ga.'

'Nat, loop nou niet weg...' roept hij. Ik draai me om en ren de straat in. Hij komt achter me aan.

'Alsjeblieft, ga nu maar gewoon weg, laat me gewoon met rust!' Ik ben bijna hysterisch. Ik sla de straat in waar ik woon, die volledig verlaten is, en ik kijk intussen nog even om, Wilkes Street in. Daar staat Ben, hij kijkt naar me, een eenzame gestalte, een silhouet in het vergelende lantaarnlicht. Hij draait zich om en loopt weg.

Mijn telefoon gaat weer en ik neem op terwijl ik de voordeur van het slot doe.

'Yep,' zeg ik. 'Ben je al terug?'

'Ja,' antwoordt Oli, het timbre van zijn stem is zo vertrouwd dat het een marsritme in mijn hoofd slaat. 'Heb mezelf binnengelaten. Is dat oké? 'S'niet te laat? Voor bezoek?'

Hij is dronken. Ik ben dronken. Ik weet wat ik op het punt sta te gaan doen. Langzaam sluit ik de deur. Dan loop ik de trap op, me af-vragend hoe me dat in hemelsnaam heeft kunnen overkomen, of het de hele tijd al broeide, en wensend, met een volslagen kinderachtig verlangen zo maak ik mezelf wijs, dat Ben nu nog steeds hier was, dat ik in zijn armen was, met mijn hoofd tegen zijn brede, geruststellen-de, veilige borst, waaronder ik zijn hart voel kloppen. Zijn hart.

34

Als ik boven kom blijkt de flat weer een zwijnenstal. Alles wat erop wijst dat ik deze ochtend, het lijkt een eeuwigheid geleden, heb opgeruimd, is verdwenen. Oli staat midden in de kamer, met zijn handen in zijn haar en wat onvast op zijn benen. Als ik de deur achter me dichtdoe, draait hij zich om. Hij heeft gehuild. Zijn ogen zijn nat van de tranen.

'Natasha,' groet hij me, en hij loopt snel naar me toe. 'Natasha, wat goed om je weer te zien, schat.'

'Hoi, Oli,' groet ik vermoeid terug terwijl ik mijn tas op het tafeltje in de hal zet. Was hij er maar niet, wens ik opeens, was ik maar alleen. 'Wat kom je doen? Het is al laat.'

Hij staat in de deuropening van de zitkamer, terwijl hij met zijn handen elk tegen een deurpost heen en weer wiegt. 'Ik wilde je zien.'

'Heeft Jason je op straat geschopt?' vraag ik. 'Waarom ben je nu hier? Ik... ik wil je niet zien,' zeg ik harteloos. Ik denk aan Ben, aan mijn eenzame wandeling door de natte, ijzige nacht. Al meteen word ik overvallen door een schuldgevoel.

'Gewoon, ik mis je,' mompelt Oli. Hij steekt een hand naar me uit. 'Kom es.'

Ik pak zijn hand en hij trekt me tegen zich aan. Ik wil hem nog steeds. O, die geur van hem: weeïg, bierig, zweterig, maar ook kruidig, wat met zijn aftershave te maken heeft. Zijn zachte haar, zijn prikkende stoppelbaard tegen mijn wang. Hij is mijn man, de man met wie ik de rest van mijn leven zou delen. Ja, dit kan écht niet. Ja, hij is dronken, maar dat ben ik ook. En, zeg nou zelf, hadden we dat al niet veel eerder moeten doen? Lekker dronken worden en elkaar gewoon eens de waarheid vertellen? Met grote moeite wurm ik mezelf los.

'Je ziet Chloe dus weer?' vraag ik. 'Wat is hier aan de hand?'

Oli zegt niets, draait zich om en loopt de slaapkamer in. 'Nee,' antwoordt hij. 'Min of meer... ja. Nee.'

Ik weet niet of ik nu blij moet zijn met dit nieuws, of dat ik het zelfs maar moet geloven. Ik weet niet wat ik denk. Ik ben echt moe, dronken, mijn haar is nat van de regen, mijn voeten doen pijn en ik voel me gewoon triest. Over Ben, over dit, hier. Eigenlijk moet ik doorvragen, maar ik wil niet horen wat hij erover te zeggen heeft.

Oli ploft op bed. 'Luister,' zegt hij. 'Ik kwam echt, eerlijk, alleen maar wat overhemden en zo ophalen. Ik weet dat 't laat is, dat ik te veel heb gedronken. Ik was met de jongens van het werk naar de pub, maar die gingen allemaal alweer vroeg naar huis, en opeens...' Hij kijkt naar me omhoog. Ik leun tegen een ladekastje en kijk hem aan. 'Ik wilde je gewoon zo graag zien. Je vasthouden. Nog een keer in ons bed slapen. Snap je? Nee, dat snap je niet.' Met moeite hijst hij zich overeind en mompelt wat binnensmonds. 'Typ'sh Natasha, weet je nog?' En dan: 'Je haat me en je wilt dat ik opstap. Oké, prima.'

Natasha met het hart van steen. Ik duw hem terug op bed, net zoals ik Ben van me af duwde. Dezelfde hand, dezelfde beweging. 'Je kunt blijven,' zeg ik. 'Mij best. Maar handen thuis, want ik ben moe.'

'Ik ook,' zegt hij. Hij glimlacht. 'Ik mis je. Laatst keek ik naar *Mad Men* met... met Jason en Lucy, en ze vonden het maar vreemd. Ik wilde zo graag dat je er ook bij was.'

Bepaald geen *Casablanca*, qua romantisch scenario. Maar dit is Oli. Hij is mijn man. Het is al laat en we zijn allebei moe. Ik poets mijn tanden en was snel mijn gezicht, en als ik even later naast hem in bed kruip, valt hij al bijna in slaap. Hij vlijt zich tegen me aan, met een arm om me heen, en ik kijk op de wekker op het nachtkastje: twee minuten over elf. Zijn hand ligt zwaar op mijn ribbenkast. Ook mijn oogleden voelen zwaar. Binnen enkele seconden zijn we allebei vertrokken.

De laatste tijd droom ik veel. Heldere dromen over Summercove, iets wat ik sinds mijn vroege jeugd niet meer heb meegemaakt. Toen droomde ik minstens één keer per week dat ik daar was. Hurkend op het strand, samen met Jay, om schelpen te zoeken, met onze achterwerken nat van het vochtige zand terwijl de zee om ons heen ruiste. Of op het gazon, kletsend met oma terwijl ze rozen snoeide of lavendel plukte. Of met Arvind terwijl we aan het oude tafeltje op de stenen patio een spelletje backgammon deden. Soms ruiste de zee zo sterk in mijn hoofd dat ik er wakker van werd. De teleurstelling golfde door me heen zodra het duidelijk werd dat ik gewoon in de flat aan Bryant Court was; donker, de stank van bedompte lucht en vis, het doffe licht van een koude West-Londense ochtend, dat door de gordijnen naar binnen glipte.

Ik voelde me veilig in Cornwall. Ik voelde me veilig bij mijn grootmoeder. Ze was helemaal nergens bang voor, en belangrijker nog, denk ik, ze had haar dochter door. Op een zomer, toen mam ons uiteindelijk in Cornwall kwam opzoeken, was oma via Jay, maar vraag me niet hoe precies, aan de weet gekomen over de week in Lissabon en nog meer dingen, zoals over de feestjes waar mam naartoe ging, en dat ze me 's avonds regelmatig alleen liet. Oma gaf haar een draai om haar oren. Echt, een draai om de oren.

Het gebeurde op het terras, het was al laat. In mijn hooggelegen slaapkamer probeerde ik te slapen, maar hun stemmen maakten me wakker. Ik kon ze horen, eerst nog fluisterend, daarna steeds luider.

'Ze staat doodsangsten uit. O wee, als je haar nog eens aan haar lot overlaat,' siste oma. 'Asociale...' Ik geloof dat ze haar een teef noemde.

'Waarom bemoei je je niet gewoon met je eigen zaken,' had mijn moeder teruggebeten, en aan haar stem, de halfingeslikte woorden, kon ik horen dat ze dronken was. Mam dronk meestal maar weinig, ze kon niet tegen alcohol. Kan ze nog steeds niet. 'Waarom laat je me mijn eigen dochter niet gewoon opvoeden zoals ik dat wil?'

'Als dát zou kunnen.' De toon was nu vriendelijker. 'Als dát zou kunnen...'

'Moet je horen, ik heb jouw hulp niet nodig... jij bent wel de laatste die ik om adviezen zou vragen over hoe... hoe... je je kind moet opvoeden.' Er viel een stilte. 'Ik bedoel, dat weten we allebei wel. Ja toch?'

Mijn grootmoeder lachte slechts: een diepe lach. 'Je bent dronken, Miranda.'

'Ik doe het anders nog altijd een stuk beter dan jij. Zelfs met alles wat ik heb uitgespookt doe ik het tóch beter. Dat weet ik. En jij kunt dat gewoon niet hebben, mammie.'

Péts. Een hard geluid, als het knallen van een zweep in het donker.

Als verstijfd lag ik in bed, doodsbang dat ze het openstaande raam, boven hen, zouden zien en zouden beseffen dat ik het allemaal kon horen...

Als ik mijn ogen weer opendoe, is het ochtend, of dat denk ik, en het dringt tot me door dat ik weer eens midden in een droom over Summercove was beland, luisterend naar hoe mam en oma met elkaar ruziën. Zodra het me daagt wie er naast me ligt ben ik klaarwakker en grijp ik als verstijfd de dekens vast. Ik kreun zacht.

Oli verroert zich in zijn slaap, rolt naar me toe, vlijt me tegen zich aan zodat we net twee garnaaltjes in een plastic bakje zijn. Ik voel zijn ochtenderectie door zijn boxershort tegen mijn dijen drukken. Hij trekt me dichter tegen zich aan. Ik draai mijn hoofd om en zie zijn wimpers knipperen. Hij maakt een geluidje, het klinkt als 'Mmm?', maar toch schuif ik voorzichtig weg.

'Hé, schat,' mompelt hij. 'Alles oké?' Hij slaapt nog half.

'Ja, hoor,' fluister ik. 'Het was maar een droom.' Ik kus zijn verwarde haren, vlij me tegen zijn borst en sluit mijn ogen weer terwijl de kater van gisteravond zijn intrede doet. 'Het was maar een droom, een vals beeld van een verkeerde herinnering. Niks aan de hand.'

'Da's dan mooi,' klinkt het hees. Hij pakt mijn hand, geeft een kneepje in mijn vingers en kust ze zacht. Dan kust hij mijn hals en mijn oor terwijl ik naast hem lig, met mijn hoofd op zijn schouder.

Hij leidt mijn hand over zijn lichaam waardoor mijn vingers tegen zijn erectie stoten. Het gebeurt zo geleidelijk dat het me bijna verrast. Hij glimlacht met gesloten ogen, duwt met zijn duim mijn vingers van elkaar en gidst mijn hand verder zodat mijn vingers zijn harde pik omvatten. 'Goeiemorgen,' zegt hij.

Zijn andere hand glijdt over mijn hemdje, dan eronder, en knijpt zacht in een van mijn borsten. Zijn warme, zweterige hand kneedt mijn vlees. Hij zucht. 'O, Natasha... schatje...' Hij duwt zijn bekken tegen mijn hand in een poging zichzelf nog meer op te winden. 'Mmm,' mompelt hij weer.

Ik lig nog altijd half te slapen, kan nog steeds de stemmen van mijn moeder en grootmoeder horen, die tegen elkaar tekeergaan. Mijn brein is nog niet echt aangezwengeld, maakt nog geen kritische kanttekeningen, en dus denk ik niet na en laat mijn hand gewoon op en

313

neer gaan, geniet ik weer van hoe hij voelt, de warmte van het bed, zijn lichaam tegen het mijne. Het voelt gewoon goed.

Hij stopt, sjort het dekbed over ons heen en trekt achtereenvolgens zijn boxershort en mijn pyjamabroek omlaag. Het gaat in één vloeiende beweging. Hij schurkt zich weer tegen me aan zodat ik verder kan gaan met hem, en hij mijn huid kan kussen en op een tepel kan sabbelen. Dan stoppen we, en hij kijkt me onder het dekbed hijgend aan. Ik wil hem. Ik weet dat ik hem wil.

'Kom in me,' fluister ik. Hij grijnst jongensachtig en knikt. 'Ga maar achterover liggen, schat,' zegt hij. Bijna zonder enig voorspel ligt hij tussen mijn benen en wrijft zijn eikel tegen me aan. Dat gaat een minuutje zo door, waarna hij zijn hand om zijn geslacht slaat.

'O, Natasha,' zucht hij terwijl zijn tengere lijf huivert nu hij zich naar binnen dringt. 'O... o...' Zijn hoofd reikt over mijn schouder en ik kan zijn gezicht dus niet zien.

Opeens wordt alles anders. Ik voel niets. Ik ben klaarwakker en het is anders. Oli buigt zijn hoofd om me te kussen. Zijn adem stinkt naar oud bier, is ranzig, zijn ogen zijn halfdicht. Ik kan het niet, ik kan hem niet kussen. Ik doe alsof ik mijn rug krom en ik buig mijn hoofd naar achteren. Hij pakt mijn haren, en trekt. Ik gil.

'Ja,' hijgt hij.

'Je trekt aan mijn haar, schat,' zeg ik. Ik kijk omlaag en zie dat ik nog steeds mijn dikke groene bedsokken aanheb terwijl hij aan het stoten is. Het is hem niet opgevallen.

'Dit is zo heerlijk... jíj bent zo heerlijk,' vertelt hij me. 'Ik kom bijna... En jij?'

De gedachte dat ook ik al na een halve minuut op het randje van een verpletterend orgasme zou moeten balanceren, is om te gieren, maar in plaats van keihard in de lach te schieten trek ik zijn vingers uit mijn haar. Ik wil gewoon dat het voorbij is. Hij plaatst zijn handen links en rechts van mijn hoofd en pompt naar hartenlust. Een... twee... drie... vier... vijf... zes... zeven...

'Oooooh!' Oli komt klaar. Een luide brul die aan het eind even de hoogte in gaat. Hij brult altijd. Echt hard. Ik was het vergeten omdat het alweer een tijdje geleden is, maar liefst twee maanden sinds we voor het laatst seks hadden. Hijgend ligt hij op me. Ik voel hem in me. Hij plet me bijna. Terwijl ik dat denk, realiseer ik me opeens dat hij het hiervóór dus met een ander heeft gedaan, dat hij in de tussentijd in een ándere vrouw is geweest, haar heeft gekust, haar heeft gestreeld, seks met haar heeft gehad.

Hij geeft een tikje op mijn billen en zijn handen glijden zacht over mijn huid terwijl zijn penis uit me floept. Zijn vingers voelen warm en zacht tegen mijn ruggengraat.

'Dat was lek-kùrr,' zegt hij, de tweede lettergreep uitrekkend. Hij knipoogt en glimlacht. 'Dank je, schat. Waanzinnig bedankt.'

Hij is zo oprecht, en zijn vingers voelen zo heerlijk terwijl ze de knobbeltjes op mijn rug betasten. Ik voel dat ik misselijk word. Terwijl hij met zijn andere hand mijn borst streelt rol ik van hem weg en sta op. Verbaasd kijkt hij naar me op. 'Ik ga douchen,' zeg ik, en ik loop weg terwijl hij zich weer achterover laat vallen, met zijn slijmerige pik als een naaktslak tegen zijn schaamhaar, alsof die zich vol walging wil verstoppen. Ik loop de badkamer in, trek de deur achter me dicht en ik geef over.

35

'En, wat staat er vandaag op de agenda?'

Oli staat gedoucht en geschoren voor me, in schone kleren. Ik trek mijn knieën op tot onder mijn kin, mezelf omhelzend. Ik wil graag dat hij opstapt, maar alsof we oude vrienden zijn die bijpraten zeg ik beleefd: 'Ik heb een afspraak met iemand over dat ik weer een kraam neem, met de lunch zie ik Cathy en ik ben bezig met de nieuwe collectie.' Ik denk terug aan de foto's die Ben gisteravond heeft genomen, van de meisjes in de bar en die prachtige ketting. Mijn maag speelt op, mijn hoofd bonst. Wat heb ik gedaan? Op beide punten: wat heb ik in godsnaam gedaan?

We zwijgen allebei een seconde of vijf, wat bij een stilte als deze angstaanjagend lang is. 'Ik kan maar beter gaan...' zegt Oli uiteindelijk.

'Ja,' zeg ik, en ik knik geestdriftig. 'Dus...'

'Ja. Luister Natasha, over gisteravond...'

'Vanmorgen bedoel je, denk ik.'

'Nou ja, allebei,' zegt hij. 'Ik was dronken toen ik je opbelde. Het spijt me. Ik besef dat je boos was en dat je niet wilde dat ik langskwam, en dat had ik moeten begrijpen.'

God, wat is hij toch bijdehand, om zich er op deze manier voor te verontschuldigen. 'Hoor 's,' zeg ik. 'Misschien hadden we het niet moeten doen. Maar...' Ik steek mijn handen uit. 'Oli, weet je? Het was echt fijn om je te zien.'

Hij staat wat te wiebelen, alsof hij niet goed weet waar ik heen wil, wat mijn volgende zet is, maar ik vertel hem gewoon de waarheid. De waarheid is dat ik eenzaam ben. Ik mis hem nog steeds, wat me verrast. Maar aan de andere kant: als het aan mij lag, zou dit nooit zijn gebeurd, en plotseling realiseer ik me dat we weer daar zijn waar we twee weken geleden waren, en dat er niets is veranderd. Behalve...

De herinnering ontnuchtert me.

Behalve dan dat ik gisteravond Ben heb gekust, en ik vraag me af of dat zelfs niet een grotere vergissing was. Ik verberg mijn gezicht in mijn handen, en wens… wens dat ik het niet had gedaan. Meen ik dat? Want Ben was een van de weinige positieve dingen in mijn leven, een vriend, iemand met wie ik over alles kon praten, die me aan het lachen maakte, die mijn familie, mijn situatie, mijn leven begreep. En nu spreekt hij waarschijnlijk geen woord meer tegen me, en ik kan het hem niet kwalijk nemen. Ik knipper met mijn ogen en tuur door mijn wimpers terwijl me weer te binnen schiet wat hij gisteravond tegen me zei. Ik kan er niet meer over nadenken. Het is te pijnlijk.

'Alles goed?' vraagt Oli.

'Prima.' Ik glimlach. 'Beetje een kater, meer niet.'

Hij vraagt niet naar mijn avond, naar wat er speelt in de familie of naar wat dan ook, en dat doet me eigenlijk geen verdriet. Ik ben blij. Hij loopt naar de deur, pakt zijn mobieltje en begint te sms'en. Ik volg hem en hij houdt op. 'Ik zie je snel weer, ja?'

'Ja,' zeg ik. Ik steek mijn hand uit om hem een klopje op zijn rug te geven. Maar ik hou me in. 'Doei,' zeg ik. 'En Oli, de volgende keer als je wilt langskomen, lijkt het me toch beter als je dat van tevoren even afspreekt,' voeg ik eraan toe.

'O,' zegt hij, en met zijn tas over zijn schouder draait hij zich om in de deuropening. Hij stopt de telefoon weg. 'Oké, maar misschien dat ik volgende week nog wat spullen nodig heb, ja?'

'Ja. Alleen… bel even. Laat het me weten.'

'Tuurlijk.' Hij doet een stap naar voren om me te zoenen, maar ik stap naar achteren. 'Oké, ik zie je dan.'

Weer een week van wachten of hij wel belt, hopend dat hij zal langskomen, van piekeren over of ik met hem naar bed zal gaan of niet. Ik weet wel dat hij er anders over zal denken. En dat hij gewoon zal opdagen en het zal proberen als het mogelijk is, zo niet, jammer dan. 'Woensdag is prima, wat mij betreft,' zeg ik. 'Kom dan maar. We moeten nog wat overleggen over wat we doen. Over de flat. We moeten er een makelaar bij halen, voor een taxatie.' Ik wil de advocaat noemen die ik heb ge-e-maild over de echtscheiding, maar het lijkt me niet gepast, niet als ik over zijn schouder het bed kan zien waarop we net seks hebben gehad. Maar volgende week zal ik het zeggen. Ik zal een lijstje maken en dat erop zetten.

1. *Makelaar om flat te taxeren voor verhuur/verkoop.*
2. *Advocaat e-mailen over het in gang zetten van scheiding.*
3. *Oli hier volgende week over vertellen.*

'Vind je dat? Dat we daarmee moeten beginnen?'

'Ja, Oli,' zeg ik zonder omhaal. 'Ik moet me met mijn financiën bezighouden, anders word ik straks failliet verklaard. Het is beter als jij daarbuiten blijft.' Quasiserieus rol ik met mijn ogen.

'Oké, prima.' Hij pakt mijn hand. 'Dag, Natasha. Prettige dag verder. Sorry dat ik zo'n zak ben.'

De deur valt dicht en ik staar ernaar en luister naar zijn voetstappen op de trap. Verrast knipper ik met mijn ogen en ik kijk om me heen, alsof ik alles gewoon weer gedroomd heb, iets wat ik heb verzonnen. Maar dat is niet zo.

Cathy en ik treffen elkaar straks in het tentje met de dunne pizza's, aan Dray Walk. Ik vertrek om twaalf uur, een beetje aan de vroege kant, en wip Eastside Books binnen om voor mezelf een nieuwe Barbara Pym te kopen, waarna ik het straatje voorbij de Truman Brewery in loop. Het is hier nu stil vergeleken met zondag, als alle markten open zijn, met oude kleren, voedselkraampjes en de stalletjes waar ze goedkope katoenen gympen en gigantische voordeelpakken met batterijen verkopen. (Naar mijn mening een teken dat Brick Lane een te dure kant op wil, dat je dus wel een ruime keus hebt in kraampjes waar je prachtige churro's – Braziliaanse donuts – organische appel- en perensappen en retedure chai thee kunt krijgen, maar een eenvoudige ui, ho maar.)

Als ik op het punt sta de studentikoze chaos van Dray Walk te betreden gaat mijn telefoon. Ik herken het nummer niet en terwijl ik peins of ik nu zal opnemen of niet raak ik per ongeluk mijn schermpje aan waarna er een schrille, vaag bekend voorkomende stem opklinkt: 'Hallo?'

'Hallo,' reageer ik traag.

'Natasha? Hallo. Met Guy.'

'Guy?' Even worstel ik met de naam. 'Guy... o, hallo,' zeg ik. Mijn hand rust al op de deur van de boekhandel. 'De broer van de Bolhoed.'

'Ja, dat ben ik,' zegt hij. Hij klinkt licht geamuseerd. 'Luister, heb je de uitnodiging ontvangen?'

'De uitnodiging?' Mijn hoofd is leeg.

'Voor het lanceren van de stichting van je grootmoeder.'

'Och, natuurlijk...' Dit is pijnlijk. 'Het spijt me. Ik heb er nog niks mee gedaan... ik heb het nogal... druk gehad,' zeg ik. 'Het is...'

'Geeft niet.' Hij klinkt onverstoorbaar, zoals altijd. 'Ik weet dat je een zware tijd beleeft.' Hij klinkt aardig. 'Ik had je bijna weer gebeld om te zeggen dat je je geen zorgen hoeft te maken over de stichting, mocht het voor jou wat hectisch zijn. Ik weet dat dat zo is. Ik heb zelfs geprobeerd je te sms'en. Maar daar ben ik niet zo goed in, dus dat heb ik maar opgegeven.'

'Het is een vaardigheid, sms'en,' zeg ik.

'Een waarover ik niet beschik. Zoals zoveel dingen tegenwoordig. Als ik terugdenk aan het feit dat ik mezelf altijd zo modern vond en hoe ik de oudere generatie verachtte, slaat de wanhoop toe. Nu ben ik zelf een ouwe sukkel die met kerst een iPod kreeg en niet eens wist hoe ik hem aan moest zetten. Laat staan dat ik iets snap van iTunes en zo.'

'O jee,' zeg ik. 'Kan iemand je daar niet bij helpen?'

'Nou, mijn dochter wilde wel, maar die is weer naar de universiteit. Mijn jongste dochter.'

'Juist.' Ik wist niet dat je dochters had, wil ik zeggen. En: waarom bel je eigenlijk?

Er valt een stilte, maar dan begint Guy weer, alsof hij het zich opeens herinnert. 'Maar goed, Natasha, ik bel je niet om je te vragen mij uit te leggen hoe mijn mobiele telefoon werkt. Ik bel om te horen waar je vanmiddag zit. Ik heb iets waar ik graag met jou over zou praten, en ik zit niet ver van Oost-Londen. Ik meen me te herinneren dat je daar woont.'

'O.' Ik sta perplex. 'Zeker. Ik zit om de hoek van Brick Lane... maar waar ben jij?'

'In Islington,' zegt hij. 'Ik ben de huisantiquair van de linkse middenklasse. Kan ik nu bij je langskomen?'

'Ik ga net lunchen. Kan ik niet beter naar jou toe komen? Ben je er vanmiddag?'

'Ja,' antwoordt hij. 'Ja, ik ben er. Dat zou ik erg fijn vinden. Het is tamelijk belangrijk dat we even praten. Dank je.'

Hij geeft me het adres. Dan schiet me te binnen dat ik zijn kaartje al heb, dat gaf hij me tijdens de begrafenis. Net als ik bij het pizzatentje aankom, hang ik op.

'Lieverd!' Cathy slaat haar armen om me heen. Ze heeft mijn armen in een houdgreep; voorzichtig maak ik mezelf los uit haar omhelsing.

'Hoe gaat-ie?' vraag ik.

'Geweldig, geweldig, geweldig,' zegt ze terwijl ze voor mij een kruk aanschuift. 'Afgelopen week twee pond afgevallen. En Jonathan... nou, ik weet nu echt zeker dat hij niet gay is, ook al deed hij gisteravond iets...' Ze stopt. 'Laat maar zitten. Komt straks wel. En jij? Hoe gaat het met jou?'

'Vreemd,' zeg ik terwijl ik de menukaart naar me toe trek. 'Behoorlijk vreemd.'

36

Guys winkel lijkt regelrecht uit een sprookje te komen. Hij is te vinden in Cross Street, vlak achter Upper Street, waar het spiegelglas lijkt op te rukken. Cross Street is een hobbel-de-bobbelstraatje met halverwege Guy Leighton Antiques. De pui is in een soort duifgrijs geschilderd en achter het mooie erkerraam staat een rococospiegel, een oude teddybeer in een rieten stoeltje en een zware, gegraveerde kristallen vaas met daarin één donkere roos. Gretig bekijk ik de etalage. Ik wil alles hebben.

Als ik de deur openduw klinkt er een prettig, metalig belletje. Binnen is het verlaten en stil. De kunstmatig verouderde vloerplanken glimmen in het late schemerlicht. Terwijl ik rondkijk en ik me afvraag wat ik moet doen, hoor ik een stem: 'Hallo? Natasha?' Dan verschijnt Guy vanuit een achterkamertje en hij duwt een leesbrilletje met halvemaanglazen van zijn neus. De bril bungelt aan een kettinkje om zijn nek. Hij knippert nog waterig met zijn ogen.

'Ik ben toch niet te vroeg, hoop ik?' Ik lijk hem te overvallen.

'Sorry,' verontschuldigt hij zich met een schaamtevolle blik. 'Ik deed net een dutje.'

'O.'

'Lekker hoor, 's middags, als het even rustig is. Radio aan en een beetje indommelen. Ik heb achterin een originele Eames-stoel waar ik maar geen afstand van kan doen. Te comfortabel, gewoon. Goeie genade,' herpakt hij zich, 'ik klink alsof ik zo naar het bejaardentehuis kan.'

Bij het horen van deze woorden schiet me iets te binnen. 'Grappig. Weet je, onderweg hiernaartoe ben ik nog even langs het bejaardentehuis geweest om een boodschap achter te laten voor Arvind,' zeg ik, meer tegen mezelf dan tegen hem. 'Hij was er niet vanmiddag, zeiden ze. Is Louisa er al, toevallig?'

'Ja. Ze is gisteren gekomen.'

Archie zou ook langskomen. Ik weet niet eens zeker of mam er sinds de begrafenis ook al is geweest. 'In haar eentje?'

Hij begrijpt me verkeerd. 'O, ja. Mijn broer heeft het graag gemakkelijk.' Hij glimlacht. Een nogal trieste glimlach, vind ik, en ik denk terug aan de luie, knappe Bolhoed, zo vaak maffend in een leunstoel of ligstoel terwijl Louisa een kopje thee voor hem neerzet. De gedachte doet me fronsen. 'Ze is een goeie ziel, Louisa. Ze vindt het leuk om te helpen.' Hij krabt over zijn borst en geeuwt. 'Ze was dol op je grootmoeder, Natasha. Frances was als een moeder voor haar. Ze waren heel dik, samen.'

'Maar Louisa had haar eigen moeder,' constateer ik.

'Ja…' Guys gezicht blijft neutraal. 'Maar volgens mij vond Louisa het daar heerlijk, en ze vormde geen bedreiging voor jouw oma. Is dat nooit geweest. Frances was dol op haar en ze hoefde haar ook helemaal niet op te voeden. En, tja, Louisa vindt het gewoon leuk om anderen te helpen.'

'Ik weet het.' Hoezeer ik ook op haar gesteld ben, ik rol toch even met mijn ogen.

Guy negeert het. 'Kijk, dit is onvergeeflijk, jou niets aanbieden. Kan ik iets voor je regelen, kopje koffie, glaasje whisky? Het is behoorlijk fris, buiten.'

'Thee zou heerlijk zijn, als het kan,' zeg ik. 'Gewone thee, of iets wat erop lijkt.'

'Geen probleem,' zegt Guy en hij wenkt me naar de achterkamer.

Het kantoortje is een kleine, rommelige ruimte, vol met papieren, boeken, waarvan sommige duidelijk antiquarisch en paperbacks met ezelsoren. Naast de versleten Eames-stoel zie ik een stapel oude Dick Francis-romans. Op de vloer staan twee vuile koffiekopjes, met daarnaast een tevreden snorrend ventilatorkacheltje. Er staat ook een oud voetenbankje waarop een kat, eveneens snorrend, ligt te slapen.

Guy duwt de kat weg. 'Dit is Thomasina,' zegt hij. 'Dom beest. Jarenlang dachten we dat ze een kater was, en dus noemden we haar Thomas. En opeens werpt ze kittens, drie stuks.' De kat rekt zich lui uit en glipt weg.

Het lijkt of de tijd hier jarenlang heeft stilgestaan. Alles in deze winkel is traag. De warmte werkt lethargisch, net als de geur van oude, bedompte dingen en het zachte gebrom van het kacheltje. Buiten wordt het al donker. Ik wou dat ik me gewoon in de stoel kon nestelen en in slaap kon vallen.

'Het ziet er gezellig uit, hier,' zeg ik. 'Het moet heerlijk zijn om als het rustig is hier wat te ontspannen.'

Hij gebaart naar de stoel, draait zich om naar het gebarsten gootsteentje in de hoek en vult de ketel met water. 'Ja, hoewel ik de laatste tijd volgens mij vooral veel heb gedut en te weinig antiek heb verkocht. Niet zo goed, dus.'

'De tijden zitten niet mee,' zeg ik terwijl ik ga zitten.

'Klopt. Maar ik hou de boel niet bij, ik struin te weinig de markten af om spullen in te kopen.' Hij gebaart om zich heen en ik zie nu dat hoewel alle spullen die hier staan prachtig zijn, de winkelruimte bijna leeg is. 'We moeten meer voorraad hebben.'

'Maar je hebt wel prachtige dingen,' zeg ik. 'Echt een heel leuke winkel.'

'Dank je,' klinkt het zacht. 'Dank je. Mijn vrouw hield het allemaal een stuk beter bij, hoor. Ze had daar echt oog voor.' Hij zwijgt. 'Maar ze overleed vijf jaar geleden, en sindsdien heb ik het laten versloffen.'

Ik weet zeker dat Hannah samen met Guy bij Octavia's heilig vormsel was, maar dat was jaren geleden. Ik herinner me haar nog vaag. Krullen en een brede glimlach. 'Nou, ze zou vast wel tevreden geweest zijn.'

Hij schenkt wat heet water in een mok. 'Heel aardig van je. Maar ik ben bang dat ze behoorlijk boos zou zijn als ze zou zien wat voor ouwe vent ik de laatste tijd ben geworden.' Vol afschuw kijkt hij om zich heen, en dan omlaag. 'Een leesbrilletje! In godsnaam! Aan een kettinkje! Pff.' Hij geeft er een zacht tikje tegen. 'Een beetje dutten, 's middags, de kruiswoordpuzzel uit de *Telegraph* maken en luisteren naar Radio Three. Als mijn jongere ik mezelf zo zou zien...' Hij zwijgt.

'Niemand wil al op z'n twintigste zichzelf kruiswoordpuzzels en middagdutjes zien doen,' zeg ik. 'Ik zou maar niet zo streng zijn voor jezelf, hoor. Toen ik twintig was, was ik ook anders dan nu. Hou op. Ik wilde de wereld veroveren. Ik was ontzettend boos. Ik deed zelfs een keer mee aan een sit-in.'

'Wat goed van je. Waar ging het om?' vraagt Guy terwijl hij me de mok aangeeft en wat vaag gebaart naar een bijna lege fles melk op het kleine koelkastje naast de deur.

323

'Weet je dat ik me dat niet meer kan herinneren,' moet ik beken-nen. 'Iets over studentenrechten. Maar het kunnen ook dierenrechten zijn geweest.'

Guy schatert even en laat zich met een glimlach op het voeten-bankje zakken.

'Je zat dus de hele avond in een of ander universiteitszaaltje, maar je weet niet meer waarom?'

'Inderdaad,' antwoord ik. 'Volgens mij had ik een oogje op een van de jongens van het actiecomité.'

Jason, Oli's beste vriend, en getuige bij ons huwelijk, was een ra-dicale studentenleider die zo van het castingbureau leek te komen. Hij had zelfs een kakikleurig jasje en een baard. 'Nu is hij schoolhoofd van het jaar van een voorbeeldige middelbare school, iets verderop in onze straat,' vertel ik Guy terwijl ik in mijn thee blaas. 'Hij draagt een pak naar zijn werk. Hij en mijn man zijn helemaal niet meer zoals toen ze twintig waren. Ze wilden de wereld veranderen. Nu willen ze alleen nog maar een app op hun telefoon die hun vertelt hoe ze de wereld kunnen veranderen.'

Guy kijkt me aan en eventjes is hij ernstig. 'Misschien zijn we daar allemaal wel schuldig aan.'

'Hoezo?'

'O, ik was precies hetzelfde,' klinkt het luchtig, maar de toon in zijn stem is melancholiek. 'Ik dacht dat ik alle antwoorden had, net als die vriend van je, toen. We leefden in een verrot land waar niets gebeurde, bestuurd door oudere blanke heren uit de bovenklasse. En die veranderingen waren hard nodig, alleen heb ik zelf geen vinger uitgestoken.' Hij glimlacht, maar ik zie spijt in zijn ogen. 'Ik heb een winkel waar ik mooie oude dingen aan mensen verkoop. Ik leef nu in het verleden en het land wordt voorzover ik weet nog steeds be-stuurd door oudere blanke heren uit de bovenklasse. Banken, de re-gering, commissies; alleen zijn de meesten jonger dan ik. Jonger en rijker.'

Ik weet even niet hoe ik op zoveel oprechtheid moet reageren en de stilte voelt dan ook tamelijk opgelaten. Dan roept Guy zichzelf tot de orde.

'Sentimenteel gezwets. Te veel tijd om na te denken. Niet goed.' Met een kordate pets op de knieën staat hij op. Het gebeurt nogal stijfjes, want het voetenbankje is maar laag. 'Tijd om je uit te leggen waarom ik je heb gevraagd te komen.'

Hij loopt naar een hoek van het kamertje. 'Goed, Natasha, ik wil je iets geven, vandaar dat ik je wilde spreken. Om het... uit te leggen.' Hij trekt een kastje open en hij draait zich weer naar me om.

In zijn hand heeft hij iets kleins en plats. Min of meer gedachteloos staar ik ernaar.

'Alsjeblieft,' zegt hij terwijl hij het me aanreikt. 'Cecily's dagboek.'

Er klinkt een klap en een krijs van Thomasina de kat. Ik heb mijn mok thee uit mijn handen laten vallen. Overal ligt kokend water.

37

Het vergt een paar minuten om de boel schoon te maken, en het spijt me heel erg. Eén schilderij is vermoedelijk naar de knoppen, want hete thee en aquarelverf vormen een slechte combi, en ik blijf me maar verontschuldigen terwijl ik Guy help met het afvegen van allerlei kisten, boeken en willekeurige antiquiteiten, maar hij doet er volkomen relaxed over. Terwijl ik op mijn knieën met een doek de thee opdweil vraag ik: 'Hoe kom je hier in vredesnaam aan?'

'Nou…' Guy heeft zijn aandacht volledig op een vlek op de muur gericht en staat met zijn rug naar me toe. 'Het is… het is gecompliceerd.'

Ik staar naar het onbenullige rode schoolschrift, waarvan de witte bladzijden door de jaren vergeeld zijn. In het krabbelhandschrift dat ik zo goed ken staat op de voorkant geschreven:

Vervolg van het geheime dagboek van
Cecily Kapoor.

'Heb jij het meegenomen?'

'Nee, ik niet,' zegt hij resoluut. 'Je moeder heeft het me opgestuurd. Zij nam het mee.'

'Wat?'

Ik sta nog steeds met een kleffe prop keukenpapier in mijn hand. Met een ruk kijk ik op.

'Een paar dagen geleden heeft ze het naar mij opgestuurd. Ze zei dat ik het moest lezen.'

'Maar…' Mijn woede welt op. 'Waarom naar jou? Ze kan je niet uitstaan.' Ik bijt bijna het puntje van mijn tong af. 'Sorry. Ze… ze is misschien gewoon niet je grootste fan.'

'Ja,' zegt Guy. 'Juist. Dat had ik al wel begrepen. Ik snap eerlijk gezegd niet waarom. Maar ik weet ook niet waarom ze het dagboek naar mij heeft opgestuurd, vrees ik. Nou ja… ik weet het dus wel. Je moet het maar lezen, dan kom je erachter.'

Ik bloos, van schaamte en van woede. 'Maar dan nog. Waar heeft ze het in godsnaam vandaan?'

'Het lag in het atelier van je grootmoeder. Na het overlijden van Cecily had ze het gevonden en daar heeft ze het 'al die jaren bewaard.' Hij zwijgt even. 'Ik vroeg me een paar maanden na Cecily's dood wel af wat er toch met dat dagboek was gebeurd. Maar ik ging ervan uit dat ze het gewoon met al haar andere spullen hadden weggeborgen. Ik dacht er eigenlijk niet over na.' Hij laat zijn hoofd hangen. 'Ik was te… ik was met mijn hoofd bij andere dingen.'

'Dus mam nam het zomaar mee.' Mijn hoofd tolt. 'Na de begrafenis? Dus sindsdien heeft ze het steeds in bezit gehad? Waarom nam ze het mee? Waarom heeft ze er niets over gezegd?'

'Ik heb haar verder niet gesproken. Ik denk dat ze het gewoon zag liggen en dat er iets knapte,' zegt Guy behoedzaam. 'Ze bevond zich samen met Arvind in het atelier, en ze zag het. De velletjes die jij hebt moeten er op een of andere manier gewoon uit zijn gevallen of zo.'

'Heb je het briefje nog?'

Hij aarzelt. 'Ik heb het niet bewaard. Sorry. Ik denk niet dat je moeder het zo gepland heeft. Weet je, Natasha, ik maak me behoorlijk ongerust over haar. Wat zij allemaal voor haar kiezen heeft gekregen, dat is niet niks. En ze is compleet van de aardbol verdwenen. Nadat ik… het had gelezen heb ik haar gebeld, om met haar te praten. Ik heb haar diverse keren gebeld, maar ze neemt nooit op.'

'Typisch ma,' zeg ik. Mijn hoofd tolt. 'Ze… afgelopen week heb ik haar al deze dingen verweten, en ze stond me gewoon aan te kijken. Ze zei niets. Ze heeft me niet verteld dat zij het dagboek had, ze zei helemaal niets. En vervolgens stuurt ze het zomaar naar jou op – uitgerekend naar jou, terwijl ze me heeft verteld dat jij de ergste van het stel bent. Ze is…' Ik weet even niet wat ik moet zeggen. 'Ze is gek.'

'Je hebt dit nog niet gelezen,' zegt Guy. Zijn rimpels worden dieper, en even zie ik twee gekwelde ogen. 'Als ze echt gek is… snap ik wel waarom.'

Ik zeg niets.

'Natasha, jij weet niet hoe het is om een broertje of zusje te verliezen,' zegt hij.

'Ik ben enig kind,' bijt ik hem toe. 'Natuurlijk weet ik dat niet.'

Guy tinkelt met wat kleingeld in zijn broekzak. 'Ja... ja, dat weet ik. Nou, je moet het begrijpen. Ze heeft het altijd bij zich gedragen, dit. Het heeft ons allemaal veranderd. Volgens mij...' Hij schraapt zijn keel en staart in de verte. 'Volgens mij ben ik haar dood nooit helemaal te boven gekomen.'

'Cecily's dood? Echt waar?'

'Ja,' zegt hij, en met een gepijnigde blik in zijn vriendelijke grijze ogen kijkt hij me aan. 'Er gaat geen dag voorbij dat ik niet aan haar denk. Het is vreemd. Het was zo lang geleden.'

'Waarom? Cecily? Maar zo goed kende je haar toch ook weer niet, of wel? Voor die zomer had je haar nog nooit ontmoet, toch?'

'Nee.' Hij komt overeind en loopt naar de andere kant van de kamer, met zijn rug naar mij toe. Hij ademt een keer diep in, draait zich weer om en recht zijn rug. 'Je komt er wel achter,' zegt hij. 'Maar ik zag haar dood, onder aan de rotsen... geknakt en gehavend.' Hij slaat zijn handen voor zijn gezicht en wrijft in zijn ogen. 'Weet je, ik heb haar zelf vanaf het strand naar boven gedragen, die avond. Ik droeg haar in mijn armen.' Hij schudt met zijn hoofd. 'We legden haar in de zitkamer. Afschuwelijk.' Hij knippert met zijn ogen en kijkt me aan. 'Tot de begrafenis was ik sinds de zomer dat ze werd gedood... stierf,' corrigeert hij zichzelf, '... stierf, was ik niet meer terug naar Summercove geweest.'

Mijn mond is droog. 'Je denkt dat iemand haar heeft gedood. Denk je dat... mam haar heeft gedood?'

De stilte die volgt is lang, slechts gebroken door het geluid van de spinnende Thomasina, die met haar nagels prikt door de versleten stof waar ze op ligt. 'Nee,' klinkt het eenvoudig. 'Daar gaat dit niet om, Natasha. Niet om wie het heeft gedaan. Het was een ongeluk. Je moeder was erbij, ik heb het gezien. Maar geloof me, het was een ongeluk.'

'Waarom lijkt iedereen dan te denken dat zij het heeft gedaan?' vraag ik. 'Bij de begrafenis waren er mensen die naar mijn moeder wezen en over haar fluisterden. Octavia doet het, Louisa, de rest ook.' Ik schud mijn hoofd. 'Ik weet echt niet meer wat ik ervan moet denken.'

'Misschien is het een handige afleiding geweest van wat er echt gebeurde.' Guy wrijft de muntjes in zijn zak langs elkaar zodat ze een knarsend, krassend geluid maken, en ik krimp ineen. 'Sorry,' zegt hij.

Zijn gezicht staat onverdraaglijk bedroefd. Oud en bedroefd. 'Snap je, we waren nog jong. De wereld veranderde. We hadden ons leven voor ons. En toen ging zij dood, en dat veranderde alles. Ik heb heel lang gedacht dat de wereld niks leuks of goeds meer in petto had.'

Met trillende handen houdt hij het dagboek voor zich uit. 'Lees het,' zegt hij met brekende stem. 'Ontdek wat voor iemand ze echt was.'

'Wie? Cecily?'

Hij schudt zijn hoofd. 'Lees het.'

We lopen door de stille, echoënde winkel. Het is inmiddels bijna donker geworden. Ik heb mijn hand aan de deurknop; de oude bel rinkelt hard. 'Ik zal er vanavond aan beginnen,' zeg ik.

'En bel je me daarna?' Hij kijkt me hoopvol aan. 'Praat er met niemand anders over, beloof je me dat?'

'Dat beloof ik. Dag, Guy.'

'Natasha...?' zegt hij. 'Het is fijn om je weer te zien. Je ziet er fantastisch uit, als ik dat mag zeggen. Van je moeder hoorde ik dat jij en Oli uit elkaar zijn. Dat spijt me. Maar zo te zien doet het je goed.'

Ik denk aan het verkreukelde bed waarin Oli en ik vanmorgen seks hadden, de regen op de straatkeien gisteravond... Bens gezicht toen ik van hem wegliep. 'Dat lijkt me onwaarschijnlijk. Maar toch bedankt.'

Ik glimlach, en plotseling verandert zijn gezicht, alsof hij me ogenblikkelijk het pand uit wil hebben. 'Goed, dan ga ik maar eens verder...' Hij laat zijn blik door de winkel glijden. Ik vat de hint en loop weer naar de deur.

'O, laat mij maar even.' Hij komt naar voren en houdt de deur voor me open, en vervolgens buigt hij zich opeens naar me toe en kust me op de wang terwijl het belletje rinkelt.

'Het is geweldig om je te zien, Natasha,' zegt hij. Hij glimlacht naar me en ik glimlach terug. 'En...' Hij zwijgt.

'Wat?' vraag ik. Ik sta op de drempel van de winkel.

'Je lijkt zo op haar. Op Cecily.'

'Dat zei mijn grootmoeder ook altijd,' zeg ik.

'Nou, het is een compliment. Ze was mooi.' Hij kijkt me op een vreemde manier aan. 'We spreken elkaar. Toe, als je het hebt gelezen, wil ik weer met je praten.'

En opeens sluit hij de deur. Als ik terugloop richting huis voel ik me steeds meer in de war. Ik loop en loop, langs de Georgian rijtjeshuizen van Islington, naar het kanaal beneden, langs de Charles Lamb-pub, richting Shoreditch. Het is dat merkwaardige moment van de dag dat je krijgt in het voorjaar, als het nog wel licht is maar dat het voelt alsof het elk moment donker zal worden, dat de dag voorbij is. Tegen de tijd dat ik in de curieuze victoriaanse enclave van Arnold Circus beland en door Brick Lane loop, is het donker.

Ik laat mezelf binnen in de flat. Ik zet een kop thee, ga zitten en denk terug aan mijn gesprek met Guy. Ik sla mijn ogen neer en kijk naar het schoolschrift op mijn schoot. Het ziet er zo onbenullig uit in mijn handen, het handschrift van een schoolmeisje, met langs de rand dezelfde bloemversieringen als nog duizend andere, ervoor en erna. Het valt me op dat ik altijd aan Cecily heb gedacht in termen van een kind. Ze praatten altijd over haar, áls ze over haar praatten, als een jong kind. Maar dat was ze niet, zo lijkt het, als het waar is wat ik vanmiddag heb ontdekt. Ze was een vrouw.

Zittend op mijn knieën sla ik het dagboek open. Om me heen is alles donker, deze koele eenzaamheid is wat ik nodig heb. Ik voel mijn hart bonzen, alsof een hand het omvat en erin knijpt. Ik weet dat als ik eenmaal begin te lezen, ik niet meer zal kunnen ophouden. Als ik het dunne, rode schoolschrift opensla en naar de met zorg gekraste patronen op de voorkant kijk, hoor ik stemmen in mijn hoofd weerklinken. 'Dat was de zomer dat ze stierf... Dat was de zomer dat ze stierf...'

En ik lees.

Het dagboek van Cecily Kapoor

Deel 2

Privé

25 juli 1963

Vervolg!

Lief dagboek, alleen wij samen. Ik kan schrijven wat ik
wil, en niemand die het ooit hoeft te lezen.

<u>Dus</u>. De Leightons zijn er. Frank is twintig & hij doet een
opleiding voor landmeter. Hij is heel knap, lang & blond.
En tamelijk met zichzelf ingenomen, net als een politicus.
Hij doet me denken aan Cyril, in <u>Bonjour Tristesse</u>, maar
dan meer dikdoenerig. Zijn broer, Guy, is negentien. Hij
doet PPE (ik weet niet wat dat is) aan Brasenose College
(mooi woord) van de universiteit van Oxford. Hij is rustig,
heeft piekhaar & een bril. Hij lijkt op een uil. Louisa is
heel anders met hen erbij. Gewoonlijk is ze zo recht voor
zijn raap, zegt ze gewoon dat je gloednieuwe Fair Isle-
twinsetje eruitziet alsof de mot erin zit, zoals ze onlangs
dus tegen mij zei, of dat je bleke teint worteltjes nodig
heeft om wat kleur op je wangen te brengen. Dat zei ze
tegen Miranda & Miranda is hééél gevoelig als het over
haar huid gaat. Daar moet ze gewoon mee ophouden,
vooral bij Miranda, van wie we allemaal weten dat ze
een verschrikkelijk humeur heeft.
    Afijn, vanavond hadden we een speciaal welkomstdiner
voor onze gasten & ik mocht champagne. Miranda had
een nieuwe jurk aan, van een soort prachtige dikke
zwarte glanzende tafzijde. Kennelijk heeft Connie (haar
peettante) haar tien pond toegestuurd. Ik vind dat
irritant en ik vraag me zelfs af of het wel de waarheid

333

is. Maar gek genoeg zag ze er heel mooi uit, en dat is voor het eerst. Nogal bozig, zeg maar. Veel haar en veel gefronste wenkbrauwen. Maar ik hoorde meneer Wilson, de wiskundeleraar, een keer tegen juffrouw Powell zeggen: 'Die, daar krijgen we onze handen vol aan,' waarop juf knikte & zei: 'Als het eenmaal tot haar doordringt... ja, dat denk ik ook.' Ik was echt niet aan het afluisteren. Ik doe niet stiekem. Ze keken naar Miranda toen ze op een zonnige dag met de tuinman stond te kletsen. Ik liep toevallig langs & kon er dus niets aan doen. Misschien bedoelen ze dát wel. Want opeens is ze mooi. Chic. Gewoon IRRITANT, dus!

~~Afijn.~~ Terug naar Frank & Guy. Het voelt anders nu zij er zijn. Mam houdt van bezoek. Alles krijgt iets extra's. Ik zat vanavond naast Frank aan tafel. Als hij iets wil zeggen schraapt hij eerst zijn keel & Louisa gaapte hem HET HELE AVONDETEN LANG aan. Hij probeerde indruk te maken op pap en zei telkens 'meneer', wat natuurlijk volkomen overbodig was. Guy noemde hem ook 'meneer', maar praatte ook met hem, onder meer over zijn boeken, alsof hij echt geïnteresseerd was. En nog iets over Frank: na het eten kuste hij mama's hand! Het was zo grappig dat ik hem gewoon aangaapte. Maar mam lachte en zei dat ze het heel charmant vond & ze glimlachte naar hem & hij keek nogal verlegen, wat het ~~pomppeuze pompeuse~~ pompeuze! gelukkig een beetje wegnam.

Jeremy vond me verschrikkelijk vandaag, zei hij, maar hij was aardig; ik vind Jeremy echt leuk en dit is supergeheim, lief dagboek. Ik heb het afgelopen semester op school nagezocht & het is niet tegen de wet om met je neef te trouwen. Maar dan denk ik aan Archie, die Louisa begluurt, en dan word ik een beetje misselijk. Aan zulke dingen kan ik dus maar beter niet denken.

Toen ik gisteravond op mijn slaapkamer op Miranda wachtte, hoorde ik dat Frank iets aan Louisa vroeg. Ze zaten op het terras nog wat te kletsen. Ik luisterde heus niet stiekem mee, het gebeurde pal onder me. Ik wou dat ik het nooit had gehoord. Maar ik deed gewoon of dat zo was & ik dook snel mijn bed in. Ik wou dat ik het kon vertellen maar ik ben te verlegen om het op te schrijven. Laten we maar zeggen dat hij anders is dan hij lijkt. Het was echt heel lomp om iemand zoiets te vragen.

Borst: 20
Neus: 2 min. sorry.

Liefs, Cecily

Vrijdag 26 juli 1963

Vandaag is Linda Langley jarig. Ik ben benieuwd wat ze gaat doen. Nog vóór de schoolvakantie had ze haar haar laten knippen. Het zag er heel tof uit & ze vertelde dat het voor haar verjaardagsfuif was. Ze woont in Bath, voor mij te ver weg voor een verjaardag. Niet dat ze me heeft uitgenodigd, overigens. Maar het zal vast een leuke fuif worden.

Vanochtend zei Louisa helemaal niets tegen de man met de Bolhoed, oftewel Frank. Ik durf te wedden dat ik wel weet waarom. Het is vanwege wat hij haar gisteravond vroeg, over of hij iets met haar mocht doen. Wat, zeg ik niet, want voor het geschreven woord is het is veel te obsceen. De BH lijkt er een nogal losse moraal op na te houden, een beetje zoals Captain Wickham in P&P, aantrekkelijk maar FUTLOOS – dat is een mooi woord.

Maar verder is het leuk dat de jongens er weer zijn. Iedereen wil het gezellig maken. Zelfs Miranda, normaal zo raar & verlegen & die eigenlijk nooit met jongens praat, kletst opeens met Guy & de Bolhoedman & loopt met haar zwempakje te pronken en te lonken. Bijna niet te geloven dat dit meisje afgelopen Pasen nog wegrende toen Andrew Laraby haar tijdens de lentebazaar vroeg of ze een kopje thee wilde. Mam vindt het verschrikkelijk, dat zie ik gewoon. Ze vindt dat Miranda zich aan het uitsloven is, wat ze dus ook doet.

M nam de <u>Private Eye</u> van Jeremy mee naar het strand & schepte op over hoe goed ze kan zwemmen & ze voert nog steeds van die domme gesprekken tegen Guy of de BH. Ze praat op zo'n irritant, schalks toontje tegen ze. Ze is dol op 'That Was The Week That Was', kennelijk. Pff!

Guy houdt van heel veel vreemde dingen waar ik nog nooit van heb gehoord. Hij leest Amerikaanse schrijvers als Jack Kerouac & Martin Luther King, die in de gevangenis zit, & dat soort boeken. En ook George Orwell. De BH paradeert gewoon rond als een pauw, totaal ingenomen met zichzelf. Vandaag probeerde ik over het verslag in de <u>Times</u> van het proces te beginnen, want het was weer eens sappig & er stond zo'n grappige advertentie voor de Britse spoorwegen in, met Tony Hancock. Ik moest er erg om lachen. Hij trekt een raar gezicht tegen een conducteur. Maar ik was te verlegen met iedereen erbij & nu denken ze vast dat ik nog een beetje te jong & te stom & alleen maar goed in cricket ben.

Miranda, daarentegen, was zo in de wolken van haar eigen mondaine gedoe dat ze tijdens de thee echt verschrikkelijk was. Ze zei: 'Cecily is een kleuter. Ze houdt alleen van Swallows & Amazons & the Lone Pine Club.' IK HAAT HAAR!! Guy zei alleen maar: 'Die lees ik ook graag, hoor. Swallows & Amazons is mijn favoriet.' Miranda stond zo voor paal en opeens deed ze net alsof ze die zelf ook leuk vond, alleen maar omdat Guy die leuk vindt, en zij vindt Guy leuk. Het is zo duidelijk. Hij heeft helemaal geen oogje op haar. Ik <u>wilde</u> nog zeggen: wat weet jij daar nou van? Je hebt sinds Just William, op je tiende, geen enkel boek meer gelezen. Dat is dus het effect dat Miranda op mensen heeft. Ze haalt een nare kant in mij naar boven, deze vakantie zelfs nog vaker dan normaal. Ging ze maar weg. Vanavond ging ze echt ongelofelijk laat naar bed en ze heeft de hele avond met de Bolhoed geflirt. Ze is nog steeds niet boven, trouwens. Ik lig nu op haar te wachten.

Zaterdag 27 juli 1963

Ben moe vandaag. Het is hartstikke heet en het wordt nog heter. Mam ging me weer verder schilderen. Ze deed kribbig tegen Mary over de bessentaart voor bij de thee. We zijn naar het Minack-theater geweest & zagen Julius Caesar. Het was mooi, maar wel met lange stukken over Latijnse politiek. Louisa & de BH hadden weer ruzie. Misschien dat ik er een gedichtje over maak & dan noem ik het: 'Staakt uw schrille gekibbel voor mijn slaapkamer-deur'. Als hij 'het' zo graag met iemand wil doen, waarom vraagt hij Miranda dan niet gewoon? Ze gedraagt zich alsof ze wel zou willen.

Heb mijn borstoefeningen, etc. niet gedaan, wat heel slecht is van me, lief dagboek. Sorry.
Liefs, Cecily

Zondag 28 juli 1963

Vandaag was een prachtige dag. Misschien wel de beste dag van mijn leven tot dusver, hoewel ik hoop dat er nóg mooiere dagen zullen komen. Je kent dat wel, dat alles helemaal perfect is & dat de zachte lucht zo lekker ruikt & dat iedereen zo aardig is?

Omdat het zo heet was zijn we naar St. Michael's Mount gegaan, met de auto en met het dak omlaag. Miranda & de Bolhoed bleven thuis, net als mam & pap.

Jeremy reed ons. Hij is echt een schat, die Jeremy, maar misschien ook wel een beetje saai. Ik zat naast hem & halverwege de rit bedacht ik opeens: ik zou niet weten wat ik nú tegen je moet zeggen. En dat terwijl hij juist zo aardig is voor anderen. Lang & opbeurend & aardig en het is echt heerlijk als hij je een knuffel geeft. Maar ik voel me opgelaten & stom als ik met hem praat & ik weet helemaal niets van rugby (of interesseer me er niet voor) & ook niets van genees- kunde. We reden langs twee gigantische reclameborden van News of the World. CHRISTINES ONDEUGENDE GEHEIMEN stond er op het ene. Toen ik Jeremy iets over de Profumo- rechtszaak vroeg, moest hij blozen & hij werd opeens heel verlegen en greep het stuur stevig vast, alsof de auto er pardoes vandoor wilde gaan. 'Eh... ehm... Cecily... Ander onderwerp...'

We parkeerden bij de velden, want Marazion is maar een klein dorp, vol met dagjesmensen. We kochten pasteitjes voor de lunch & namen ze mee naar het strand. Daar zochten we een plek op het gele zand & we keken naar St. Michael's Mount & we zwommen in zee. Soms ben ik liever op een breed strand dan thuis in onze eigen baai. Onze baai is afgezonderd en dan voel je je soms van alles afgesneden. Niemand kan jou zien. Op het strand van Marazion zag je mensen met picknickmanden & transistorradio's die allemaal 'Summer Holiday' speelden, de hele tijd opnieuw. Stiekem vind ik het best een leuk liedje. Het was tof om lekker buiten in de open lucht te zijn, en niet opgesloten in het huis of op ons privéstrandje te zitten. Het is al een tijdje zo heet & vochtig. Vandaag stond er een briesje & dat was heerlijk.

Guy & ik liepen over de pier naar het kasteel. De anderen hadden er geen zin in. We kletsten over van alles en nog wat. Met hem kan ik over van alles praten. Hij is heel rustig, maar ook boeiend, en dat vind ik leuk. Eigenlijk wist ik niet dat je ook zo met een man kunt praten. Guy vroeg me waar dat schrift voor was & ik vertelde hem over het dagboek. Hij trok zijn wenkbrauwen op. 'Komen we er allemaal in voor?'

Ik: Ja.

G: & je meest duistere geheimen?

Ik: Ja, maar die heb ik niet echt. (Wel dus, namelijk dat ik elke avond mijn neus plet en mijn borstspier-oefeningen doe & niet precies weet wat geslachts-gemeenschap is.)

Guy: Vertel me er eentje.

Zonder na te denken antwoordde ik gewoon: 'Ik wil schrijver worden.' Ik wou dat ik het niet gezegd had, maar hij zei niets, knikte alleen & daarna liepen we naar het eiland en omhoog naar het kasteel. Het is er heel steil en je loopt over kusseien, maar wel uit de zon. Het kasteel torent hoog boven je uit. Heel indrukwekkend. Na een minuut zei G:

'Volgens mij word jij een verdraaid goeie schrijfster, Cecily.'

Ik (met ingehouden adem, want zijn antwoord leek me opeens heel belangrijk): Waarom?

G: Omdat je alles ziet & je op je eigen manier naar de wereld kijkt. Je trekt je van niemand iets aan & je bent hartstikke leuk zoals je bent. Blijf vooral zoals je bent. Dat is exact wat hij zei. Ik heb het allemaal onthouden.

Volgens mij is dit het aardigste wat iemand ooit tegen me heeft gezegd. Vooral omdat ik juist alles aan mezelf wil veranderen. Het maakte me verlegen, maar ik wilde niet dat hij dat zou zien. En dus vroeg ik hem wat hij gaat doen zodra hij weggaat. Hij wil satiricus worden, voor tv gaan schrijven, of voor een satirisch blad als Private Eye. Volgens mij zou hij daar supergoed in zijn.

We liepen naar het dak van het kasteel & we klommen naar de plekken vanwaar je uitzicht hebt over heel Penzance, tot bijna aan ons huis & het zonlicht glinsterde als diamanten op de golven. Alles leek verstild & vredig vanaf hier. Ik dacht aan Miranda & mama & de anderen, thuis in Summercove, en aan wat ze aan het doen waren.

Ik praatte met Guy over Miranda. Ik wilde uitleggen dat ze niet altijd zo vervelend is.

Guy zei dat ze aandacht wilde. 'Misschien krijgt ze dat te weinig.' Ik lachte, want omdat ze zich zo vaak zo slecht gedraagt geeft IEDEREEN haar aandacht. En toen vroeg hij: 'Waarom heeft ze zo'n hekel aan je moeder?'

Ik weet dat ze niet echt goed met elkaar kunnen opschieten, maar zo erg is het nu ook weer niet, dus het verraste me dat het hem was opgevallen.

Ik: Ze is gewoon moeilijk, meer niet. Soms kan mam best hard tegen haar zijn.

G: Ze is stikjaloers op je. Heb je dat niet gemerkt? Daarom doet ze zo vervelend tegen je.

Ik lach: Verre van. Ze vindt me een kleuter.

G: Er zit meer achter. Hoe oud ben je?

Ik: Vijftien. Maar in november word ik zestien.

G: Vijftien? Echt? Hij schudde zijn hoofd.

Ik: Ja. Hoezo, zie ik er soms jonger uit? (Ik hoopte maar van niet.)

G: Soms, ja. Maar heel vaak... niet. Vijftien, hm?

(Hij zweeg & stootte me even aan. Ik bloosde.) Misschien heeft ze gelijk, ben je dus toch nog een kleuter.

Ik: Jij bent 19! Zoveel ouder ben je niet. Drie jaar & nog wat.

G: Zoiets, ja.

Ik hoopte dat het een grapje was.

We liepen terug via het moeras & de dagjesmensen begonnen de stranden langs Penzance te verlaten: Lamorna Cove & de rest. We hielden even pauze bij Logan's Rock (de pub, niet de rots) voor wat limonade & we zaten buiten aan een tafeltje. Het landschap was zo mooi, groen & welig. Zo verstild. Jeremy, Louisa & Archie kletsten over wat we die week zouden gaan doen. Guy &

ik zeiden niet veel. Ik zat nogal stijfjes naast hem. Ik voelde de katoenen stof van zijn overhemd langs mijn blote arm strijken. Ik bewoog me niet. Hij bewoog zich niet. Zo zaten we een tijdje terwijl de anderen kletsten. Ik kan het niet uitleggen maar het was heerlijk.

Het was al laat toen we weer thuiskwamen. Na halftien. Miranda lag in bed. Ze deed alsof ze sliep, maar ze had liggen huilen. Ik hoorde het toen ik boven kwam. Ik kroop in bed. 'Alles goed met je?' vroeg ik zacht, maar ze gaf geen antwoord. Ik denk van niet, dus, maar waarom weet ik niet.

Maandag 29 juli 1963

Toen ik wakker werd zat Miranda rechtop in bed & zei: 'Je snurkt als een varken.'

Dat klinkt niet erg aardig, reageerde ik, hopelijk met enige waardigheid. Ik snurk niet.

Wel waar. Je bent een vreselijk varken, jij. En toen liep ze langs mijn bed en goot ze haar glas met water over me heen. Ik lag nog onder de dekens & schoot overeind & gilde en toen zei ik: ik ga mam vertellen wat je net hebt gedaan, trut. Ze is toch al hartstikke kwaad op je.

M: Toe maar & ga het maar zeggen, gluiperd. Ik zeg je, ze wil me gewoon weg hebben. Ze wou dat ik er niet was.

Ik (geschrokken): Doe niet zo gemeen over mam. Je zegt altijd zulke verschrikkelijke dingen over haar & dat terwijl ze alleen maar probeert te helpen met wat je wilt gaan doen nu je klaar bent met school...

Ik probeerde redelijk & volwassen te klinken, maar dat maakte haar alleen maar kwaaier. LD, ik dacht echt dat ze me ging slaan. Ze liep op me af, boog zich heel dreigend over me heen & haar gezicht stond op moord. M: 'Je hebt echt geen benul van de echte wereld, hè schat? Geen benul.'

Vlokjes speeksel vlogen tegen mijn gezicht. Ze greep het bed met beide handen vast, vlak boven mijn gezicht. Ik dacht dat ze me elk moment kon gaan bespugen of bijten. Ze is net een wilde kat.

Ik schoot onder haar weg & ging staan, zodat we elkaar aankeken. Ik was nog in mijn nachthemd, zij in haar strakke pantalon & prachtige zwart-wittopje met geometrisch patroon.

Ik: Waar komen al die nieuwe kleren vandaan?

M: Connie gaf me wat geld, dat heb ik je al verteld.

Ik: Nou, ik geloof je niet. En mam ook niet.

Miranda keek me raar aan. Ze antwoordde:

Niemand die me gewoon eens gelooft, hè? Ik probeer maar & probeer maar om mezelf te verbeteren, me beter te voelen & nog steeds loop ik tegen een muur op. Het schiet totaal niet op.

Ze zei het echt op een zielige toon & toen haalde ze haar schouders op. Ik keek naar haar, dagboek, en terwijl ze dat zei zag ze er opeens heel anders uit. Zo mooi, zo bezield & alsof ze even helemaal op haar plek viel. Net als mam in haar atelier: een andere mam. De echte, lijkt het wel.

Ik herinnerde me dat Guy zei dat het niet mee moest vallen om Miranda te zijn. Ik vroeg hem niet wat hij daarmee bedoelde. Maar misschien klopt het wel. Archie is de zoon, voor hem is het makkelijk. Voor jongens is het makkelijk, echt waar. Ze kunnen doen wat ze willen. Als ze een fout maken, zakken voor hun examen, dan gaan ze gewoon naar de landbouwhogeschool of ze leren een saai vak. Ben je een meisje, dan moet je ofwel nuttig dan wel decoratief zijn. Als een schemerlamp. Het houdt me heel erg bezig & het maakt me boos.

Mam is de enige van wie ik weet dat ze beide doet, dat ze talent heeft en mooi is, en soms denk ik dat ze beide maar niets vindt.

Misschien besloot Miranda daarom wel om deze zomer mooi voor de dag te komen. Zoiets kost moeite, grappig genoeg. Misschien is mam daarom wel zo hard tegen haar. Ze wil niet dat ze er mooi uitziet.

Ja, het is nogal langdradig & verwarrend allemaal, maar ik weet wat ik wil zeggen.

Ik deed mijn ochtendjas aan & zei dat ik in bad ging. Ze liet me gaan, maar toen ik bij de deur was, zei ze: 'Zal ik je eens iets over mam vertellen, Cecily?'

Ik: Ja?

M: (met een zelfingenomen grijs in de deuropening) Als ze dan zo geweldig is, waarom was ze gisteren dan hier in deze kamer mijn kleren aan het passen, toen jij naar het strand was?

Ik: Wat is daar nou erg aan?

Ik probeerde net te doen alsof zoiets helemaal niet raar was. Maar het is vreemd, dat wist ik al meteen.

M: Ik moest haar twee dingen geven. Een mantelpakje dat ik nog niet aan had gehad. En ook de cocktailjurk.

Ik: Die zwarte ribzijden?

M: & dat is nog niet het enige.

Ik: Wat nog meer dan?

Ze knikte & plofte languit op bed. 'Dat zie je vanzelf.' Ze glimlachte naar het plafond. 'Je komt er wel achter. Ik hoop dat het nog niet te laat is.' & daarna stoof ze weg.

Ik heb het zo slecht opgeschreven, LD, maar ik wilde het allemaal op papier hebben, en dus doe ik het nu, vóór het ontbijt. Ik weet niet wat ik hiervan moet maken. Is er iets veranderd omdat de Leightons er zijn, het buiten heter is, we volwassen zijn geworden? Ik zou het echt niet weten.

Het is nu avond & Miranda & ik mijden elkaar niet, zeg maar, maar we zijn geen vriendinnen. Tijdens het avondeten kan ik mijn ogen niet van mam afhouden & ik vraag me af of het waar is dat ze die jurken heeft gepast. Ik weet gewoon dat het niet zo is, klaar. Mijn leukste advertentie uit de Illustrated Londen News van deze week is: Neem geen risico met gezichtshaartjes. De

343

winkel zit op zeven deuren voorbij Harrods. Hoe verzin je het. Miranda is geobsedeerd door haar gezichtshaartjes. Misschien dat ik die advertentie moet uitknippen en op haar bed moet leggen, maar ik denk niet dat het haar humeur zal verbeteren.

Dinsdag 30 juli 1963

Vandaag heb ik met pap weer bijna de hele dag backgammon gespeeld. Ik ben nu buiten, op het bankje onder de appelboom aan de rand van het gazon, bezig op te schrijven waarover we binnen hebben zitten praten, zoals hij me heeft opgedragen. De lavendel ruikt heerlijk. Misschien heeft pap gelijk.

Sinds ik deze zomer weer thuis ben heb ik nagedacht over relaties. Het is gek om verliefd te zijn. Bijna het hele jaar lang wist ik zó zeker dat ik verliefd was op Jeremy. En nu weet ik dat ik dat niet ben. Ik ben wel echt dol op hem, want hij is lief & aardig & mijn neef. Dus LD hoe kan ik weten wanneer ik de ware tegenkom? Wie weet herken ik hem niet eens en denk ik dat ik me weer eens aanstel? Ik hoop van niet. Ik maak me er zorgen over.

Louisa en de BH doen ook al vreemd tegen me. Ik moet maar aannemen dat ze van elkaar houden? Ze zijn hier duidelijk samen & hij is haar vriendje & dat mag ik hopen ook, als je kijkt naar hoe ze met hem dweepte voordat hij er was. De enige keer dat ik ze samen ALLEEN zag, was 's avonds laat, toen hij haar vroeg of hij haar borsten mocht kussen & likken, want dat is dus wat hij haar die avond vroeg. Met een gek jongensstemmetje (ja echt, dat is wat hij vroeg. Ik heb besloten om zulke dingen eerlijk te vermelden!!!! Waarom zou jij dat willen, en ook nog eens op zo'n vreselijk kleutertoontje? Zo raar. Borsten heb je gewoon, je kunt

344

er verder niks mee). Ze praten met elkaar als we erbij zijn, maar ik zie ze nooit eens met z'n tweeën een wandelingetje gaan maken, of een onderonsje hebben aan tafel. Alleen met anderen erbij. Hij flirt met Miranda, echt walgelijk ('Hier, het laatste stukje brood is voor jou!' 'Nee, voor JOU!! Je moet goed eten, want ik ga je vanmiddag inmaken met tennis!' O, werkelijk! Bráák! Alsof je naar de Salad Days-musical zit te kijken). En hij zit de hele tijd maar met Guy of Archie mee te lachen, nooit eens met Louisa. Pap en mam zijn de enigen met wie hij nog een beetje praat. Ik denk niet dat hij weet wat hij tegen pap moet zeggen en volgens mij is hij een beetje bang van mam. Sterker nog, volgens mij heeft hij een beetje een oogje op haar. Als ze iets tegen hem zegt, begint hij te blozen.

En Louisa doet net alsof ze het druk heeft & dan probeert ze heel bazig dingen te organiseren terwijl ik gewoon weet dat ze met de BH een wandeling wil maken. Dus dat is verliefd zijn? Een beetje wachten totdat je iemand ontmoet? Lijkt me tamelijk onzinnig.

Pap geeft antwoord op vragen, maar stelt ze zelf nooit. Hij is net een steen op een backgammonbord: hij zal zich door jou laten sturen, maar wel volgens zijn eigen regels. Hij duikt op als we gaan eten & gaat daarna terug naar zijn studeerkamer & ik vond dat zo'n bedrog: dat hij dus een filosoof is die over mensen schrijft terwijl de 9 anderen in dit huis nog geen 10 woorden van hem kunnen verwachten.

Sinds ik aan dit dagboek ben begonnen heb ik gemerkt dat ik maar weinig over pap heb opgeschreven. Ik praat niet met hem. Hij is er gewoon. Vanochtend na het ontbijt vroeg ik hem of we weer een spelletje backgammon konden doen. 'Ja, met alle plezier, Cecily.'

Toen mam daarop zei: 'Maar je gaat vanochtend voor me poseren,' vroeg ik: 'Toe, mam. Alleen voor vandaag? & ze keek naar pap & naar mij & zei, 'O, nou, vooruit dan maar.'

Ik vind paps studeerkamer leuk, maar ik ga nooit naar binnen. Het staat er vol met boeken, wat je ook zou verwachten, maar het lijkt niet al te veel op een bibliotheek. Er staan heel veel blauwe Pelicans & boeken over Indiase kunst & schilderijen & een lage gemakkelijke stoel waarin ik mag zitten. Die ruikt ook heel lekker. Pap vertelde me dat hij van sandelhout gemaakt is & dat hij dat koopt als hij in Londen is, want de geur helpt hem bij zijn werk.

Hij won 3 spelletjes en pas op dat moment zag ik de dikke stapel papier naast het spelbord & ook de oude typemachine waarop mevrouw Randall altijd dingen voor hem uittypt & ik vraag me af (want ik ben twee maanden naar school geweest) wanneer mevrouw Randall hier voor het laatst is geweest, dus ik vroeg hem hoe het nieuwe boek ervoor stond, wat ik dus nog niet eerder heb gedaan.

Ik wil zo graag weten waar hij al die jaren aan werkt, maar ik weet ook dat schrijvers deze vraag heel, heel irritant vinden. Ik probeerde een subtiele manier te bedenken, maar dat lukte me niet.

Ik: Waar gaat het volgende boek precies over?

Pap: Ken je het verhaal van de Koh-i-Noordiamant?

Ik (blij, want meestal weet ik het antwoord op zulke vragen niet): Ja, het is een van de kroonjuwelen van de koningin.

Pap (heimelijk glimlachend): Niet helemaal. Die van de keizerin van India. En nu van onze koningin-moeder. Het is niet de grootste of de mooiste diamant ter wereld, maar wel de beroemdste.

Ik (popelend om te laten zien dat ik wel iets weet): Ja, daar hebben we op school over geleerd, toen we de Great Exhibition van 1851 behandelden. De Indiërs schonken hem aan de Britten & ik heb hem vorig jaar gezien toen we in Londen de Tower bezochten.

'"Schonken hem aan de Britten."' Pap glimlacht. 'Interessant. Weet je wat Koh-i-Noor betekent?'

Het is heet in paps studeerkamer. Zelfs 's winters, weet ik nog & ook vandaag is het er om te stikken.

Ik: Nee.

Pap: Hij wordt 'De berg van licht' genoemd.

Ik (beetje suf): Zo heet jouw boek! Dus het gaat over de diamant?

Pap draait een beetje met zijn hoofd: ½ knikkend en half nee schuddend: Weet je wie hem aan de Britten heeft gegeven? Hij heette Duleep Singh. De Britten brachten hem naar Engeland. Hij was pas 6, een kleine jongen nog. Een ~~maharaja~~ maharadja. Hij is nooit meer naar de Punjab teruggekeerd. Hij had hun grootste schat weggegeven. In de jaren twintig, toen 2 van zijn dochters terugkeerden naar Lahore, ik herinner het me nog, waren de mensen vol belangstelling. Zij waren de dochters van de laatste koning van de Punjab. Iedereen was uitzinnig. Maar ze konden niet met ze praten. De meisjes hadden nooit Punjabi geleerd.

Ik: Wat triest.

Pap: Niet echt. Jij bent mijn dochter, maar jij spreekt ook geen Punjabi.

Ik (benieuwd of hij dat erg vindt, maar dat denk ik niet, ik weet het niet): Nee, dat spreek ik niet.

Pap: De diamant ligt in de Tower van Londen. Je kunt erheen wanneer je wilt. Dus misschien kunnen we hem het beste daar maar laten liggen, waar zoveel mogelijk mensen hem kunnen zien.

Ik: Maar hij was van de maharadja. Dan hoort-ie toch terug in India?

Pap: Maharadja Duleep Singh kwam uit Lahore. Dat hoort inmiddels niet meer bij India.

Het is even stil.

Ik: Ga jij nog terug? Je bent nooit teruggegaan, hè?

Pap schudt zijn hoofd & slaat zijn ogen neer: Nee. Het is er nu heel anders.

Ik: Maar je zou nu kunnen gaan.

Pap: Misschien.

Ik: Mag ik dan met je mee?

Pap knikt en glimlacht. Zou je dat leuk vinden?

Ik: Ja, alsjeblieft!

Pap schudt me de hand: Goed, hand erop. Dat is dan afgesproken. Zodra jij groot bent, gaan we samen. Dan laat ik je mijn school zien, de bazaars, de tuinen van Shalimar, het fort van Lahore, gebouwd door de grote Akbar. Lahore is een heel mooie stad.

Ik vind het verdrietig voor pap dat hij het grootste deel van zijn leven in een ander land heeft gewoond. Het is ook een deel van mij, maar ik ken het niet.

Ik: Mis je het?

P: Ik mis mijn vader & mijn broers. Maar die zijn dood.

Ik: Hoe zijn ze gestorven?

P: Ze werden vermoord, na de opdeling. Heel, heel veel mensen zijn toen gestorven. Het was een verschrikkelijke tijd.

Ik: Door wie zijn ze vermoord?

Pap zwijgt, en antwoordt dan: Door onnozele mannen. Ze sneden hun keel door. Terwijl mijn broers lagen te slapen. Ze vermoordden mijn vader toen hij midden in de nacht probeerde weg te rennen.

Ik heb geprobeerd me alles zo goed mogelijk te herinneren, zoals hij het vertelde, want ik weet hier verder helemaal niets van en ik wil het toch goed opschrijven. Het enige wat ik me nog echt goed herinner is zijn gezicht toen hij het zei. Verschrikkelijk. Ik gaapte hem alleen maar aan.

Ik: Echt? Dat heb ik nooit geweten.

Pap glimlacht: Echt. Mijn neef schreef me erover. Ik zat in Londen. Het was lente. Jij was nog maar een paar maanden oud. Ik zag de brief... hij was al heel oud en versleten & het adres was vervaagd, de inkt was doorgelopen... En toch wist ik het. Ik had de kranten gelezen, ik had geprobeerd ze een bericht te sturen, de oude school te bellen, en ook het postkantoor, waar Govind (tenminste, zo verstond ik het) werkte... En toen kwam die brief. Ik weet nog dat ik naar de deur liep. Hij lag op de houten vloer. Staarde me recht in mijn gezicht. Ik wist al wat erin stond. Ik wist dat ze waren vermoord. Mijn neef schreef over al die treinen die het station van Lahore binnenreden. Vol met lijken. Honderden. Duizenden, onderweg afgeslacht. Bloed dat op het spoor druppelde. Hoe het rook, in de hitte.

Dagboek, het was zo afschuwelijk om alleen al zijn stem te horen, monotoon, al die verschrikkelijke verhalen, in deze warme, stille kamer, met buiten al dat groen en ginds de blauwe zee.

Ik: Het zal vast heel ver weg lijken.

Pap kijkt wat om zich heen en staart door het raam naar buiten: Het voelt heel ver weg. Ik weet niet of ik nu zelf nog terug zou kunnen naar Lahore. Maar we kunnen uiteraard naar de Punjab in India gaan. Naar Amritsar, de heilige stad van de sikhs & de Gouden Tempel. Zou je dat leuk vinden?

Ik: Nou, zeker. Wanneer gaan we?

Pap: Zodra jij klaar bent met school, mijn lieve kind. Dan gaan we.

We praatten nog heel lang door. Ik keek omlaag & ik zag <u>The Times</u> op paps bureau. Gek om te denken dat ze uitgerekend vandaag met het resumé van het Stephen Ward-proces zijn begonnen. Het lijkt zo onnozel, zo roddelachtig &... smakeloos. Toen ik op mijn horloge keek was het halftwee & niemand had gebeld voor de lunch.

'Helaas, maar je kunt de bel hier niet horen,' zei pap, wat ik eigenlijk best grappig vond. Daarom is hij dus altijd te laat aan tafel.

Die middag gingen de anderen een beetje tennissen en zwemmen, maar ik maakte in mijn eentje een wandeling langs de kust. Ik voelde me toch wel aangedaan over wat pap had verteld, over zijn broers, mijn ooms, hoe ze stierven. Dat is een deel van mij & ik weet er helemaal niets van. We praten er eigenlijk nooit over. Niet omdat het iets ergs is, maar omdat ons wereldje, hier, zo compleet is, zo dacht ik altijd.

We hebben een heerlijk huis, we hebben geld, we hebben pap & mam, de zee & de wetenschap dat we welgesteld zijn & verstandelijk gezien tevreden zijn met ons lot. Wij Kapoors hebben ons eigen leven hier opgebouwd. Terwijl ik langs de kliffen wandelde, met de wind in mijn haar zodat het tot pluizige klitten verwaaide, vroeg ik me af: WAAROM? Waarom voelt het alsof er iets ontbreekt, er iets mis is? Met pap, in zijn studeerkamer, zo afgezonderd dat hij de bel voor de lunch niet eens hoort; en mam, die urenlang in haar atelier zit te schilderen? Ik vraag me af of ze allebei wel eens door het raam naar buiten kijken. Ze maken nooit een strandwandeling en zwemmen nooit eens in zee.

Later.

Die avond ging mam vroeg naar bed met hoofdpijn & Louisa hielp Mary. Ze maakten mousse van kip, met een salade & groene pruimentaart & dikke room voor het toetje. Het was overheerlijk. De lieve Louisa keek echt blij. We smeekten allemaal om meer & zelfs Miranda zei zomaar: 'Dit is echt superheerlijk, Louisa. Dank je wel, zeg.'

Het lijkt misschien weinig voor te stellen, maar, jee lief dagboek, voor haar is het echt heel wat op dit moment. Ze glimlachten naar elkaar & opeens leek alles wat minder... hoe zal ik het nu weer eens zeggen? Ik wou dat ik niet zo dom was & ik de woorden kon vinden om het te beschrijven. Maar dat gaat duidelijk mijn pet te boven. Welterusten LD, je bent zo'n enorme hulp, merk ik.

Liefs, Cecily

Woensdag 31 juli 1963

Na ons lange gesprek droomde ik dat ik met pap in Lahore was, maar dan met hem als jongeman. We liepen samen door een bazaar & het was heel warm. Ik rook sandelhout, wierook, heerlijke, rijke parfums & terwijl we zo liepen duwden we rode, roze, bordeauxrode zijden doeken en kleden opzij om erlangs te kunnen. Daarna werd ik wakker & grappig: maar voor het eerst dat ik me kan herinneren vond ik het jammer dat ik hier, in Summercove, was. Gewoonlijk is dit mijn thuis, de plek waar ik het meest naar verlang, waar ik van droom als ik al die tijd weer op school moet zitten, & als ik dan wakker word & ik weer in de afschuwelijke, klamme, stinkende slaapzaal ben & met Margaret die snurkt, kan ik wel janken. Alsof je wakker wordt en je denkt dat het weekend is & het tot je doordringt dat het pas dinsdag is.

Vandaag gingen Guy & Louisa met mam. naar haar galeriehouder in St. Ives. Ze probeerde de anderen ook nog mee te krijgen, maar die waren te lui & wilden niet. De Bolhoed wilde wel, maar hij deed ontzettend irritant, met veel getreuzel of hij nu wel of geen zin had & uiteindelijk bleef hij liever thuis. Hij wilde in de zon liggen, wat ik hem, als ik met mijn hand over mijn hart strijk, ook wel gun, want het was bloedje heet. Maar waarom heeft hij een uur nodig om te beslissen?

We vertrokken al laat omdat er nog iets grappigs gebeurde. Mam hield als een stewardess het portier open terwijl we in de auto doken, toen de Bolhoed eindelijk, op het allerlaatste moment, besloot om niet mee te gaan (ik denk dat hij wel zag hoe weinig ruimte er nog was). Mam maakte een soort wegwerpgebaar naar hem, à la Scarlett O'Hara, maar ze struikelde bijna op het grindpad (pad is hobbelig) & het was echt erg. Ze ging met haar spitse hakje boven op zijn voet staan. Het veroorzaakte bijna een stigma, zoals bij Jezus, zei Archie. (Archie vond het om te gieren, maar hij is dol op pijn & lijden. Hij is tamelijk simpel.) De Bolhoed hinkte van de pijn & we moesten zijn voet verbinden. Mam schaamde zich dood. Het was best grappig om haar zo te zien. Normaal raakt ze nooit uit de plooi. Nooit.

Ze reed als een dolle naar St. Ives. Volgens mij was ze nog steeds geschrokken. Maar Louisa was echt heel aardig, praatte leuk met haar over haar expositie, hoewel het mam alleen maar kribbiger leek te maken. Tja, KUNSTENAARS. Ik praatte met Guy, die, LD, hard op weg is om een van de leukste verrassingen van deze vakantie te worden. Ik zou wel de hele dag & nacht met hem kunnen kletsen, zo voelt het, & nooit om woorden verlegen zitten. Ik vertelde hem over mijn gesprekje met pap, gisteren, over dat we naar India gaan en over de Koh-i-Noordiamant.

Guy zei: Ik heb hem gezien toen ik op de lagere school zat. We gingen met een touringcar naar de Tower. Ik droeg een soort maliënkolder. Het was gaaf. Als je weer eens in Londen bent, dan moeten we samen een kijkje gaan nemen als je dat leuk vindt.

Mensen kunnen soms zo dom zijn. Ik zei: Guy, ik zit nog op school. In Devon, ja? Ik kom nooit in Londen. Echt nooit.

Hij keek beschaamd, alsof hij zomaar wat kletste: O. Nou, misschien tijdens de vakantie.

Ik: Ja, dat zou leuk zijn.

Eigenlijk ga ik in de vakanties dus nooit naar Londen, tenzij we met z'n allen bij tante Pamela langsgaan. Maar ik had het gevoel dat ik gewoon eerlijk kon zijn tegen Guy. En dus zei ik: 'Echt, Guy, als ik dan toch in mijn eentje naar Londen zou willen, dan het liefst naar Soho om een café te bezoeken & Cafè Crèmes te drinken (of is dat een sigaret? Ben ik even vergeten), in plaats van tussen honderden toeristen langs de kroonjuwelen te schuifelen.'

Guy schoot in de lach & hij lachte zo hard dat Lousia & mam vroegen waar we het over hadden. Hij hield mijn hand omhoog, zoals je boksers in de krant ziet doen als ze gewonnen hebben & kneep er in. 'Alweer gewonnen,' zei hij & kuste mijn hand & gaf me een duwtje.

~~Met Guy denk ik soms wel eens dat~~

Het is een beetje een bumpergevecht om de stad in te komen nu steeds meer mensen een auto hebben. Overal staan files. Het was irritant & mam had het dak omlaag & we reden door alle achterafstraatjes & mensen staarden naar ons & dat vond ik niet leuk. Dom dagjesvolk met rooie hoofden en ijsco's, dat ons aangaapte vanwege de grote roomwitte auto & omdat mam er met haar hoofddoek en haar grote zwarte zonnebril als een beroemdheid uitziet. Dat is ze ook, denk ik. Maar ik voelde me een opgelaten prinsesje.

Mams galeriehouder is Frans, met een grappige naam – Didier & hij is heel aardig. Maar zijn vader was er ook, een beroemde kunsthandelaar uit Londen. Hij is de baas van de galerie waar mams expositie wordt gehouden. Hij heet Louis de huppeldepup & hij was totaal overdreven. Ook hij gaf mam een kus op haar hand en praatte op een heel gekke manier tegen haar. 'Geachte mevrouw,' noemde hij haar. 'Allercharmantste dame, u die stralender bent dan wie ook.' Etc. etc.

Op de terugweg stopten we even om te tanken & hoorden op de radio dat Stephen Ward vanochtend een overdosis heeft ingenomen. De rechter begon gisteren met de samenvatting. Stephen Ward ligt in coma. Ik heb met hem te doen. Maar sommige dingen...! Telkens wanneer ik een kamer binnenloop, fluistert Archie: 'Vickie Barrett,' terwijl zij het meisje was dat vertelde dat in de flat van Stephen Ward zwepen & kettingen en voorbehoedsmiddelen rondslingerden. Niet dat ik het geloof, maar je moet er toch niet aan denken.

Lief dagboek, we hadden daarna een heerlijke avond, met quiche lorraine & salade & ratatouille. Behalve dan dat Miranda de hele avond met de Bolhoed liep te flirten, wat gewoon gênant was. Waarom? Omdat Miranda gewoon doorslaat in plaats van dat ze het geraffineerd aanpakt en ze hitsige dingen tegen hem gaat zeggen. Het maakt totaal geen indruk, het is alleen maar gênant. Net als Judith Fairfax op school, die door iedereen wordt genegeerd & als je dan toch iets tegen haar zegt wordt ze opeens heel onzinnig en hysterisch en gênant en kinderachtig. Zelfs de BH keek een beetje geschrokken. Louisa stond echt buitenspel. Louisa is een beetje vlakjes deze vakantie. Ik wilde altijd zo graag dat ik haar was. Ze was zo sterk & zo 'héé hallo hoe gaat het?', de blonde, mooie, vriendelijke ouderejaarsmentrix.

Nu is ze alleen maar... afwachtend. Met een stralende glimlach, een leuke blik voor het geval dat de BH even naar haar omkijkt. Lieve heer, ik mag hem echt niet. Misschien dat ik het er eens met Miranda over moet hebben... Ze zit nog beneden, buiten. Ik hoor haar met iemand lachen.

Ze komt. Ik leg nu het dagboek weg.

Donderdag 1 augustus 1963

Ja, ik had een knallende ruzie met Miranda. Had ik het maar niet gedaan, LD. O god, had ik het maar niet gedaan. Ik heb de ergste dingen tegen haar gezegd, en zij tegen mij, ze was echt verschrikkelijk. Ik had nooit moeten beginnen, maar ze is op dit moment zó kierewiet. Vooral nu ze haar Schoonheid heeft ontdekt.

Ik had gisteravond net het dagboek opgeborgen toen ze binnenkwam & ze rook naar sigaretten. Ik zal proberen kort & bondig te zijn.

Ik: Was je weg met de BH?

Zij: Bemoei je met je eigen zaken.

Ik: Je kwetst Louisa, weet je dat?

Zij: Hou je kop.

Ze gaf me een pets tegen mijn wang. Ik ging op mijn knieën zitten & sloeg terug. Ik kreeg haar haren te pakken & krabde haar eens lekker. Ik genoot ervan. Verschrikkelijk gewoon. Ik voelde de moordlust in me opwellen. Heel vreemd. Ik voelde hoe mijn nagels in haar hoofdhuid zonken, en zij deed hetzelfde bij mij. Daarna liet ze los. Ze zei: ik doe helemaal niets verkeerds.

Ik: Wel waar.

Zij: Cecily, je bent een kleuter, je weet helemaal niks & ik wil dat je je er niet mee bemoeit. Op een dag zal het je duidelijk worden. Je bent een wicht. Een harig, lelijk, dom wicht.

Ik wilde ook naar haar uithalen – die krab op mijn wang klopte behoorlijk. Ik zei: 'Ik heb tenminste nog hersens en een toekomst & mensen vinden me leuk. Mam & pap vinden mij leuker dan jou. Net als iedereen. Behalve de Bolhoed, want jij staat toe dat-ie je vingert.'

(Vingeren is zeg maar het allervieste wat ik heb gehoord over wat een jongen een keer bij een meisje op school mocht doen, afgezien van geslachtsgemeenschap dan.)

Maar zoals ik al vertelde voelde het heel stom. En als alles al gezegd is kun je het niet meer terugnemen.

'Vertel me maar eens wat ik nog niet weet,' daagde Miranda me uit.

Daarna kroop ze haar bed in, zonder haar gezicht te wassen of zich uit te kleden. Ze kroop gewoon haar bed in en knipte het lampje uit.

Ze achten Stephen Ward schuldig. Maar hij ligt nog steeds in coma & hij weet van niets. Archie was tijdens het ontbijt in de krant verdiept & ik probeerde over zijn schouder met hem mee te lezen, in plaats van in The Lady, dat ongelofelijk saai is. Er staan advertenties in zoals 'Bent u dol op oude mensen? Zoekt u een actieve rol in hun verzorging?' Of 'Een arts legt uit hoe een volkomen nieuwe, frisse huid kan worden verkregen.' Nee, nee, nee & nog eens nee.

Miranda verdween vanochtend al vroeg met Archie & ik heb ze de hele dag niet meer gezien. Ik voelde me rot. Tijdens het poseren probeerde ik mam te vertellen hoe hatelijk ik ben geweest (niet alles natuurlijk). Maar ze was ergerlijk. Ze luisterde niet echt. Ik wilde dat ze me zou vertellen dat ik me vreselijk had gedragen & dat ik mijn excuses moest aanbieden. Maar ze zat daar maar te schilderen, met als enige geluiden het gepets van natte verf op het doek, het gekras als ze de kleuren in elkaar laat overlopen en zo'n zucht als ze de rook van haar sigaret inhaleert. Ik zie alleen maar de zijkant van haar hoofd en schouder. O, mam, wees toch gewoon eens een keer een mam. Toe. En niet wat Miranda zegt dat je bent, iemand die onze kleren past en ons haat omdat we jong zijn. Dat is gewoon niet waar.

Ik heb Miranda die avond mijn excuses aangeboden. Ze lag al te slapen toen ik binnenkwam. Ik had tot laat met Jeremy & Guy buiten gezeten, het was ook zo heet. Ik zei:

'Sorry dat ik zo afschuwelijk deed & ik meende er niets van. Soms denk ik alleen dat we verschillend tegen de dingen aankijken.'

Ze deed weer alsof ze sliep. Maar volgens mij heeft ze me wel gehoord.

Vrijdag 2 augustus 1963

Het lijkt alweer zo lang geleden, vanochtend. Zo vreemd, met alles wat er is gebeurd. Om te beginnen zijn Miranda en ik zogenaamd weer on speaking terms. We gedroegen ons netjes tijdens het ontbijt, niks aan de hand. Ik gaf haar de marmelade aan, zij mij de boter. Ik glimlachte. Zij ook, zeg maar.

Ten tweede, ik moest weer poseren. Ik kan het niet uitleggen, maar het bezorgt me zo'n vervelend humeur. Om te beginnen vind ik er toch al weinig aan en nu helemaal. Het is er heet & het is saai & mijn schouders doen pijn van het de hele dag maar in dezelfde houding moeten zitten. Mijn derrière ook. Mam schildert verwoed verder. We praten niet meer met elkaar & ik ben steeds banger dat ze me als een lelijke gruwel schildert, zoals ik er volgens mij trouwens toch al uitzie. Gewoon, deprimerend.

Ik was zo blij dat ik eindelijk weg mocht & weer met Miranda kon praten & toen brak de hel los... O, grote schrik, LD.

Louisa betrapte Archie weer. Begluurde haar weer bij het aankleden. ALWEER. Waarop zij, geloof ik, zijn neus brak. Ze beukte haar knie in zijn gezicht toen ze de deur opentrok. Hoe dan ook, overal zat bloed. Walgelijk walgelijk. Ik durf er eigenlijk niet aan te denken. Hij probeerde het te ontkennen, dat is nog het ergste. Miranda nam het natuurlijk voor hem op, vraag me niet hoe je daartoe in staat bent, hoewel ik moest bekennen dat ook zij er een beetje misselijk van leek.

Ik keek naar Archie, die Louisa helemaal stijf vloekte terwijl het bloed over zijn gezicht stroomde. Hij deed zo lelijk tegen haar. Louisa huilde & de BH hield haar vast & stelde haar gerust. En ondertussen roept Jeremy vrolijk van, hé mensen, komt allemaal weer voor de bakker. Op zo'n botte Captain Scott-toon. En Miranda komt opeens met allerlei bedreigingen aanzetten. 'Maak me niet kwaad, ik waarschuw je.' De BH keek doodsbang.

Ik voelde gewoon dat er iets speelde. Mijn stomme verbeelding weer, maar jee nogantoe, ik hoop maar dat ik het verkeerd heb. Miranda is mijn zus, ik moet dus van haar houden & in plaats daarvan weet ik tamelijk zeker dat ze iets heel vreselijks uitspookt. En Archie vindt het lekker om zijn nicht te begluren als ze zich aan het omkleden is. Dat is al bijna net zo erg.

En zomaar opeens zijn tante Pamela & oom John er al en staan ze in de gang!

Ze zijn zo stijf. Het zou me niets verbazen als het kraakt als ze zich bewegen. Ze moeten vast hebben gevoeld dat er iets aan de hand was & toen verscheen mam natuurlijk met een hoogrood gezicht, beneden. Het was raar om ze daar zo te zien staan, zo netjes in hun Londense kleren. Doet me weer eens beseffen hoe op onszelf we de afgelopen weken zijn geworden.

Na de lunch gingen Guy en ik een wandelingetje maken. Wat een zegen dat Guy er is. We gingen vroege bramen plukken. Stevige, pittige exemplaren, alle struiken langs & dan omlaag naar het strand. Alleen wij tweeën.

'Waarom denk jij dat hij zo is?' vroeg ik.

Guy dacht een tijdje na. Hij overdenkt de dingen, praat pas als hij iets te zeggen heeft. Dat vind ik geweldig aan hem.

G: Omdat... hij de enige zoon is & dat valt niet mee. Het is een hele toer om in je vaders voetsporen te treden.

Ik lach: Niks hoor!

... want pap is zo vreemd dat je je niet kunt voorstellen dat er anderen zijn die op hem lijken.

G: Tussen vaders & zonen is het altijd heel lastig. Jouw vader had een heel andere opvoeding, in een heel andere omgeving. Hij kwam naar Engeland om te studeren & hij slaat ook nog eens een van de mooiste vrouwen van het land aan de haak.

En DAN zegt hij:

Ik las een paar jaar geleden een interview met je moeder & wist je dat er vóór jouw vader nog 6 mannen zijn geweest die haar ten huwelijk hebben gevraagd, maar dat ze voor hem koos? Om wat voor reden dan ook valt het niet mee om hem te evenaren.

Vreemd toch hoe ik, wanneer ik met Guy praat, dingen over mijn familie ontdek waar ik tot nu toe nooit over heb nagedacht, alsof ik een dom, blind meisje ben geweest dat gewoon over van alles heen heeft gekeken. Het is alsof hij voor het eerst mijn ogen opent.

Terwijl we dit gesprek voerden stonden we op de kliffen. Ik droeg de mand & er waaide een heerlijk briesje vanuit de zee, die eindelijk weer eens kalm was. Het was heel vredig, bijna té. Vochtig. Met een dun wolkenlaagje dat alles afdekte. Alsof we mijlenver van Summercove waren.

G: Archie heeft in elk geval heel wat te bewijzen. Ik denk niet dat je vader hem achter zijn vodden zit. Maar de rest wel, volgens mij.

Ik at een braam en ik proef nog steeds het sap dat over mijn tong vloeide. Scherp en zoet. We zwegen.

'Misschien heb je gelijk,' zei ik.

Hij leek het bijna in zichzelf te mompelen: 'Ik denk dat hij eigenlijk een doodgewone knaap is die van cricket & meisjes houdt & die zichzelf graag een beetje een bink vindt. Hij weet niet zoveel over de echte wereld & hij heeft twee ouders die alleen maar met zichzelf bezig zijn & geen flauw benul hebben van hoe ze hem kunnen helpen.'

Dan is hij stil & daarna zei hij: 'God, Cecily, wat ontzettend stom van me...'

Ik (zogenaamd alsof ik niet geschokt ben): Niks aan de hand!

Guy (trekt al meteen wit weg): Ik... dit is onvergeeflijk van me... maar soms, dan vergeet ik gewoon dat jij... O jee, Cecily, alsjeblieft... God, wat ben ik een ezel.

Hij keek echt geschrokken.

Ik: Guy, het is niet erg. Echt!

Waarop hij zei: 'Soms vergeet ik gewoon dat jij er ook bij hoort.'

We zwegen weer. Mijn rug deed pijn en ik rekte mijn armen eens goed uit boven mijn hoofd. 'Je bent eigenlijk heel anders dan zij,' zei Guy.

Ik draaide mijn hoofd opzij en we keken elkaar aan. Het was een vreemd moment.

'Ja,' antwoordde ik, 'misschien ben ik dat wel.'

Zo liepen we samen verder en we zeiden niet veel. Gewoon met z'n tweeën naast elkaar.

En vanavond waren er drankjes en werd er gegeten. Vanwege oom en tante James was het wat formeler allemaal. Ik moest van mam een jurk aan. Opeens voelde ik me in Guys buurt heel anders.

Guy en ik stonden bij de terrasdeuren. Plotseling raakte hij mijn arm aan & voor mij kwam dat totaal onverwacht. En LD, het voelde alsof... ik zoiets nog nooit eerder had meegemaakt. Alsof ik onder stroom stond, alsof ik tot leven kwam, nu pas, voor het eerst. Ik keek naar hem & hij naar mij &...

Ik wil hem. Op dat moment wist ik het. Ik wil dat hij me kust. Ik wilde hem nu meteen, met zijn mooie grijze ogen, zijn lieve knappe gezicht, zijn trage glimlach, zijn zachte blik. Ik wilde op zijn lip bijten, hem vasthouden, worden vastgehouden...

Hij zei dat ik mooi was. Daarna vielen we stil & moesten we aan tafel. Terwijl ik dit opschrijf geniet ik weer van de herinnering. Het was verschrikkelijk aan tafel, grappig om daar nu aan te denken. Miranda en oom John hadden knallende ruzie. Ik had het nauwelijks in de gaten. Al die andere dingen die spelen, al die bezorgdheid die ik voor ons allemaal heb gevoeld, dat Miranda iets heeft met de Bolhoed, dat mam en pap niet gelukkig zijn, dat we niet de familie zijn die ik dacht dat we zijn en dat ik mezelf hier aan het losweken ben; dat gevoel dat ik uit Summercove weg wil, weg; iedereen... iedereen vervaagt gewoon als ik naar Guy kijk.

Ben ik verliefd op Guy? Ja, ik ben verliefd op Guy. Het zou eng moeten zijn, maar dat is het niet.

Zodra ik kon, glipte ik naar mijn slaapkamer. Ik zei iedereen welterusten en ik keek naar Guy. Hij was er gewoon, keek naar me. Ik weet dat hij over me waakt. Ik weet dat hij van me houdt. Ik hou van hem. Zo raar om dit op te schrijven! Maar ook weer zo vanzelf-sprekend. Wat zal morgen voor ons in petto hebben?

Ik hou van je, lieve Guy. Voor altijd.
Liefs, Cecily

Zaterdag 3 augustus 1963

Lief dagboek,

Ik weet niet wat ik moet doen, hoe ik dit moet
verwoorden, wat ik moet zeggen. Ik tril terwijl ik mijn
pen probeer vast te houden, want ik kan gewoon niet
geloven wat ik heb gezien.

Het is afschuwelijk.

Ik snap niet dat mensen zoiets kunnen doen.

Ik ben echt verschrikkelijk geweest tegen Miranda. Ik
zat er volkomen naast. Ik ben zo stom, ik weet helemaal
niks; echt, jezusmina, dagboek. Gaat het dus zo? Is dit
het zoals het is?

Vandaag ging ik naar de baai. Ik had een sandaal
verloren & ik dacht dat hij misschien daar zou liggen.
Ik liep voorzichtig, om maar niet uit te glijden. Bij de
stenen trap aangekomen hoorde ik stemmen. Ik had
meteen rechtsomkeert moeten maken.

Maar dat deed ik niet. Ik hoorde de stem van de
Bolhoed. Jee, wat haat ik hem. Ik haat wie hij is, waar
hij voor staat; dat hij gewoon kan doen wat hij wil & er
nog mee wegkomt ook? IK HAAT HEM.

Ik hoorde dingen & had me gewoon moeten omdraaien
& moeten wegrennen. Had ik dat maar gedaan. Maar ik
twijfelde & ik wist zeker dat mijn schoen daar ergens lag.

Hij was met mam. Mijn moeder. Ik versteende, kon me
niet bewegen. Hij kuste haar, ze deden hun kleren uit, ik
zag dat hij haar aanraakte, ~~toen begonnen ze te te~~ toen
zag ik

Ik kan echt niet opschrijven wat ik zag & toen rende
ik weg.

Ik kan het alleen maar tegen jou vertellen, verder aan
niemand. Niet aan Guy, want het is zijn broer. Ook niet
aan Miranda natuurlijk, ze zal me vast haten. Ik haat
mezelf ook, om te denken dat ze zoiets zou doen.

Ik hoorde hoe mam tegen hem lachte. Haar stem, zo...

361

wreed. Kil. Ik had bijna medelijden met hem & ik haat hem!

Ik heb het over <u>mam</u>. Ik kan het tegen niemand vertellen. Hij was haar aan het zoenen. Hij deed haar topje uit. Ze knoopte zijn broek los. Ik zag ze...

Ik zei dus dat ik me niet lekker voelde & ging naar boven en lunchte dus niet mee. Mam klopt al de hele dag op mijn slaapkamerdeur en dan vraagt ze hoe ik me voel. Ik denk dat ik haar gewoon wil vermoorden maar ik weet niet wat ik moet doen. Miranda heeft me genegeerd. Best. Wat zal ik doen. O god, wat zal ik doen?

Ik voel me niet meer volwassen. Ik wil me het liefst tot een balletje oprollen. Ik wil slapen, maar ik weet dat me dat toch niet gaat lukken. Ik wou dat ik hier niet meer was.

Zondag 4 augustus 1963

Ik heb geen oog dichtgedaan. Ik ben zo moe.

En mam was echt niet te genieten, want ik was niet komen poseren. Ik keek naar haar terwijl ze tegen me tekeerging. Haar groene groene ogen, zo kwaadaardig! Haar huid zit vol sproeten en is bruin van de zon, maar ik weet nu hoe dat komt. Al die keren dat ze de woonkamer binnenliep en naar sigaretten rook dacht ik dat ze had geschilderd, maar nu weet ik waarom ze deze week opeens zo achterligt met haar werk.

Hoe begon het? Wanneer?

Ik weet niet wat ik moet beginnen. Wat zal ik doen?

Guy vroeg al hoe het met me ging. Ik weet niet wat ik tegen hem moet zeggen. Ik wil niet dat hij het me vraagt, ik kan het hem niet vertellen, aan niemand. Hij denkt vast dat ik hem negeer.

Ik zat met hem en alle anderen op het gazon & de BH & Louisa waren elkaar aan het knuffelen & ik keek alleen maar naar de BH. Hij zag het & hij keek ongemakkelijk. Ik dacht, ik kan hier niet langer blijven. Ik ben dus maar naar boven gegaan & nu zit ik hier. Het hele huis zit vol, vol met mensen. Er is nergens plek om alleen te zijn met mijn gedachten, behalve in mijn slaapkamer. Ik gedraag me volkomen normaal, geef zelfs antwoord als me iets wordt gevraagd, maar vanbinnen schreeuw ik het uit, als een waanzinnige. In mijn hoofd blijf ik maar dingen zien, zoals mams gezicht op het moment dat ze zich naar hem toe draaide, lachend, stralend, wreed, zo mooi... Ik herkende haar totaal niet meer & dat terwijl ze mijn moeder is. Ik begrijp het niet. Verderop zie ik mijn sandaal langs de vloedlijn in het water dobberen & terwijl ik boven aan de trap sta glij ik bijna uit & val ik bijna naar beneden. Die treden zijn verraderlijk. Stel je eens voor dat ze me hebben gezien...

Vreemd toch hoe je verder gewoon normaal kunt overkomen. Alsof alles nog hetzelfde is. Ik doe het, de Bolhoed doet het. Mam doet het. Ik wil niet dat ze het ooit zullen weten. Ik zou het Louisa moeten vertellen, weet ik, maar daar kan ik gewoon niet aan beginnen.

Misschien is het toch niet zo erg, gaan ze uit elkaar & trouwt ze met een ander. Maar dan denk ik weer van, nee, iets heeft ons vergiftigd, dit zal ons altijd blijven achtervolgen. Het komt door mam, zij zit hierachter. Ze is mijn moeder, het is ongelofelijk. Of ben ik soms preuts? Ben ik veel te lang opgesloten geweest? Zijn dit soort dingen elders normaal? Gedragen normale volwassen mensen zich altijd zo?

Als ik niet beter wist, zou alles gewoon normaal zijn. Maar omdat ik het weet, kan dat dus niet meer, vind ik. Als ik er niet zou zijn, was er niets aan de hand.

Maandag 5 augustus 1963

Ik heb net de eerste bladzijden van dit dagboek herlezen. Alsof ze uit een ander leven komen. En dat is pas twee weken geleden geweest. Ik voel me een totaal ander persoon. Het ene na het andere gebeurt hier & het lijkt wel alsof ik mezelf van een afstandje gadesla terwijl ik dit zeg, dat doe.

Vanavond heb ik Guy gekust. Ik had zelfs bijna seks met hem.

Grappig dat we het uiteindelijk toch niet deden, want ik zou hem niet hebben tegengehouden. Maar hij stopte. Ik had nog nooit eerder een volwassen man naakt gezien, en nu twee, in drie dagen tijd. Guy & zijn broer. De gedachte dat als ik hem zijn gang liet gaan met mij en hij & zijn broer daarmee dus een soort duonummer zouden hebben gegeven, had wel iets, vond ik. Misschien gebeuren zulke dingen ook wel in het echte leven, ben ik gewoon onnozel en dom geweest. Maar ik ben de enige die dat dan zou weten. O, LD, was ik maar weer op school, op mijn slaapzaal met Margaret, Rita & Jennifer. Gewoon doen wat je wordt opgedragen, wanneer je het moet doen, in plaats van in deze angstaanjagende zomerwereld te moeten vertoeven.

Maar ik voel me vooral verdrietig. Want vóór deze hele toestand leek Guy me... ik weet niet hoe ik het moet zeggen, want het slaat nergens op. Iemand die ik kénde. Iemand op wie ik verliefd zou kunnen worden.

Dat denk ik nog steeds. Maar ook dat het te laat is, voor hem en voor mij.

Het gebeurde ongeveer 20: mam, Jeremy, oom John & tante Pamela zaten na het avondeten te bridgen, heel keurig allemaal. De Bolhoed & Louisa zaten buiten met hun sigaretjes en luisterden naar jazz. Hij met een arm om haar heen, en allebei turend naar de sterren. Ze keek zo gelukkig, met haar kleine witroze gezichtje & haar pluizige haar. Hij zat achter haar, met een hand op haar schouder en de andere op haar ribbenkast & hij keek verveeld. Ik kon wel zien dat hij zijn ene hand verder omlaag wilde laten glijden, en de andere omhoog, zodat hij haar borsten kon aanraken zonder dat het onbetamelijk zou lijken. Het had zo iets... GAT, IK HAAT DIT.

Zo iets walgelijks!! Zo verachtelijk en dierlijk, met zijn benen nonchalant wijd terwijl hij achteloos aan L probeerde te zitten. En ik weet wat hij allemaal uitspookt... Ik werd er misselijk van &...

Afijn, ik stond op & zei: 'Ik ga het hek even dichtdoen.' Guy liep achter me aan.

'Zin in een wandelingetje?' vroeg hij. Het is een prachtige avond, heel helder, heel warm. Overal sterren.

We liepen het pad af naar zee. Ik probeerde helemaal geen indruk op hem te maken, nu, dacht alleen maar aan BH & zijn handen & mam die netjes aan tafel zit te kaarten.

'Alles goed, Cecily?' vroeg Guy.

'Ja.'

'Want... ik hoop niet dat je het vervelend vindt dat ik het zeg... maar je lijkt nogal gespannen. Ik hoop niet dat ik iets verkeerds...'

Ik draaide me naar hem opzij en keek hem aan & hij kijkt mij aan, nogal bezorgd & hij kijkt zo lief, zo geruststellend, zo aardig, als een eiland midden in deze oceaan. Als St. Michael's Mount. Hij is volgens mij de enige hier die niet slecht, stom, kwaadaardig of tekortgedaan is of die een ander tekortdoet.

Dus, o, lief dagboek. Ik liep naar hem toe, we waren redelijk ver van huis, bijna bij de trap aan zee. Ik legde mijn hand op zijn borst. Ik keek in zijn ogen. Ik ging op mijn tenen staan & ik kuste hem. Op zijn mond.

Ik dacht er verder niet bij na, maar wist gewoon dat het een keer zou gebeuren.

Hij kuste me terug. Afgelopen jaar heb ik Brian Deans, de zoon van de lerares geschiedenis, op school ook gekust, maar dit was anders. Toen zat mijn tong in de weg, vond ik. Nu was het slobberig, maar het voelde lekker. Guy legde zijn hand in mijn nek & zijn tong zat in mijn mond.

365

Even later gingen we op het heerlijke zachte mos zitten, met vlakbij de tjirpende krekels & het geruis van de branding in de verte & we kusten nog wat & daarna wilde ik hem aanraken & wilde hij mij ook aanraken. Zijn handen gleden over mijn sleutelbeen & hij raakte mijn borsten aan & mijn buik & ik trok mijn jurk uit & liet hem begaan & raakte hem ook aan en ik deed zijn overhemd uit, alles eigenlijk. We waren naakt, behalve dan dat Guy zijn sokken nog aanhad & toen ik het zag moest ik lachen. We moesten allebei lachen. We rolden naast elkaar, naakt, & hij nam me in zijn armen, streelde me & ik hem. Het voelt zo vreemd, een mannen- lichaam, zo anders in een bepaald opzicht. Veel harder, minder zacht & met heel veel plekjes om te kussen. En zijn penis was hard. Die wilde ik ook aanraken. Misschien ben ik wel net als mijn moeder; een harde, kille vrouw. Waarschijnlijk wel. Ik voelde me er heel volwassen bij. Met hem voelde het heel aangenaam.

Lange tijd waren we stil. Ik heb zijn penis inderdaad vastgehouden en gestreeld en dat vond hij lekker & ik kuste zijn mond, zijn wang & fluisterde 'in me' tegen hem, maar hij schudde zijn hoofd & wilde het niet doen. We bleven nog een tijdje hand in hand op het mos liggen. Gewoon, terwijl we naar de sterren tuurden.

Summercove was een geel licht, zo'n vijftig meter van ons vandaan. Verder was er niemand. Alleen wij tweeën.

'Ik denk dat ik van je hou,' zei hij. 'Sterker nog, ik weet het.'

'Ik ook,' zei ik terug. Ik streelde zijn wang, zijn korte piekharen, zijn prachtige lieve ogen, zijn lippen.

En het is de waarheid. Ik meende het toen ik het zei. Ik dacht weer aan die andere dingen, bij ons thuis. Het kwam opeens allemaal weer terug & toen besefte ik het – dat het op die manier niet zal werken. Ik trok mijn kleren aan & hij liep achter me aan & we slenterden terug naar het huis.

Guys hand gleed om de mijne. Hij streelde mijn handpalm met zijn duim. En daarna, toen we het huis naderden, kuste hij mijn schouder, heel teder. Die kus zal ik nooit vergeten, want hij was bijna perfect.
Guy & ik. Bijna perfect.

Dinsdag 6 augustus 1963

Ik heb weer geen oog dichtgedaan. Vannacht heeft het geregend, een beetje, maar nogal luidruchtig, met onweer en bliksem. Ik werd er wakker van en lag zo te malen dat het eng was. Alsof een zwarte golf over me heen spoelde. Ik zie niet in hoe dit zal verbeteren.

Vanochtend kwam Miranda op de rand van mijn bed zitten. 'Je weet het, hè?' zei ze.

Ik keek haar aan & ze staarde alleen maar terug. Ik dacht aan hoe volwassen ze nu is. Een ander mens. Wij allebei. Ik knikte.

'Hoe?'

Ik vertelde dat ik ze samen had gezien. Ze gaf een klopje op mijn been. 'Ik ook. Toen jullie die dag allemaal weg waren. Alsof ze juist betrapt wil worden. Het komt allemaal goed. Jij, ik & Archie, we groeien gewoon op en dan gaan we uit huis. Komt allemaal goed.'

Ik: Maar dat wil ik niet. Ik wil gewoon dat alles blijft zoals het was.

Miranda: Nou, dat zit er dus niet in. Begrijp je dat niet?

Ik: Waarom? Waarom denk je dat ze dit doet?

M haalde haar schouders op & ik besefte dat ook zij niet op alle vragen een antwoord heeft, uiteraard. 'Ik zou het niet weten, Cec. Misschien net als waarom ze mijn kleren aan het passen was, ze tijdens het avondeten voor zich uit staart of al die tijd in haar atelier zit. Misschien wil ze gewoon weer jong zijn.'

'Maar dat is zo stom,' zei ik. 'Wij willen de hele tijd

niets liever dan volwassen zijn. Ze kan doen en laten wat ze wil.'

'Misschien lijkt dat wel zo,' zei Miranda. Was ze altijd maar zo. Kalm en verstandig om mee te praten. Konden we maar opnieuw beginnen.

'En waarom met hem?' vraag ik. De tranen stonden in mijn ogen, net als nu, terwijl ik dit schrijf. 'Waarom juist hij? Ik snap het niet.'

'Omdat hij jong is & lekker en haar adoreert. Zodra je dat weet, zie je het ook meteen,' legt Miranda uit. 'Ik vond hem in het begin ook knap, nu haat ik hem. En ik haat haar.'

Ik haat haar ook, min of meer.

'Archie zegt dat ze het al eerder gedaan heeft.'

'Nee.'

'Ja,' zegt Miranda. 'Sorry, Cec.' Ze boog zich iets naar me toe en gaf een klopje op mijn hand. 'Ze is...'

En toen hoorden we mam de trap op komen. 'We gaan ontbijten, meisjes,' zegt ze terwijl ze de deur opendoet. 'Wat zijn jullie aan het doen?'

Ze kijkt naar ons tweeën, verstijfd & kaarsrecht op bed. We kijken elkaar aan. 'Niets,' zegt Miranda. Ze staat op van het bed. 'We wilden net naar beneden gaan.'

'Miranda, ik wil dat jij & Louisa vanochtend naar Lady Cecil's gaan, met een cheque.'

M: We hoeven niet allebei te gaan.

'Jazeker wel,' zegt mam op scherpe toon. Ze bukt een beetje en ze werpt een blik in de spiegel. 'Ze wil met je praten over een baan in Londen & ik wil niet dat je alleen gaat. Dan vergeet je vast weer iets, net als toen mevrouw Anstruther je afgelopen jaar die baan bij de hondenkennel aanbood.'

Nu zie ik het ook en ik vraag me af waarom het me nooit eerder is opgevallen.

M: Wat voor baan dan?

Mam: Secretaresse op een advocatenkantoor. En kom

368

niet aan met dat je er geen belangstelling voor hebt. Alsof je soms wat beters te doen hebt, zeg... Schat, ik wil je alleen maar helpen. Je moet een gegeven paard niet in de bek kijken.

Ze loopt de kamer uit en we kijken elkaar weer aan. 'Miranda, wat moeten we doen?' Ik begin te huilen.

'Je moet kalm blijven,' zegt ze. 'We kunnen hier niet praten. Laten we zo meteen op de kliffen afspreken. Ik breng Archie ook mee.'

'Geen zorgen,' zegt ze en ze geeft me een kus op mijn voorhoofd. 'Ik waak wel over je. Je bent mijn zus. Ik weet dat we niet altijd de beste vriendinnen zijn geweest, Cec, maar ik ben wel je zus. Ik ga ervoor zorgen dat alles goed komt.'

Ze loopt de slaapkamer uit en ik kijk haar na. Ik heb haar volkomen verkeerd ingeschat, net als mam. Ze mag dan irritant zijn, ze is wel dapper. Ze heeft zich niet door die nare oom John laten inpakken. Ze is bereid om alle kritiek over haar slechte gedrag deze zomer op zich te nemen, zodat iedereen denkt dat zíj met de Bolhoed heeft geflirt. Ik ben er trots op dat ze mijn zus is, nooit gedacht dat ik dat nog eens zou zeggen.

Toen mam na het ontbijt over poseren begon, zei ik gewoon: niet vandaag en ik wilde weglopen. Het voelde alsof ik pap in mijn benen had, gewoon. Ze was super-aardig tegen me en toen gaf ze me haar ring, waarvan ze weet dat ik die altijd al heb willen hebben. Waarom gaf ze die? Ik wil hem niet meer. Was het een cadeautje omdat ze het misschien weet? Of kon ze soms zien dat ik verdrietig was en probeerde ze me op te beuren?

Misschien dat ik haar moet vertellen dat ik het weet. Maar dan komt Louisa er ook achter. Misschien toch maar beter van wel?

Ze kan niet met hem trouwen. Ik weet het niet. Ik moet kalm blijven.

Miranda & ik gaan nu even wandelen. Ze heeft gelijk, we moeten hier weg, zo snel mogelijk. Maar ik ben zo moe. Ik voel me opeens oud. Oud en moe van het hele gedoe. Binnenkort meld ik me weer, lief dagboek. Ik weet dat ik jou kan vertrouwen. Jij zult hier in het donkere laatje van het nachtkastje liggen, wachtend op mij. Ik ben snel weer terug.

Liefs,
Cecily

Deel 4

Maart 2009

38

Het is koud en donker in de kamer, en als ik opkijk doen mijn nek, schouders en benen pijn van de verkrampte houding waarin ik het afgelopen uur heb gezeten. De lamp naast me is de enige lichtbron. Het licht valt op de vergeelde schriftvelletjes van het dagboek. Daaromheen is alles zwart. Als ik mijn handen naar mijn wangen breng en ik tranen voel, komt het bijna als een verrassing.

De silhouetten van mijn handen maken dat het licht flikkert tegen de bakstenen muur, en ik schrik op. Het is doodstil, maar de kamer lijkt overvol, met stemmen, mensen... Ik ril en ga staan. Was ik hier maar niet. Was ik maar ergens anders, met iemand die ik ken. Iemand die van me houdt, iemand tegen wie ik kan zeggen: god, dit is verschrikkelijk.

Dat kan niet. Ik zit hier helemaal in mijn eentje en haar stem weerklinkt in mijn hoofd.

Ik wil haar zien. Meer dan ooit, plotseling. Ik heb haar voorheen nooit gekend, dus missen kan ik haar niet en dat maakt dat ik huil. Ik hou van deze stoutmoedige, intelligente, charmante, excentrieke, gretige jonge meid, met haar volgekrabbelde velletjes, zo uit de losse pols geschreven en spontaan dat het is alsof ze net de kamer uit is gestoven. Ik kan begrijpen waarom Guy verliefd op haar werd. Ik wou dat ik haar had gekend. Ik wou dat ik had geweten wat haar volgende stap was geweest, als ze nog had geleefd. Die laatste dag van haar leven heeft zoiets hopeloos. Een meisje dat door de volwassenen om haar heen, door het leven dat ze moest leven, volkomen murw gemaakt is. En nog niet eens zestien jaar oud.

Toen ze stierf liet ze hen allemaal achter, en ik realiseer me nu dat ze als het ware zijn stilgezet, zij allemaal: mam, Archie, Louisa, oma, Arvind. In een laatje, samen met het dagboek, verboden om het leven te leiden dat ze wilden. Zelfs Guy, die met een ander trouwde en zijn eigen weg is gegaan, is tegenwoordig een eigenaardig gereduceerde versie van degene die hij in het dagboek was. Arme, arme Guy. Bij de gedachte aan hem krimpt mijn hart ineen en prikken verse tranen in mijn ogen. Nu begrijp ik het, nu weet ik waarom hij erop stond dat ik hem zou bellen zodra ik het had uitgelezen. Hoe moet het voor hem zijn geweest om na al die jaren het dagboek te lezen nadat hij heeft geprobeerd haar te vergeten, zonder ooit te hebben geweten waarom ze stierf? Om op deze manier het over zijn broer te weten te komen, om... O, zo triest allemaal. Het hele gedoe is gewoon zo triest. Ik denk aan mam. Ik vraag me af waar ze is. O, mam. Het spijt me.

Terwijl ik langzaam overeind kom en mijn benen pijn doen van het stilzitten in de koude, donkere kamer stromen de herinneringen terug. Ik op oma's knie terwijl ze me piano leert spelen; ik, nippend van haar Campari-soda terwijl ze haar oorringen indoet en een geurtje op haar slanke polsen dept. En haar mooie gezicht, gezien door het coupéraam terwijl ze telkens weer blij naar me wuifde als de zomertrein het station van Penzance binnengleed en ik dacht, dácht, dat ik thuis was, bij mijn échte moeder, in plaats van bij die nepmoeder die niet eens meer wist waar ik op school zat en die niet van verjaardagspartijtjes hield.

Mijn oma, mijn absolute favoriet: was zij dat echt, die vrouw die de kleren van haar dochter past, die met jonge mannen slaapt, die hunkert naar aandacht, bevestiging, glamour en schoonheid en het zich gewoon toe-eigent als ze er zelf niet over beschikt?

Ik sla mijn ogen neer op het dagboek. Ja, ja, ze was die vrouw.

En die getergde, onbeholpen, excentrieke en prachtige tiener die sindsdien in de schaduw van dit alles heeft moeten leven, met argwaan bejegend, gewantrouwd, de rug toegekeerd door degenen die zich juist over haar hadden moeten ontfermen, was dat echt mijn moeder?

Ja, dat moet dus wel.

De ring, Cecily's ring, hangt nog steeds om mijn hals. Ze deed hem om op de dag dat ze stierf. Sindsdien heeft oma de ring elke dag gedragen. Opeens voelt het alsof hij me verstikt en alsof mijn hart wordt dichtgeknepen. Bijna happend naar lucht ruk ik het kettinkje los. Dan zet ik een ketel water op en staar wezenloos voor me uit. Mijn ademhaling wordt sneller terwijl ik alles nog eens op een rijtje zet. Er zijn nu zoveel dingen die kloppen, zoals waarom mam de pest aan Summercove heeft, waarom zij en oma niet met elkaar konden opschieten, waarom mam en Archie elkaar zo na aan het hart liggen, en waarom de lieve, zorgzame Louisa helemaal niets van het gedrag van haar neven en nichten begrijpt, en dat nooit heeft gedaan.

En dan zijn er nog dingen die ik totaal niet begrijp. Zoals waarom oma in één kamer kon vertoeven met de Bolhoed terwijl ze wist wat ze hadden gedaan, samen; hoe ze het aankon. En Arvind; weet hij ervan? En Archie? Weet Louisa dan echt niet wat haar man heeft uitgespookt?

Ik denk aan de Bolhoed, de manier waarop hij bij dit alles aanwezig is, en ook weer niet, deze non-valeur. Deze aantrekkelijke lege huls van een man. Zesenveertig jaar geleden was hij precies dezelfde, gewoon een jongere versie. Ik vraag me af of hij die twee versies met elkaar in verband kan brengen, of hij weet wat hij heeft gedaan?

De ketel fluit steeds harder. De stoom rijst op en bevochtigt mijn gezicht. Ik staar naar de witgrijze pluim.

Hoe kon oma daar jaar na jaar blijven wonen terwijl ze wist dat ze zo goed als verantwoordelijk was voor de dood van haar dochter? Cecily schreef zelf al dat de treden glibberig waren en anderen hadden het ook al een paar keer aangekaart, dus waarom liet zij of Arvind ze dan niet reinigen? Hoe kon ze anderen laten denken dat haar eigen dochter wel eens verantwoordelijk kon zijn voor de dood van haar zusje? Hoe kon ze...

Het wordt me te veel.

Ik loop de slaapkamer in. De kamillethee smaakt naar bordkarton. In huis is het stil. Ik duik mijn bed in, pak Cecily's dagboek er nog eens bij en ik blader... Het lijkt nu het enige tastbare in mijn leven. Woorden en zinsflarden springen van het papier.

Mam kan het niet hebben dat Miranda mooi is.
Pap heeft het grootste deel van zijn leven in een ander land gewoond. Het is ook een deel van mij maar ik ken het niet.
We zijn niet de familie die ik dacht dat we zijn.
Ik kan echt niet opschrijven wat ik zag.

Ik denk dat het te laat is, voor hem en voor mij.
Ik denk dat het te laat is, voor hem en voor mij...

De laatste paar pagina's kan ik niet meer lezen. Het is te aangrijpend. Ik staar naar het dagboek en de woorden zwemmen voor mijn ogen. Al snel dommel ik, met de kussens in mijn rug, in slaap.

39

Dat was vrijdag. Als ik maandagmorgen wakker word weet ik dat ik niet langer in mijn eentje in de flat kan blijven. Het komt niet alleen door de eenzaamheid: ik ben al een tijdje eenzaam, realiseer ik me. Maar telkens wanneer ik om me heenkijk, is er weer iets anders wat me ergens aan herinnert waar ik liever niet aan word herinnerd. De flat herbergt gewoon slechte herinneringen voor me, en het is alsof die allemaal vrij zijn gekomen toen ik daar in het donker Cecily's dagboek las. Misschien klampte ik me wel vast aan een sprankje hoop dat Oli en ik elkaar misschien weer zouden vinden, maar nu weet ik dat het niet gaat gebeuren. Dit heeft alles verhelderd. We moeten het een en ander regelen voor de flat, en we moeten de echtscheiding in gang zetten. Maar eerst moet ik hier weg. Ik bel met Jay, en vraag of ik bij hem kan logeren.

Het geweldige aan Jay is dat hij geen vragen stelt en geen drukte maakt. Als ik een uur later met een inderhaast gepakte koffer bij zijn flat in Dalston verschijn, staat hij me al op te wachten. Hij geeft me een kop koffie en roostert wat brood voor me.

'Ik wil gewoon niet langer daar zijn,' leg ik uit. Ik veeg een traan van mijn wang.

'Waarom nu?' vraagt hij. 'Ik bedoel, je woonde daar al een tijdje alleen.'

Ik heb geen zin om hem over het dagboek te vertellen. Doe ik dat wel, dan zal hij het willen lezen en het te weten komen over onze grootmoeder. Nu snap ik wat mam al deze jaren, op haar eigen manier, heeft gedaan: omwille van anderen oma's reputatie beschermen. We zitten in zijn lichte, ruime Georgian flat op de eerste verdieping, net om de hoek van De Beauvoir Square, en als ik door het raam naar buiten kijk, zie ik dat er knoppen aan de bomen zitten. In mijn straat staan geen bomen.

'Het werd me gewoon… een beetje te veel,' zeg ik. 'Het is pathetisch, ik weet het.'

Jay schudt zijn hoofd. 'O, Nat. Arme meid.' Hij schudt zijn hoofd opnieuw. 'Oli. Wauw, die vent. Wat een lul.' Hij ziet mijn gezicht. 'Sorry.'

'Hij is geen lul,' zeg ik. 'Het is meer dan dat, het duurde even voordat ik inzag dat-ie niet meer terugkomt en dat het over is, en yep... nu weet ik het, ik kan gewoon niet langer daar zijn. Ik denk dat ik er behoefte aan had om me even op te sluiten. Maar nu is het voorbij. We moeten de flat verhuren en ik zal naar iets goedkopers verhuizen. Ik moest het gewoon eerst inzien, meer niet.'

'Blijf lekker hier,' zegt Jay. 'Zo lang als je wilt. Ik heb mijn werkkamer, maar ik werk tegenwoordig toch vooral op kantoor in Soho.' Ik breng een hand omhoog om bezwaar te maken. 'Nat,' zegt hij geduldig. 'Als ik het niet meende zou ik het niet zeggen.'

Dat weet ik, en ik knik. 'Dank je, Jay.'

'Ik weet dat het hier niet zo netjes zal zijn als in Princelet Street,' zegt hij. 'De badkamer is vochtig en het is hier behoorlijk armetierig, niet wat je gewend bent.' Hij glimlacht, en ik grijns naar hem.

'Geloof me, het is hier leuker,' zeg ik. Ik hef mijn koffiemok naar hem. 'Nogmaals bedankt. Ik meen 't.'

'Geen dank,' zegt hij. Dan zwijgt hij even. 'Pap heeft me gisteravond gebeld. Heb jij al met je moeder gesproken?'

Zaterdag en zondag heb ik mam gebeld. Ik belde eerst naar Guy, maar daarna naar mam. Geen van beiden nam op. Aarzelend heb ik een paar berichten ingesproken, maar het was echt zoeken naar woorden. 'Hoi...! Ik zou je graag even spreken...! Ik... ik heb het dagboek gelezen... Bel me terug...!'

Wat nu? Ik wil geen ellende veroorzaken. Voorlopig kan ik niets doen, dus ik glimlach maar naar hem en doe mijn best niet al te boos over te komen.

'Vanmorgen heb ik weer een boodschap achtergelaten,' zeg ik. 'Ik zal haar later nog eens bellen.'

'Mooi,' zegt Jay ferm. Hij is blij. Ik word geroerd door zijn bezorgdheid om haar. Het valt me opnieuw op hoe slecht ik was door te willen geloven wat Octavia me vertelde over wat Jay gelooft. Het enige wat hij van Archie wist is dat Miranda niets te verwijten valt, en hij luisterde naar wat zijn vader zei. Misschien dat hij het niet honderd procent met hem eens is, maar hij is wel zijn vader en Jay heeft respect voor hem.

Hij komt overeind. 'Goed, ik moet maar eens naar mijn werk,' zegt hij. 'Je weet alles wel te vinden. Wil je dat ik je vanavond help nog wat spullen uit de flat te halen?'

'Dat zou geweldig zijn,' antwoord ik. Ik bijt op mijn onderlip. 'Ik moet Oli maar even bellen, denk ik, om het hem ook te laten weten. We moeten nodig het een en ander gaan regelen...'

'Ik wed dat hij er weer in wil trekken,' merkt Jay slim op. 'Die flat is veel meer hem dan jij.'

Ik denk aan het geld dat Oli me heeft geleend. Want misschien kan dit de perfecte manier zijn om hem terug te betalen, tijdelijk dan. Vreemd, denk ik, wat is het vreemd dat ik vrijdagochtend nog wakker werd en hij bij me was, en dat we seks hadden, en ik op dat moment al helemaal zeker wist dat het de laatste keer was, dat het afgelopen is. Het is afgelopen als je niets meer voelt, als je daar niet langer wilt wonen en als je liever hebt dat die ander gelukkig is dan dat je hem in je leven wilt. Zittend in Jays woonkamer, die is opgesmukt – om het zomaar eens te zeggen – met afbladderend, beigegrijs behang, een paar foto's en veel verspreid over de vloer liggende videospelletjes, voel ik me hier op de knusse, versleten blauwe bank meer thuis dan ik me sinds tijden in mijn eigen flat heb gevoeld.

'Je hebt gelijk. Van mij mag-ie,' zeg ik, en dat meen ik. 'Nogmaals bedankt, Jay.' Ik leun voorover en geef een klopje op zijn arm.

'Geen dank,' zegt hij terwijl hij overeind komt. 'Zoals ik zeg, we zijn familie.'

Met een glimlach kijk ik hem na als hij zijn kamer in loopt om zijn spullen te pakken. Ik pak de telefoon weer op en bel mijn moeder. Ik hoor hem overgaan en mijn hart begint te bonzen. Maar al meteen springt het antwoordapparaat weer aan. Ik bel ook naar Guy. Zelfde liedje. Ik zucht, loop Jays kleine werkkamer in en pak mijn koffer uit. Het is een iele verzameling van spullen: mijn tekenboeken, een spijkerbroek, een paar topjes en vestjes, pyjama, een paar slipjes, een toilettas met tandpasta en dergelijke, en een tasje met daarin Cecily's ketting. En helemaal onderin: haar dagboek.

In de andere kamer hoor ik Jay fluiten terwijl hij zich gereedmaakt voor zijn werk. Het is natuurlijk gewoon een doordeweekse dag. Ik heb het gevoel dat alles opeens anders is: sterker nog, dat de wereld zoals ik die ken om me heen is ingestort. Maar je moet door, je kunt niet gewoon op de bank blijven liggen en naar het behang staren, hoe verleidelijk dat misschien ook is. Ik heb dat ook wel gedaan, maar ik weet dat je daar niets mee bereikt. Dus ik stop Cecily's dagboek, mijn tekenblokken en de ketting in mijn schoudertas. Jay verschijnt met zijn rugzak om.

'Ik ga naar het atelier,' zeg ik. 'Ik loop met je mee.'

'Prima,' zegt hij. Hij rammelt met zijn sleutels. 'Vertel eens, hoe gaat het met mijn vriend Ben? Ik dacht, misschien moeten we eens een avondje uit met z'n allen, vind je ook niet?'

'O...' reageer ik. 'Ja. Dat zou tof zijn.'

Hij kijkt me argwanend aan. 'Wat is er? Hebben jullie ruzie gehad?'

'God, nee,' zeg ik terwijl ik mijn jas aantrek. Ik wil mijn mobiel in mijn zak doen als ik opeens het sms'je zie.

> Moest opeens naar Marokko voor werk! Weet dat we nodig moeten praten, lieverd. Net alles uitgelegd aan Guy. Hij blijft in de buurt terwijl ik weg ben. Misschien kun je met hem praten? Zie je bij lancering van stichting?
> Hou van je schat – mam x

'Van ma,' zeg ik tegen Jay.

'Hoe maakt ze het?'

'Ze zit in Marokko. Ze is verdomme naar Marokko afgereisd.' Ze belt liever Guy om hem te vertellen waar ze naartoe gaat, Guy aan wie ze zogenaamd een bloedhekel heeft, dan mij.

We lopen de trap af en Jay doet de voordeur open. 'O ja, pap vertelde dat ze erover dacht om daarheen te gaan,' zegt hij.

'Ze had me best kunnen vertellen dat ze ging,' mopper ik. Ik staar weer naar de telefoon en wil het uitschreeuwen. Ja, ik wil wel even met Guy praten, mam. Maar veel liever met jou. Loop toch niet steeds voor me weg.

40

Als ik het ateliergebouw betreed zie ik dat er een nieuwe receptionist is, een jongen-in-shirt-met-Bretonsstreepje, broodmager, blonde krullen boven op het hoofd, zijkanten geschoren. Op zijn neus prijkt de dikke zwarte bril die voor alle jongens en meisjes in Oost-Londen verplicht lijkt te zijn. Van Tania tot Arthur tot Tom en Tom, de twee homo's die nu Dead Dog Tom's runnen, het nieuwe en hotste café in Shoreditch, hier vlakbij. Ik vraag me wel eens af wat er zou gebeuren als iemand hier in Shoreditch/Spitalfields met een dunmetalen brilmontuur zou verschijnen. Zou een onzichtbaar krachtveld ze soms verpulveren?

'Haai,' groet hij zonder van zijn telefoon op te kijken. 'Gaat-ie.'

Dit is geen vraag, maar meer een opgedreunde beleefdheidsvorm.

'Dag. Waar is... Jocasta?' vraag ik. 'Of Jamie?'

'Ik ben haar broer, zeg maar,' reageert de aantrekkelijke jongen. 'Dawson? Ze voelt zich vandaag niet lekker? Haar onfrisse vriendje heeft haar voedselvergiftiging bezorgd? En dus neem ik even waar?'

Ik kan Jamies liefdesleven niet meer volgen. Ik dacht dat ze met de louche, pokdalige Russische miljonair was, en die lopen heus geen voedselvergiftiging op. 'O, oké,' zeg ik.

'Lily houdt open dag vandaag, dus heeft Jamie gevraagd om iemand te regelen die kon waarnemen voor haar.' Dawsons blik glijdt weg van me en opeens klaart zijn gezicht op. 'Hé daar!'

'Hé,' zegt een stem achter me. 'O, hoi Nat.'

Ik draai me met een ruk om en mijn hart bonkt in mijn keel. Daar, in de deuropening, staat Ben en opnieuw stel ik me in op zijn nieuwe, gekortwiekte ik, degene die ik drie avonden geleden heb gekust. Ik gaap hem aan, zuig hem in me op.

'Hoi Ben,' groet ik.

'Ha,' zegt hij terwijl hij zijn rugzakje van zijn schouders laat glijden. Hij kijkt nauwelijks mijn kant op. 'Hoi, Dawson. Hoe gaat het? Wat doe jij hier?'

Ze wisselen een high five uit. Dawson glimlacht naar hem en komt opgewonden overeind. 'Ben, my man! Tof je te zien! Hé, nog bedankt voor die links. Ik heb dat fotograafje even gecheckt, man. Waanzinnig, weet je wel? Die shit met die dooie bomen, en dat contrast – zo essentiéél, weet je wel?'

'Leuk, leuk,' knikt Ben. 'Hoe is het met Jamie?'

'Goed. Goed. Nou, eigenlijk niet dus. Ze is om de vijf minuten misselijk. Maar verder is het goed.'

Ben trekt even een bezorgde grimas. 'O jee. Wens haar maar alle sterkte namens mij, dat ze maar snel beter mag worden en dat ze vooral dat vriendje moet dumpen.' Hij draait zich om naar mij. 'Ha.'

Ik buig me iets naar hem toe. 'Ja. Dus…'

'Tot kijk!' Hij draait zich om en loopt naar de trap.

Ik loop hem achterna. 'Ben,' zeg ik als we buiten gehoorafstand naast elkaar op de eerste verdieping aanbelanden, 'hoe… hoe gaat het?'

Hij knikt heftig. 'Goed, goed hoor.'

'Moet je horen…' Ik haal diep adem. 'Het spijt me van onlangs.'

Op zijn wang zie ik even een zenuwtrekje. 'Oké. Prima.'

'Ik wilde je sms'en… om te zeggen dat het me spijt dat ik je zomaar liet zitten. Maar ik…' is mijn slappe excuus.

Ik val stil. Onverstoorbaar kijkt hij me aan. Was het echt op donderdag dat we hebben gezoend? Het lijkt zo lang geleden. Hij lijkt nu een heel ander iemand, lang en grimmig. Hij drukt zijn rugzakje tegen zijn borst. 'Ik heb jou ook niet ge-sms't. 'Geen probleem. Luister, ik denk dat ik maar eens aan de slag ga…'

'Natuurlijk, prima,' zeg ik. Zijn vijandigheid doet me bijna naar lucht happen, alsof je tegen een bakstenen muur opknalt. 'Ik zie je – ik zie je nog wel.'

Ik betreed mijn atelier, sluit de deur achter me en probeer normaal adem te halen, maar mijn borstkas rijst en daalt in een alarmerend tempo. Ik leun tegen de deur, luister naar de stilte en schud het van me af. Ik loop naar de werkbank en haal mijn spullen tevoorschijn. Dan maak ik mijn lijstje voor deze dag, pak mijn schetsboek erbij, werk mijn ordners nog wat bij en ik zet mijn laptop aan. Ik neem de post door. De details van mijn stand op de vakbeurs in juni zijn bekend. Op de plattegrond zie ik mijn plek, en die is oké. De winkel waar ik mijn sluitinkjes, haakjes en oorbelringetjes koop heeft uitverkoop. Een brief van de bank met een uitnodiging voor een seminar klein ondernemersschap. Ik strijk hem glad en leg hem in mijn in-bakje en ik overweeg om te gaan. De laatste brief is van Emilia's Sister, de kekke zaak in Cheshire Street. Ze hebben een bestelling geplaatst. Een ouderwetse bestelling op schrift! Prachtig gedrukt. Vol ongeloof staar ik ernaar. Ze willen twintig kettingen, dertig bedelarmbandjes, een paar van die hangende roosoorbellen die ik nu laat maken...

Er wordt op de deur geklopt. 'Binnen!' roep ik blij, en ik kijk op. Het is Ben.

'Ha,' zeg ik, leg de bestelling neer en pak de bezem waarmee ik altijd aanveeg. Nerveus aai ik over de haren. Ik weet niet waarom het me zou moeten verrassen dat Ben aanklopt, het is immers altijd Ben. Altijd zo geweest. 'Wat is er?'

Hij sluit de deur achter zich. 'Hoi Assepoester. Ik kom even zeggen dat het me spijt dat ik zo'n eikel ben geweest.'

Ik lach wat nerveus. 'Waar heb je het over?'

Ben wrijft zich in zijn ogen. Hij ziet er moe uit. 'De laatste tig dagen, eigenlijk. Ik ben een eikel geweest. Schreeuwen tegen je... Je kussen... Je niet bellen... Net ook weer... Echt eikelgedrag. Ik weet dat je het zwaar hebt op dit moment. Daar had ik geen misbruik van mogen maken.'

Ik sta mezelf een milliseconde kort toe om weer aan zijn lippen op de mijne te denken, het gevoel van zijn huid tegen de mijne, zijn tong in mijn mond... Glimlachend schud ik mijn hoofd.

'Je bent een hoop dingen, Ben Cohen, maar geen eikel,' zeg ik. 'Ik had je moeten bellen. Het had de lucht geklaard.'

'Nee.' Hij glimlacht terug. 'Dat had ik moeten doen.'

'Ik heb me echt verschrikkelijk gedragen. Ik ben degene die... die wegvluchtte. En ik was dronken en hysterisch. Het spijt me.'

Ben lacht. 'Je zat anders niet in je eentje in dat café, hoor.'

'Ik zou me beter voelen als jij net zo dronken was geweest als ik,' zeg ik.

Hij denkt even na. 'Laten we het daarop houden, en dan staan we quitte.'

'Ehm... ja. Absoluut.'

Ik gaap hem aan, niet wetend wat ik verder moet zeggen... Dus, is het nu weer normaal tussen ons? Is dat het?

'Dus dat... dat is oké?' vraagt Ben terwijl hij me aankijkt.

'Ja, natuurlijk,' antwoord ik. Ik wil het uitleggen. 'Luister. Oli en ik. Toen ik er zomaar vandoor ging, was omdat hij belde. Het was niet wat je dacht.' En dan stop ik, want dit is wat hij denkt. 'Ik bedoel, je weet wel. We zijn nog steeds getrouwd, we moesten met elkaar praten...'

Er valt een stilte. Ik sla mijn ogen naar hem op.

'Ik wil alleen maar dat je gelukkig bent, Nat,' zegt hij.

Plotseling hunker ik naar... Nee, dit is stom. Ik leun op het dagboek en het stapeltje post, ga rechtop staan en veeg mezelf schoon, alsof ik onder het stof zit. Ben knippert wat met zijn ogen, alsof hij zich niet meer kan herinneren waarom hij hier is, en ik denk weer bij mezelf hoe moe hij eruitziet.

'Hé,' zeg ik, om vooral maar de dodelijke stilte in het atelier een beetje te doorbreken. 'Ik heb het dagboek dus gevonden.'

Ik verwacht niet dat hij het zich nog zal herinneren. 'Cecily's dagboek?' vraagt hij onmiddellijk. 'Ik heb daar nog aan zitten denken. Had je moeder het in haar bezit?'

'Ja...' Ik staar hem aan. 'Klopt... hoe wist jij dat in hemelsnaam?'

Hij haalt zijn schouders op. 'Het leek me het meest waarschijnlijk. Je moeder kennende, zelfs al ken ik haar nauwelijks. Ik ging ervan uit dat het vroeg of laat wel een keer zou opduiken.' Zijn toon is wat vlak.

'Niet te geloven,' zeg ik. Ik glimlach, kan er niets aan doen. Hij kent ons allemaal, kent mij beter dan ik mezelf ken. En uit zijn mond klinkt het zo eenvoudig. 'Nou, eh, ja, dus. Het lag inderdaad bij haar.'

'Heb je het gelezen?'

'Ja. Gisteravond al.'

Ben werpt me een zijdelingse blik toe, alsof hij het eigenlijk niet durft te vragen, maar zichzelf niet kan bedwingen. 'Dus, wat staat erin? Ligt Jezus begraven in jouw tuin?'

'Ehm...' Ik haal diep adem, maar de lucht stokt in mijn keel. Ik weet niet precies hoe ik het moet uitleggen, en daarbij kan ik die laatste bladzij, over mijn moeder en Cecily op de ochtend van de dag dat ze stierf, niet uit mijn hoofd zetten; dat ze samen op het bed zaten, elkaar belovend dat alles goed komt. 'Het is… het is het bekende verhaal van dat je denkt dat je iemand kent, maar dat het tegenovergestelde het geval is.' Ik probeer het uit te leggen. 'Zoals jij net zei: "Je moeder kennende". Dat maakt het zo erg. Volgens mij ken ik haar helemaal niet. Ik heb het gevoel dat we haar al die jaren totaal verkeerd hebben ingeschat. Ze heeft vervelende tijden doorgemaakt en nu blijkt dat degenen die zich om haar hadden moeten bekommeren… nou, gewoon niet thuisgaven. Totaal niet.'

Ik beef licht als ik dit zeg. 'Heb je al met haar gesproken?' vraagt Ben terwijl hij met een stukje papier frutselt en me vanuit een ooghoek even aankijkt.

Ik schud mijn hoofd. 'Ze is een paar dagen weg.'

'Je moet er met iemand over praten.'

Maar niet met mij. Ik hoor het hem denken, zo beleefd als hij maar kan doet hij een stap achteruit. 'Het gaat wel, hoor,' hoor ik mezelf zeggen. Ik kan niet gaan uitleggen dat ik niet tot hem door kon dringen, dat klinkt zo stom. 'Ik probeer Guy te pakken te krijgen, een oude huisvriend. Hij… ach, het komt allemaal in orde. Gewoon… stof tot nadenken.'

Maar ik wil er zo graag met hem over praten. Ik wil zijn raad, alsof alles hier weer bij het oude is en we weer over van alles en niets kletsen, net zoals vroeger, voordat Oli vreemdging, oma kwam te overlijden en voordat hij het uitmaakte met Tania en alles een rare wending kreeg. Ik wil tegen hem zeggen: lees dit dagboek, ik wil weten wat jij denkt, wat jij vindt dat ik in hemelsnaam moet doen, want ik heb zelf totaal geen idee en het is verdomme doodeng.

Maar ik weet dat het onmogelijk is, want alles is nu anders, om maar te zwijgen van de relatie tussen ons.

Ik wil bovenal dat hij het dagboek leest om zo Cecily te leren kennen, te ervaren hoe ze was, haar stem te horen. Ik wil dat nog meer mensen haar leren kennen. Ben zou haar snappen. Hij zou haar leuk vinden.

'Luister,' zegt hij, mijn gedachten onderbrekend, 'ik kan niet blijven.' Hij haalt iets uit zijn achterzak. 'Ik wilde je alleen maar iets geven.'

'O,' reageer ik. 'Oké.'

'Ik heb ze voor je laten afdrukken.' Hij overhandigt me een bruine envelop. 'Maar ik was nog niet in de gelegenheid om ze je te geven... Als je weet hoeveel we hebben gedronken zijn ze anders nog aardig gelukt.'

Ik maak de envelop open. 'O! Wauw...' Ik grijns. 'Helemaal vergeten. Ontzettend bedankt.'

Het zijn de foto's van de ketting die Claire, het meisje in de Ten Bells, die donderdagavond om had. Die inspireerde me tot de ketting waar ik nu aan werk en waarvoor ik Cecily's ring als basis gebruik en een paar van de lichtblauwe, lasergesneden vogeltjes waarop ik vandaag wacht. Genietend bekijk ik de foto's. Hij heeft ze netjes laten afdrukken, met een witte rand en op elke foto is de ketting perfect te zien. Ik bekijk ze snel.

'Echt, onwijs bedankt, Ben,' zeg ik terwijl ik ze op een stapeltje veeg. 'Ze zijn... wauw, precies wat ik nodig heb. Je bent een held.' Ik werp een blik op de laatste foto. 'O, dat ben ik!'

Ik hef mijn glas, mijn haar valt over mijn schouders en ik glimlach. Heb er duidelijk al een paar achter de kiezen. Hij kijkt ook even en op zijn inmiddels gladgeschoren wang zie ik weer dat zenuwtrekje.

'O, ja. Dat klopt.' Hij zwijgt even, een seconde maar. 'Ja... Ik dacht, misschien vind je die wel leuk, waar ook Cecily's ring op staat, dan kun je 'm vergelijken met de andere.'

'Te gek, Ben. Ontzettend bedankt.' Ik loop om de werkbank en geef een kneepje in zijn arm. 'Je bent een reus.' Ik kijk hem weer aan. 'Met kort haar.'

Hij lacht, maar zijn toon is kortaf. 'Goed. Luister...'

'Nogmaals bedankt,' zeg ik nu hij aanstalten maakt om te vertrekken. 'Eh,' begin ik, aangemoedigd door deze nieuwe, vriendelijke verstandhouding, 'zin om wat te lunchen of zo? Ik wil je graag over het dagboek vertellen. Jouw mening horen en...'

Ik val stil. Ben kijkt naar de foto's in mijn hand. 'Beter van niet,' antwoordt hij omzichtig. 'Nat, volgens mij moet jij eerst eens met Oli, of Jay of iemand anders hierover praten, en niet met mij.'

Ik doe een stapje terug en knik. 'G-goed. Je hebt gelijk. Maar... eerlijk Ben, het is echt uit tussen Oli en mij. Ik ben bij Jay ingetrokken. Het was... hij is die avond inderdaad langsgekomen, maar dat had hij beter niet kunnen doen. Het is uit.' Ik weet eigenlijk niet echt waarom ik dit zeg. 'Definitief.'

De spanning in het atelier is opeens voelbaar.

'Daar vroeg ik helemaal niet naar,' reageert hij terwijl hij driftig met een wijsvinger tegen zijn hoofd tikt, alsof hij diep nadenkt. 'Nat... ik ben niet gek. Op dit moment is jouw leven al gecompliceerd genoeg. Nogmaals; sorry dat ik zo'n eikel was. We waren dronken, ik had die dingen, en al het andere, die avond gewoon niet tegen je moeten zeggen. Laten we het gewoon vergeten.'

Al het andere. Het voelt als een aanrijding. 'Juist.'

'Blij dat je de foto's kunt waarderen. Ik zie je.'

Zachtjes sluit hij de deur weer achter zich en brengt nog even zijn hand omhoog als een laatste groet. Ik kijk naar de gesloten deur, wil hem achterna rennen, hem terechtwijzen, maar wat moet ik zeggen? Ja, ik heb met Oli geslapen; ja, we waren dronken/nee, ik heb totaal geen greep op mijn leven; ja, ik vind je leuk; ja, ik heb je altijd al leuk gevonden. Maar je moet mijn opvattingen met een korrel zout nemen. Dat doe ik zelf ook.

Ik pak mijn schetsboek erbij, wikkel een haarlok om mijn vinger en staar aandachtig naar de foto's van de ketting. Ik bel Charlotte, van Emilia's Sister, en zeg haar hoe blij ik ben met de bestelling. Dan bel ik Guy weer: 'Ha, Guy. Moet je horen, ik heb het dagboek gelezen... Mam is weg, ze zei dat ze dat aan jou heeft doorgegeven. Ik wil gewoon even weten of we een keertje kunnen kletsen? Bel me terug.'

Die middag verschijnen de eerste gasten voor de open dag in Lily's atelier. Via het open raam en door de gang vang ik het gelach en geroezemoes op. Ik hoor Ben niet weggaan, misschien is hij er ook bij. Nadat een koerier de bedeltjes van Rolfie's heeft gebracht rijg ik ze aan wat ik inmiddels al klaar heb, en maak aldus twee à drie verschillende versies van het kettingontwerp en combineer elk met Cecily's ring. Ik maak notities, verander hier en daar wat. Ik zet de foto's rechtop tegen mijn kruk en schets verder, wachtend totdat iemand me terugbelt, maar de telefoon zwijgt.

41

Bij Jay thuis verstrijken de dagen relaxed. Bijna onmiddellijk val ik in een ritme. We kennen elkaar goed, we kunnen zonder gedoe met ons tweetjes of apart tv-kijken. Cathy kan langskomen en met ons beiden wat kletsen, net als vroeger. Jay doet over alles heel ontspannen, zo ontspannen zelfs dat het soms bijna lethargisch word. Als ik zijn ontbijtkom en vieze sokken opruim nadat hij 's ochtends naar zijn werk is vertrokken, voel ik me soms net Louisa. Ik vind het heerlijk hier. Ik slaap als een os. Het is niet meer zo koud, het is inmiddels april, en de dagen zijn warmer maar de nachten nog fris. Het is rustig aan onze kant van De Beauvoir Square, maar het is een tevreden rust, niet de stilte van een lege flat. We zitten tot diep in de nacht naar films te kijken, waarbij we om de beurt mogen kiezen welke. Gisteravond koos ik *Tootsie*. En eergisteren liet Jay me naar *The Bourne Identity* kijken, die ik nog nooit had gezien. Die knalgeluiden van Jay op precies de momenten dat er iemand wordt neergeschoten of opgeblazen hadden voor mij echt niet gehoeven, maar verder was het een geweldige film.

Ik wilde altijd dat ik alleen kon wonen. Maar nu geniet ik ervan om bij mijn neef te bivakkeren. Het is fijn om te weten dat er iemand is als je thuiskomt. En zelfs als die persoon er even niet is, dat hij dan uiteindelijk wel zal komen. Met Oli kwam het zo ver dat hoewel hij wel thuis was, hij niet echt aanwezig was. Er waren zoveel dingen die we niet konden bespreken, die we niet bespraken: moeten we groter gaan wonen? Wanneer moeten we aan kinderen gaan denken? Waarom ben je nooit meer thuis?

Hoe dan ook, het is tot mijn verbazing dat ik op een zaterdag om me heen kijk en het tot me doordringt dat het april is, en dat ik volgende week naar Cornwall terugga voor de lancering van de stichting.

Gisteren kreeg ik een telefoontje van Charlotte, de eigenaar van Emilia's Sister. Ze zei dat ze me wel moest bellen omdat ze alleen al op die vrijdag acht kettingen hadden verkocht; dat lijkt niet veel, maar het is een traditionele shop in Columbia Road, die het vooral van de zaterdag en zondag moet hebben, dus dat is vrij goed nieuws, ongelofelijk eigenlijk. Eerder deze week vernam ik dat ik een plekje heb bij het bedrijfsseminar waar ik me voor had ingeschreven. Dat is over een paar weken. Het is gratis, en wat mij betreft kan ik alle hulp gebruiken.

Het is grappig, maar zodra je toegeeft dat je het hebt verknald en niet weet hoe je verder moet, is het gemakkelijker om hulp te accepteren. Ik heb inmiddels een paar jaar mijn eigen bedrijfje en pas nu dringt tot me door hoeveel ik nog moet leren, dat ik niets uit de weg moet gaan. Het is eng. Maar dan op een goede manier. De afgelopen maanden ben ik juist gewend geraakt aan eng op een sléchte manier. Een wervelende mist van onzekerheid, van ellende en verdriet, die als een zware mantel op mijn schouders drukte en die ik maar niet van me af wist te schudden. Nu lijkt hij elke dag wat lichter te worden.

Jay en ik hebben een lunchafspraak in een Vietnamees café om de hoek van zijn flat. Later tref ik Cathy. We gaan samen een filmpje pakken en na afloop ergens een hapje eten zodat ik alles te weten kan komen over Jonathan, die aan haar heeft voorgesteld om samen op een Strictly Come Dancing-weekend te gaan, met de sterren van de show in een villa op het platteland. Hij zegt dat het voor hem goed netwerken zal zijn. (Cathy wordt verscheurd tussen de diepe overtuiging dat hij wel homo moet zijn en haar heimelijke wens om mee te gaan, want Strictly is het lievelingsprogramma van haar en haar moeder.) Ik wil vanavond vroeg onder de wol, want morgen is mijn eerste dag terug in de marktkraam en ik moet er vroeg zijn om ervoor te zorgen dat ik mijn zaakjes op orde heb.

'Ik heb met pap gesproken toen jij de krant ging halen,' zegt Jay nadat we hebben besteld.

'O ja?'

'Hij zegt dat Miranda, eh, op een maandag of zo is vertrokken. Tien, twaalf dagen geleden.'

'Weet ik, dat was de dag dat ik bij jou introk.' Heerlijk hoe precies Archie altijd is, hij heeft alle informatie op een rij.

'Nou, ze is niet voor dinsdag terug.' Hij plaatst zijn ellebogen op tafel. 'Wist je dat?'

'Nee.' Ik sla mijn armen over elkaar. Dat is dan twee weken dat ze weg is geweest, waarom in godsnaam? 'Jay, ik heb je verteld dat ik diverse keren heb geprobeerd haar te pakken te krijgen voordat ze naar Fez ging, of weet ik veel waarheen. Ik heb haar gebeld, oké? Ik zie haar volgende week wel, als we teruggaan naar Summercove.' Ik bijt op mijn lip.

'Goed hoor!' Hij houdt zijn handen omhoog. 'Rustig maar. Het zal raar zijn.'

'Weet ik. En nogal vreselijk. Weet je zeker dat je niet komt?' vraag ik, smekend met uitgestrekte handen. Hij schudt zijn hoofd.

'Neuh. Ik zal heus komen als je dat echt wilt, maar ik ben niet uitgenodigd. Weet je, we zouden in mei moeten gaan. Voordat het verkocht wordt. Om er nog één weekend door te brengen. Ik heb geen zin om daar met al die artistieke types te zijn. Pap ziet er erg tegenop.'

Hij heeft gelijk. Ik kan niet zeggen dat ik me er al te zeer op verheug. Sinds ik bij Jay ben ingetrokken lijkt alles meer in balans te zijn. Een trip naar Cornwall zal alles weer oprakelen. Ik ben een lafaard, ik moet het onder ogen zien, serieus, ik moet de vragen stellen die ik zelf niet kan beantwoorden. En het zal in tal van opzichten goed zijn. Ik zal Louisa weer zien. En Arvind. Het huis, misschien wel voor de laatste keer? Misschien ook niet. En mijn moeder… hoewel, God mag weten of ze zal komen opdagen of niet, ook al wordt ze dan geacht een speech te houden.

Wat Guy betreft, van hem heb ik niets meer vernomen, dus hem zal ik daar ook wel zien. Tegen hem weet ik ook niet wat ik moet zeggen. Ik denk dat ik het initiatief maar aan hem overlaat. Ik snap niet waarom ik helemaal niets van hem hoor.

'Gaat je moeder?' vraag ik hoopvol gestemd.

'Nee, die zit dan toch in Mumbai?' Sameena's zus is weer eens ziek, dus ze gaat erheen om voor haar familie te zorgen. 'Zoals ik zei, Nat,' zegt Jay nogmaals. 'Als je me daar nodig hebt, ben ik er. Het is alleen wat lastig met mijn werk en alles. Ik ga liever als ik wat meer tijd kan doorbrengen met Arvind zodat ik me het huis kan herinneren zoals ik dat wil, niet met een hoop chique lui om me heen die me allemaal domme vragen stellen over oma.' De serveerster zet twee glazen bier op tafel en Jay neemt een flinke slok. 'Ik zou sowieso niet weten wat ik tegen die lui moet zeggen, jij wel?' Ik schud mijn hoofd. 'Het zijn privézaken. Dat ze onze grootmoeder was heeft niets te maken met of ze een goeie schilderes was of wat dan ook.'

Misschien zal ik hem nooit kunnen vertellen wat voor iemand onze grootmoeder echt was. Maar als ik zo naar hem kijk denk ik, wat zou hij er überhaupt mee winnen als ik het hem vertel? Zou het hem helpen als hij de waarheid weet? Niet dus. Zijn vader heeft het hem nooit verteld, en ik ga het ook niet doen. Hij hoeft het niet te weten. Jay heeft zijn eigen familie, ouders die van hem houden, zijn eigen veilige kringetje. En toch wens ik dat mam hier was, zodat ik tegen haar kon zeggen: ik weet dat je ons tegen de waarheid hebt beschermd omdat het ons zou hebben gekwetst, en hoeveel het van jou moet hebben geëist, en daarvoor ben ik je dankbaar. Dat zouden we allemaal moeten zijn.

Na de lunch lopen we samen naar de Central Line van de ondergrondse. Jay gaat naar Soho om iets van zijn kantoor op te halen voordat hij zijn vrienden zal treffen, en aangezien ik wel zin heb in een wandeling zeg ik dat ik meega. Op het plein staan de narcissen al in bloei en de lucht is blauw. Eindelijk voelt het alsof de lente eraan zit te komen. De winter heeft te lang geduurd.

We wandelen naar Liverpool Street. Jay sms't met zijn maten en regelt een of ander ingewikkeld plan voor vanavond. Langs een club ergens in Hackney, maar eerst borrelen in een of andere clandestiene kroeg. Bij King's Cross aangekomen schudt Jay wat met zijn mobieltje, wachtend op bereik terwijl we door het donkere station lopen om over te stappen op een andere lijn. In de grote, galmende gangen is het druk. Mensen haasten zich voort, terug naar huis. De tl-buizen zijn fel, ik knipper met mijn ogen om duidelijk te kunnen zien, gedachten bevolken mijn hoofd.

'Man, wat is er vanavond toch aan de hand met Samir en Joey?' vraagt hij met een geërgerde blik op zijn mobieltje. 'Er is niemand, dit is shit.'

'Hé, Jay,' zeg ik plotseling. 'Ik stap hier zo uit, oké?'

'Wat?'

'Ik ga Guy opzoeken.'

'Wie? O, Guy van de Bolhoed. Hoezo?'

'Zomaar... wil met hem praten,' zeg ik. 'Ik denk dat hij me misschien kan helpen met wat dingetjes.'

'Zoals?'

'Hij... gewoon dingetjes over oma's stichting,' verbeter ik mezelf slap. 'We zitten samen in het bestuur. Ik dacht, nu ik toch in de buurt ben.'

'Heeft-ie je nog steeds niet teruggebeld? Je hebt toch de hele week geprobeerd hem te bereiken?'

Ik knik. 'Ik zal niet lang nodig hebben. Zie je later.'

Jay heeft zijn telefoon alweer uit zijn zak en sms't. 'Tuurlijk. Laturrr!'

Ik hou van Jay als hij zich gereedmaakt om als gladde jongen uit Oost-Londen een avondje te gaan stappen met zijn broers. Ik verwacht steeds dat hij met zijn vingers knipt en roept: 'Vet, man!' Het is grappig dat hij zo geordend is, alles voor elkaar heeft zelfs, maar toch in zoveel opzichten nog steeds een jongetje is. Bij hem vind ik het vertederend terwijl ik het bij Oli juist zo storend begon te vinden. Misschien komt het wel doordat hij echt niet doorheeft dat hij het doet. Terwijl ik bij Oli het gevoel kreeg dat hij te veel mannenbladen had gelezen over hoe je je als een kind moet gedragen en ermee weg kan komen.

Als ik een paar minuten later in Upper Street uit de bus stap merk ik dat mijn humeur merkwaardig genoeg opklaart. Het is een lekkere namiddag, het is zomertijd en mensen zijn nog steeds aan het winkelen. Vastberaden begeef ik me richting Cross Street.

Bij Guy Leighton Antiques aangekomen blijf ik stilstaan. De jaloezieën zijn naar beneden en er hangt een bordje 'GESLOTEN' op de deur. Ik koekeloer door het glas. De winkel is in duisternis gehuld, maar in de achterkamer brandt licht. Ik klop stevig op de deur en rammel hem een beetje heen en weer zodat de oude bel zachtjes rinkelt.

Na een paar seconden verschijnt Guy, knipperend met zijn ogen. Hij schuifelt terloops naar de deur, en ik probeer me de jonge, charmante, aardige man voor te stellen op wie Cecily verliefd raakte, de man die in het dagboek zo springlevend is. Hij friemelt met zijn bril aan het kettinkje om zijn nek. Bij het ontgrendelen van de deur kijkt hij niet op, en dan doet hij open.

'Ik vrees dat we vandaag gesloten zijn...' begint hij. 'O.'

Hij staart me aan. Zijn gezicht is bleker dan ooit.

'Sorry dat ik onaangekondigd binnenval,' begin ik. 'Ik heb nog geprobeerd je te pakken te krijgen...'

Zijn handen rusten nog steeds op de halfgesloten deur. Hij doet hem iets wijder open. 'Natasha,' zegt hij. Zijn ogen wijken niet van mijn gezicht, en ik herinner me dat hij zei dat ik op Cecily lijk. Ik voel me ongemakkelijk.

'Ik vroeg me af of we even kunnen praten,' zeg ik.

Guys handen omklemmen de deur en zijn knokkels zijn wit uitgeslagen. 'Ja... ja...' Hij oogt verward. 'Eh... dus wat wil je?'

De Guy die ik ken (niet goed, toegegeven) is normaliter kalm, laconiek, beheerst. De man die ik voor me zie is als een vreemde voor me.

'Ik wil je niet storen,' zeg ik, want misschien was hij net ergens mee bezig of is hij net wakker na een dutje en nog wat in de war. 'Het is alleen... ik heb Cecily's dagboek gelezen, jij zei dat ik je dan maar moest bellen.' Ik doe mijn best de wanhoop die ik voel niet in mijn stem te laten doorklinken. Hoe kon hij het zijn vergeten? 'Ik heb geprobeerd je te bellen... en mam... die is weg.'

'Weet ik. Voordat ze wegging is ze me komen opzoeken.'

'Ze is je komen opzoeken?' Het feit dat mijn moeder voortdurend liever contact zoekt met Guy dan met mij probeer ik te negeren. 'Hier heb je het dagboek. Hier, ik ga weer.' Ik verplaats mijn gewicht van de ene op de andere voet. 'Ik wist niet wat er allemaal in stond...'

'Weet ik,' zegt hij. 'Weet ik. Het is vreselijk.' Maar hij verroert zich niet. Zijn gezicht oogt verbeten, zijn ogen zijn kil.

Ik slik, want ik denk dat ik elk moment weer kan gaan huilen en ik weet niet waarom. Waarom doet hij toch zo... vreemd? 'Mag... mag ik even binnenkomen? Het punt is... ik kan er verder eigenlijk met niemand anders over praten, snap je...'

Dan brengt hij zijn hand omhoog. 'Het spijt me,' zegt hij. 'Nee, dat kan ik niet. Ik kan dit niet doen.'

'Wat niet?'

'Dit.' Hij wijst naar me. 'Het is... het spijt me heel erg. Het is me gewoon te veel. Ik had het me moeten realiseren. Deze familie... het is... ik ben niet zover. Het spijt me. Ga weg, Natasha. Het spijt me.'

En terwijl ik verbaasd in de deuropening sta en hem aanstaar, sluit hij zachtjes de deur voor mijn neus.

42

Dit keer ga ik op tijd van huis om de trein te halen. Ik ben zelfs zo vroeg dat ik rustig door de hal van Paddington Station kan wandelen en kan genieten van de gracieuze stalen victoriaanse steunbogen, het oorlogsmonument en de grote drukte op deze prachtige lenteochtend. De lucht is net opgeklaard na een kordaat aprilbuitje en het warme zonlicht zet het station in een gele ochtendgloed. Ik heb zelfs nog tijd over voor een broodje bacon van de Cornish Pasty Company, waar ik in mijn jonge jaren vaste klant was, ervan overtuigd dat hun hartige hapjes me dichter bij Summercove zouden brengen. Voorzichtig eet ik mijn broodje, want ik wil mijn mooie nieuwe jurk niet bevlekken, en ik hang nerveus voor de tourniquet, te bang om in te stappen. Rijtuig G, stoel 18.

Louisa heeft me de tickets afgelopen vrijdag toegestuurd, met een briefje erbij.

Ben zo vrij geweest om onze retourtjes te regelen: betalen hoeft niet, want uit de kas. Bijgesloten tref je het jouwe. Verheug me op wat vast en zeker een memorabele en ontroerende dag zal worden. Liefs van Louisa x

Ze heeft er ook een naar Jays adres gestuurd. Op de een of andere manier wist ze, georganiseerd als ze is, dat ik daarheen was verhuisd. Helemaal Louisa: altijd anderen ten dienste willen zijn, efficiënt, kordaat maar toch hartelijk. Ik denk terug aan de Louisa in het dagboek, het blonde, langbenige stuk dat nog steeds hoteldebotel is van haar knappe vriendje. Ik zucht en verfrommel het papieren zakje in mijn vuist. Nog tien minuten voordat de trein vertrekt en nog niemand te zien verder. Misschien zijn ze allemaal al ingestapt, zitten ze op mij te wachten. Ik recht mijn rug en open de deur van het rijtuig.

Ik ben de eerste. Binnen is het al net zo warm en ik stik in mijn jas. Ik voel dat ik transpireer. Ik ben nog steeds moe van de afgelopen avond en ik wil het liefst mijn ogen sluiten en in slaap vallen. Ik zet mijn weekendtas in het bagagerek, neem plaats op mijn stoel bij het tafeltje en ik kijk wat om me heen. Beide tafeltjes zijn gereserveerd, met kleine bordjes op de zittingen met daarop de tekst London Paddington to Penzance. Het is nu bijna twee maanden geleden dat ik voor het laatst met deze trein heb gereisd, van en naar oma's begrafenis. Er is inmiddels zoveel veranderd dat het wel een eeuwigheid geleden lijkt, iets uit andermans leven zelfs. Ik neem een slokje van mijn flauwe, grijskleurige koffie.

De automatische coupédeuren glijden zacht zoevend open en bijna als vanzelf kijk ik op. Het feit dat ik niet weet wat te verwachten verschaft het geheel een onwerkelijke, bijna filmische spanning. En daar komt Louisa door het gangpad gebeend. Ik sta op en staar haar even aan, net als toen ik Guy voor het eerst weer zag, en ik probeer me haar voor te stellen zoals ze die zomer was.

'Hallo Natasha, schat,' begroet ze me, geeft me een tikje op mijn wang en daarna een zoen. Ik was vergeten hoe heerlijk ze ruikt. 'Leuk je weer te zien,' Ze draait zich om. 'Frank, lieverd? O, waar is hij gebleven? Frank? Ik zei nog... Daar is hij!' klinkt het opgelucht.

En dan glijden de coupédeuren andermaal open om de Bolhoed te onthullen, smaakvol gekleed in een donkergrijs pak. Omzichtig baant hij zich een weg naar het tafeltje, alsof hij bang is dat hij met zijn lengte een lichtarmatuur kapot stoot. 'Hallo, Natasha,' begroet hij me warm en hij legt zijn hand op mijn schouder. 'Leuk je weer te zien.' Ook van hem krijg ik een zoen.

Mijn bloed stolt onder zijn aanraking. Het is meer dan twee weken geleden sinds ik de rest van Cecily's dagboek heb gelezen en ik heb het nog niet aangedurfd het te herlezen. Ik kan me er gewoon niet toe zetten. Maar bepaalde woorden en frases hebben zich al in mijn geheugen gebrand. *Tamelijk met zichzelf ingenomen, net als een politicus.* Ik kijk omlaag om de dofrode kleur in mijn tas te kunnen zien, met daaromheen een elastiekje en uitpuilend van de extra bladzijden die er opgevouwen tussen zijn gedaan. Ik wil het tevoorschijn trekken en het hem tonen, het burgerlijke, zelfingenomen fineerlaagje verpulveren, hem op zijn knieën naar mijn moeder, naar Arvind, naar zijn broer, naar mij en mijn hele familie laten kruipen om hun om vergeving te smeken. Vooral zijn vrouw.

Maar zij weet natuurlijk van niets. Hij heeft haar nooit de waarheid verteld. Niemand heeft dat. Het is zo raar om nu naar hem te kijken en de levervlekjes te zien die zijn bleke gladde jukbeenderen besproeten, en de papierdunne huid die zich rond zijn ogen plooit. Ik vraag me af wat Cecily zou hebben gezegd als ze hem nu zag. Ik gaap hem aan.

Louisa neemt plaats aan het belendende tafeltje. 'Frank, we zitten hier,' zegt ze terwijl ze een klopje op zijn stoel geeft.

'O, ja,' klinkt het sloom. Ik hoor het nu, alsof hij een kind is en zij zijn moeder. Volgens mij hebben ze het zelf niet door.

'Ik heb gisteren bij Marks alvast wat croissantjes gekocht, stel dat we honger krijgen. Natasha, wil je er ook een?'

'Nee hoor, dank je,' zeg ik. 'Ik heb geen honger.'

'Zeker weten?' Ze kijkt me indringend aan. 'Het wordt een lange reis, hoor. Je ziet er anders best moe uit.'

'Ben ik ook,' reageer ik. 'Het is laat geworden, gisteravond.'

'Het goede leven van de single!' zegt ze zogenaamd jolig, maar het is te krampachtig en het klinkt eerder wat hysterisch, alsof ze medelijden met me heeft. 'Goed zo! En, heb ik gelijk?'

'Zoiets, ja,' zeg ik. Ik moet er niet aan denken om er tegen Louisa over te beginnen. Ik wil eigenlijk gewoon vertrekken, deze dag op gang laten komen opdat de afgelopen avond als een vage herinnering in de verte verdwijnt. Gisteravond en vandaag. Zodra vandaag voorbij is kan de toekomst beginnen.

'O, Natasha, je hebt die prachtige ring om,' glimlacht Louisa en haar ogen glinsteren. 'Die was ooit van Franty, weet je. Ze schonk hem aan Cecily, op de dag dat ze... precies op de dag dat ze overleed. Arme tante Frances.'

Ik kijk even naar de Bolhoed, maar op zijn gezicht valt geen zweempje emotie af te lezen. Heeft hij eigenlijk wel schuldgevoelens? Of is hij er, dag na dag, gewoon aan gewend geraakt? Misschien toch dat laatste, bedenk ik.

'Hij is echt prachtig. Wat lief van je om hem nu te dragen. Hoe ben je eraan gekomen?' Ze vraagt het zonder rancune.

'Van Arvind gekregen,' antwoord ik. 'Dus ik vond dat ik hem vandaag eigenlijk wel om moest.'

'Nou,' zegt ze, kijkend naar de Bolhoed en daarna naar haar croissants, 'echt heel attent van je.'

Ik wil met haar instemmen.

Ik ben gisteravond weer naar mijn atelier teruggelopen om hem op te halen. Dat had ik in zekere zin maar beter niet kunnen doen, want dan had ik me vandaag toch anders gevoeld.

Ik was rond halfzeven weggegaan om met Cathy en Jay iets te gaan drinken. Halverwege richting Whitechapel Road bedacht ik dat ik de ring vergeten was, waarna ik ben omgekeerd, met het voornemen niet langer dan nodig was in mijn atelier te blijven. Want qua werk heb ik het echt druk deze week, wat geweldig is, maar ik was daarom ook al vanaf acht uur die ochtend in touw was geweest.

'Cecily's ketting,' zoals ik die heb genoemd – het bedelkettinkje, gebaseerd op de ring en de bedeltjes die ik heb ontworpen – is inmiddels twee keer herbesteld, door Emilia's Sister en door PipnReb. Weer een andere zaak, in Cheshire Street, heeft gevraagd of ze mij in hun assortiment kunnen opnemen. Zij belden míj, dus niet anders om. Echt ongelofelijk. En het meest ongelofelijke is dat afgelopen zondag iemand bij mijn kraampje vertelde dat ze voor Liberty werkte en een hele hoop dingen van me kocht. Het was pas mijn eerste week op de markt en ik moet nog steeds bijkomen van de schrik. Het is de ketting met daaraan Cecily's ring. Iedereen wil er een. Alsof het een soort talisman is.

Ik stond dus niet echt te trappelen om mijn atelier weer op te zoeken waar ik met Maya, de enge ontwerpassistent die ik heb ingehuurd, de hele dag al druk bezig was geweest om de kettinkjes samen te stellen. Maar ik wist dat ik het zou betreuren als ik het niet zou doen. Dit is een belangrijke dag, een waarop ik Cecily's ring wil dragen.

In de kelder van het ateliergebouw had het schrijverscollectief weer een van hun lezingen, wat gewoonlijk neerkomt op een zuippartij die rond vijven begint. Ik had me weten te drukken, maar het was duidelijk nog niet afgelopen en terwijl ik langsliep ving ik geklets en hees gelach op. Ik liep mijn atelier in, maar liet de lichtschakelaar met rust, want er viel nog net voldoende daglicht naar binnen en ik riste snel de ring van de werkbank waar ik hem had achtergelaten. Toen ik weer afsloot ving ik achter in de gang geluiden op. Ik keek op en zag Ben samen met Jamie, de Sophie-Dahlachtige receptioniste, uit zijn studio verschijnen. Ze konden zich onmogelijk hebben gerealiseerd dat ik er was.

Ze leunde tegen de reling. Hij liep naar haar toe en kuste haar, met haar hoofd in zijn handen, en haar prachtige lange, maïskleurige haar glansde zacht in het vroege avondlicht. Twee doorzichtige plastic bekertjes, vlekkerig van de goedkope rode wijn, stonden in elkaar geschoven naast hun voeten.

Ik heb altijd al geweten dat Ben een oogje op haar had, ook al ontkende hij het. Hij was geboeid door haar liefdesleven, we kletsten er voortdurend over – zelfs op de avond in de pub, vlak voordat we elkaar kusten. Nu weet ik waarom, dacht ik.

Gelukkig hoefde ik er niet langs om bij de trap te komen. Die zit aan mijn kant van de gang. Ik deed gewoon of ik ze niet had gezien en liep weg. Ik wilde Ben niet in verlegenheid brengen. Of eigenlijk mezelf, eerlijk gezegd. Maar ik wás het wel. Het bloed steeg me naar de wangen terwijl ik haastig weg trippelde. Waarom?

De laatste keer dat Oli en ik seks hadden, op die verschrikkelijke, verschaalde vrijdagochtend, werd er niet gekust. Ik stond toe dat hij me neukte, maar we hebben niet één kus uitgewisseld. Dat betekent, denk ik, dat Ben de laatste is geweest die ik heb gekust en die gedachte maakt me om allerlei redenen melancholiek, met name vanwege de schaamte over het feit dat ik hem in de puinhoop van mijn leven wilde mengen. Ik denk aan hem en Jamie, samen, en ik knik. Ja, het is goed, zo. Natuurlijk is het goed. En het geeft me een goed gevoel, denkend aan al die keren dat ik daarna aan hem heb gedacht, aan die heerlijke kus, zijn gezicht, zijn ogen, zijn vriendschap, hoe heerlijk het voelde om zijn armen om me heen te hebben... Het geeft me een goed gevoel dat ik het wegduwde, dat ik mezelf niet heb laten gaan. Het maakt het gewoon minder zwaar.

Terwijl ik me over Brick Lane terughaastte naar de pub probeerde ik me dan ook niet verdrietig te voelen, ook al was ik dat wel. Maar, zo redeneerde ik, met een hand op Cecily's ketting, zo gaan die dingen. Ik denk dat ik mezelf destijds heb overgehaald om verliefd te worden op Oli. En dat was wederzijds. Daar moet ik nu voor waken. De volgende keer zal het voor altijd zijn. De volgende keer moet het echt raak zijn. Cecily kreeg die kans niet. Ik wel.

Dan glijden mijn gedachten naar later die avond, maar ik word weer in het heden getrokken, naar de treincoupé met de Bolhoed, die bevallig aan zijn croissantje zit te frunniken dat zijn vrouw hem heeft gegeven. Met zijn lange vingers brengt hij de stukjes bladerdeeg naar zijn mond en kauwt zorgvuldig. Opeens voel ik me misselijk worden en ik wend mijn hoofd af.

'De trein vertrekt over tien minuten,' zegt Louisa terwijl ze bezorgd naar buiten kijkt. 'Waar blíjft je moeder toch, Natasha? Als ze deze trein mist wordt het een ramp. Zij doet de speech!'

Ze kijkt me licht verwijtend aan, maar ik blijf kalm. Vóór dit alles zou ik me omwille van mijn moeder schuldig hebben gevoeld. Nu niet meer. Als ik haar was zou ik eerlijk gezegd gewoon wegblijven. Ik weet zelfs niet eens of ze wel terug is, als ze ooit nog terugkomt. Ik begrijp nu wel waarom ze graag weg is.

Opnieuw schiet mijn blik omhoog nu de coupédeuren weer openglijden. Maar het is niemand die ik ken. Een omvangrijke moeder die twee kleine kinderen meezeult. Met een hoogrood hoofd en hijgend van inspanning laat ze de twee op de stoel achter ons neerploffen. Ik kijk op de klok: 7.26 uur. Mijn gedachten dwalen weer af.

'Hoe laat is het?'

Cathy vroeg het me, gisteravond. 'Tegen achten,' was mijn antwoord.

'Precies. Dus je kunt er toch niet zomaar vandoor gaan? We zitten hier net een uur! Ik dacht dat we op Jay zouden wachten en bij Needoo langs zouden gaan. Je weet wel, de nieuwe Tayyabs. Voor mij de eerste keer.'

'Sorry,' was mijn excuus terwijl ik mijn tas over mijn schouder zwaaide en opstond. 'Ik moet hier weg... Het spijt me, Cathy.'

De Dead Dog Tom's was lawaaiig, druk, heet en vol met meiden die een stuk jonger zijn dan ik. Het is een nieuwe tent en ik wilde er al een tijdje naartoe. Maar al meteen bij binnenkomst wist ik dat het geen goed plan was. Totaal niet mijn ding. Asymmetrische kapsels en grote zwarte brillen à la, maar dit hier leek wel een aflevering uit The Hills: iedereen gebruind, met stralend witte tanden, benen tot in de hemel en prachtig haar; en dan heb ik het alleen nog maar over de jongens. Cathy had zich net met ons tweede drankje een weg van de bar naar ons tafeltje bevochten toen ik had opgekeken en het had gezien.

'Waarom nou?' Cathy's gezicht was een toonbeeld van kinderlijke ergernis, als van een meisje dat te horen krijgt dat ze niet naar de dierentuin mag. 'Ik wilde je net vertellen over ons weekendje, binnenkort!' pruilde ze. 'Volgens mij neemt-ie me mee naar Southwold, lo-geren we naast het huis van Benjamin Britten, niet te geloven toch?'

Ik gaf een tikje tegen haar schouder. 'Cathy, het is Oli. Kijk... daar. Hij zit... Sorry. Ik, ik wil hier gewoon weg.'

Met open mond draaide Cathy zich om en ze volgde mijn blik.

Daar, met de ellebogen op de bar en driftig gesticulerend terwijl hij in een druk onderonsje verwikkeld was, stond Oli. Hij zei iets tegen een meisje dat met haar rug naar ons toe gekeerd stond. Ze had blond haar en droeg een hoog zittend tulprokje, een bloesje met pofmou-wen en nylonkousen met een zwarte naad, en ze knikte naar hem.

'O, nee hè,' zei Cathy. 'Dat is Oli! De klootzak.'

Als bij toverslag hield de muziek vreemd genoeg opeens op en ver-stomde het klaterende geklets een moment, zo'n merkwaardig dipje dat je soms hebt in een lawaaiig café. Cathy's stem weerkaatste in ons hoekje, zo luid dat Oli opkeek en ons zag zitten. Hij bracht een hand omhoog alsof hij ons groette en liep, duidelijk eieren voor zijn geld kiezend, naar ons toe waarbij de zwaai met de hand overging in een haal door zijn dikke zwarte haar dat daardoor nog meer alle kanten op piekte.

'Cathy,' groette hij haar met een zoen op de wang. 'Hallo.'

'Hallo,' groette ze terug terwijl ze zich even op haar tenen verhief om hem een zoen te geven. 'Luister, ik ga...'

'Ik wilde net opstappen,' zei ik tegen hem. 'Echt.'

'Ik zie je buiten,' zei Cathy, die vervolgens discreet naar het dames-toilet verdween.

Oli en ik liepen naar de uitgang. We stonden op het trottoir van Whitechapel Road. Het was nog licht.

'Luister, het spijt me dat ik je niet heb gebeld,' begon Oli. Hij leek nu een stuk jonger. Ook qua kleding: vest, spijkerbroek, gympen. Ik bracht een hand omhoog.

'Geen probleem. Ik heb jou ook niet gebeld. Maar je hebt toch wel mijn e-mail ontvangen over dat jij weer in de flat zou kunnen gaan wonen?'

'Ja,' was het antwoord. 'Ja. Goed idee. Tenminste, als je het zeker weet?'

'Absoluut. Ik wil eerlijk gezegd niet meer terug. Hoe... hoe is het met Jason en Lucy? Logeer je daar nog?'

Een lichte aarzeling. 'Yep. Gaat prima met ze. Je zit nog steeds goed bij Jay?'

'Ja,' antwoordde ik terwijl ik mijn tas over mijn schouder zwaaide. 'Ik ben onlangs weer even in de flat geweest om wat spullen op te halen. Jij ook al, zag ik.'

'Ja, ik ook. Ik had nog een paar dingetjes nodig. Ik denk dat we maar moeten...'

'Ja, dat denk ik ook,' reageerde ik, niet helemaal wetend wat hierbij de volgende stap is. De echtscheidingsadvocaat laten weten dat ik doorzet? Bewijs van vreemdgaan, zoals in een jarendertigklucht?

'Maar goed,' vervolgde Oli, 'hoe is het nu met je?'

'Goed. En met jou?'

Het was alsof we eindelijk iets met elkaar gemeen hadden om over te praten. De onttakeling van ons huwelijk en hoe we daar beiden mee omgingen.

'Ook goed, wel,' was Oli's antwoord. 'Ups en downs hè. Ik mis...' Hij viel stil. 'Ik weet niet wat ik mis. Ik mis jou, Natasha. Ik mis ons, samen in onze flat. Ik mis...' Hij krabde zich op zijn hoofd. 'Nou ja, het is... tja, het is vreemd. Vreemd om te denken dat ik faalde. Dat wij faalden.'

Ik hield van deze Oli, de gretige, aardige jongen op wie ik verliefd werd. Ik glimlachte naar hem. 'Ik weet het. Ik mis het ook. Hoe ik wilde dat het zou zijn.'

Hij knikte, en onze ogen vonden elkaar, alsof we elkaar begrepen. Hij pakte mijn hand.

'Ja,' zei hij. 'Het heeft denk ik weinig zin om er nog langer omheen te draaien. Je hebt het al geraden. Dat is Chloe, daarbinnen. Haar vriendin geeft een verjaardagsborrel.'

Hij keek me recht in de ogen, met zo'n oprechte blik dat ik even nodig had om dat wat hij zei te rijmen met de toon waarop. Maar daarna deed ik een stap naar achteren en lachte even.

'O, wauw. Oké.'

'Het gaat weer top,' zei hij. 'Daarom... Hé, daarom vind ik dat ik gewoon eerlijk moet zijn tegen je.'

Rumoer golfde naar buiten nu de deur openging en Cathy naast ons op het trottoir verscheen. 'We gaan?'

'Ja,' zei ik, en ik keek Oli aan. 'Ik laat nog van me horen over die lening. Ik sta bij je in het krijt...'

'Hé, Natasha, ik meen het. Maak je daar nu maar even geen zorgen over,' zei hij met een knik. 'Het is nu goed zo, echt. Ik sta bij jou in het krijt in plaats van andersom. En, ik weet dat je tijd nodig hebt om de draad weer op te pakken.'

Ik dacht aan de nieuwe bestellingen die ik onlangs heb binnengekregen, mijn retourtje Brick Lane om bij verscheidene winkels de laatste opdrachten af te leveren, het gesprek met de dame van Liberty... Ik glimlachte naar hem.

'Is al gebeurd. Echt.' Ik stak mijn hand uit. 'Dank je,' zei ik terwijl ik hem nog één keer in zijn diepe blauwe ogen keek. 'Dank je, Oli. Ik wens je...'

Een fijn leven, wilde ik zeggen, maar dat klinkt krengig, sarcastisch, en op dat moment meende ik het oprecht. Ik wenste hem echt een leuk leven toe.

'... een fijne avond,' wenste ik hem in plaats daarvan, waarna Cathy en ik samen wegliepen. De rest van de avond verliep goddank zonder incidenten. Maar ik heb die nacht geen moment geslapen, zelfs niet even. Beide confrontaties hadden me bespaard mogen blijven, weet je. Maar, zo is het leven.

Het is 7.29 uur en plotseling is er commotie nu de laatste reizigers zich de trein in haasten. Ik wrijf in mijn ogen en probeer de vorige avond, en wat er komen gaat, uit mijn gedachten te bannen. Dít is wat er komen gaat, vertel ik mezelf in gedachten terwijl de coupédeuren voor de laatste keer openglijden en Guy verschijnt. Hij ziet er totaal niet uit als een verfomfaaide reiziger die heeft moeten rennen om zijn trein nog te halen, eerder alsof hij op zijn gemak tot de laatste minuut heeft gewacht. Om niet langer met ons te hoeven doorbrengen dan strikt noodzakelijk, denk ik bij mezelf.

'Guy!' gilt Louisa. 'Goddank! We hadden bijna de hoop opgegeven! Ik vrees dat Miranda het niet gaat halen!'

'Ik weet zeker van wel,' zegt hij terwijl hij zijn versleten leren reistas naast mijn weekendtas zet. 'Hallo, Natasha.'

'Ha,' groet ik.

'Hallo... dag, Frank,' zegt hij.

'Leuk je te zien, Guy,' zegt Frank zonder echt van zijn *Telegraph* op te kijken.

Guy geeft Louisa een zoen. 'Dag meiske van me. Je ziet er geweldig uit. Bedankt voor het reserveren. Sorry dat ik zo laat ben. Ik was aan het klunzen.'

'Je bent er in elk geval,' zegt ze terwijl ze bijna huilt van opluchting. De trein zet zich in beweging, aanvankelijk zo traag dat ik me afvraag of wij nu bewegen of het perron. 'O, heer!' roept ze opeens. 'Miranda... ze is verschrikkelijk...'

De coupédeuren vliegen open en mam dendert naar binnen. 'God nogantoe!' roept ze. 'God nogantoe. Die verdomde... die achterlijke metro! Ik ben een úúr geleden in Hammersmith opgestapt! Toch niet te geloven!'

Ze strijkt een paar lokken die aan haar lipgloss kleven uit haar gezicht en schenkt ons allemaal een stralende glimlach. Haar pupillen zijn groot, haar huid is lichtgebruind en mooi gaaf. In plaats van Cecily's zus zou ze de mijne kunnen zijn. Ik ben weer helemaal in de ban van haar en gaap haar aan. 'Hallo! Nou, daar zijn we dan. Op weg naar een heerlijk dagje op de oude vertrouwde stek,' zegt ze. Ze glijdt naast Guy op de bank waardoor ze naast me belandt, met alleen het gangpad tussen ons.

'Hallo, Guy,' groet ze hem vrolijk.

Hij kijkt haar niet eens aan. Zelfs nu rinkelen de alarmbellen, hier speelt iets. Nog weer iets wat ze voor ons verzwijgt. Wat heeft ze met hem uitgespookt om hem zo te laten reageren? 'Hm,' bromt hij.

De trein verlaat het station en het vroege ochtendlicht schijnt in mijn ogen. Ik knijp ze halfdicht. 'Dag mam,' groet ik en tot mijn ergernis hoor ik dat mijn stem beeft.

Ze draait zich weg van Guy en legt haar hand op mijn bovenbeen, de kloof overbruggend. 'Komt allemaal goed,' zegt mijn moeder. 'Echt.'

43

De laatste keer dat ik naar Cornwall ging, leek er maar geen einde te komen aan de winter. Ditmaal is het heerlijk weer. We snellen Londen uit en de bomen blijken al dikke knoppen te hebben, die als groene vingers ontspruiten. Er lopen zelfs een paar lammetjes in de weilanden, en witte bloesems overdekken de zwarte takken van de haagdoorns. Het landschap van de Somerset Levels ligt er frisgroen bij en lijkt een soort alertheid uit te stralen, alsof alles zindert van nieuw leven.

Ik staar uit het raam en zie hoe het platteland zich ontvouwt, weer ontwaakt. Ik ben de enige aan mijn tafeltje, zo blijkt, maar aan het belendende tafeltje heerst een ongemakkelijke stilte. De Bolhoed leest de krant, Guy zit voorovergebogen aantekeningen te maken op een veilingcatalogus en Louisa zet haar leesbril op en bladert door een dossier over de stichting. Mijn moeder zit rechtovereind, met haar ogen gesloten, maar ik weet dat ze niet slaapt.

Ergens rond Glastonbury legt Louisa haar pen neer. 'Moeten we het nog hebben over wat er staat te gebeuren?' vraagt ze. 'Ik bedoel, ik heb dit met opzet eenvoudig gehouden, en uiteraard is Didier degene die echt verantwoordelijk is voor alles...'

'Didier?' vraag ik.

'Didier du Vallon,' zegt Louisa. 'Hij was Franty's... hij was je grootmoeders galeriehouder.'

'Didier, de schat,' mompelt mam, nog steeds met gesloten ogen.

Louisa negeert het en rommelt opnieuw in de papieren. Ik zie dat ze geagiteerd is. 'Natuurlijk draait het vandaag vooral om de lancering van de stichting.' Ze bloost vanwege haar herhaling en het is vreemd om haar zo onzeker te zien. Normaal neemt ze zo soepel de touwtjes in handen: het organiseren van tripjes naar het strand, mensen snel de auto in krijgen, dingen regelen voor het huis, de begrafenis. 'Er zal een aantal kunstcritici aanwezig zijn, wat regionale kranten, wat plaatselijke vrienden.'

'Geen landelijke kranten?' Mam doet haar ogen open. 'Ik zou gedacht hebben...'

'Van Londen naar Summercove is een reis van zes uur,' zegt Louisa resoluut. 'En dit is sowieso niet het retrospectief dat we aankondigen. Dat weet je. Voor een goed georganiseerde tentoonstelling is het te kort na Frances' overlijden. Dit is slechts een voorproefje. De schilderijen die Didier en de familie in bezit hadden, enzovoorts... dat zal in Londen zijn, in 2011. Toch?'

Om bevestiging te krijgen kijkt ze mam vragend aan. Mam haalt haar schouders op. 'Het zal wel,' reageert ze ruimhartig. 'Archie en ik moeten het bespreken.'

'Fantastisch,' zegt Louisa een beetje zuinig. 'Goed, het schema is als volgt: om één uur aankomst in Penzance, waar Frank en ik onze huurauto ophalen en naar Summercove rijden...' Ze wendt zich tot mam. 'Miranda, Archie pikt jou op, waarna jullie samen Arvind ophalen van Lamorna House. Oké?'

'Mm,' reageert mijn moeder. Ik snap echt niet wat ze hierop aan te merken heeft. Ze gedraagt zich ontzettend kinderachtig. Guy doet nog steeds alsof hij zo af en toe een aantekening maakt, maar ik weet dat hij alles registreert.

'Geweldig,' kom ik tussenbeide terwijl ik Louisa mijn gebruikelijke 'Normaal doet ze niet zo, hoor!'-glimlach toewerp, die bij mijn moeders eigen niet natuurlijk geen effect zal sorteren, maar die soms wel helpt. 'Dan begint het dus om...?'

'Er zijn drankjes, en dan houdt je moeder haar speech om halfvier,' zegt Louisa. 'Gewoon om iedereen even welkom te heten, de doelen van de stichting uit te leggen zoals geformuleerd door haar ouders en een beetje te praten over tante Frances.'

Mam wijst naar haar tas. 'Ja, ja,' zegt ze. 'Mijn moment in de schijnwerpers.'

Op dat moment kijkt Guy op. Bedachtzaam staart hij naar haar en dan werpt hij een blik naar mij. Plotseling voel ik me behoorlijk misselijk, alsof we met ons drietjes een rol in een toneelstuk spelen.

Als we een paar uur later Penzance binnenrijden rommelt mijn maag. Het is bijna lunchtijd. Het is een lange reis geweest. Frisse, schuimende golven buitelen in het blauwe zeewater, in een winderige, zonovergoten baai glimt St. Michael's Mount en als we uit de trein stappen word ik bijna onderuit gezwiept door een warme wind – niet tropisch, maar ook niet ijzig. Ik vergeet soms hoe hard het hier kan waaien. Toen ik nog klein was, werd bij Sennen Cove mijn ijsje een keer door een windvlaag uit mijn hand gerukt en zo de zee in geworpen, en ik was zo geschokt dat ik er bijna achteraan viel.

Met ons vijven vormen we een vreemde groep, terwijl we het station uit lopen. We zijn beleefd tegen elkaar, maar onze situatie wordt wel steeds vreemder, alsof we naarmate we dichter bij Summercove komen onverbiddelijk op de kern van iets afstevenen. Ik kan dit gevoel denk ik nog het beste vergelijken met Eerste Kerstdag, als je met z'n allen in je mooiste kleren bij elkaar nogal opgelaten zit te wachten tot er nog iets gebeurt. Bovendien is het vandaag gewoon een donderdag, en als je dat te binnen schiet denk je opeens hoe vreemd dat is. De Bolhoed vertrekt met grote passen naar de autoverhuurder, en Guy loopt met hem mee. Hij heeft de hele reis nauwelijks een woord gezegd. Ik kijk even naar mijn moeder.

'Wanneer ben je teruggekomen, mam?'

'O, gisteravond laat,' antwoordt ze. 'We hadden vertraging, een probleem met wat spullen die we op een markt in Fez hadden gekocht. Fez is prachtig, lieverd, daar moet je echt eens naartoe.' Plotseling fleurt haar gezicht op. 'Daar heb je Archie!'

Wat kan dat Fez me verdomme schelen!, wil ik uitroepen. Waar heb je het in godsnaam over! Ik wil weten over het dagboek, over jou, over wat jij denkt van dit alles? Jezus christus nogantoe!

Maar Louisa is erbij en Archie komt net aangelopen, dus ik zeg alleen maar: 'Hm, wat interessant. Mam, kunnen we straks alsjeblieft even praten?'

Ze doet net alsof ze me niet hoort. 'Archie, schat!' Ze omhelst hem.

'Mam…' zeg ik nu hardop. 'Je bent twee weken weggeweest en we moeten een hoop bespreken. Dat weet jij ook wel. Ik vroeg of we even kunnen praten, alsjeblieft?'

Louisa kijkt onze kant op, en zelfs ik schrik van mijn toon.

'Ja, ja,' zegt mam over Archies schouder, en ze doet een stap naar achteren. 'Ja, ja, ja.'

Ze glimlacht en Archie kijkt me aan, onmiddellijk in het defensief jegens eenieder die zijn zus wil uitdagen. Ze staan zij aan zij, met de grijze baai achter hen, en even zijn ze weer de personages uit Cecily's dagboek. Onwillekeurig staar ik hen aan. Met hun schitterende groene ogen, hun glanzende donkere haar, van dezelfde lichaamslengte en met dezelfde gelaatsuitdrukking lijken ze zo eng veel op elkaar. Nu zie ik wat hun al deze jaren zo hecht heeft gehouden, hechter dan welke liefdesverhouding ook. Het is mams gezicht terwijl ze hem ziet naderen. Wat is het toch goed, denk ik schuldbewust, dat ze in haar leven altijd één persoon heeft gehad bij wie ze helemaal zichzelf kan zijn. Voor Archie ook, die is bij haar nooit zo stijf en onhandig.

'Hallo, Natasha. We zien jullie zo meteen in Summercove,' zegt Archie luid tegen de anderen; de Bolhoed en Guy, de eerste met autosleutels stevig in zijn hand, komen op ons af gelopen. 'Wij gaan pa halen.'

'Doeii!' roept Louisa. 'Niet te...' begint ze, maar ze bedenkt zich. 'Tot straks!' De Bolhoed zwaait gedag. Guy stapt na hem in.

Net als in februari klauter ik in Archies auto.

'Waar is dat tehuis?' vraagt mam op haar normale toon, de toon die ze hanteert als ze samen met Archie en mij is.

'Lamorna House? Vlak langs de Western Promenade, net voordat je afslaat naar Newlyn,' zegt Archie. 'Hij maakt het er goed. Ik heb hem gisteren nog gezien. Ik had wat eten voor hem meegenomen dat Sameena had gekookt. Lamskoteletjes en boterkip. Hij zegt dat het hem aan thuis herinnerde.'

Buiten voor een pleintje met palmbomen, typisch Engelse Rivièra, parkeert hij de auto. Hij zet de motor af en friemelt wat met zijn manchetknopen.

'Luister,' zegt hij terwijl hij zich omdraait naar zijn zus en dan naar mij. 'Hij maakt het prima, maar volgens mij is hij wel een beetje in de war over van alles. Wat heel normaal is verder.'

'Over wat voor dingen dan?' vraagt mam. 'Hij slaat sowieso altijd wartaal uit.' Niet echt een gevoelsmens, mijn moeder.

'Je zult het wel zien.' Archie stapt uit en wij volgen zijn voorbeeld. 'We blijven niet, hoor, iemand moet ervoor hebben gezorgd dat hij klaarstaat, dat heb ik ze gezegd toen ik er gisteren was.'

Het is reuze vreemd om dat keurige pad af en het te warm gestookte tehuis binnen te lopen. Overal hangen grote borden met veiligheidsvoorschriften, felgekleurde bordjes over het ontbijt en middagactiviteiten en schilderijen van bloemenvazen. In de hal bevinden zich een paar bewoners, twee buitengewoon kwetsbare oude dametjes die een rollator voor zich uit duwen, beiden gekleed in een babyroze, gebreid bedjasje. Een van hen kijkt op en staart naar mijn moeder en Archie.

'Nog meer buitenlanders,' zegt ze met een dreigende blik. 'Waarom gaan jullie niet terug naar waar je vandaan komt?'

Mam legt een hand op Archies arm. 'We zijn alleen maar op zoek naar onze vader,' zegt ze lief. 'Wat hebt u daar een mooi jasje aan.'

'Ik durf te wedden dat ik weet wie dát is,' zegt het oude dametje. 'Hierlangs.'

'Alleraardigst,' mompelt mam zacht terwijl ze op de oude vrouw neerkijkt. 'Prettige dag verder, hè?'

'Stomme t...' begint Archie hoofdschuddend. Hij is geagiteerd. 'Zo kan ze toch niet tegen ons praten? Of tegen pa. Ik ga ervoor zorgen dat ze niet zo tegen hem praat. Waar is die verdomde zuster trouwens?'

'Ik weet zeker dat het hem niet eens zou opvallen als ze met een gigantisch bord met "GA NAAR HUIS" erop kwam aanzetten,' zegt mam. 'Archie, 't is een oud, gek mens.' Ze wendt zich weer tot het oude dametje. 'Tussen twee haakjes, mevrouw, wij zijn van hier, net als u,' zegt ze. 'Niet dat het ertoe doet, maar het is niet erg aardig van u om mensen zo te begroeten, hoor. Dag.'

Het oude dametje, dat minder in de war is dan je misschien zou denken, tuit haar lippen. Onder de indruk glimlach ik naar mijn moeder; Archie duwt de klapdeur naar de gemeenschappelijke ruimte open, en we marcheren naar binnen. Een groepje mannen en vrouwen zit om de tv geschaard; door het glazen dak valt het zonlicht naar binnen, recht op het tv-scherm, zodat je het beeld niet kunt zien. Het is er snikheet. Ik zie hier absoluut niets wat me aan Arvind doet denken. Dit alles hier is in elk opzicht lijnrecht het tegenovergestelde van hem.

'Daar zit-ie,' zegt mam, en haar stem zakt enkele octaven. 'Pap, hallo, lieve pap.' Ze stort zich op Arvind, die met een deken over zijn benen roerloos in een rolstoel zit. Op zijn schoot ligt een fotoalbum.

'Hallo, vader,' zegt Archie op luide toon. 'Miranda en Archie zijn er om je op te halen voor de ceremonie in Summercove.'

Arvind verroert zich niet. De angst slaat me om het hart.

'En ik ben er ook,' voeg ik eraan toe. Ik doe een stap naar voren en kus hem. 'Hoi, Arvind.'

'Cecily,' zegt hij met heldere stem, maar bewegen doet hij nog steeds niet.

'Vader, néé,' zegt Archie alsof Arvind een kind van vijf is dat net heeft geprobeerd wat snoepjes te pikken. 'Ze heet Natasha.' Hij zegt het op luide toon. Het zweet breekt me uit. 'Luister,' zegt hij tegen mam. 'Ze hadden hem gereed moeten hebben. Ik ga even op zoek naar iemand om te zeggen dat we hem meenemen. Blijf bij hem.' Hij schudt zijn hoofd en kijkt daarbij niet eens naar Arvind.

'Ach ja, Cecily,' zegt Arvind.

De zon schijnt pal neer op ons. Ik kijk naar hem en dan naar het fotoalbum. 'Is dat haar?' vraag ik.

Het is een zwart-witfoto van een meisje dat tegen een vrouw aan leunt die haar arm om haar heen heeft geslagen. Het meisje is een tiener, met lange, slungelige benen, een korte broek, een shirt en een brede glimlach. Ze heeft een vrij lange pony, die in haar ogen valt. Een hartvormig gezicht. De vrouw die haar tegen zich aan drukt is oma.

'Dat is haar,' zegt Arvind. Mam staat stokstijf en staart naar de foto.

'Ja, dat klopt,' zegt ze. 'Dat was ik vergeten. Dat is de dag dat we van school thuiskwamen.'

Het is doodstil in deze snikhete ruimte en wij zijn de enigen die praten.

'Ik ga Archie zoeken,' zegt mam. Voordat ik haar kan aankijken, strijkt ze wat lokken uit haar gezicht en is ze al weg. Ik draai me weer om naar Arvind.

'Hoe gaat het met je?' vraag ik. 'Al een beetje gewend?'

'Hm.'

'Het lijkt hier best leuk,' lieg ik. Op de achtergrond is wat beweging zichtbaar nu een van de tv-kijkers traag wat gaat verzitten.

'Hou jij van koude havermoutpap 's ochtends?'

'Nee.'

'Ik ook niet. Zo gewend ben ik al.'

Ik weet niet of dit echt een probleem is of niet, zoals zo vaak het geval is met Arvind. 'Kun je geen cornflakes krijgen?' opper ik, en intussen bedenk ik wat een typisch Arvind-gesprek dit is. Met een gulzige blik staar ik weer naar de foto. Ik zag de tekening in Arvinds

kamer, maar ik heb hem eigenlijk nooit eerder gezien. In Summercove waren nooit foto's, behalve dan die ene waar ik oma mee zag, al
die jaren geleden. Schilderijen en schetsen, ja. Familiefoto's, nee.

'Cornflakes verdraag ik niet. Maar als je negentig wordt, verdraag
je weinig,' zegt Arvind, mijn gedachten doorbrekend. 'Niks ten nadele
van cornflakes, hoor.'

'Maar mis je Summercove niet?' Al meteen vervloek ik mezelf. Wat
een domme vraag, wat stom om dat te zeggen, hoe kan hij Summercove nu niet missen, hier in deze bloedhete witgele gevangenis waar
het stinkt naar ontsmettingsmiddelen?

'Nee. Ik mis het niet,' antwoordt hij tot mijn verbazing. 'In de
meeste opzichten ben ik hier heel gelukkig. Wat ik zeg, de pap, de
cornflakes... dat zijn dingen die nog moeten worden aangepakt...'
Zijn stem sterft even weg. 'Maar hierboven...' hij tikt tegen zijn
hoofd, '... hierboven heb ik alles wat ik nodig heb. Wel eens gehoord
van een geheugenpaleis?'

'Min of meer,' zeg ik. 'Je traint je hersens om je dingen te kunnen
herinneren.'

'Bijna,' zegt hij. Hij doet zijn ogen dicht. 'Je bouwt een paleis van
herinneringen. Elke kamer van Summercove zit in mijn hoofd, gevuld
met dingen die ik vast wil houden. Ik ben niet meer in het huis, het
huis is in mij.

'En meer heb ik niet nodig. Mijn oude leerlingen schrijven me, ik
lees boeken... Goddank heb ik nog goede ogen. Ik heb mijn herinneringen.' Voorzichtig doet hij het fotoalbum dicht. 'Ik kan me mijn
slaapkamer in Lahore inbeelden. Ik zie de tuinen van Shalimar voor
me.' Hij staart naar buiten, naar de zee. 'De boot die ik nam, van India
naar Engeland, zeventig jaar geleden. Ik kan me mijn hut herinneren.
Over de muur liep een groen geschilderde streep. Ik herinner me de
boeken die ik mee had op mijn reis, zie ze staan op die kleine plank
naast de patrijspoort... Boethius, John Ruskin en Bertrand Russell, die
ken je wel, voortreffelijke kerel. En ik herinner me Cecily. Dus.' Hij
legt zijn handen samen. 'De laatste keer dat ik je zag heb ik je de eerste
bladzijden van mijn dochters dagboek gegeven. Zeg eens, heb je de
rest nog gevonden, hm? Heb je het gelezen?'

Ik weet niet hoe ik hierop moet antwoorden. 'Ja... ja,' zeg ik alsof
ik iets beschamends beken. 'Mam had het.'

Hij knikt. 'Dat dacht ik al wel. Zie je, ik vond de velletjes in mijn kamer, nadat ze me had meegenomen naar het atelier.' Hij hoest, en er spat wat speeksel rond. 'Ik ging ervan uit dat ze het moet hebben gezien toen we daarbinnen waren. Dat ze het toen voor zichzelf heeft weggestopt, en de eerste velletjes heeft laten vallen, zonder het in de gaten te hebben.' Hij zwijgt even. 'Ja, dus zij heeft het.'

'Dat... dat spijt me, Arvind.' Ik weet niet wat ik moet zeggen. 'Het moest vreselijk zijn... vreselijk voor jou.'

'Ik heb het niet gelezen,' zegt hij eenvoudigweg. Verrast deins ik terug.

'Wat?'

'Ik weet wat erin staat,' zegt hij met een glimlach. 'Misschien wil ik het wel niet lezen. Snap je? Soms is het beter om de echte wereld buiten te sluiten.' Hij tikt weer zachtjes tegen zijn voorhoofd. 'In het geheugenpaleis kan ik kiezen welke kamer ik in wil gaan.'

Vanuit de deuropening roept mijn moeder ons. 'Zijn we zover?' De rust in het zaaltje wordt aan flarden gereten door haar stem. Ik draai me om en zie dat haar ogen rood zijn.

'Ah.' Ik duw Arvind in zijn rolstoel naar de deur. Beleefd zwaait hij zijn roerloze medebewoners gedag. 'De buitenstaanders zijn buiten. En het wordt genoteerd. Voor ons tijd om nogmaals terug te keren naar Summercove.'

44

Oma was dol op de lente. Ze zei dat de lente haar gelukkig maakte. Ze vond de herfst het ergst, kon zich totaal niet voorstellen waarom mensen dit een poëtisch en romantisch jaargetijde vonden. De herfst was deprimerend, vond ze, het teken dat het leven voorbij was. De lente, zo zei ze altijd, was de reden waarom we volhielden, om te aanschouwen dat het leven de lange wintermaanden had overleefd. Als we het landweggetje opdraaien dat naar Summercove leidt en daarna naar zee, kan ik wel zien waarom. De takken zijn een feest van nieuw, frisgroen leven. In de boomgaard naast het huis bloeit de witte appelbloesem.

Ik denk aan haar, met elk jaar weer een nieuwe lente, hier, en vervolgens de zomer die langzaam overgaat in de herfst, de lange winteravonden met niets te doen, niets om haar bezig te houden, met Arvind in zijn studeerkamer, haar atelier op slot, enkel de herinneringen aan wat er gebeurde, en ik begin het wat beter te begrijpen.

Bijna stilletjes rollen we omlaag over het weggetje in Archies glanzende rood met zilveren fourwheeldrive, zo op en top Ealings en zo misplaatst, hier, waar de wegen toch best smal en soms zo verraderlijk kunnen zijn. Hij zet de motor af waarna hij, mijn moeder en ik gespannen naar het huis kijken, alsof we een of ander teken verwachten. Arvind staart nog altijd voor zich uit.

'Didiers jongens hebben goed werk verricht,' zegt Archie tegen mam, in de stoel naast me. 'Ik hoop dat je het met me eens bent.' Waarom zoekt hij steeds weer haar goedkeuring? Ze knikt.

'Mooi. Ik hoop dat het binnen niet al te rommelig is. Je hebt hem toch verteld dat het maandag in de verkoop gaat? Dan moet de hele bende weg zijn.'

Archie knikt en ik realiseer me hoe blij ze zullen zijn als ze deze plek in bepaalde opzichten definitief de rug kunnen toekeren. En hoe treurig dat is. 'De kunsthandelaar zegt dat het spul zo weg is. We hebben veel gepraat terwijl jij weg was. Volgens hem is de prijs gewoon realistisch. En we zouden nog iets… moeten overhouden.'

'O ja?' zegt mam, alsof het haar eigenlijk weinig interesseert, maar ik zie dat haar handen de velletjes in haar schoot, met aantekeningen voor haar speech, omklemmen.

'Jazeker.' Archie trekt de sleutel uit het contact en draait zich om naar zijn vader, alsof hij hem bijna vergeten is. 'Kom, vader. We zijn er. Laten we naar binnen gaan.'

Het is verdomme Arvinds eigen huis, wil ik roepen. Hij leeft nog hoor! Houd eens op met net te doen alsof het jouw geld is. Ik wil hun koppen tegen elkaar slaan, maar dan denk ik: het kan Arvind niet schelen. Het kan hem niet schelen en dat is altijd deel van het probleem geweest.

Het is vreemd om buiten voor Summercove te staan, omhoog te kijken naar de ramen, met de herinnering aan Cecily's dagboek nog altijd zo helder. Het huis is in al die jaren niet zoveel veranderd, zo'n huis is het niet, en je kunt je haar zo gemakkelijk voor de geest toveren, zittend in onze slaapkamer, boven, turend uit het raam, dansend over het gazon naar het tuinhuisje achter in de tuin, leunend tegen die muur daar om op de foto te worden gezet. Ik pak mijn tas met daarin het dagboek stevig vast. Het is inmiddels bewolkt en er staat nog altijd een straffe wind die hard tegen mijn gezicht en handen slaat.

We gaan naar binnen. Archie duwt Arvind. De ontvangst begint zo meteen. Er zijn al mensen aanwezig, er wordt gekletst, met een groepje in de tuin, kijkend naar de zee, zittend in het tuinhuisje, genietend van het prachtige weer. Ik hoor Louisa in de keuken de cateraars instrueren. We betreden de lange, frisse zitkamer en ik haal even diep adem.

Dit is Summercove niet meer, het huis dat ik het meest van alle liefhad. Die plek is verdwenen. Alsof het nooit heeft bestaan.

Alles is veranderd. Verdwenen zijn de comfortabele banken, de versleten leunstoelen, het spatscherm voor de open haard. Verdwenen zijn de planken vol met boeken over kunst, reizen, fotografie, de oude tv in de hoek. Verdwenen zijn het originele jaren vijftig-dressoir, de felgekleurde gordijnen en de kussens die zo in de mode waren toen ze het huis kochten en waarvan de meeste al die jaren goed zijn ge-

413

bleven. Allemaal weg. Ofwel speciaal voor deze dag naar boven gebracht, dan wel naar het lokale veilinghuis of naar Londen.

Zelfs de gordijnroede is verwijderd. De terrasdeuren, waar Jay en ik op regenachtige dagen voor zaten terwijl we weddenschapjes deden over de regendruppeltjes die over de ramen omlaag gleden, zijn dicht en de vensterbankkussens zijn verwijderd. De kamer is wit, beroofd van al het meubilair, op de eetstoelen na, die strategisch over de ruimte zijn verdeeld, en oma's schilderijen.

Ze hangen aan de muren van de grote kamer. Een stuk of vijftien, met eronder enkele schetsen. Boven de haard hangt 'Summercove bij zonsondergang, 1963'. Ik kijk ernaar, ik heb het nog nooit eerder in het echt gezien.

'Waar hebben ze die gevonden?' vraag ik.

'Hij stond in haar atelier,' zegt Archie. 'Ze heeft het nooit aan iemand laten zien. Dat en... dit stond er ook.' Hij wijst en ik draai me om. Naast de deur, bijna verborgen in zijn schaduw, staat een olieverfschilderij van een meisje, een meisje dat ik inmiddels heel goed ken.

Cecily, fronsend, 1963

Dit is het schilderij. Ik vraag me af of Arvind de schets nog heeft. Ik hoop het maar. Ze zit op een kruk, kijkend naar de schilder, met een aandachtige maar licht geïrriteerde blik. Ze draagt een lichtblauwe katoenen zonnejurk die haar donkere haar en huid prachtig laat uitkomen. Een been is haaks onder het andere gestoken en een hand omklemt de hiel. Ze kijkt nogal verveeld. Ik staar ernaar.

'Mijn god,' zeg ik, 'dat is... het.'

'Ik ga eens kijken waar Louisa is,' zegt Archie met een blik op zijn horloge en hij beent weg. Achter hem valt de deur met een klap dicht. Gedrieën blijven we achter in de lege kamer.

Ik draai me om en kijk mam aan. 'Ze zei dat ze het vervelend vond om te poseren, hè?'

'Nou en of.' Mam knikt en knijpt haar ogen iets toe. 'Best goed gedaan, hoe mam dat helemaal heeft weten te vangen.'

Samen bekijken we het schilderij, zonder te erkennen dat we het over het dagboek hebben.

'Ik vroeg me af wat er met dat schilderij was gebeurd,' zeg ik.

Mijn moeder komt wat dichterbij en kijkt aandachtig. 'Hemel,' zegt ze. 'Jij lijkt zó veel op haar, Natasha.'

'Inderdaad,' valt een stem achter ons haar bij, en het schiet me weer te binnen dat Arvind er ook is.

Ik doe niets, want ik weet dat als ik het verkeerde zeg, ik alles kan verprutsen. Maar ik besef dat dit het moment is, misschien wel de enige kans die ik zal krijgen.

'Mag ik je iets vragen?' Ik zeg geen 'Miranda', of 'mam', maar toch draait ze zich langzaam naar me om. 'Waarom heb jij de rest van het dagboek meegenomen? Waarom heb je niemand erover verteld, over de waarheid? Ook niet aan mij?'

Ze kijkt Arvind aan, en daarna mij. Ze slaat de armen over elkaar. 'O, schat, het ligt zo gecompliceerd.'

'Dat weet ik,' volhard ik. Ik wil nu echt antwoorden van haar. Ze kan hier niet eeuwig mee doorgaan. 'Vertel het me maar gewoon.'

Ze haalt haar schouders op en kijkt haar vader weer aan. Die knikt. 'Toe, Miranda. Vertel.' Hij gebaart even, zo van: ga je gang.

'Ik wist dat Cec een dagboek bijhield,' vertelt ze haastig. Haar vingers frunniken aan de kwastjes van haar sjaal. 'Ze bleef er maar over door emmeren. "Je komt in mijn dagboek, hoor, als je niet ophoudt met zo gemeen tegen me te doen",' zegt mam op een kinderachtig toontje.

'Wist je van haar en Guy? Heb je hem daarom het dagboek toegestuurd?' Voelde het maar alsof alle stukjes nu op hun plek vielen, maar dat is niet zo.

Langzaam begint ze te blozen. 'Ik denk dat ik het altijd wel heb geweten, ja.' Ze schudt haar hoofd. 'Dat is nu even niet belangrijk. Maar hij moest het hebben, ik moest het hem vertellen. Afijn. Ik wist dat ze dat dagboek had geschreven, dus het moest hier ergens liggen. Ik dacht niet dat mam het zou weggooien. Dat zou ze nooit hebben gedaan, dat zou ze niet hebben gekund. Dus ik moest het gaan zoeken. Want ik wist... op de dag dat ze stierf... dat ze het had ontdekt... over wat ze had ontdekt over...' Haar ogen branden zich in de mijne. Smekend. 'Ik wist het namelijk.'

'Dat weet ik,' zeg ik. 'Ik heb het gelezen, mam.'

'Nou, we gingen dus even wandelen. Dat schrijft ze ook. We waren allebei geschrokken... zo moe. Je hebt geen idee hoe dat voelde. We hadden ruzie over wat we moesten doen. Ik zei dat we mam moesten ontmaskeren. Het aan pap moesten vertellen. Geen sprake van, zei ze.' Plotseling kijkt ze Arvind aan. 'Pap... O, shit. Ik had nooit...' Ze valt stil en perst haar lippen op elkaar. 'Laat maar.'

'Toe,' reageert Arvind. 'Ontzie me niet, lieverd. Ik weet wat er gebeurde.'

Ik zal het me vast verbeelden, maar zijn toon lijkt iets zachter, aardiger, en de vader die hij had kunnen zijn laat zich heel even zien.

'Echt?' vraagt mam. Ze strijkt met haar vingers langs de schoorsteenmantel, alsof ze wil kijken of hij wel schoon is. 'Nooit geweten. Altijd gedacht dat ik de enige was. En ik kon niets zeggen. Hier. Hier, moet je ons nou zien,' klinkt het bijna hysterisch. Ze zwaait met haar armen door de lege witte kamer. 'Moet je kijken, naar... wat dit met ons heeft gedaan, met onze familie. Ik... Verdómme! Rotwijf.'

'Mam...' Ik loop naar haar toe en leg een arm over haar schouder. 'Niet doen.' In de keuken laat iemand iets vallen. Iets van metaal, zo klinkt het. Een luid gekletter dat ons weer het heden in trekt. Ik kijk haar aan. 'Wat is er gebeurd? Toe, vertel het me.'

Mam kijkt even naar Arvind, dan naar mij, en begint zacht, maar gehaast te praten.

'We vlogen elkaar in de haren. Niet letterlijk. We schreeuwden tegen elkaar, bedoel ik. O, god. Ik... o, wat maakte ze me kwaad! Maar ik zou haar nooit iets hebben willen aandoen. We waren jong. Je weet hoe zussen ruziën. We waren allebei heetgebakerd, hè... Ik wilde pap over mam vertellen.' Ze kijkt even naar Arvind, en vertelt verder. 'Ik... ik kon niet met haar opschieten. En ik vraag me af of ik dat ooit wél kon, eigenlijk. Ik had altijd het gevoel dat ze me niet mocht.' Ze glimlacht. 'Altijd. Raar om zoiets over je moeder te zeggen, niet?'

'Ja,' zeg ik. Ik kijk naar haar en ik vraag me heel kalmpjes af of mijn eigen moeder mij ooit heeft gemogen. Ik weet niet of dat zo is. *De zonden der vaderen*, waren Arvinds woorden, en misschien heeft hij gelijk. Hij wist het.

'Ik denk dat ik op wraak uit was. Haar wilde laten zien dat ík hier de volwassene was, dat ík de lakens uitdeelde en al die onzin. Ze zette me voortdurend op mijn plaats. En daartoe had ze alle recht. Ik was geen... Ik was geen...' Ze knippert met haar ogen en twee mascarakleurige tranen rollen langzaam over haar wangen. 'Ik was geen aardig persoon, toen. Ik was echt afschuwelijk tegen haar, die dag...

'Cecily vond dat we het nooit mochten vertellen. Ze werd kwaaier en kwaaier. En ik ook. We tierden tegen elkaar, ik in elk geval wel. Zij stond alleen maar daar boven aan de trap naar het strand. Hoofdschuddend. Volgens mij had ze geen idee wat ze moest doen. Ze was zo jong, weet je. Een mooi moment in je leven om het vertrouwen te verliezen in degenen van wie je het meest houdt. Ze zei dat ik niet wist wat liefde is, dat ik nooit had gesnapt wat zoiets betekende. Ik zei dat ze een dom wicht was. En ze glimlachte.' Mam knikt traag. 'Ik ben een sufkop. Inmiddels weet ik waarom. Ha! Ik weet waarom. Ik zie haar gezicht nog voor me. Ze deed, zeg maar, een stap achteruit en, en...' Haar stem breekt. 'Opeens verdween ze. Ze slaakte een gek geluidje: "Oh!" Alsof ze verbaasd was. Geïrriteerd En toen... toen... viel ze gewoon weg...' Haar schouders schokken en ze snikt.

'O, mam,' zeg ik.

'Ik heb ze het hele verhaal verteld,' gaat ze verder terwijl ze haar handen voor haar gezicht slaat. 'Dat ze een stap naar achteren zette en uitgleed. Die trap was gevaarlijk.' Ze kijkt op, alsof ze mijn goedkeuring zoekt. Ik zie een spoor van een traan over haar wang. 'De politie geloofde me. Maar op de een of andere manier gold dat niet voor de anderen. Waarom heb ik nooit geweten. Meteen daarna dook Archie op. Goddank. Hij rende omlaag naar het strand en gleed zelf ook bijna uit.' Ze stopt even. 'Pap, er had al lang iemand iets aan die trap moeten doen.'

'Net als op vele andere terreinen schoten we ook hier tekort in de zorg voor onze kinderen, Miranda.' Zijn oude, dunne vingers trommelen op zijn knieën en frummelen aan de kreukels in zijn broek. Het verdriet op zijn gezicht grijpt me aan.

Ze reageert niet onmiddellijk, en ze knikt.

'Al die tijd,' zegt ze. 'Het is al zo lang geleden, weet je. En het lijkt net alsof de tijd vanaf dat moment heeft stilgestaan.'

'Voor je moeder wel, denk ik,' zegt Arvind.

'Hoe heb je het oma ooit kunnen vergeven, Arvind?' vraag ik zacht. 'Ik bedoel, wist je ervan?'

Hij zwijgt, en wel zo lang dat ik me begin af te vragen of hij de vraag wel gehoord heeft.

417

'Ze had affaires, weet je,' vertelt hij. 'Veel. In Londen, toen we pas getrouwd waren, nog voordat ze de kinderen kreeg. Daarna... Het huwelijk viel haar zwaar. Het moederschap viel haar zwaar. We hadden geen geld, we probeerden allebei zo hard mogelijk te werken. Tegenwoordig is het volkomen normaal om het over niets anders te hebben, heb ik begrepen. Toen niet, hoor. Met geen woord. Je moest een tevreden echtgenote en moeder zijn, en daarmee uit.'

De oude zwarte ogen staren gefixeerd voor zich uit.

'Aanvankelijk was ze blij dat we hiernaartoe verhuisden. Een frisse start, zei ze. Volgens mij hoopte ze dat het daarmee afgelopen zou zijn. Maar ze hield van het gevaar... Dat was mij wel duidelijk. Haar niet. Ze heeft het nooit echt beseft en ze nam steeds meer risico's, en toen...' Zijn stem breekt. 'En toen overleed Cecily. En jij wist het, en zij wist het. Ze vond haar dagboek toen ze Cecily's spullen aan het opruimen was. Ze las wat Cecily, haar eigen dochter, over de affaire van haar moeder te zeggen had. Ze wist het.'

De gedachte dat mijn grootmoeder een paar dagen na Cecily's overlijden het dagboek leest waarin haar eigen dochter haar ontrouw ontdekt, maakt me bijna misselijk van mededogen, met haar, met Cecily, met Arvind, met mam... Met hen allemaal.

'Maar ik ben blij dat Louisa het nooit heeft geweten,' zegt Arvind ferm. Ik kijk door de terrasdeuren naar buiten en zie Louisa over het gazon lopen. 'Mensen begaan fouten, verschrikkelijke fouten. Maar ik hield van Frances. Ik hield van haar. We begrepen elkaar. Dat is het enige wat telt. Daarom zijn we al die jaren bij elkaar gebleven. Ik begreep haar daden, hoe ze zich voelde. Ik was geen ideale echtgenoot, geen goeie vader. Mijn werk kwam altijd op de eerste plaats. Het was een stuk gemakkelijker om je in je eigen geest terug te trekken, snap je?

'Ze besefte wat ze had gedaan. We hebben daarna geprobeerd ons leven te beteren.' Hij knikt. 'En sommige dingen kun je maar het beste laten rusten. In het verleden.'

Maar alleen als je zoekt naar hoe je daarna weer verder kunt, wil ik eraan toevoegen. Maar dat deden jullie niet, hè? Niemand van jullie. En degenen die erbuiten stonden hebben hun hele leven lang geprobeerd hun beste beentje voor te zetten, zonder te weten waarom. Zoals Louisa. Of om het zo ver mogelijk achter zich te laten, zoals

Jeremy. Ik kijk om me heen. Het begint te schemeren in de kamer nu de aflandige wind de wolken haastig voor de zon schuift. Ik herken deze plek niet langer.

De deur gaat open en het geroezemoes, dat zich intussen heeft opgebouwd, golft ons als een luide zwerm bijen tegemoet. Dan loopt Louisa de kamer binnen.

'Miranda? Ben je er klaar voor?' Ze kijkt ons aan. 'Oké?'

Ik zie dat mam de aanblik van haar redderende nicht, met haar iets te dunne kaftan, de bloemetjesrok, het roodglanzende gezicht en het pluizige blonde haar in zich opneemt.

'Dank je, Louisa,' zegt ze terwijl ze naar haar toe loopt. 'Ja, volgens mij zijn we gereed. Ja toch?'

Ze kijkt Arvind en mij aan.

'Ja,' zeg ik. 'We zijn er klaar voor.'

45

Uiteraard heeft Louisa alles tot in de puntjes geregeld. De gasten hebben zich buiten verzameld, koffie gedronken in wat voorheen de eetkamer was, wat rondgelopen in de tuin en begeven zich nu de zitkamer in totdat deze vol is. Ik herken wat mensen uit het dorp, Didier met zijn vrouw en een paar stijlvol geklede mannen en vrouwen. Een aantal blijft even staan om Arvind, die naast de haard in zijn rolstoel zit, en mijn moeder naast hem gedag te zeggen. Zij bladert intussen door haar aantekeningen. Ze ziet wat bleekjes, maar lijkt verder kalm. Toch maak ik me ongerust.

Als iedereen binnen is, zegt Louisa één keer 'Sst' en dan wordt het stil. Mijn moeder doet een stap naar voren.

'Dank u voor uw komst vandaag,' begint ze. 'Ik ben Miranda Kapoor, de dochter van Frances Seymour.' Ze laat even een stilte vallen. 'Een van haar dochters.'

Iemand schuifelt in de menigte, buiten krijst een meeuw. Dan wordt het weer stil.

'We zijn hier bijeen voor de lancering van de Frances Seymour Foundation, die het werk van jonge kunstenaars zal gaan ondersteunen en begrip en belangstelling voor alle kunstvormen zal promoten onder jonge mensen. Ik zal u hier zo direct meer over vertellen, maar eerst vertel ik u graag wat over mijn moeder. Over wie ze in werkelijkheid was.'

Ze kijkt weer neer op haar aantekeningen en zwijgt. Ik bijt zenuwachtig op mijn lip.

'U weet allemaal dat Frances Seymour een van de geliefdste en meest gewaardeerde beeldend kunstenaars van de naoorlogse periode was. Ze had al meteen een goede verstandhouding met het publiek, dat hield van haar tijdloze, levensechte doch alleszins moderne schilderijen. Ik heb hier zelfs een statistiekje van het Tate Britain, dat zegt dat "Een dagje aan het strand", een van haar bekendste doeken, de op vier na populairste ansichtkaart in de museumshop is.' Ze glimlacht bij deze woorden, en er gaat een kabbelend gelach door de woonkamer.

'Wat u niet weet, is wie ze in werkelijkheid was, mijn moeder.'

Ze laat opnieuw even een stilte vallen. Ik kijk om me heen, langs een paar driftig pennende journalisten naar mijn familie. Tot mijn schrik zie ik dat Octavia er ook is. Ik had haar hier niet verwacht, maar bij nader inzien lijkt het logisch. Jay zou heus niet komen, tenzij het hem duidelijk werd gemaakt dat hij wel moest. Octavia daarentegen is zo iemand die absoluut geen reden heeft om hier te zijn en er dus natuurlijk is, staand naast haar moeder en quasibelangrijk. Geërgerd werpt ze me een boze blik toe, hoewel dat eigenlijk haar normale gelaatsuitdrukking is. Louisa vouwt haar handen ineen, haar lippen bewegen. In gedachten is ze aan het tellen, en ik vraag me af wat. De Bolhoed staat naast hen, met een air van verstilde concentratie op zijn gladde gelaatstrekken. Archie, met de handen in zijn zak, knikt even terwijl hij naar zijn zus kijkt. Arvind is zoals altijd een masker van neutraliteit. En achter me aan de muur: een fronsende Cecily.

'Ja. Wie ze in werkelijkheid was.'

Ik staar naar het schilderij, totdat ik in de gaten krijg dat iemand naar me kijkt. Guy. Ik beantwoord zijn starende blik, en opnieuw klinkt er een ongemakkelijk stemmetje in mijn hoofd. Hij kijkt naar me. Zijn hand gaat naar zijn hart, en dan kijkt hij weer naar mijn moeder. Ik haal me hem weer voor de geest, hier in deze zelfde kamer en starend naar Cecily, al die jaren geleden; de twee samen, zich bewust van hun gevoelens voor elkaar, hoe eng dat was, hoe mooi... Ik zie haar krabbelige, zwarte handschrift voor me, verspreid over de bladzij, de woorden zo vers en helder in mijn hoofd.

Alsof ik onder stroom stond, alsof ik tot leven kwam, nu pas, voor het eerst. Ik keek naar hem, & hij naar mij...

Mam slikt. Ze schraapt haar keel, staart naar Louisa, naar de Bolhoed. De stilte rekt zich uit. Het duurt nu te lang, ze moet iets zeggen. Niet doen, mam. Alsjeblieft, niet doen.

Een oude, zweterige man in een roze ruitjeshemd en een stokoude blazer, die naast me staat, zucht bijna onhoorbaar zacht. Mijn moeder zwijgt nog steeds.

Met mijn hand op Cecily's ketting om mijn nek kijk ik haar smekend aan. Mam kijkt me recht aan. Ze glimlacht flauwtjes. En voor het eerst heb ik het gevoel dat we elkaar begrijpen, dat wij de enigen zijn die weten wat er aan de hand is.

'Frances Seymour was een complexe vrouw, maar dat krijg je als je geniaal bent,' vervolgt ze. 'Ze was mooi, gevat, met veel humor. Als zij binnenkwam gebeurde er wat. Ze opende haar deuren voor Jan en alleman. Je raakte er redelijk aan gewend als je voor de vakantie thuiskwam van school en in je kamer twee slapende Poolse soldaten aantrof, een berooide celliste met haar zoon op zolder en een ascetische priester met een lange baard, die in de zitkamer op de piano oefende.' Er wordt zacht gelachen. 'Ze was ook altijd erg begripvol. Ik weet nog dat toen mijn broer en ik klein waren we zeiden dat we van huis weg wilden lopen om in het bos te gaan wonen. Zij ging met ons mee. Ze schilderde enorme indiaanse hoofdtooien voor ons, en we kampeerden op het strand, aten worstjes die we boven een vuurtje hadden geroosterd en vertelden elkaar de hele nacht spookverhalen. Toen mijn vaders boek uitkwam, liet ze speciaal voor hem een editie inbinden met op het omslag een gravure van Lahore, zijn geboortestad.' Ze laat weer een korte stilte vallen. 'En toen mijn zusje Cecily overleed...'

Het wordt nu muisstil in de kamer, en misschien beeld ik het me in, maar boven de verzamelde gasten lijkt een broeiende, donkere wolk samen te trekken.

'Ze heeft daarna nooit meer geschilderd.' Mam schraapt haar keel nog eens. 'Ze deed de deur naar haar atelier op slot en ging er niet meer naar binnen. Sommigen vroegen waarom. Of ze zich schuldig voelde.'

Ze kijkt de Bolhoed recht in het gezicht. Ik zie dat Louisa zich met een vragende blik naar hem omdraait. Een pijnscheut trekt door mijn toch al verkrampte maag. Niet doen, mam. Alsjeblieft.

'De waarheid is dat ze zich inderdaad schuldig voelde,' gaat ze verder.

Haar hoofd is gebogen; haar stem zacht. Ik vouw mijn handen zo krampachtig samen dat het pijn doet.

'En,' vervolgt ze, 'tegelijkertijd kun je zeggen dat ze zich niet schuldig hóéfde te voelen. We zullen nooit weten hoeveel het haar heeft gekost om nooit meer te schilderen. Schilderen was haar leven. Maar zij koos ervoor om het op te geven. Op die manier verkoos zij zichzelf te straffen. Ze dacht dat zij verantwoordelijk was voor de dood van mijn zus.'

Ik staar naar haar.

'Maar dat was ze niet.' Heel even rust mams blik op mij. En terwijl haar blik over de vloer glijdt en het gevoel van deze bijzondere gebeurtenis weer duidelijk wordt, praat ze verder. 'Nooit zullen we weten wat ze allemaal nog zou hebben bereikt als ze was blijven schilderen. We moeten maar gewoon blij zijn met wat we hebben. Vandaar dat we ter ere van mijn moeder Frances en mijn zus Cecily Kapoor, die nooit de grenzen van haar mogelijkheden heeft kunnen verkennen, deze stichting hebben opgericht. Louisa, mijn fantastische nicht die deze dag heeft georganiseerd en die de ruggengraat van onze familie is, of Didier, de meer dan capabele galeriehouder van mijn moeder, heeft straks voor u een informatiepakket over de stichting en de komende tentoonstelling in het Tate, die naar wij hopen over anderhalf jaar geopend zal worden. Dank u allemaal voor uw komst vandaag. Dank u.'

En terwijl iedereen beleefd applaudisseert, buigt ze zich voorover en kust haar vader. Guy knikt en klapt enthousiast. Archie klapt hard mee, met zijn handen hoog boven zijn hoofd, en hij glimlacht naar zijn zus. Die glimlacht terug, en hij knikt. Goed gedaan, beweegt hij zijn lippen. Octavia kijkt onzeker voor zich uit, een frons doet haar voorhoofd rimpelen. Met een stapel brochures stevig tegen haar lichaam gedrukt kijkt Louisa naar mijn moeder met een blik op haar gezicht zoals ik die nog nooit heb gezien.

46

Hoewel het zonnig weer is, huilt de wind nog altijd om het huis. Ik praat met verscheidene mensen; oude buurtvrienden, een paar galeriehouders die in het verleden oma's werk hebben geëxposeerd, een paar van mams vrienden uit de tijd dat oma en Arvind nog in Londen woonden. Het is een lange, vreemde dag geweest. Archie heeft mam en mij al een lift naar Penzance aangeboden om de nachttrein te kunnen halen. De Leightons rijden morgen terug. In tegenstelling tot mijn vorige bezoek aan Summercove moet ik ditmaal godzijdank vanwege al het wérk zo snel mogelijk terug zijn in Londen. Maya, mijn assistente, is in mijn afwezigheid druk bezig met het maken van kettinkjes en armbanden zodat we aan alle bestellingen kunnen voldoen, maar het is niet fair om haar met al het werk op te zadelen.

Ik ben diep in gesprek met een journaliste over oma's nalatenschap. Ze is een vriendelijke dame van in de vijftig die voor een nogal elitair kunstblad schrijft. Ik probeer (tevergeefs) de indruk te wekken dat ik weet waar ik over praat, totdat ik een hand op mijn schouder voel. Ik draai me om. Het is Guy.

'Ha,' zeg ik. 'Je stapt weer eens op?'

'Ja,' antwoordt hij. 'Ik rij vanavond terug. Ik heb de auto hier vorige week laten staan. Ik ben vandaag wat eerder gekomen om het catalogiseren af te ronden.'

'O, juist ja.'

'Ik moest wat dingetjes uitzoeken en ik kom nu alleen maar even gedag zeggen. Zeg, Natasha, sorry dat we niet hebben kunnen praten. Nadat je…'

'Momentje,' zeg ik, en ik draai me om naar Mary de journaliste. 'Leuk met u gesproken te hebben.' Ze glimlacht en loopt weg om iemand anders aan te spreken. Ik draai me weer om naar Guy en doe mijn best om vrolijk te klinken. 'Poeh. Ze vroeg me dingen over het futurisme. Ik had geen idee. Maar goed, ga door.'

'Nadat je het dagboek had gelezen, wilde ik net zeggen,' gaat hij verder. 'Ik heb zelf heel wat te overdenken gehad. Het voelde vreemd.'

'Dat zal best,' zeg ik. 'Ik wist er niets van. Arme jij.' Niet dat ik het wil, maar ik leg toch even mijn hand op zijn arm.

Hij verbijt zich en slikt.

'Ik was tot over mijn oren verliefd op haar, weet je. Na al die jaren dat ik heb geprobeerd haar te vergeten was het bijna onverdraaglijk om het te lezen.' Hij praat zo zacht te midden van al het geroezemoes. 'Het voelde... heel vreemd.'

'Zal best,' zeg ik. 'Ik kan me niet voorstellen hoe het voor jou moet zijn geweest om nu te lezen over oma en alles, nu...'

'Interessant.' Hij glimlachte met een nietszeggende blik. 'Het was... interessant, ja. Zoals Cecily is er eigenlijk niet één. Nooit geweest ook. Althans, dat dacht ik. Nu weet ik dat niet zo zeker meer.'

Hij kijkt me weer indringend aan.

'Guy... ik wil er graag nog eens met je over komen praten.' Ik wil niet bedelen, maar volgens mij is het toch aan mijn stem te horen. 'Gewoon één middagje. Ik weet dat het vervelend voor je moet zijn, maar ja... het gaat om mijn familie. Ik zal het je niet meer vragen...'

'Jouw familie.' Het klinkt alsof hij de woorden weegt. 'Jouw familie. Inderdaad, hm? Moet je horen, Natasha. Dat wilde ik je dus even vertellen. Ik was een sukkel, meer niet. Kom maar langs wanneer je wilt. En anders laat ik wel van me horen. Heb je al met je moeder gesproken?'

'Met mam? Over het dagboek?' Iemand duwt me opzij en ik wankel een beetje. 'Nou, ze is een tijdje weggeweest...' antwoord ik en ik val stil. Hij glimlacht.

'Uiteraard. En binnenkort ook weer, durf ik te wedden.' Hij slaakt een diepe zucht. 'Het spijt me, maar ik moet nu gaan. Luister, kom eens langs zodra je terug bent in Londen. Goed? En probeer weer eens met je moeder te praten.' Hij geeft me een knuffel. 'Tot ziens, my dear.' Dear. Zo ouderwets. Daar hou ik van.

De middag vloeit over in de avond en voordat ik het weet is het tijd om op te stappen. Rond theetijd hebben ze Arvind alweer teruggebracht. Ik heb geregeld dat ik hem volgende maand zal opzoeken. Sommige aanwezigen maakten bijna een kniebuiging toen Archie zijn vader in de rolstoel naar de auto duwde. Ik gaf hem een zoen terwijl ik zijn hand vasthield, en hij keek naar me omhoog.

'Ik ben blij dat je bent gekomen,' zei hij. 'En vergeet niet: "*The flowers that bloom in the spring, tra-la, have nothing to do with the case*".' Het klonk als praatzang.

Over mijn grootvader maak ik me geen zorgen. Het klinkt harteloos, maar het is zo. Hij leeft al lang geleden geleerd hoe hij alles in zijn hoofd moet archiveren en ik wou dat ik die gave bezat. Volgens mij begin ik het nu pas een beetje te leren. Misschien heeft het met de aard van zijn werk te maken, is het omdat hij een buitenlander in een vreemd land is, dat je nooit meer terugkeert naar de stad waar je vandaan kwam. Misschien is het omdat je je kind ziet overlijden. Wat de waarheid over zijn huwelijk met oma ook mag behelzen, qua duur is het in elk geval geslaagd geweest. Misschien niet zo belangrijk, maar wel als je zoals ik oprecht gelooft dat ze het samen aardig konden rooien. Niet erg romantisch, zo gaat dat wellicht in het leven. Ik geloof niet dat hij de allerbeste vader van de wereld was, en het is heel naar om dat over iemand te moeten zeggen, maar er zijn ergere vaders, en net als zijn vrouw laat ook hij een grote nalatenschap achter. Ik vraag me af wat we zullen doen zodra hij komt te overlijden, maar ik kap mezelf af. Arvind kennende zal dat de eerstkomende tien jaar nog niet het geval zijn.

Met mijn hand op mijn handtas loop ik nog een laatste keer naar de zee terwijl de wind me geselt. Ik denk dat ik deze laatste momenten hier me altijd zal blijven herinneren, de bomen die net in knop komen, het frisse loof, in plaats van het zongebleekte geel en grijs van augustus. Arvind heeft gelijk over de bloemen die in de lente bloeien: de landweggetjes zijn bezaaid met fluitenkruid, haagdoorn en de eerste appelbloesems, en overal zie je narcissen. Dit zijn niet de bloemen die ik me van het zomerse Summercove kan herinneren. Voor mij zal het altijd de plek blijven waar ik de zomers doorbracht. Cecily's dagboek zit in mijn tas. Ik haal het tevoorschijn en ik kijk ernaar. Ik voel dat ik het nu opnieuw kan lezen als het moet. Ik heb de eerste, losse velletjes aan de rode kaft geniet zodat alles nu compleet is. Ik sla het open en ben weer terug in haar wereld.

Ik schrijf dit zittend op mijn bed in Summercove.

Ik kijk naar de zee. Die is woelig. Het pad waar Cecily viel is nog steeds gevaarlijk en de rotsen zijn nog glibberig van de afgelopen winter. Ik tuur naar beneden. Achter me hoor ik iemand me roepen.

'Natasha? Natásha! Wat doe je?'

Ik draai me om. Louisa en Octavia lopen op me af. Ik zucht.

'Voorzichtig, Natasha! Het is spekglad!'

'Weet ik,' zeg ik terwijl ik de twee tegemoet loop. Ik heb het dagboek nog steeds in mijn hand, stop het onder mijn oksel en klem het stevig tegen me aan.

'Nat, lieverd, je moeder zoekt je,' zegt Louisa, bijna vermanend. 'Ze zegt dat het tijd is om te gaan.' Ze haalt een hand door haar haar. 'Poeh,' zucht ze terwijl ze de lucht uitblaast. 'Wanneer stapt iedereen eens op? Ik ben bijna door alle rosé heen en ik wilde eigenlijk wel minstens één fles voor mezelf houden. Daar ben ik wel aan toe, kan ik je vertellen.'

Het is Louisa ten voeten uit: ogenschijnlijk zo bazig en degelijk, maar in werkelijkheid een beetje een vrijbuiter, niet helemaal wetend wat ze met zichzelf aan moet, en juist daardoor een stuk leuker.

Ik haal mijn tong langs mijn tanden. Mijn mond proeft zurig, bitter. 'Sorry dat jullie naar me moesten zoeken,' zeg ik. 'Ik liep gewoon even... te denken.'

Met de armen over elkaar slaat Octavia me gade.

'Wat heb je daar?' vraagt ze, en ze trekt zacht aan mijn hand met daarachter Cecily's dagboek.

'Niets,' zeg ik, maar ik besef al meteen dat het een dom antwoord is.

'Kom op, wat is dat?' dringt ze aan. Octavia is een stevige meid en de manier waarop ze naar het dagboek loert staat me niet aan.

'Natasha? O, daar ben je!' hoor ik iemand roepen. Ik draai me om. Mam komt over het pad aan gerend, met haar haren en haar sjaal wapperend achter zich. De wind blaast hard tegen haar aan. Het waait nu flink. Hijgend bereikt ze ons. 'We gaan, Natasha. Ik heb je overal gezocht...'

'Momentje.' Octavia gaat voor ons staan. 'Ik wil dat je iets uitlegt, Miranda.' Ze wijst naar mijn moeder. 'Ik wil weten waar je het over had, tijdens je speech.'

'Ssst, Octavia,' sist Louisa. 'Toe, maak nou geen toestanden.'

'Jij wilde iets suggereren, ik weet het,' zegt Octavia.

'Ik vertelde dat je moeder de ruggengraat van onze familie was. En dat is zo.'

Octavia slaat de armen over elkaar. 'Wat een onzin. Ik bedoel dat andere wat je zei. Die insinuaties over Franty, dat ze dingen op haar geweten had...'

'Ik ben bang dat je je daarin vergist, Octavia,' antwoordt mijn moeder luchtig.

'Ik weet alles over je... Over hoe je je die zomer hebt gedragen.'

'Octavia!' roept Louisa boos. 'Hou op!'

Mam brengt een hand omhoog. 'Nee. Laat haar verder praten. Ik wil het horen. Wat bedoel je precies?'

'Je weet best wat ik bedoel,' zegt Octavia terwijl ze uitdagend voor haar gaat staan en ze met haar mannelijke postuur boven haar uittorent. 'Jij. Jezelf een beetje aan mijn vader en mijn oom aanbieden! Die walgelijke broer van je, die zich opgeilt aan mijn moeder. Met z'n tweeën die arme Cecily letterlijk dood treiteren, alleen maar omdat ze er haar eigen mening op nahield.'

'Hé! Octavia!' roep ik nu ik mijn stem hervind. 'Jij weet helemaal niks! Hou gewoon je kop!'

'Nee!' Haar ogen puilen bijna uit haar hoofd.

'Dom kind,' sist mam terwijl ze haar tanden laat zien. Een harde windvlaag werpt haar haren in een krans, als van een onheilsfee. Ze ziet er afschrikwekkend uit, zo. 'Waar ben jij helemaal mee bezig, mij een beetje beschuldigen? Jij weet helemaal niets, schattebout. Je weet niet eens het begin, je hebt geen enkel...'

En dan reikt Octavia naar voren en grist het dagboek onder mijn arm vandaan. Zo fel en rap dat het al weg is voordat ik haar kan tegenhouden.

'Ik schrijf dit zittend op mijn bed in Summercove,' leest ze hardop. Met een glimlach kijkt ze op, alsof ze in de prijzen is gevallen.

Louisa's mond valt open. 'Nee...' zegt ze terwijl haar blik over de rode kaft glijdt. 'Dat is haar handschrift, dat is Cecily's...' Ze kijkt haar nicht aan. 'Miranda... is dit haar dagboek?'

'Inderdaad,' antwoordt mam.

'Hoe...' vraagt Louisa met grote ogen. 'Van die laatste zomer?'

'Ja.' Voorzichtig legt mam een hand op Octavia's pols en streelt deze, alsof Octavia een poes is. Langzaam openen haar vingers zich en kan mam het dagboek terugpakken. Ze kijkt ernaar, en slaat haar ogen op naar haar nicht. 'Ja, ik heb het gelezen. Tamelijk interessant.'

'Zal best,' zegt Octavia. 'Geen wonder dat je niemand er al die jaren over hebt verteld.'

'We vonden het pas na oma's dood,' verduidelijk ik. 'Oké?'

'Wat staat erin?'

'Ja,' wil ook Louisa weten, maar ze kijkt doodsbang. Dan kijkt ze naar mijn moeder en ze doet een stap achteruit. 'Weet je... ik geloof dat ik het niet wil weten. Ik wil me haar gewoon blijven herinneren als de Cecily die ik kende.'

'Louisa, vertel me eens,' vraagt mam, 'wat herinner jij je nog van die zomer? Voordat ze overleed, bedoel ik.'

'Tja...' Louisa kijkt bedachtzaam. 'Waarom?'

'Het is Cecily's dagboek. Niet het jouwe of het mijne. Zij schreef waar zij over wilde schrijven. Wij waren er toen ook, ja toch? Wat herinner jij je nog?'

'O...' Louisa denkt diep na. 'Ik herinner me... "Please Please Me".' Ze glimlachen naar elkaar. 'En mijn nieuwe shorts. Mam vond hem onbetamelijk, maar ik vond hem helemaal top. En die afschuwelijke vering van Jeremy's auto. En ook... ja, hoe heet het toen was. Op de dag dat we kwamen maakte Mary lavendelijs. Echt overheerlijk. Archie...' Ze bloost. 'Archie de gluurder. Ik heb nog jarenlang geprobeerd hem te mijden, maar ik vergeet altijd dat het daarom was. Er speelde op een gegeven moment van alles, hè. O, en ik weet nog dat Frank en Guy kwamen en hoe leuk het was... in het begin. Daarna werd alles anders. Vraag me niet waarom.'

'Er speelde van alles, ja,' zegt mam. Ze drukt het dagboek stevig tegen de borst. 'Ik herinner me mijn nieuwe kleren nog, en mijn voeten die zo bruin leken in de pumps die ik had gekocht, en ik weet nog hoe verschrikkelijk ik het thuis vond, hoe graag ik daar weg wilde. Dan lag ik 's nachts weer eens wakker terwijl Cecily lag te snurken en probeerde ik een plan te bedenken. Weg naar een plek waar ik niet de domoor, de slak, de luiwammes was. Maar de mooiste, de grappigste, de meest opwindende van allemaal zijn.'

'Maar dat wás je ook,' reageert Louisa verbaasd. 'Voor ons was jij het helemaal. Wij waren zo saai, Jeremy en ik, vergeleken met jullie drie. Jullie hadden iedereen ontmoet, alles gezien, jullie ouders lieten jullie helemaal vrij…'

'Grappig, vind je niet?' Maar op mams gezicht prijkt geen glimlach. De wind deelt ons klappen uit en doet mijn wangen schrijnen. Ik sta als aan de grond genageld. 'Zo herinner ik het me anders niet, hoor. Totaal niet. Luister, het is allemaal verleden tijd,' zegt ze. 'Voorbij. Net als het dagboek. Het is haar versie, niet de mijne, niet de jouwe.' Ze drukt het dagboek tegen zich aan en haar vingers trommelen tegen de kaft.

Zo had ik er nog niet naar gekeken: dat als ik mams, Archies of zelfs oma's dagboek van die zomer zou lezen, het verhaal misschien anders was geweest. Ik denk dat ik dat nooit te weten zal komen. Ze waren er die zomer allemaal bij, ze wisten hoe het was. Maar zelfs dan nog blijft er heel wat over wat ze nooit echt zullen begrijpen.

'Ik denk nog steeds aan haar, ik kan me haar nog steeds zo helder voor de geest toveren,' zegt Louisa. 'Jij niet?'

'Dagelijks,' antwoordt mam. Opeens ziet ze er zo oud uit. Tranen zwemmen in haar ogen. Komt het door de wind? Ik weet het niet. 'Ze was een schat, hè?'

Ze schenken elkaar nog een half glimlachje terwijl de wind ons geselt. 'Ja,' zegt Louisa. 'Het is niet eerlijk.'

'Nee,' zegt mam. 'Maar zoals ik al zeg, dat is nu verleden tijd.'

Ik merk dat ik instemmend knik. Ze heeft gelijk.

'Nou, ik vind van niet. Ik vind dat wij het ook moeten lezen,' meent Octavia.

'Waarom?' vraag ik haar.

'Omdat wij recht hebben op de waarheid. Ons hele leven lang is mam degene geweest die van alles voor jouw vader en moeder heeft gedaan. Ze heeft er niets voor teruggekregen, nooit eens een bedankje of een beloning…'

'Wat, wil je geld?' zeg ik. 'Gaat het daarom?'

'Octavia! Natasha!' sist Louisa. 'Nee, natuurlijk niet.'

'Ik wil alleen maar zeggen dat ik ermee opgroeide. Ik heb mijn moeder zien koken, zien schoonmaken, zich de hele zomer lang om jóú – ze wijst naar mij – zien ontfermen omdat jíj – ze wijst naar mam – niet de moeite wilde nemen om bij je ouders langs te gaan.

En niemand die daar eens vraagtekens bij zette, hè?' Octavia lacht. 'We deden allemaal net alsof er geen vuiltje aan de lucht is.'

Ik ben het zat. 'Octavia, je kletst gewoon uit je nek,' zeg ik. 'Je slaat de plank volledig mis! Mam is niet degene die...'

En dan gebeurt er iets vreemds. Mams hand heeft het dagboek vast en opeens vliegt het wapperend op een harde, opwaartse windvlaag over het strand en valt het als een baksteen pardoes in zee. Louisa slaakt een kreet en Octavia rent snel naar de stenen trap, maar mijn moeder houdt haar met ijzeren greep tegen.

'Nee, Octavia, niet doen. Het is te gevaarlijk.'

Ze dwingt de twee terug naar het huis.

'Het is weg,' stel ik vast terwijl ik naar het piepkleine rode schriftje in de verte tuur.

'Nu zullen we het wel nooit echt weten,' zegt Louisa. Mistroostig haalt ze haar schouders op en ze slaat haar ogen op naar mam. 'Miranda, wees voor één keertje eens eerlijk. Er stond toch niets verschrikkelijks in, hè?'

Mam kijkt haar aan. 'Helemaal niets, Louisa. Echt.'

'Mooi.' Louisa knikt. Het valt voor mij niet te zeggen of ze het gelooft of niet.

'En Louisa, dat akkefietje met Archie?' gaat mam verder. 'Jeremy zat mij ook de hele tijd te begluren. Hij pakte het alleen subtieler aan, zodat-ie niet betrapt werd. Dat is het enige verschil.'

'Dat is niet waar.'

'Wel degelijk. Zoals ik al zeg: omdat jij het toevallig niet hebt gezien, betekent dat nog niet dat het dus niet is gebeurd.'

'Waarom heb je er niets van gezegd?' wil Louisa weten.

Op mijn moeders gezicht verschijnt even een besmuikt glimlachje. 'Wie zou me hebben geloofd?' Ze slaat de ogen even neer naar het grindpad. 'Toe, geloof me. Voor deze ene keer. Het is allemaal al zo lang geleden. Je haat Archie inmiddels toch niet meer? Ik bedoel, je bent niet verzot op hem, maar het is alweer zo lang geleden. Al die jaren. Dus waarom zetten we er niet gewoon een streep onder?'

'Je bent echt gestoord,' zegt Octavia.

'Ja, dat ben ik,' reageert mijn moeder. 'Dat weet ik zelf nog wel het beste. Louisa?' Die glimlacht haar lieve glimlach. 'Ja. Laten we gaan.'

431

Mams ogen schitteren een moment naar haar, waarna ze even naar me knikt. 'Schat, we moeten nu echt…'

Ze pakt me bij mijn arm. Octavia beent zwijgend voor ons uit. Louisa roept haar na. 'Octavia?' Ze schudt haar hoofd. 'O jee. Ze is… Tja, een beetje onvoorspelbaar.' Ze glimlacht. 'Een beetje zoals jij, Miranda.'

'Ik?' Mijn moeder kijkt verschrikt op bij de suggestie dat die lompe, waggelende Octavia en zij iets met elkaar gemeen hebben en ik bijt op mijn lip om vooral niet te glimlachen. Het is raar, maar toch heeft ze gelijk.

Gedrieën lopen we zwijgend terug naar de woning. Als we buiten op het terras belanden verschijnt Archie.

'Dat werd tijd,' zegt hij. 'Kom, meiden.'

'Laat me nog even mijn haar borstelen,' zegt mijn moeder.

'Mam, we moeten nu echt opschieten,' zeg ik met een blik op mijn horloge. 'De trein vertrekt over nog geen uur.'

'Nou…' Louisa rommelt met haar handtas en tuurt erin alsof ze naar een schat zoekt. 'Nou…'

Ik buig me naar haar toe en geef haar een dikke knuffel. 'Bedankt voor alles wat je vandaag hebt gedaan,' zeg ik. 'Echt, alles. Je moet een keer bij me langskomen. Kom eens langs.'

Ze lijkt even van haar stuk gebracht. 'O, Nat, schat, wat leuk. Ik weet zeker dat het, eh…' Ze valt stil.

'Ik zit vlak bij het Geffrye Museum,' zeg ik. 'We zouden eens wat leuke hofjes en Engels meubilair kunnen gaan bekijken. Misschien wat over Columbia Road slenteren, je hebt daar een paar heel leuke koffietentjes. En dan kun je ook meteen zien waar ze mijn sieraden verkopen.' Mam, naast me, kijkt opgelaten. *Ik zou het heel leuk vinden als je komt.* Als ik dit nu niet zeg, is er ook geen reden meer om haar verder nog te zien. Ja. En dus zeg ik het: 'Ik zou het heel leuk vinden als je komt.'

Opeens verschijnt er een lichte blos op haar gezicht. 'Ik ook.' Ze geeft een klopje op mijn arm. 'Ik ben zo trots op je, Natasha. Je oma zou het ook zijn geweest…' Ze bijt op haar lip en wendt haar gezicht af. 'Tot ziens.' Ze pakt mams arm ook even vast.

'Tot ziens, Natasha,' zegt de Bolhoed.

Hij geeft me een zoen op de wang en ik kijk hem aan. Ik voel geen woede, enkel een koele afkeer. Ik wil dat hij lijdt voor wat hij heeft gedaan, maar ik besef dat het eigenlijk zinloos is. Het zou Louisa alleen maar kwetsen en dat is wat niemand van ons wil. Hij is mijn tijd niet waard. Hopelijk zal ik nooit meer iets met hem te maken hebben.

Hij bewaart afstand tot mam. 'Dag,' zegt hij, en hij steekt aarzelend een hand op, alsof hij niet zeker weet wat het gevolg zal zijn.

'Zijn we gereed?' vraagt Archie. Zoals altijd houdt hij het portier voor zijn zus open. 'Ik kom snel terug, Louisa, om de rest af te handelen.'

'Dank je,' zegt Louisa. Haar stem klinkt gedempt en dat is vreemd. Het is me nooit eerder opgevallen, maar het klopt: er heerst iets ongemakkelijks tussen de twee. De Bolhoed kan echter zorgeloos rondwandelen, terwijl hij zich die zomer van een veel slechtere kant heeft laten zien, en de helft van alle personen – mam, Archie, Guy, mijn beide grootouders – weet het. Ik zucht. Ik weet dat Archie irritant kan zijn, maar hij is geen kwaaie. Hij is immers de vader van Jay, en nu staat hij klaar om ons terug te rijden naar bijna dezelfde plek als waar hij zo-even nog is geweest.

'Stap in, Natasha.'

'Dank je,' zeg ik. Ik voel me even heel erg dankbaar jegens hem en ik kruip achterin. Als we wegrijden draai ik me om, net als toen ik nog klein was, om nog een laatste glimp van het huis te kunnen opvangen, met zijn witte rondingen tegen het glooiende groen en met de zee op de achtergrond. Voor in de auto zitten Archie en mam vrolijk te kletsen en te lachen, alsof het vertrek hen nu al opbeurt. Ik realiseer me dat ik, met dit alles, geen afscheid heb genomen van het huis, dat ik Summercove niet vaarwel heb gezegd.

Maar dan ineens dringt het tot me door dat ik dat wel heb gedaan.

47

De volgende ochtend rijden we iets na zevenen Paddington binnen. Het is opnieuw een prachtige lentedag. Zacht zonlicht valt op het oude, vertrouwde station als mam en ik uit de trein stappen en we vervolgens wat onbeholpen op het perron staan.

Terwijl de mensenmassa langzaam oplost, kijken we elkaar met vermoeide blikken aan. Ik zwaai mijn tas over mijn schouder en ze glimlacht naar me. Dan strijkt ze een haarlok achter mijn oor.

'Lieve Nat,' zegt ze. 'Mijn knappe meid.'

We knikken naar elkaar. We hebben het gehaald. We hebben de overkant bereikt. Het is alsof ik me lange tijd een weg door de duisternis heb gevochten, het hele afgelopen jaar. Misschien wel langer, nu ik erover nadenk. Alsof mijn leven de verkeerde afslag had genomen, zonder dat ik er iets aan kon doen. Zoals het ook met mam ging, na het overlijden van Cecily.

Met haar lange, soepele vingers pakt ze mijn hand vast, zo stevig dat ze me bijna knijpt. Haar grote ogen staan blij.

Ik geef een klopje op haar schouder. 'Mam, zullen we... wil je ergens ontbijten? Ik ken een leuke tent niet al te ver van hier, langs het kanaal.'

Ze knikt.

'Dan kunnen we... práten,' zeg ik terwijl ik even met mijn ogen rol in de hoop dat zij weet dat ik er ook niet echt dol op ben, maar dat het leuk zou zijn om wat te kletsen. 'Gewoon... beetje bijpraten en zo.'

Mam opent haar mond en glimlacht. En dan zegt ze: 'O! Ja. Ik zou... Ja, nou, dat zou ik heerlijk vinden, schat, maar ik kan niet.'

'O, ik dacht dat je... laat maar zitten, het doet er niet toe.'

'Jean-Luc heeft me vanmorgen vroeg gebeld,' zegt ze met opengesperde ogen. 'Zijn vrouw is bij hem weg en hij is er vreselijk aan toe. Toevallig heeft-ie voor de lunch iets gereserveerd in het River Café! Dus hij neemt me mee. Ik moet echt even naar huis en mezelf opfrissen.' Haar glimlach is nog altijd stralend, optimistisch, zonnig en een tikkeltje angstaanjagend. 'Maar het is een leuk plannetje, schat.' Ze grijpt mijn hand weer vast. 'Misschien een andere keer, hm?'

'Ja,' reageer ik terwijl ik in die heldere groene ogen kijk, die zo op die van haar eigen moeder lijken, en op die van mij. 'Een andere keer.'

'Welke kant moet jij op...?' Ze wijst naar de grote stationshal.

'Ik...' Ik wijs achter me, naar de Hammersmith & Citylijn.

'Natuurlijk,' zegt ze. 'Ja, nou, ik neem de District...' Nog steeds wijzen we ieder een andere kant op. 'Goed, ik moet rennen,' zegt mam. Ze kust me op de wang. 'Doei, lieverd,' zegt ze, en ze stuift de trap af naar het perron. Ik kijk haar na, draai me vervolgens om en neem de trap omhoog naar de metro, dezelfde trap waar ik twee maanden geleden vanaf stoof om precies deze trein te halen, de trein die me terug zou brengen naar Summercove voor oma's begrafenis.

Ik zit in de metro die me zacht rammelend oostwaarts voert, weg van het station, weg van mam, terug naar het centrum van Londen en naar een nieuwe dag. Ik heb geen idee wanneer ik haar weer zal zien; ze heeft de grenzen duidelijk aangegeven, en na alles wat er is gebeurd, wat ze heeft doorgemaakt, weet ik dat het goed is zo. Ik zie Louisa, die zich weghaast... mam, die zich weghaast... ik zie mezelf afscheid nemen van Arvind en van mijn huwelijk. En net als ik denk dat ik alleen ben, bijna alleen, op Jay na maar zonder de rest van mijn familie, schiet me een gedachte te binnen.

Ik kan gewoon niet geloven dat ik het niet eerder heb ingezien.

Opeens vlieg ik overeind in de overvolle metro. Bij King's Cross schuiven de deuren open. Waarom heb ik er niet eerder aan gedacht? Waarom heb ik het niet gezien? Ik ren door de mensenmassa, dezelfde anonieme zee van mensen die zich van een plek naar een andere haasten, naar hun werk, uit het gezicht verdwijnend, net als mam, zich naar de uitgang reppend. Ik versnel mijn pas.

Een halfuur later sta ik voor de deur van een woning in een rij leuke Georgian huizen. Ik klop hard aan.

Een meisje doet open. 'Hoi?' zegt ze terwijl ze me vragend aankijkt. Ze is rond de vijfentwintig, met lang, krullend donkerbruin haar waar iets van een rode gloed inzit. Ze houdt een halfvol kommetje cornflakes en een lepel vast.

'Hoi,' groet ik wat hijgerig, want ik heb het hele eind vanaf de ondergrondse gerend. 'Hoi, ik ben Natasha. Is je… je vader thuis?'

Nieuwsgierig neemt ze me van top tot teen op. En vervolgens knikt ze en verschijnt er een glimlach. 'Eh… oké. Zeker. Pa!' brult ze onverwacht woest. 'Ene Natasha voor jou aan de deur!'

'Dank je wel,' zeg ik.

'Geen dank,' zegt ze. En ze glimlacht weer. 'Ja… nou, misschien zie ik je later,' en ze verdwijnt langzaam weer in de gang, met haar kommetje cornflakes.

Guy verschijnt in de hal. Hij oogt wazig en lijkbleek. Hij knijpt wat met zijn ogen, als om zich ervan te vergewissen dat ik het ben. 'Natasha?' zegt hij hoofdschuddend. 'Wanneer ben jij teruggekomen? Wat doe je hier?' Het klinkt niet onvriendelijk.

'Ik wilde je iets vragen,' zeg ik. Ik kijk hem strak aan.

Hij kijkt me recht in de ogen. En slikt. 'Oké. Brand maar los.'

'Guy,' begin ik. 'Eh…'

Hij kijkt me aan, en zijn ogen zijn lief.

'Toe maar Natasha,' zegt hij. 'Vraag maar.'

Ik adem diep in.

'Ben… ben jij mijn vader?'

Hij schrikt even op, en het is alsof een zekere spanning opeens een uitweg vindt. Hij zucht.

'Ja,' antwoordt hij. 'Ja, dat ben ik.' En langzaam verschijnt er een glimlach op zijn gezicht.

'O.'

'Het spijt me zo ongelofelijk,' zegt hij. 'Ik ben minder dan nutteloos geweest. Maar je bent hier nu. Ik ben zo blij dat je er bent.'

Ik plaats mijn hand tegen de voordeur om mezelf staande te houden.

'Waarom kom je niet binnen?' vraagt hij. 'Toe.'

'O,' reageer ik, denkend aan het meisje van zonet, aan hoe moe ik ben, hoezeer ik snak naar een ontbijt, mijn bed. 'O… nou…'

'Toe,' zegt hij weer. 'Weet je, ik heb hier een poos op gewacht. Nu ben je er. Welkom.'

Hij slaat zijn arm om me heen en trekt me zachtjes mee naar binnen, en dan duwt hij de deur achter ons en alles en iedereen dicht.

48

De keuken in Guys souterrain is een bende. Hij leidt me de trap af en laat me plaatsnemen aan de grote houten keukentafel, die bezaaid is met kranten en vol staat met lege koffiemokken. Onbeholpen schuift hij wat kranten opzij en hij gebaart naar de waterkoker.

'Wil je iets ontbijten...?'

Net rammelde ik nog, maar nu heb ik helemaal geen trek meer. 'Nee, dank je. Maar mag ik een kop koffie?' vraag ik.

'Tuurlijk, tuurlijk.' Hij wrijft zich in de handen, alsof hij blij is dat alles gladjes verloopt. Voorzichtig vult hij de ketel en ik kijk naar hem.

Deze man is mijn vader. Dit is mijn pa. Pap. Pappie. Vader. Pa. Ik heb het nog nooit eerder tegen iemand gezegd. Ik oefende het vaak in mijn kamertje aan Bryant Court, vooral toen mijn *Railway Children*-obsessie op zijn hoogtepunt was. Mijn papa is op reis, dacht ik dan. Binnenkort is hij weer terug. Mam zorgt gewoon dat mij niets overkomt, net als Bobby's moeder. Nacht na nacht. Maar hij kwam nooit terug en ik ontgroeide het doen alsof. Ik kijk naar Guy terwijl hij rondschuifelt en zijn best doet om alles op de goede plek terug te zetten.

Hij is Cecily's minnaar. Hij is de bróér van de Bolhoed, godbetert. O nee, besef ik plots. Dat maakt de Bolhoed dus tot mijn oom en Julius en Octavia tot mijn volle neef en nicht, in plaats van verre familieleden van wie het niet zo erg is dat ik hen niet graag mag. En hij is mijn vader. Wat tot nu toe weinig heeft voorgesteld, moet ik zeggen.

Alles tolt voor mijn ogen en ik heb hoofdpijn. Ik sta op.

'Sorry, maar ik moet gaan,' zeg ik. 'Ik weet niet of ik dit nu aankan.'

Guy draait zich om. Hij kijkt geschrokken. 'Nee!' roept hij. 'Je kunt niet weg!' Hij hoort het zichzelf zeggen. 'Sorry. Toe. Toe, ga niet weg, bedoel ik.'

'Ik heb nooit gedacht...' zeg ik. Ik schud mijn hoofd terwijl ik nog steeds sta. Tot mijn verbazing lopen de tranen over mijn wangen.

Boos veeg ik ze weg. 'Sorry. Dat komt van de schrik, meer niet...' Ik laat me weer op mijn stoel zakken.

'Ik ging ervan uit dat ze je het wel zou hebben verteld,' zegt Guy. 'Daarom vroeg ik je gisteren om bij me langs te wippen. Ze had beloofd dat ze het je zou vertellen. Dat heeft ze dus niet gedaan?' Ik schud van nee en ik onderdruk een snik. Hij verbijt zich. 'God, dat mens toch... Sorry, ik weet dat ze je moeder is, maar zeg nou zelf.'

Er valt een stilte en ik verman me.

'Doe maar niet zo naar over mijn moeder,' zeg ik. 'Waar was jij dan toen ze mij opvoedde, zonder een cent en helemaal in haar eentje?'

'Ik wist van niets!' roept hij plotseling en opeens lijkt hij tien jaar jonger, niet langer de vermoeide, uitgebluste oude man die niet strookt met de jongeman uit Cecily's dagboek.

'Je wist van niets?'

'Natuurlijk niet, Natasha!' Hij trekt een verontwaardigd gezicht. 'Waar zie je me voor aan? Ik had echt geen idee, totdat ze twee weken geleden, de dag nadat jij bij me in de winkel was, als bij donderslag opdook. Als bij donderslag! Eerst dat dagboek in de post, en daarna zij. Niks geen berichtje vooraf of wat dan ook. Aanvankelijk ging ik ervan uit dat ze nog zo'n ellendig dagboek voor me had meegenomen om te lezen, maar ze kwam met dit!' Hij schreeuwt nu bijna. 'Ze komt met dit en neemt vervolgens de benen naar god mag weten waar, en ik blijf achter... Wat moest ik doen? Kun je dat begrijpen? Nou, als ze hier weer voor de deur staat laat ik haar niet binnen. Reken daar maar op.'

Hij klinkt zo verontwaardigd dat ik bijna moet lachen. Maar hij meent het. Hij praat wat zachter. 'Natasha, denk je niet dat als ik het eerder zou hebben geweten, ik dan...' Hij slikt. 'Ja, ik deed afschuwelijk tegen je toen je vorige week langskwam, en dat spijt me...' Met het theelepeltje in zijn hand tikt hij slapjes tegen zijn flodderige corduroy broek. Als een kind met een ratel. 'Ik had toen net ontdekt dat ik jouw vader was, en met Miranda in geen velden of wegen te bekennen wist ik dus niet of ze je het nu wel of niet had verteld... En het was Hannahs sterfdag... Die valt me altijd weer zwaar. En dan sta jij opeens voor de deur en... Het spijt me echt.' Hij kijkt zo zielig. 'Ik... ik was er gewoon nog niet klaar voor om eens goed met je te praten, degene te zijn die je nodig had.'

'Luister, Guy,' zeg ik. 'Ik heb geen vader nodig. Ik heb het al die jaren zonder gered. Het is prima zo.'

De ketel staat te gillen op de kookplaat en hij draait het gas uit. Ik laat mijn blik weer door de zonnige keuken glijden, met de foto's aan de muren, magneetjes aan de koelkastdeur, potten van roomwit email voor Suiker, Bloem, Thee en Koffie. In de hoek rekt een kat zich uit in zijn mand. Op de achtergrond klinkt Radio 4. Het is er rommelig, maar huiselijk. Gezellig. Boven loopt iemand door de kamer. Toen ik jonger was, was dit ongeveer het huiselijke sfeertje waar ik van droomde.

'Geloof je het als ik zeg dat ik van niets wist?' vraagt Guy. Hij loopt naar me toe en slaat met zijn hand tegen de rugleuning van een van de stoelen. 'Geloof je het?'

Ik knipper met mijn ogen. Het klinkt nog steeds zo raar. 'Je had echt geen idee? Ik bedoel, je wist toch dat je met haar had geslapen, Guy, dat wist je toch? Wil je soms beweren dat ze je heeft gedrogeerd?'

Hij glimlacht. 'Yep. Hier wordt het vrees ik een beetje gecompliceerd. We zijn... eh, door de jaren heen, na Cecily's dood... we zagen elkaar behoorlijk vaak, zou je kunnen zeggen.'

'Jullie waren neukvriendjes,' zeg ik. Hij kijkt me met grote ogen aan.

'Wát zei je daar?'

'Neukvriendjes,' herhaal ik hardvochtig. 'Wipafspraakjes.'

'Ik heb echt geen idee waar je het over hebt.' Hij loopt weer naar de ketel, schenkt water in de cafetière, zet hem op tafel, samen met de twee mokken, en laat zich zwaar neerploffen op de stoel tegenover me. 'Zo was het niet.' Hij kijkt wat voor zich uit. 'Je moet niet vergeten, Natasha, dat ze een moeilijke jeugd had, maar in de jaren zeventig was jouw moeder...' Hij schudt zijn hoofd. 'Ze was absoluut verpletterend.'

'Voor heel wat mensen waren de jaren zeventig een hel, weet je,' vertelt hij als de spanning aan tafel wat is weggeëbd. Ik huil niet meer en hij is tot rust gekomen. 'Geen stroom. Stakingen. Massale werkloosheid. Overal plateauzolen en puisterige punkers. Maar in veel opzichten was het jouw moeders tijdperk.' Hij glimlacht.

'Hoe bedoel je?' Mijn belangstelling is gewekt en ik begin met plezier naar hem te kijken, naar zijn gezicht, zijn handen die de koffiemok omvatten. Ik trek een been onder me.

'Ach, je weet wel,' glimlacht hij. 'Je weet wel. Haar eigen versie van dat quasimystiekige... eh... je weet wel, hippiegedoe, met zo'n sjaal om je hoofd... Toen was dat helemaal in. Ik denk gewoon dat ze toen pas een beetje lekker in haar vel begon te zitten.'

Ik glimlach, want hij heeft helemaal gelijk en het is zo raar dat hij dat weet, dat hij haar zo goed kent. Ik plant mijn ellebogen op tafel, breng mijn handen onder mijn kin en luister aandachtig verder.

'Wat ze daarvoor heeft gedaan, weet ik niet.'

'Ze deed wat modecursussen,' vertel ik. 'Dat is wat ik weet. Jaren later, toen ik klein was, probeerde ze jurken voor me te maken. Allemaal vreselijk.' Zoals die donkerrood met bruine kinderschortjes uit de jaren tachtig, bijvoorbeeld, met één pand naar voren geslagen en de zakken aan de binnenkant. Ik schud mijn hoofd even, zwevend tussen een glimlach en een traan nu ik haar in gedachten weer in de flat achter haar naaimachine zie zitten.

Guy knikt. 'Ik kan me, geloof ik, ook nog een cursus stofferen herinneren. Ze was voortdurend kussens aan het maken, en ik weet dat ze reisde. Maar ik ontmoette haar weer toen ze in een boetiek werkte, in South Ken, geloof ik.'

Ik weet nog dat ze het over die winkel in South Kensington had. Aanvankelijk verkochten ze er afgrijselijke kaftans en gebatikte spullen, die een paar jaar later plaatsmaakten voor lange Laura Ashley-achtige bloemetjesjurken. Ze nam de winkel over en gaf hem een nieuwe naam: Miranda. Hoe kan het ook anders. Ik heb nog een foto van haar, buiten voor de etalage, in een strakke spijkerbroek en laarzen, een geborduurde wijde bloes van kaasdoek, met gigantische mouwen, en een sjaal van Liberty om het hoofd geknoopt. Ze heeft een hand op een heup, haar ogen zijn zwart opgemaakt en ze kijkt bijna dreigend. Ze heeft wel iets van een sexy pirate. Er loert iets volkomen ongetemds achter haar ogen. Hij heeft gelijk, ze ziet er verpletterend uit. Ik zeg het tegen hem en hij knikt.

'En dat was ze. We kwamen elkaar tegen op een feestje, ergens in... 1973? Ik had... ik had haar jaren niet gezien. Ik woonde een tijdje in de States.'

'Wat deed je daar?' vraag ik nieuwsgierig. Ik wil alles weten. Ik kijk hem weer aan. Hij is mijn pá.

Hij glimlacht. 'O, niet veel, ben ik bang. Zo nu en dan wat schrijven voor een krant en wonen in San Francisco. Ik probeerde journalist te worden.'

'Wauw. Was het leuk?'

Guy schudt zijn hoofd. 'Nee,' klinkt het ronduit. 'Ik was er niet echt goed in. En ik ben om de verkeerde redenen vertrokken. Ik kon niet wachten tot ik klaar was op Oxford... en daarna heb ik Engeland zo snel mogelijk verlaten, om Cecily te kunnen vergeten. En ook om wat er die zomer allemaal was gebeurd.' Hij stopt even en neemt een flinke slok van zijn koffie. Hij ademt snel, tuit zijn lippen en vertelt op mistroostige toon: 'Ik was er zelfs niet eens bij toen Frank met Louisa trouwde.'

'Echt? Je miste de bruiloft van je broer?'

'Toen was dat niet zo'n punt. Bruiloften waren toen niet zo'n ding, weet je. Glaasje champagne en wat zalmmousse in de partytent en tegen zessen weer thuis.'

Hij wendt zijn gezicht af. Ik geloof hem niet. Langzaam sla ik mijn vingers zo om mijn mok dat mijn duimen over elkaar vallen.

'Maar goed, ik bleef daar tot '73, en toen kwam ik terug... Het was zomer, ik was net een week hier. Bloedheet. Ik vroeg me eigenlijk af waarom ik terug was, wat me bezielde... Ik was een dolende ziel. En op een compleet gestoord huisfeest in Maida Vale liep ik opeens je moeder tegen het lijf. We... umm.' Hij valt even stil. 'Het was een poosje dik aan tussen ons. Daarna pakte ik mijn biezen weer.'

'Terug naar de States?' vraag ik. Ik geneer me niet, ben wanhopig nieuwsgierig. Na al die jaren in het duister te hebben getast ligt opeens alles voor me open.

'Ik reisde een paar jaar heen en weer. Er was een meisje, in San Francisco, het lag nogal gecompliceerd. Ik had eerlijk gezegd geen idee waar ik mee bezig was.'

'Dus als je hier was, zag je mam, en als je daar was, dat meisje?'

Hij trekt zijn schouders op totdat ze bijna zijn oren raken, en laat ze weer zakken. 'Ja. Maar ook al klinkt het gênant als ik zeg "het was anders dan je denkt", probeer ik mezelf te troosten met de gedachte dat het inderdaad zo was.'

'In welk opzicht?' Ik neem een slokje van mijn koffie en ik warm mijn handen aan mijn mok.

'Miranda was...' Zijn ogen lichten op. 'Ze was heel helder over wat ze wilde. En een relatie hoorde daar niet bij. Ze was... Je moet begrijpen dat ze voor het eerst zichzelf was. Ze ging haar eigen weg, had haar eigen leven, weg van Summercove, weg van haar ouders. Ze was de grote gangmaker van elk feest. Een schoonheid. Altijd mannen om haar heen, homo's en hetero's. Ze kende geen angst. Een keer zwaaide ze aan een gigantische kroonluchter, ergens in een vervallen villa, achter Curzon Street, tot het plafond het niet meer hield en ze op de grond plofte.' De herinnering doet hem bijna grinniken. 'Kon haar geen donder schelen. Zo was Miranda.'

Mijn huid voelt heet, tintelt overal. 'En daarna?' vraag ik. 'Ging je toen weer terug naar de States?'

'O ja. En daarná weer naar Londen. Paar maanden hier, paar maanden daar.' Hij slikt. 'Ik stelde me aan. Mijn vriendin wilde dat ik daar bij haar bleef. Ze was inmiddels naar New York verhuisd. Ik kon maar niet besluiten, wilde me niet settelen. Bleef maar denken... Stel dat...' Hij valt weer stil.

'Stel wát?'

'Stel dat Cecily niet was overleden?' Hij slaat zijn ogen op. 'Of we dan iets zouden hebben gehad, samen? Daarom kon ik me dus jarenlang niet met een ander settelen. Ik dacht altijd dat we samen zouden zijn.' Hij schudt zijn hoofd. 'Dat kan ik nu niet meer zeggen, met Hannah en de kinderen. Ál mijn kinderen.' Hij glimlacht en legt zijn hand op de mijne.

Ik laat zijn vingers op de mijne rusten, voel zijn huid, zijn warme, droge hand en ik staar hem weer verwonderd aan.

'Ik zou dat voor geen geld ter wereld hebben willen missen. Maar ik denk er wel aan. Voortdurend, vroeger. Kijk, toen ze was overleden had geen van ons het er nog over. Ik kon er met niemand over praten... over haar. Geen van mijn vrienden had haar ooit ontmoet. Het was zo kortstondig. Ik kon er niet met mijn broer of met Louisa over beginnen.' Hij zucht. 'Sorry, het valt me zwaar, zelfs nu. Toen ik dat dagboek las kwam het allemaal weer boven.'

'Wist je van de Bolhoed en... oma?' vraag ik. 'Voordat je aan het dagboek begon?'

Guy fronst. Er verschijnen twee rimpels tussen zijn grijze wenkbrauwen en hij spert zijn ogen even open. 'In zekere zin wel, ja. Ik heb ze geen van tweeën ooit echt vertrouwd. Begrijp me niet verkeerd, ik hield van beiden. En dat zal ik altijd blijven doen. Maar ik... ik geloof niet dat ik wilde weten wat er speelde. Je moet niet vergeten hoe jong we nog waren, hoe naïef eigenlijk. Ze heeft het met mij ook geprobeerd, hoor.'

'Wat? Oma?'

Hij knikt. 'Frances was een gepassioneerde vrouw. Ze liet duidelijk weten dat ze beschikbaar was. Al vrij snel na onze komst, die zomer. Een handje hier, een aai over de wang, een blik over de schouder.' Hij knijpt zijn ogen half toe. 'Ik was zo schuchter. Als ik niet zo bang was geweest, was ik erop ingegaan. Maar goed dat ik het niet heb gedaan.'

Ik schud mijn hoofd, maar ik weet niet waarom het me verbaast.

'Afijn,' gaat Guy verder, 'ik denk, ik dénk... ja, dat het weerzien met jouw moeder alles weer oprakelde. Maar dan in de goede zin van het woord. Ze was geweldig. Ze was als Cecily, natuurlijk. Maar ook weer níét. Zoveel hebben ze nu ook weer niet gemeen. Het was dus geruststellend haar weer te zien en met haar te kunnen praten over wat er was gebeurd.' Hij kijkt opgelaten. 'Niet dat ze het er vaak over wilde hebben. Ze was meer geïnteresseerd in het heden. Niet in het verleden. Altijd al zo geweest.'

Hij gaat een beetje verzitten.

'Mensen zeggen altijd dat ze moeilijk is, een beetje gek... Volgens mij willen ze dat gewoon graag geloven. Op die manier waren al die andere zaken die niet met dat gezin strookten gewoon makkelijker te verklaren. Begrijp je? De vader altijd afwezig, weinig geïnteresseerd. De moeder, een schoonheid en een groot talent, maar ze had al jaren niet meer geschilderd; het huis, dat ooit als een mekka gold voor glamoureuze jonge types maar dat niet langer was, de dood van de jongste dochter, zo'n sfeer waarvan je voelde dat er iets aan mankeerde... Ik denk dat het voor anderen makkelijker was om over Miranda te roddelen dan verder te kijken dan hun neus lang is. Klinkt dat een beetje aannemelijk?'

Dat gezin. Alsof het niets met hem te maken heeft, of met mij, alsof ze niet langer mijn familie zijn.

'Afijn... het was altijd heel informeel. We kwamen elkaar tegen op feestjes of we gingen ergens wat Italiaans eten als ik in de stad was, een beetje bijpraten, en daarna ging ze met me mee naar mijn zwijnenstal van een vrijgezellenflatje in Bloomsbury...' Hij laat zijn handen in zijn schoot vallen. 'Ze reageerde altijd enthousiast...' Hij glimlacht. 'En dan ging ik terug naar de States en zocht zij weer een ander vriendje... Het was nooit definitief aan tussen ons. Slechts een paar keer per jaar. Er waren altijd andere mannen in haar leven, begrijp je?'

'Ik begrijp het.' Ik voel me niet loyaal aan mijn moeder, maar ik kan het niet ontkennen. 'Dus je vond het niet raar om te horen dat ze zwanger was?'

'De spijker op z'n kop,' benadrukt Guy. 'Ik heb op dat moment zelf nooit geweten dat ze zwanger was. Ik heb de afgelopen weken alles nog eens op een rijtje gezet. Ik kwam terug in '77. Ik schreef een verslag voor een Amerikaanse krant over het jubileum van de koningin. Jouw moeder en ik hebben elkaar die zomer een paar keer getroffen. Een à twee keer, hooguit. We troffen...' Hij valt even stil. 'We troffen elkaar in het French House, in Soho. Op 6 augustus, Cecily's sterfdag. Ik herinner me het nog goed. De volgende dag zou ik naar Ulster afreizen om het bezoek van de koningin te verslaan. Het zou erom spannen, overal veiligheidsmaatregelen. Eigenlijk moest ik vroeg gaan slapen, maar... we bleven op, we dronken en we kletsten... Uiteindelijk gingen we naar haar huis... Ik weet nog dat...'

Hij kijkt me even aan en zwijgt. 'Wat?' vraag ik.

'Laat maar,' klinkt het vriendelijk, en ik realiseer me dat er ook dingen zijn die ik niet wil of hoef te weten, en het dringt tot me door dat ik wellicht die avond, op Cecily's sterfdag, ben verwekt.

'Afijn, het was helemaal niet ongewoon dat we elkaar op die manier tegenkwamen. We hadden verder helemaal geen contact met elkaar. En daarna zag ik haar... zag ik iedereen dik twee jaar niet meer.'

'Werkelijk?'

'Ja,' antwoordt hij. 'Vraag me niet waarom. Ik geloof dat Louisa zei dat Miranda een kind had gekregen, maar ik was inmiddels getrouwd en we wilden een gezin stichten...'

'En dat vriendinnetje in de States?' vraag ik.

'Ik werd verstandig,' is zijn antwoord. 'Ik trouwde met haar. Dat was Hannah.'

'Je vrouw?'

Hij glimlacht mistroostig. Mijn vader heeft een melancholieke glimlach. 'Ja. En ik ben een sukkel. Wij allebei. Het duurde even voordat we dat inzagen. Al die verloren jaren, dat is wat me zo boos maakt.' Hij knikt ernstig, alsof hij zich iets herinnert. 'Maar uiteindelijk voegden we de daad bij het woord. We trouwden in 1980 en een jaar later werd onze eerste dochter geboren, en in 1986 onze tweede.' Dan, traag: 'Hannah overleed vijf jaar geleden. Vijf jaar geleden, in april.'

Ik geef een zacht kneepje in zijn hand. 'Ik vind het zo erg voor je,' zeg ik zacht.

'Dank je.' Hij schraapt zijn keel.

'Hoe heten je dochters?' vraag ik terwijl ik zijn blik probeer te vangen.

'Mijn dochters,' klinkt het warm. 'Mijn andere dochters, bedoel je? Ha. Roseanna en Cecily.'

'Cecily?'

Hij glimlacht. 'Je hebt haar net ontmoet.'

Ik denk aan die leuke jonge meid die opendeed. 'Dat is dus mijn halfzus.'

Guy buigt zich iets naar me toe. 'Klopt.'

'Ze lijkt op Hannah.' Ik herinner me Hannah slechts vaag, die Amerikaanse met dat prachtige lange rode haar, voordat ze dat allemaal kwijtraakte, haar humor en haar hartelijkheid. Guy knikt.

'Zeker.' Hij kijkt vergenoegd. 'Ik weet zeker dat je ze al eerder hebt gezien, maar je moet echt met ze kennismaken. Ze weten van je. Cecily zal misschien niet zeker hebben geweten wie er daarnet voor de deur stond, maar waarschijnlijk toch wel. Ze weten van je bestaan af. Ik heb het ze vorige week verteld. Ze vinden het ongelofelijk spannend.'

'Echt?' Als enig kind kan ik het me niet voorstellen. Zussen zijn voor mij iets volkomen vreemds. Ik heb geen idee hoe zoiets voelt, om zussen te hebben, deel van een gezin te zijn. 'Ze vinden het spannend? Willen ze me ontmoeten?'

'Alles op z'n tijd,' klinkt het vrijblijvend, en ik weet dat het tactvol bedoeld is.

Hij staat weer op van tafel. Ik kijk op mijn horloge. Het is tien uur. In huis is het nog stil, en ook op straat.

'Wil je een geroosterde boterham of zo?' vraagt Guy vanachter de gootsteen. 'Ik ben een gastheer van niks, mag ik wel zeggen.'

Ik schud mijn hoofd. Ik voel me overweldigd door alles, weet even niet wat ik moet zeggen en ik ben hondsmoe. 'Nee hoor, ik heb geen honger.'

Guy draait zich om en kijkt me aan. Hij loopt weer naar me toe en hurkt, langzaam, want hij is geen jonge vent meer. Dan plaatst hij een vinger onder mijn kin.

'Wist jij dat ik je in mijn armen hield toen jij ongeveer een jaar oud was?' zegt hij. 'Ik wiegde je in slaap.'

'Nee. Echt?' Ik kijk hem aan.

'Ja.' Hij geeft een klopje op mijn wang. 'Arvind vierde zijn zestigste verjaardag. Met een lunch, in een groot, oud Italiaans restaurant vlak bij Redcliffe Square, waar ze nog steeds hun flat hadden. Herinner je je die nog?'

'Heel vaag.'

'Nou, ik werd dus uitgenodigd. Heel aardig van ze. Ik bewonder het werk van je grootvader, heb ik altijd al gedaan. Dus ik ging erheen, vond dat de tijd gekomen was om het hele verleden met de Kapoors te laten voor wat het is. Ik was net getrouwd, was heel gelukkig. Ik ging erheen met Frank en Louisa, en ja... daar zat Miranda, met dat kleine meisje. Het was in de zomer van '79, geloof ik. Je was zo klein; voor mij was het moeilijk te bepalen hoe oud je was.'

'Ik zal een kleine anderhalf zijn geweest,' zeg ik. 'Wat deed je toen?'

'Nou, je moeder legde je in mijn armen. Je viel bijna in slaap, dus ze zette je bij me op schoot en zei: "Zo, ga maar lekker even bij oom Guy op schoot zitten." En je schonk me zo'n tandeloze glimlach, je ogen vielen dicht en je viel in slaap.' Ik zie tranen in zijn ogen. 'Je had heel dun zwart haar dat alle kanten op stak. Je was heel betoverend.'

Hij laat zijn hoofd zakken en zijn schouders schokken. 'Het spijt me zo enorm, Natasha,' klinkt het zacht. 'Zo enorm.'

'Waar heb je dan spijt van?' vraag ik zacht.

'Dat ik zo blind was. En van de rest... voor Cecily, weet je... Er gaat geen dag voorbij zonder dat ik haar mis, dat ik wens dat we nog één dag samen hadden kunnen zijn. Door dat dagboek... herinnerde ik het me allemaal weer, al die dingen die ik was vergeten, hoe prachtig ze was. En nu jij, jij die hier voor me staat...' Zijn stem breekt.

Ik trek hem overeind zodat we allebei rechtop staan. Hij slaat zijn armen om me heen en drukt me tegen zich aan. Ik doe hetzelfde terug, zo stevig als maar kan. Niet omdat ik eindelijk mijn vader heb gevonden en alles goed is gekomen, maar meer omdat ik me afvraag of we, gezien die hele voorgeschiedenis, wel een nauwe band met elkaar kunnen hebben. Heel treurig, ook omdat hij zo'n lieve, aardige man is en ik wou dat hij gelukkiger kon zijn. Maar helaas. Ik zou willen dat ik daar iets aan kon doen.

'En jij?' vraagt hij terwijl hij zijn omhelzing verbreekt en een stap achteruit zet. Hij trekt een witte zakdoek formaat tafellaken tevoorschijn en snuit zijn neus.

'En ik?'

'Je vrienden... jouw leven, je sieraden. Daar weet ik eigenlijk niets over, hoewel ik heb geprobeerd zoveel mogelijk te weten te komen. En,' gaat hij verder terwijl hij met enige trots een stap dichterbij komt, 'ik ben onlangs bij je atelier geweest. Ik wist nog dat je had verteld dat het bijna aan het eind van Brick Lane was. Ze vertelden me waar sommige van je sieraden verkrijgbaar waren. Zo hulpvaardig.'

'Echt?' vraag ik nieuwsgierig. 'Met wie sprak je?'

'Een lieve meid. Ongelofelijk aantrekkelijk, met blond haar.'

'O,' reageer ik zuur. 'Jamie.'

'Ja. Ze was met een jongeman. Ze hingen wat rond bij de receptie. Een fotograaf. Hij zei dat hij jou ook kende. Ze leken me allemaal erg aardig.'

'Dat is Ben,' zeg ik. 'Hij is... ja, hij is een vriend van me.' Het raakt me echt dat Guy zich die moeite heeft getroost. Opeens denk ik: wat had ik het toch graag tegen Ben willen vertellen, en ik realiseer me dat het helemaal aan mij ligt. Ik moet eens ophouden zo opgefokt over hem te doen, eens korte metten maken met die rare afstandelijkheid tussen ons. We waren al zo lang vrienden voordat we elkaar kusten, en we kunnen gewoon weer vrienden worden. Het is al weken geleden. Drie, om precies te zijn. Hij is de hele tijd de hort op geweest voor twee grote projecten, maar toch bekruipt me het gevoel dat hij mij ook mijdt. Ik ga hem vanavond bellen, eens kijken of hij zin heeft om met mij en Jay wat te gaan drinken.

'Afijn, ze verwezen me naar een winkel aan Columbia Road,' gaat Guy verder. 'Ik kocht er twee kettinkjes voor de meiden.' Hij wijst

447

naar Cecily's ring die zoals altijd om mijn hals hangt. 'Ze doen me hieraan denken.' Hij glimlacht. 'Mooi.'

'Leuk dat je ze mooi vindt,' reageer ik helemaal blij verrast.

'Ze zijn echt prachtig, maar het gaat dieper,' vervolgt Guy ernstig. 'Alsof de cirkel in zekere zin weer rond is.' Hij schudt zijn hoofd. 'Ik wil niet esoterisch overkomen, want die onzin daar heb ik niks mee. Maar... Cecily droeg die ring op de dag dat ze stierf. Dat weet ik nog, dat Frances hem begon te dragen nadat ze was begraven. En je moeder heeft gelijk, net als iedereen: je lijkt inderdaad op haar.' Hij glimlacht. 'Ze was mooi, maar jij overtreft haar zelfs.'

'Ach, kom zeg,' mompel ik verlegen.

'En hoe je je hebt ontwikkeld, zo creatief, zo prachtig. Al die dingen die je met je handen maakt, die kettingen waarvan Cecily de inspiratiebron is geweest en die nu door je halfzussen worden gedragen. En ze zijn er helemaal weg van.' Hij knijpt zijn handen samen en kijkt zo trots dat ik een glimlach niet kan onderdrukken. 'Je grootmoeder was heel trots op je.'

'Ik betwijfel of ik dat wel wil,' zeg ik. 'Ik ken haar eigenlijk niet meer. Ik kan niet bevatten hoe ze al die dingen heeft kunnen doen.'

'Nee, dat is niet eerlijk, Natasha. Inderdaad, ik begrijp dat, maar ze leed er elke dag onder. Dat ene wat haar gelukkig maakte, gaf ze op: het schilderen. Dat was haar boetedoening, haar straf.' Hij laat zijn handen in zijn broekzakken glijden. 'Ze was als Icarus, weet je. Dacht dat ze ermee kon wegkomen, maar ze vloog te dicht bij de zon. Ze heeft Cecily niet vermoord, hoor.'

'Nee, maar ze vond het in zekere zin wel best om iedereen te laten denken dat mam diegene was,' reageer ik koel. 'En dat haar andere dochter van haar leven een zootje maakte, blééf maken, interesseerde haar niet. Totaal niet.'

'Klopt,' zegt hij en hij laat zijn hoofd zakken. 'Klopt. Maar toch... volgens mij was ze niet slecht.' Hij zwijgt even. 'Maar gewoon... een groot kunstenaar. Die zijn nu eenmaal zo, denk ik. En in jou ontdekte ze iets speciaals. Ik denk, mocht het je enige troost bieden, dat jij haar echt heel veel vreugde hebt gegeven, iets om voor te leven. En ik heb het gevoel dat ze wist dat ik jouw vader was.'

'Echt?'

Hij knikt. 'O, nu wel. Toen niet. Maar de manier waarop ze vlak voor haar dood die hele stichting in het leven heeft geroepen, het feit dat jij, je moeder en ik in het bestuur kwamen... ik weet zeker dat ze het daarmee wilde goedmaken. Zodat we na haar dood als het ware bij elkaar werden gebracht om zo een nieuwe start te maken.' Hij knikt. 'Ja, een nieuwe start. Wij gedrieën dus.' Hij legt een hand op mijn schouder. 'Ze was trots op je. En ik ook. Net als je moeder.'

'Pwah,' zeg ik. 'Tja.'

'Zeker wel,' benadrukt Guy. 'Ze heeft het alleen nooit kunnen zeggen. Gun haar de tijd.'

Er valt weer een stilte. 'Moet je horen, Guy, ik stap nu op. Ik wil een tijdje alleen zijn. Het allemaal rustig tot me laten doordringen.' Ik geef een kneepje in zijn hand. 'Ben je dit weekend in de buurt? Om misschien ergens een kop koffie te gaan drinken?'

'Tuurlijk, zeg het maar.' Hij houdt mijn hand in de zijne. 'Ik zou ook graag eens met Oli willen kennismaken, als dat kan?' Maar hij leest mijn blik en zegt: 'O. O jee, Natasha. Sorry. Ben ik nu aan het blunderen?'

'Nee hoor, helemaal niet.' Ik ben onder de indruk van zijn intuïtie, maar denk vervolgens: ach ja, hij is per slot van rekening mijn vader. Ik draag de helft van zijn genen in me. Weer overdondert het me hoe vreemd het allemaal is en hoe het tegelijkertijd zo volkomen juist voelt, bijna gewoon. Ik zwaai met mijn hand, met daarin de zijne. 'Het is uit tussen Oli en mij. Echt helemaal.' Zijn gezicht versombert. 'Maar het is het beste zo. Ik denk dat ik op zoek was naar iets, een familie voor mezelf, en dat was een vergissing.'

'Zoek niet verder,' zegt hij. 'Je hebt mij nu.' Ik ben je familie, Natasha. En binnenkort kun je daar Roseanna en Cecily bij optellen. We kunnen het rustig aan doen. Je hoeft heus niet bij me langs te komen als je dat niet wilt. Maar, vanaf nu staat het voor de rest van je leven vast: ik ben jouw familie, oké?'

'Oké,' zeg ik. Hij knikt ferm.

'Hand erop? Zul je me vertrouwen?'

Ik steek mijn hand weer uit, en terwijl we elkaar in de zonnige keuken glimlachend aankijken schudden we elkaar de hand.

Epiloog

'Zeg, iemand zoekt jou,' zegt Sara, het meisje van het belendende kraampje tegen me als ik terugkom van even wat koffie halen. 'Hij zei dat-ie zo meteen weer langskomt.'

Ik voel me licht gespannen vandaag en ik weet niet waarom. Er knaagt iets aan me, wat er, als ik in mijn atelier zit, meestal op neerkomt dat ik te lang in mijn eentje bezig ben geweest en ik maar beter de gang in kan lopen om bij Lily of zelfs, als ik echt wanhopig ben, bij Les, de leider van het schrijverscollectief, binnen te wippen. Ben zit al een eeuwigheid in Turkije voor een opdracht, ditmaal een chique vakantiebrochure, dus ik kan zelfs niet eens een minuutje bij hem langs. Om de haverklap wil ik even aankloppen, of schiet me iets grappigs te binnen wat ik hem kan vertellen, maar dan is hij er weer niet. Ik stuur sms'jes, maar die worden zelden beantwoord. Ik mis hem, dat is me nu wel duidelijk. Hij was er altijd voor me en ik vond het heerlijk om gewoon iemand nabij te hebben. Inmiddels besef ik dat dit juist kwam omdat híj daar zat. Was hij nu maar even langsgekomen. Ik heb wat nieuwe sieraden in mijn kraam liggen en ik heb een hele bups vrienden en contacten gemaild met het verzoek om vooral even te komen kijken. Mijn nieuwe collectie. Misschien ben ik daarom wel zo gespannen.

Ik neem weer plaats op mijn kruk en strijk over de roze fluwelen kussens waarop mijn nieuwe armbanden liggen uitgestald. Ze zijn van zilver, elk met één bedeltje: een sterretje van dik email met daarop een initiaal. Het aantal vooruitbestellingen is nu al fantastisch. Ik heb Maya parttime in dienst genomen, en volgende week heb ik zowaar een afspraak met iemand van Liberty. Ik kan het nauwelijks geloven.

Hier aan Brick Lane, in mijn kraampje op de overdekte Sunday Up-market, is het de laatste dagen − sinds ik mezelf bij de kladden heb gepakt, Cecily's ring me heeft kunnen inspireren en het weer lente is − drukker dan ooit. In haar testament blijkt oma zowel mij als Jay wat geld te hebben nagelaten. Twintigduizend pond per persoon om precies te zijn, en die moet ik verstandig besteden. Ik kan Oli nu alles terugbetalen en ook mijn schulden aflossen. Ik heb nog meer materialen ingekocht, wat geïnvesteerd in het opleuken van mijn kraam en visitekaartjes laten maken.

Het is inmiddels meer dan twee maanden geleden dat ik bij Guy op de stoep verscheen, drie maanden geleden sinds ik Ben kuste, bijna vier sinds oma overleed en Oli bij me wegging. Het gevoel bekruipt me dat deze gebeurtenissen op een goede dag deel van het verleden zullen uitmaken, een onderlaagje in mijn leven zullen vormen dat ik in gedachten naar believen weer kan opgraven. Maar de wortels liggen uiteraard een stuk dieper. Oli en ik waren vijf jaar bij elkaar, en hoewel hij en Chloe op dit moment niet bepaald boven aan mijn lijstje van intimi prijken, zie ik het wel gebeuren dat we elkaar weer ergens zullen treffen. Op Jasons verjaardagsborrel, bijvoorbeeld. Geen probleem. Helemaal niet zelfs. Ik mag hem graag. Heb ik altijd al gedaan. We hadden alleen nooit met elkaar moeten trouwen. Het is geen uitweg voor de echte problemen in je leven. Het biedt je geen schone lei.

Ik neem een slokje van mijn koffie, kijk de zonnige markthal rond en zwaai wat met mijn benen.

'Hé,' zegt een stem. 'Je bent er dus.'

Ik kijk op. 'Ben!' Ik spring van mijn kruk en glimlach naar hem. 'Je bent terug!'

Het lijkt wel eeuwen geleden sinds ik hem voor het laatst heb gezien. Bijna een maand, inmiddels, maar het lijkt veel langer. Zijn haar is weer wat gegroeid. Het is nog niet zoals vroeger, toen hij er nog harig en behaaglijk bij liep, als een oude pullover, maar het stekelige grasmatje is nu wel verdwenen. Hij ziet er slank en gebruind uit en op zijn wangen prijkt een rode blos. Zijn tanden zijn hagelwit, dat heb ik altijd al leuk aan hem gevonden.

Ja, het is goed hem weer te zien na al die tijd. De laatste paar maanden zijn we nogal raar met elkaar omgegaan, en dat had ik liever anders gehad. Nu staat hij dan voor me en ik vind het heerlijk. Hij glimlacht breed en hij spreidt zijn armen. Ik loop naar hem toe en hij drukt me tegen zich aan.

'Heerlijk je weer te zien, Nat,' zegt hij. Ik kijk op, glimlach en opeens merk ik dat ik Jamie recht in de ogen staar. Ze staat al de hele tijd achter hem. Ik doe een stap terug.

'Hé, Jamie,' zeg ik. 'Te gek jou ook weer te zien. Jullie twee. Allebei! Ha!' roep ik sullig. Klinkt volslagen absurd. 'Kom! Kijk eens naar mijn... spullen.' Ik val stil en beleefd kijken ze me aan.

Vanachter haar eigen kraampje kijkt Sara me hoofdschuddend aan, maar daarna wordt ze afgeleid. 'Natasha?' hoor ik haar zeggen, 'daar staat ze.'

'Dag schát,' groet een stem me vlak bij mijn oor. 'Is dit niet ge-wéldig?'

'Mam?' Verrast draai ik me om. 'Ha... ik had je helemaal niet verwacht.'

'Je hebt me toch uitgenodigd?' Ze buigt zich iets voorover en ze geeft me een zoen. Ik ruik haar vertrouwde geur, sandelhout met nog iets kruidigs. Vandaag heeft mijn moeder zich laten inspireren door haar favoriete periode: een prachtige cerise met turkoois zijden maxijurk plus vestje en goudkleurige sandalen. Ze oogt jonger dan ik. Wat onbeholpen haal ik een hand door mijn haar.

'Mam, je kent Ben en...' begin ik, maar ze onderbreekt me.

'Ben! Schat, hal-ló!' roept ze en ze valt hem om de hals. Ik kan er niets aan doen maar ik rol even met mijn ogen naar Jamie, die een beetje opgelaten vanaf de zijlijn toekijkt. Ik gebaar en glimlachend schudt ze haar hoofd.

'Hoe gáát het toch met je?' vraagt mijn moeder aan Ben.

'Goed. En met jou? Je ziet er fantastisch uit, Miranda.'

Nu geeft mijn moeder hem zowaar een speels duwtje. Het zou me niet verbazen als ze zou reageren met 'Toe zeg!' en een tikje op zijn hand. 'Ik kan niet zo lang blijven, hoor,' zegt ze met een brede glimlach. 'Jean-Luc trakteert me op een lunch. Bij Galvin!'

'Jean-Luc?'

'Ach, je weet wel, schat. Een heel goede vriend van me. De arme schat heeft het zwaar voor zijn kiezen gehad, maar nu is hij voorgoed van zijn vrouw verlost en gaat het weer super.'

Ik kijk haar aan en ze lijkt inderdaad te stralen. Maar misschien komt dat door de zon en haar nieuwe, zo lijkt het, diamanten oorbellen. Hoe dan ook, mijn moeder heeft het harnas weer aan, of je het leuk vindt of niet. 'Waar is hij?' vraag ik.

'O,' klinkt het vernietigend openhartig, 'hij gruwt van dit soort dingen. Hij hangt ergens in een kaaswinkel rond.'

'Leuk,' hoor ik Ben achter me mompelen. Ik wil lachen, en ik realiseer me dat lachen de enige juiste reactie is, want het heeft inderdaad wel iets grappigs.

Mijn moeder buigt zich iets naar voren. 'Deze zijn mooi, zeg,' zegt ze terwijl haar blik over mijn sieraden glijdt. Ze strijkt met twee vingers over een van de kettingen. 'Cecily's ring, schat. Ziet er mooi uit.' Ze kijkt op. 'Die zullen vast goed lopen, hm?'

'Tot nu toe heb ik er honderdvijftig van verkocht.'

'Goh.' Ze knikt. 'En deze zijn ook leuk,' zegt ze terwijl ze de armbanden oppakt. Ik was weer vergeten hoe goed ze was, met haar oog voor mooie dingen en haar zakelijke inslag die ze van god mag weten wie geërfd heeft. Ik denk weer aan wat ze allemaal niet had kunnen bereiken als ze niet zo was belazerd – of zichzelf had belazerd. Ze schuift een armband over haar ranke pols. Het blauwe email glinstert in de zonovergoten markthal. 'Ik vind hem prachtig,' zegt ze. 'Ik koop hem.' Ze zwijgt even. 'En ook die ketting.'

Terwijl ik wat tissuepapier pak om ze in te pakken, tikt Jamie me op de arm. 'Ik kwam gewoon even gedag zeggen.' Haar blonde haar glanst in het felle zonlicht.

'Ha,' groet ik, ietwat verbouwereerd en mijn ogen zoeken Ben.

'Ik ga weer. Eh, sorry. Het ziet er allemaal prachtig uit, Natasha. Ik ben echt dol op je spullen. Als je het goed vindt wip ik morgen even je atelier binnen om wat dingetjes voor mijn zussen te kopen.'

'Prima…' Ik ben aangenaam verrast maar ook een beetje verbijsterd. 'Ben, zie ik jou morgen ook?'

Ben en Jamie kijken elkaar even aan. 'Nou, tot ziens,' zegt Jamie en met gebogen hoofd trippelt ze weg.

Ben kijkt me aan. 'Nat, wat…'

Iemand tikt me op de arm. 'O. Kijk eens wie er is.'

De feitelijk gevolgen van het versturen van een e-mail naar al mijn vrienden worden me nu duidelijk. Ik zoek niet langer naar tissuepapier, maar ik kijk op en zie Guy, Roseanna en Cecily voorzichtig mijn kraam naderen. Ze ogen zenuwachtig, en dat is logisch.

Op het gezicht van mijn moeder valt niets af te lezen. Per ongeluk pak ik Bens hand vast, en laat hem meteen weer los.

'Hallo Miranda,' groet Guy haar, en hij geeft haar een zoen op de wang. Zijn handen verdwijnen in de zakken van zijn wijde ribbroek. Ze geeft een zoen terug.

'Hallo,' zegt ze.

Ik leg de kettingen neer en loop naar voren. 'Hallo, allemaal,' groet ik.

We hebben elkaar inmiddels al best vaak ontmoet, maar Roseanna en Cecily voelen zich nog steeds wat onwennig met mij, en vice versa. We steken een hand op naar elkaar. Ze hebben allebei een papieren bekertje met koffie in de hand en als ik ze zo zie, met hun skinny jeans en platte schoenen, hun lange haar, de haarclips met kraaltjes en de streepjestopjes als een zomeruniform, ben ik even helemaal vertederd. Ik weet nog niet of ze ook maar iets met mij gemeen hebben. Ik vind de meisjes fascinerend.

Mijn moeder bekijkt de twee aandachtig en ze wijst naar Cecily. 'Ik herken die ketting,' zegt ze met een glimlach. 'Ik heb er net ook eentje gekocht. Dus jullie zijn Guys dochters?'

'Ja,' antwoordt Roseanna, de oudste van de twee met een schalks glimlachje.

Dan draait mam zich naar mij om.

'Jij dus ook, hè?' zegt ze, en ze glimlacht, alsof het een ondeugend geintje is. We glimlachen allemaal en Guy en ik werpen elkaar een blik toe.

Ben doet een stap naar voren. 'Ik ga jullie met rust laten.'

'O nee, toe…' begin ik.

'Nee echt, ik moet jullie nu met rust laten, want ik heb met Jay in de Pride of Spitalfields afgesproken voor een drankje. We… joh, ik zie je later, Nat.' Hij geeft een klopje op mijn rug en hij is al verdwenen voordat ik iets kan zeggen.

Blijven over mijn moeder, mijn vader, mijn twee zussen, rondom mijn krakende oude kraampje terwijl mensen om ons heen drommen en alles volkomen normaal oogt, behalve dan dat het verre van normaal is.

De twee meisjes staren verlegen naar de grond en mam en Guy glimlachen ongemakkelijk naar elkaar.

'Hoe gaat het met de winkel?' vraagt ze.

'Goed, goed,' antwoordt Guy. 'Dat reisje naar Marokko klinkt trouwens niet slecht. Verder nog reisplannen?'

'O, misschien dat Jean-Luc en ik later deze zomer nog naar La Rochelle gaan,' antwoordt ze luchtig. 'Hij heeft daar een huis.' Ze gesticuleert uitbundig om daarmee iets te benadrukken, ofwel Jean-Lucs aanwezigheid in de nabije omtrek dan wel het bestaan van La Rochelle, ik kan het niet echt duiden. 'En… en met jou?'

Dan bijt ze op een nagel. Ik zie het. Ze is nerveus. Ze is nerveus.

'Hannahs zus heeft een huis op Martha's Vineyard,' is zijn antwoord. 'Daar gaan we 's zomers altijd een weekje naartoe. Het is er prachtig.'

'Zeker weten,' zegt mam. 'Leuk, zeg.' Ze kijkt de meisjes aan. 'Jullie gaan ook, eh… Sorry, ik weet jullie namen niet. Wat erg nou.'

'Ik ben Roseanna,' zegt Roseanna. 'En dit is Cecily.'

Met een wazige glimlach op haar gezicht valt mijn moeder volledig stil, alsof ze plotseling versteend is. Dan knikt ze en ze schudt de twee de hand. 'Mooie namen,' zegt ze. 'Mijn zus heette ook Cecily.'

'Weet ik,' zegt Cecily, die voor het eerst haar mond opendoet. 'Pap vertelde me altijd dat hij u twee de spannendste zussen vond die hij ooit had ontmoet. Hij had het altijd over u. We hebben nog een foto van u tweeën in de woonkamer.'

Mam lijkt compleet verbouwereerd. 'Ons tweeën?' Het klinkt onzeker.

'Jullie tweeën, ja,' zegt Guy. 'Wat dacht je dan? Ik heb jullie zelf gekiekt, die zomer.'

'Dat… dat is geweldig,' reageert ze.

'Nou,' vervolgt Guy na een korte stilte, 'we gaan maar weer eens. We wilden je alleen maar even gedag zeggen en je vragen of je vanavond inderdaad bij ons komt eten, Natasha?'

'Tuurlijk,' zeg ik. 'En Jay ook, als hij nog steeds welkom is?'

'Natuurlijk,' antwoordt Guy. Roseanna bloost. Ik frons. Jay ziet mijn halfzus wel zitten. Zelf ben ik daar niet zo van gecharmeerd.

We nemen afscheid. 'Echt leuk je weer te zien,' zegt Guy terwijl hij mijn moeder nog een zoen geeft. 'Ik zie je snel weer, ja toch?'

Hij houdt haar hand nog even vast en dan zijn ze weg.

Ik kijk hen na, draai me opzij naar mijn moeder en ik zie dat haar ogen glinsteren van tranen die ze nooit heeft gehuild.

'Mam…?' vraag ik onbeholpen.

'Ja?' Ze trommelt met haar vingers tegen de rand van de kraam.

'Wat bedoelde hij daarmee? "Ik zie je snel weer"?'

'Helemaal niets. Het is Guy ten voeten uit. Heel lief, maar van nature niet in staat om een knoop door te hakken. Niet langer de jongen die hij al die jaren was, dat is wel duidelijk.' Haar ogen volgen hem terwijl hij wegloopt.

Ik weet dat zij zo meteen ook afscheid zal nemen en weer de hort op gaat, dus waag ik het opnieuw. 'Was je verliefd op hem?' vraag ik. 'Is dat het?'

Mam hijst haar tas over haar schouder en ze kijkt me aan.

'Ja,' is het antwoord. Ze knikt.

Zo'n direct antwoord had ik niet verwacht. Zeker niet na al die jaren van halve waarheden en geheimen. Mijn steevast ontwijkende, niet te vangen moeder. 'Juist, ja,' reageer ik geschokt. 'Dat wist ik niet.'

'Natuurlijk niet. Maar goed, ik was het dus wel. Niet meteen, maar toen we elkaar weer ontmoetten... ja. Bijna de hele jaren zeventig ben ik verliefd op hem geweest, telkens hopend dat hij terug zou komen als hij het weer eens met Hannah te had uitgemaakt, dat hij zou zien hoe fantastisch iedereen me vond. Ik kreeg vrienden zover om wilde feestjes in vervallen villa's te organiseren zodat ik me kon uitsloven en hij voor mij zou kiezen. Ja. En altijd nam-ie weer de benen. Ik kon hem niet aan me binden.' De toon is volkomen nuchter. 'Ik wist dat ik hem aan het verliezen was, dat hij niet echt belangstelling had. Ik bedoel, ja, hij was onder de indruk, maar ik geloof niet dat hij van me hield zoals wanneer je juist graag met iemand samen wil zijn. Ik wist dat hij terug zou gaan naar de States, het weer zou bijleggen met dat Amerikaanse type.'

Dan houdt ze haar hand op voor de ketting en de armband. Ik leg ze, verpakt in het papieren zakje, in haar handpalm. 'Maar ach, dat is allemaal zo lang geleden, schat.' Haar groene ogen, ze lijken hier wel lichtgevend, knipperen fel en ik weet dat ze jokt. 'Maar je moet één ding geloven. Toen ik ontdekte dat ik zwanger van hem was, was dat de mooiste dag van mijn leven. Dat is wie jij bent, schat. De helft van ons beiden.'

Ik knik. 'Hij is een schat.'

Ze slikt en ze schudt haar hoofd, alsof ze het er niet mee eens is. Maar haar stem stokt even als ze zegt: 'Hij is een schat van een man.

Ik hou van hem. Altijd gedaan. Afijn... Eens kijken waar Jean-Luc uit-hangt.'

'Mam...!' zeg ik terwijl er bij mij een lichtje gaat branden. 'Doe niet zo gek. Kun je niet... Hij is zo eenzaam. Ik weet dat hij graag weer iemand wil vinden. Waarom jou niet?'

Ze haalt het kettinkje uit het zakje, doet het om, en trekt het een beetje recht zodat het keurig op de zijden jurk hangt en het gouden kettinkje tegen haar gladde, karamelkleurige huid valt. 'Schat, dat dacht ik toen ook, weet je. Maar voor ons is het te laat. Veel en veel te laat. Zoals ik al zei: het verleden is te heftig. Mijn hele leven draaide om het verleden. Het is fijn om met iemand anders een nieuwe start te maken. Dat is de treurige waarheid. Maar ik zal altijd van hem blij-ven houden.' Haar ogen sperren zich open. 'Hij is bovenal je vader.' En dan: 'Dat is de enige raad die ik je ooit kan geven: wacht niet te lang. Dat je later zegt, had ik tien jaar geleden die stap maar gezet. Maar doe het nu.'

'Nu?'

'Nu,' herhaalt ze ferm. 'Ik moet nu echt gaan. Tot ziens. Ik ben heel trots op je.'

Zonder een zoen of nog een laatste afscheid loopt ze weg. Met open mond staar ik haar na en lusteloos, alsof ik een hele week niet heb geslapen, plof ik weer op mijn kruk. Ik zie haar in de verte ver-dwijnen, de felle kleuren van haar jurk als de veren van een pauw die pronkt in de zon.

'Leuk mens, zeg. Is dat je moeder?' vraagt mijn buurvrouw Sara, die alles nieuwsgierig heeft gadegeslagen. 'Je hebt een behoorlijk uit-gebreide familie, hè?' Ze lacht. Ik kijk haar aan en ook ik schiet in de lach.

'Hou op schei uit. En jij?'

'Gigantisch,' antwoordt ze met een zucht. 'Maar ik vertel ze mooi niet waar ik mijn kraam heb, o nee. Zal ik je vertellen over mijn eer-ste kraam? Mijn twee zussen kwamen langs en al meteen zeiden ze dat ik alles op de verkeerde plek had uitgestald. Ben ze bijna aange-vlogen! Familie, hè? Altijd hetzelfde.'

Ik lach even. 'Hou maar op,' zeg ik, en ik glijd van mijn kruk. 'Saz, zou je me een plezier willen doen en vijf minuutjes een oogje in het zeil kunnen houden?'

Ze knikt. 'Oké, maar als je terugbent ben jij aan de beurt.'

'Tuurlijk. Ik moet even ergens naartoe,' zeg ik en met een korte zwaai ren ik ervandoor.

Ik ren de markthal uit en vervolgens Brick Lane in, laverend tussen de mensenmassa's die traag langs de op straat uitgestalde planten, snuisterijen en frisdranken schuifelen. Het is warm en het loopt tegen de middag. Ik schiet van links naar rechts, duik achter de kraampjes langs terwijl mijn neus zich vult met de geur van burrito's, koffie, wiet, kruiden en uitlaatgassen, horend bij het hart van de stad; een wereld op zich en een mensenleven verwijderd van Cornwall. Terwijl ik al rennend Princelet Street passeer blik ik even opzij naar mijn oude woning en loop ik bijna een oude Bengaalse man omver.

Ik sla Henegage Street in, totdat ik twee zijstraten ben gepasseerd. Afgepeigerd blijf ik staan. Daarginds is de Pride of Spitalfields, netjes weggestopt, met een plukje drinkers buiten in de zon. Een van hen tuurt naar me.

'Nat?' Het is Jay. 'Je houdt het al gezien voor vandaag?'

Ik schud van nee. 'Geef me een minuutje, wil je?' vraag ik hem, hijgend van het rennen.

Zijn metgezel staat met zijn rug naar me toe gekeerd. Het is Ben. Hij draait zich om en kijkt me aan. 'Geef haar een minuutje. Ze heeft totaal geen conditie.'

'Nee. Jíj, Jay,' zeg ik, happend naar lucht. 'Geef me even een minuutje alleen, bedoel ik. Wegwezen.'

Ik gebaar hem dat hij moet opzouten.

Hij kijkt me aan alsof ik volkomen gestoord ben. 'Dan ga ik nog wat bestellen,' zegt hij. 'Wat zal het zijn?'

'Een wodka-gin en tonic,' zegt Ben meteen. 'En een glas water, als ik haar zo eens bekijk.'

Dankbaar knik ik naar hem, waarna Jay in de donkere pub verdwijnt.

'Hé Nat,' groet Ben. Het klinkt vriendelijk maar ook wat behoedzaam. 'Leuk je weer te zien. Waar is je moeder gebleven?'

'Lunchen met een vriendje,' zeg ik. Eindelijk weer op adem gekomen recht ik mijn rug. 'Ze vertelde me iets. Het leek me maar beter om even hierheen te komen en het jou ook te vertellen, want...' ik adem even langzaam in, en weer uit, 'want het is belangrijk.'

'Oké.' Hij zet een paar stappen weg van de anderen zodat we in de schaduw van de huizen belanden. 'Hoe bedoel je?'

'Ik bedoel... eh, nou. Daar gaat-ie dan.' Ik haal diep adem. 'Kijk. Ik weet dat je iets met Jamie hebt. Ik zag jullie op een avond samen.'

'Ho even.' Ben brengt een hand omhoog. 'We hebben niks met elkaar.'

'Jawel.'

'Nee, niet dus. Oké, een paar maanden geleden heb ik met haar gezoend, we waren allebei een beetje dronken. Je hebt ons gezien?' Hij knippert met zijn ogen.

Ik lijk wel een stalker. 'Ja,' zeg ik. 'Ik moest even in mijn atelier zijn, en jullie stonden daar. In het donker...'

'Les had die lezing in het souterrain, weet je nog? Jij kon niet mee. Jamie en ik gingen wel. Het was...' Hij huivert. 'Nogal zware kost. Over een jongen die geen vingers heeft en in Chatham opgroeit en zich bij een bende aansluit. Jamie gaf me een paar teugjes uit haar heupflesje.'

Ja, ja. Jamie met haar handige heupflesje. Bekijk het, denk ik.

'Na afloop werd er drank geschonken...' Hij kijkt me indringend aan. 'We hebben niks samen, Nat. Als er iemand is die dat hoort te weten dan ben jij het wel.'

'Maar jullie waren met z'n tweeën! Samen!'

'Nee, dat waren we niet!' Hij klinkt steeds luider en wanhopiger. 'Is dat de reden waarom je die laatste weken zo vreemd deed, voordat ik wegging? Jezus!' Zijn gezicht staat furieus. 'Luister. Ik kom daar aan, kijk wat om me heen, en zij is er ook! Het lijkt me niet onaannemelijk dat als jij ons uitnodigt om rond-het-middag-uur op een bepaalde plek aanwezig te zijn, we elkaar dus tegen het lijf zullen lopen, ja toch?'

'Oké, oké, ik snap het.' Ik schraap mijn keel. 'O. Oké. Dus... jullie zijn niet samen?'

'Geloof me, op dit soort momenten wou ik dat het wel zo was,' benadrukt hij langzaam. 'Maar nee, dat zijn we niet.'

'O,' zeg ik weer.

'Wat wilde je me vragen?'

'Laat maar zitten.' Ik haal een hand langs mijn voorhoofd. 'Luister... ik denk dat ik maar beter weer naar mijn kraam kan gaan...'

Hij vangt mijn hand in de zijne. Hij glimlacht. 'Nat, geintje. Ik wil helemaal niks met Jamie. Ik bedoel, ze is ontzettend lief, maar we passen totaal niet bij elkaar. Ze houdt niet eens van Morecambe and Wise, om maar eens wat te noemen. Oké, opnieuw: wat wilde je me vragen?'

Ik haal diep adem en na al dat rennen, de felle zon en de ontwikkelingen van het afgelopen uur voel ik me volkomen licht in het hoofd.

'Nou,' begin ik, 'mam zei dat ik ervoor moet gaan. Dus dat ga ik nu doen ook. Ben… ik vroeg me af, heb je zin om binnenkort ergens wat met me te gaan drinken?'

Zijn blik bevriest. Met een bonkend hart kijk ik hem aan.

'Meen je dat echt?' zegt hij. 'Vraag je me echt, écht uit?'

'Ja,' antwoord ik. 'Hoezo, heb je geen…'

Hij keert me de rug toe en de moed zinkt me in de schoenen, maar hij zet alleen maar even zijn glas op de grond. 'Kom eens hier,' zegt hij en hij trekt me tegen zich aan, kust mijn haar en buigt zijn hoofd naar me toe. Ik breng mijn lippen naar de zijne en we kussen elkaar.

'Ja,' antwoordt hij even later. 'Ik ga graag binnenkort eens wat met je drinken. Wanneer? Vanavond?'

Ik streel hem over zijn wang, zijn zalige lippen, en mijn vingertoppen volgen de omtrek van zijn verrukkelijke, zachte ogen. 'Ik moet eerst bij mijn nieuwe pa en mijn halfzusjes gaan eten en een oogje in het zeil houden, voordat Jay op de versiertoer gaat,' zeg ik. 'Beetje ingewikkeld allemaal.'

'Nee,' zegt Ben terwijl hij me weer kust. 'Juist heel eenvoudig. Ik zie je morgen dus.'

'Te gek,' zeg ik met een onnozele grijns op mijn gezicht. Ik blijf maar glimlachen. 'En overmorgen?'

'En ook over-overmorgen misschien.' Ben doet een stap achteruit, kijkt ernstig en glimlacht weer. 'Ik geloof mijn ogen niet, weet je? Ik ben al zo lang gek op je. Maar ik wist niet hoe ik je kon helpen. Ik dacht dat je nooit de stap zou zetten, je aan je oude leventje zou ontworstelen.'

Ik voel de spieren onder zijn shirt nu hij weer een stap naar voren zet en me opnieuw tegen zich aan drukt. Ik denk aan Cecily's dagboek, de plek waar het nu ligt, op de bodem van de zee, of misschien aangespoeld, ergens op een ander strand. 'Cecily hielp me,' zeg ik. 'Het is allemaal dankzij haar.'

De buitendeur van de pub zwaait open en Jay verschijnt weer, met in zijn handen een dienblad met drankjes. Doodgemoedereerd kijkt hij ons aan terwijl we ons aan elkaar vastklampen alsof we elkaar net hebben gevonden, en hij grijnst tevreden naar ons.

Ben en ik kussen elkaar weer, en dan kijk ik omhoog naar de hemel, blauw en oneindig boven de smalle straten waar mam van haar uitgekiende lunch geniet, Guy met zijn dochters terugwandelt naar het hoge witte huis in Angel, Islington, waar wij met ons allen en ieder voor zich ondertussen gewoon ons best doen om deel van één grote, blije familie te zijn, wat dat in hemelsnaam ook mag inhouden. Met veel vallen en opstaan, en soms met succes. 'Dank je,' fluister ik terwijl de zon mijn gezicht warmt. 'Dank je.'

Dankwoord

Wat sieraden en zakelijk advies betreft ben ik enorm veel dank verschuldigd aan Sarah Lawrence van het fantastische www.girlgang.co.uk: neem vooral eens een kijkje op die site. Voor alle ins en outs van Oost-Londen dank ik Maura Brickell voor haar plaatselijke rondleidingen en het prima contact. Ook dank ik de dames van Oost-Londen: Cat Cobain, Leah Woodburn en Claire Baldwin, en zoals altijd Thomas Wilson en Pamela Casey. Verder bedank ik Rebecca Folland, die me door de moeilijke momenten heen heeft gesleept, Anita Ahuja voor haar hulp met de Indiase namen, Nicole Vanderbilt en Maria Rodriguez, die me al zo lang geleden aanspoorden de pen ter hand te nemen ('Luister, chica...'), iedereen van Curtis Brown (met name Liz Iveson en Carol Jackson) en natuurlijk Jonathan Lloyd (met een speciaal bedankje aan Marion).

In het bijzonder bedank ik mijn ouders Phil en Linda, voor hun herinneringen, steun en advies.

Verder iedereen bij HarperCollins, met name Lynne Drew voor haar redactionele adviezen, enorm bedankt!

Een bijzondere vermelding voor de leden van Sleazy Velvet en een luid HALLO! aan mijn neef Jake.

En tot slot, mijn grootste dank aan Chris, die brood voor me bakt en me zo gelukkig maakt.

Bibliografie

Tijdens het schrijven van dit boek heb ik meerdere andere titels gelezen die me enorm hebben geholpen en vandaar dat ik die hieronder opsom. Hierbij dien ik uiteraard wel duidelijk te vermelden dat eventuele fouten natuurlijk geheel van mij zijn:

The Denning Report: John Profumo & Christine Keeler (Uncovered Editions, 1999)

The Pendulum Years: Britain in the Sixties, Bernard Levin (Jonathan Cape, 1970)

That Was Satire That Was: Beyond the Fringe, The Establishment Club, Private Eye and That Was The Week That Was, Humphrey Carpenter (Victor Gollancz, 2000)

Bringing the House Down, David Profumo (John Murray, 2006)

The Duleep Singhs: The Photograph Album of Queen Victoria's Maharajah, Peter Bance (Sutton Publishing, 2004)

The Maharajah's Box, Christy Campbell (HarperCollins, 2000)

Daphne, Justine Picardie (Bloomsbury, 2008)

Soho Night & Day, Frank Norman & Jeffrey Bernard (Secker & Warburg, 1966)

Cornwall: A Shell Guide, John Betjeman (Faber, 1964)

Liberty & Co. in the Fifties and Sixties, Anna Buruma (ACC Editions, 2008)

The 1940s Home, Paul Evans (Shire Library, 2009)

The 1950s Home, Sophie Leighton (Shire Library, 2009)